UNIVERSAL
DICTIONARY
LANGENSCHEIDT
DIZIONARIO
UNIVERSAL

LANGENSCHEIDT
DIZIONARIO UNIVERSAL

INGLESE-ITALIANO
ITALIANO-INGLESE

LANGENSCHEIDT

BERLINO · MONACO · VIENNA
ZURIGO · NEW YORK

The Italian alphabet and its equivalent English pronunciation

L'alfabeto italiano e la pronuncia inglese equivalente

a	**ma**re	as in **fa**ther but shorter
b	**b**abbo	as in English
c	**c**erto	before *e* and *i* as *ch* in **ch**urch;
	canto	before *a*, *o*, *u* almost as in **c**ake
d	**d**ado	as in English
e		has two sounds:
	b**e**llo	open as in b**e**d
	n**e**ve	there's no equivalent in English; the open stressed *e* is indicated by a grave accent: *è*
f	**f**orte	as in English
g	**g**elo	before *e* and *i* as in **g**eneral;
	gatto	before *a*, *o*, *u* as in **g**ate
h	**h**anno	not pronounced
i	v**i**no	as in ma**ch**ine
l	**l**ana	as in English
m	**m**adre	as in English
n	**n**on	as in English
o		has two sounds:
	l**o**tta	open as in p**o**t
	n**o**me	closed, almost as in **o**rder; the open stressed *o* is indicated by a grave accent: *ò*
p	**p**ane	as in English
r	**r**otto	produced with the tongue against the upper teeth
s		has two sounds:
	sole	unvoiced as in ca**s**e
	ro**s**a	voiced as in chee**s**e
t	**t**utto	as in English
u	fi**u**me	as *oo* in c**oo**l but shorter

v	**venire**	as in English
z		has two sounds:
	pre**zz**o	unvoiced as *ts* in ha**ts**
	me**zz**o	voiced as *ds* in mai**ds**
j	⎫	these letters do not
k	⎬	belong to the Italian
		alphabet and are
w		found only in foreign
x	⎭	words
y		

Grouped consonants

ch	employed only before *e* and *i* to retain the hard sound of *c*, e.g. *che, chi, chiamare*
gh	similarly employed to retain the hard *g* before *e* and *i*, e.g. *luoghi, laghi*
gl	before *i* resembling English *lli* in bi**lli**ards, e.g. *gli, biglietto*
gn	resemble the English *ni* in o**ni**on, e.g. *ogni, compagno*
qu	has the value of the English *qu* in **qu**ick, e.g. *qui, quelli*

A

a [ei, ə] un, una, uno

aback [ə'bæk]: **be taken ~** rimanere sconcertato

abandon [ə'bændən] *v/t* abbandonare; **~ment** abbandono *m*

abashed [ə'bæʃt] confuso

abate [ə'beit] *v/t* (*anger*, *pain*) calmarsi; (*waters*) ritirarsi

abb|ess ['æbis] (ab)badessa *f*; **~ey** ['~i] abbazia *f*; **~ot** ['~ət] abate *m*

abbreviat|e [ə'bri:vieit] *v/t* abbreviare; **~ion** abbreviazione *f*

abdicate ['æbdikeit] *v/i* abdicare

abdomen ['æbdəmen] addome *m*

abduct [æb'dʌkt] *v/t* rapire

abeyance [ə'beiəns]: **in ~** in sospeso

abhor [əb'hɔ:] *v/t* aborrire; **~rence** [~'ɔrəns] orrore *m*; **~rent** odioso; ripugnante

abide [ə'baid] *v/t*, *v/i*, *irr* attenere; sopportare

ability [ə'biliti] abilità *f*

abject ['æbdʒekt] abietto

abjure [əb'dʒuə] *v/t* abiurare; ripudiare

able [eibl] capace abile; **be ~ to** essere capace di

abnormal [æb'nɔ:məl] anormale

aboard [ə'bɔːd] a bordo; **all ~** tutti a bordo

aboli|sh [ə'bɔliʃ] *v/t* abolire; **~tion** [æbou'liʃən] abolizione *f*

A-bomb ['eibɔm] bomba *f* atomica

abominable [ə'bɔminəbl] abominevole

abortion [ə'bɔːʃən] aborto *m*

abound [ə'baund] *v/i* abbondare

about [ə'baut] *prp* intorno a; vicino a; *adv* pressappoco; all'incirca; intorno; **be ~ to** stare per

above [ə'bʌv] sopra, al di sopra; **~ all** soprattutto

abreast [ə'brest] allineati; **walk ~** camminare sottobraccio con qu.; **be ~ of** essere al corrente

abridge [ə'bridʒ] *v/t* abbreviare

abrupt [ə'brʌpt] brusco

abscess ['æbsis] ascesso *m*

absence ['æbsəns] assenza *f*

absent ['æbsənt] *a* assente; [æb'sent] *v/r* assentarsi; **~ minded** distratto

absolute ['æbsəluːt] assoluto

absolve [əb'zɔlv] *v/t* assolvere

absorb

absor|b [əb'sɔːb] *v/t* assorbire; **~ption** assorbimento *m*

abstain [əb'stein] *v/i* astenersi da; **total ~er** astemio *m*

abstinence ['æbstinəns] astinenza *f*

abstract ['æbstrækt] *a* astratto; *s* riassunto *m*; **in the ~** in teoria; [~'strækt] *v/t* astrarre; riassumere; **~ed** [~'stræktid] distratto

absurd [əb'sɔːd] assurdo; **~ity** assurdità *f*

abundan|ce [ə'bʌndəns] abbondanza *f*; **~t** abbondante

abus|e [ə'bjuːs] *s* abuso *m*; [~z] *v/t* abusare di; **~ive** abusivo

abyss [ə'bis] abisso *m*

academ|ic [ækə'demik] accademico; **~y** [ə'kædəmi] accademia *f*

accelerat|e [ək'seləreit] *v/t* accelerare; **~ion** [~'reiʃən] accelerazione *f*; **~or** acceleratore *m*

accent ['æksənt] accento *m*; **~uate** [æk'sentjueit] *v/t* accentuare; **~uation** accentuazione *f*

accept [ək'sept] *v/t* accettare; **~ance** accettazione *f*

access ['æksess] accesso *m*; **~ible** [ək'sesəbl] accessibile

accessory [ək'sesəri] *s*, *a* accessorio (*m*)

accident ['æksidənt] incidente *m*; **by ~** per caso; **~ insurance** assicurazione *f*

contro gli infortuni; **~al** per caso

acclimatize [ə'klaimətaiz] *v/t* acclimatare; *v/r* acclimatarsi

accomodat|e [ə'kɔmədeit] *v/t* accomodare; conciliare; obbligare; alloggiare; **~ing** compiacente; **~ion** alloggio *m*; **seating ~ion** posti *m/pl* a sedere

accompan|iment [ə'kʌmpəniment] accompagnamento *m*; **~y** *v/t* accompagnare

accomplice [ə'komplis] complice *m*

accomplish [ə'kompliʃ] *v/t* compiere; completare; finire; **~ed** perfetto; colto; **~ment** talento *m*; compimento *m*

accord [ə'kɔːd] *s* accordo *m*; consenso *m*; *v/t* accordare; concedere; **~ing to** conforme a

accordeon [ə'kɔːdjən] fisarmonica *f*

account [ə'kaunt] conto *m*; resoconto *m*; racconto *m*; **on ~ of** per ragione di; **on my ~** per conto mio; **on no ~** per nessuna ragione, in nessun caso; **~ for** rendere conto di; spiegare; **take into ~** prendere in considerazione; **~ant** ragioniere *m*; contabile *m*; **current ~** conto *m* corrente

accredit [ə'kredit] *v/t* accreditare

accrue [ə'kruː] *v/i* provenire, derivare, accumularsi

accumulate [ə'kju:mjuleit] v/t accumulare

accura|cy ['ækjurəsi] accuratezza f, precisione f; **~te** ['~it] accurato, preciso

accus|ation [ækju(:)'zeiʃən] accusa f; **~e** [ə'kju:z] v/t accusare; **~er** accusatore m

accustom [ə'kʌstəm] v/t abituare; **become ~ed to** v/r abituarsi a

ace [eis] asso m

acetic [ə'si:tik] **acid** acido m acetico; **~ylene** [ə'setili:n] acetilene m

ache [eik] s dolore m; v/i far male, dolere

achieve [ə'tʃi:v] v/t compiere; condurre a termine; raggiungere; ottenere; **~ment** compimento m; realizzazione f; successo m; raggiungimento m

acid ['æsid] acido m

acknowledge [ək'nɔlidʒ] v/t riconoscere, ammettere; **~ receipt** accusare ricevuta; **~ment** riconoscimento m, ammissione f

acme ['ækmi] acme f

acne ['ækni] acne f

acorn ['eikɔ:n] ghianda f

acoustics [ə'ku:stiks] pl acustica f

acquaint [ə'kweint] v/t far sapere, far conoscere; **be ~ed with** conoscere; **~ance** conoscenza f

acquire [ə'kwaiə] v/t acquistare; **~sition** [ækwi-'ziʃən] acquisto m

acquit [ə'kwit] v/t assolvere; **~tal** assoluzione f

acre ['eikə] acro m (4047 metri quadrati)

acrobat ['ækrəbæt] acrobata m, f; **~ics** pl acrobazie f/pl

across [ə'krɔs] attraverso; **go ~, come ~** v/i attraversare; **come ~** v/i capitare

act [ækt] s atto m; v/t agire; thea recitare; **~ing** recitazione f; **~ion** azione f

activ|e ['æktiv] attivo; **~ity** [æk'tiviti] attività f

act|or ['æktə] attore m; **~ress** attrice f

actual ['æktʃuəl] effettivo, vero

acute [ə'kju:t] acuto

adapt [ə'dæpt] v/t adattare; **~er** riduttore m

add [æd] v/t aggiungere; addizionare; **~ up** far la somma, sommare

adder ['ædə] vipera f

addict ['ædikt] tossicomane m

addition [ə'diʃən] aggiunta f; addizione f; **in ~ to** inoltre

address [ə'dres] s indirizzo m; v/t indirizzare; **~ o.s. to** rivolgersi a; **~ee** [ædre'si:] destinatario m

adequate ['ædikwit] adeguato, sufficiente

adhere [əd'hiə] v/t aderire; **~nt** aderente

adhesive [əd'hi:siv] adesivo; **~ tape, ~ plaster** cerotto m

adieu [ə'dju:] addio

adjacent [ə'dʒeisənt] adiacente

adjective

adjective [ˈædʒiktiv] aggettivo *m*

adjoin [əˈdʒɔin] *v/t* essere
adiacente a

adjourn [əˈdʒəːn] *v/t* rimandare, rinviare

adjunct [ˈædʒʌŋkt] accessorio

adjure [əˈdʒuə] *v/t* scongiurare

adjust [əˈdʒʌst] *v/t* aggiustare

administ|er [ədˈministə] *v/t*
amministrare; **~ration** amministrazione *f*; **~rative**
[~trativ] amministrativo;
~rator amministratore *m*

admirable [ˈædmərəbl] am-
mirevole

admiral [ˈædmərəl] ammiraglio *m*

admir|ation [ædməˈreiʃən]
ammirazione *f*; **~e** [ədˈmaiə]
v/t ammirare

admiss|ible [ədˈmisəbl] am-
missibile; **~ion** ammissione
f; **~ion** (ticket) (biglietto *m*
d') ingresso *m*

admit [ədˈmit] *v/t* ammettere; confessare; **~tance** ammissione *f*; **no ~tance** vieta-
to l'ingresso

admonish [ədˈmɔniʃ] *v/t*
ammonire

adolescence [ˌædouˈlesəns]
adolescenza *f*

adopt [əˈdɔpt] *v/t* adottare;
~ion adozione *f*

ador|able [əˈdɔːrəbl] adora-
bile; **~ation** [ædəˈreiʃən]
adorazione *f*; **~e** [əˈdɔː] *v/t*
adorare

adorn [əˈdɔːn] *v/t* adornare

adroit [əˈdrɔit] destro; abile

adult [ˈædʌlt] *a*, *s* adulto (*m*)

adulter|ate [əˈdʌltəreit] *v/t*
adulterare; sofisticare; **~er**
adultero(a) *m* (*f*); **~y** adulte-
rio *m*

advance [ədˈvɑːns] *s* avanza-
mento *m*; progresso *m*; *v/i*
avanzare; progredire; **in ~**
in anticipo

advantage [ədˈvɑːntidʒ]
vantaggio *m*; **take ~ of** approfittare di; **~ous** [ædvən-
ˈteidʒəs] vantaggioso

advent [ˈædvənt] avvento *m*

adventur|e [ədˈventʃə] av-
ventura *f*; **~er** avventuriero
m; **~ous** avventuroso

adverb [ˈædvəːb] avverbio *m*

advers|ary [ˈædvəsəri] av-
versario *m*; **~e** [~ˈvəːs] av-
verso

advertise [ˈædvətaiz] *v/t* fare pubblicità; mettere una
inserzione sul giornale; **~e-
ment** [ədˈvəːtismənt] re-
clame *f*; avviso *m* pubblicitario; inserzione *f*; **~ing** re-
clame *f*; pubblicità *f*; **~ing
film** film *m* pubblicitario

advice [ədˈvais] consiglio *m*

advis|able [ədˈvaizəbl] con-
sigliabile; **~e** *v/t* consigliare

advocate [ˈædvəkeit] *s* so-
stenitore *m*; for avvocato *m*;
v/t sostenere; difendere

aerial [ˈɛəriəl] *a* aereo; *s* antenna *f*

aero|drome [ˈɛərədroum]
aerodromo *m*; **~nautics**
[~ˈnɔːtiks] aeronautica *f*;

~plane aeroplano *m*

aesthetic [iːs'θetik] estetico; **~s** *pl* estetica *f*

affable ['æfəbl] affabile

affair [ə'fɛə] affare *m*, faccenda *f*

affect [ə'fekt] *v/t* riguardare, interessare; colpire; ripercuotere su; commuovere; **~ed** affettato; commosso; **~ion** affezione *f*; infezione *f*; **~ionate** [~nit] affettuoso

affinity [ə'finiti] affinità *f*

affirm [ə'fəːm] *v/t* affermare; **~ation** [ˌæfə'meiʃən] affermazione *f*; **~ative** [ə'fəːmətiv] affermativo

afflict [ə'flikt] *v/t* affliggere di; **~ion** afflizione *f*

affluen|ce ['æfluəns] affluenza *f*; **~t** affluente *m*

afford [ə'fɔːd] *v/t* fornire; permettersi; **I can't ~it** non me lo posso permettere

affront [ə'frʌnt] s oltraggio *m*; *v/t* affrontare; oltraggiare

afraid [ə'freid] impaurito; **be ~** avere paura

Africa ['æfrikə] Africa *f*; **~n** *s*, *a* africano

after ['ɑːftə] *prp*, *adv* dopo; *conj* dopo che; **~noon** pomeriggio *m*; **~wards** dopo

again [ə'gen] di nuovo; **now and ~** ogni tanto; **~ and ~** ripetutamente

against contro

age [eidʒ] *s* età *f*; *v/t*, *v/i* invecchiare; **of ~** maggiorenne; **under ~** minorenne; **~d** anziano

agen|cy ['eidʒənsi] agenzia *f*; **~t** agente *m*, rappresentante *m*

aggrandize ['ægrəndaiz] *v/t* ingrandire

aggravate ['ægrəveit] *v/t* aggravare; esasperare

aggregate ['ægrigeit] *v/t* aggregare

aggression [ə'greʃən] aggressione *f*; **~ive** aggressivo; **~or** aggressore

agile ['ædʒail] agile

agitate ['ædʒiteit] *v/t* agitare; **~ion** agitazione *f*; **~or** agitatore *m*

ago [ə'gou] fa; **a year ~** un anno fa; **long ~** molto tempo fa

agonizing [ə'gənaizin] angoscioso; **~y** angoscia *f*

agree [ə'griː] *v/i* essere d'accordo; andare d'accordo; **~able** piacevole; simpatico; **~ment** accordo *m*

agricultur|al [ægri'kʌltʃərəl] agricolo; **~e** agricoltura *f*; (*faculty*) agraria *f*; **~(al)ist** agricoltore *m*

ague ['eigjuː] febbre *f* intermittente

ahead [ə'hed] avanti; **straight ~** diritto avanti

aid [eid] *s* aiuto *m*; *v/t* aiutare; **first ~** pronto soccorso *m*

ailing ['eilin] sofferente

aim [eim] *s* mira *f*; scopo *m*; *v/i* mirare; **~less** senza scopo; **~ment** accordo *m*

air [ɛə] aria *f*; **in the open ~** all'aria aperta; **~bed** materasso *m* pneumatico; **~-conditioning** condizionamento *m* dell'aria; **~craft**, **~ liner**, **~plane** aeroplano *m*; **~ force** Aeronautica *f* militare; **~line** linea *f* aerea; **~mail** posta *f* aerea; **~port** aeroporto *m*; **~ pressure** pressione *f* dell'aria; **be ~sick** sentir nausea; **~tight** ermetico; **~ traffic** traffico *m* aereo

airy ['ɛəri] arioso

aisle [ail] *church:* navata *f*; passaggio *m*

ajar [əˈdʒɑː] socchiuso

akin [əˈkin] affine; simile

alarm [əˈlɑːm] *s* allarme *m*; *v/t* allarmare; **~clock** sveglia *f*

albino [ælˈbiːnou] albino *m*

alcohol ['ælkəhɔl] alcool *m*; **~ic** alcoolico

alder ['ɔːldə] ontano *m*

ale [eil] birra *f*

alert [əˈləːt] attento; **be on the ~** essere all'erta

alibi ['ælibai] alibi *m*

alien ['eiljən] *s, a* straniero (*m*); **~ to** contrario a

alight [əˈlait] *v/i* atterrare; scendere

alike [əˈlaik] simile

alimony ['æliməni] alimenti *m/pl*

alive [əˈlaiv] vivente; vivo

all [ɔːl] tutto, *pl* tutti; ♀ **Fools' Day** 1 Aprile; **~right** a bene; ♀ **Saints' Day** 1 Novembre; ♀ **Souls' Day** 2 Novembre; **~ at once** tutt'a un tratto; **~ of**

us noi tutti; **not at ~** niente affatto

allege [əˈledʒ] *v/t* allegare

allegorical [æleˈgɔrikl] allegorico; **~orical** allegorico

alleviate [əˈliːvieit] *v/t* alleviare

alley ['æli] vicolo *m*

alliance [əˈlaiəns] alleanza *f*; **~ed** alleato

allocate ['æləkeit] *v/t* assegnare

allot [əˈlɔt] *v/t* assegnare; **~ment** lotto *m*

allow [əˈlau] *v/t* permettere; concedere

allowance [əˈlauəns] rendita *f*; permesso *m*; riduzione *f*; **family ~s** *pl* assegni *m/pl* familiari

alloy ['ælɔi] lega *f*

allude [əˈluːd] *v/i* alludere; **~sion** allusione *f*

allure [əˈljuə] *v/t* attirare

ally [əˈlai] *s* alleato *m*; *v/i* allearsi con

almighty [ɔːlˈmaiti] onnipotente

almond ['ɑːmənd] mandorla *f*

almost ['ɔːlmoust] quasi

alms [ɑːmz] *pl* elemosina *f*

aloft [əˈlɔft] in alto

alone [əˈloun] solo; **let** (*or* **leave**) **~** lasciare stare; **let ~** tanto meno

along [əˈlɔŋ] *prp* lungo; *adv* lungo; avanti

aloof [əˈluːf] distante

aloud [əˈlaud] ad alta voce

alphabet ['ælfəbit] alfabeto m

Alp|ine ['ælpain] alpino; **~s** pl Alpi f/pl

already [ɔːl'redi] già

also ['ɔːlsəu] anche

altar ['ɔːltə] altare m

alter ['ɔːltə] v/t cambiare; modificare; **~ation** cambiamento m; modifica f

alternate ['ɔːltəneit] alternativo; **~ing current** corrente f alternata; **~ive** alternativa f

although [ɔːl'ðou] sebbene, benché

altitude ['æltitjuːd] altitudine f

altogether [ɔːltə'geðə] completamente; nell'insieme

always ['ɔːlweiz] sempre

am [æm]: **I ~** (io) sono

amalgamate [ə'mælgəmeit] v/t amalgamare; v/i amalgamarsi

amass [ə'mæs] v/t ammassare

amateur ['æmətə:] dilettante m

amaze [ə'meiz] v/t stupire; **~ement** stupore m; meraviglia f; **~ing** stupefacente

ambassador [æm'bæsədə] ambasciatore m

amber ['æmbə] ambra f

ambigu|ity [ˌæmbi'gjuiti] ambiguità f; **~ous** ambiguo

ambiti|on [æm'biʃən] ambizione f; **~ous** ambizioso

ambulance ['æmbjuləns] ambulanza f

ambush ['æmbuʃ] imbosca-

ta f; **to fall into an ~** cadere in un'imboscata

amen ['ɑː'men] amen m

amend [ə'mend] v/t emendare; correggere; **~ment** emendamento m; **~s** pl: **to make ~s** riparare

America [ə'merikə] America f; **~n** s, a americano (m); **~nize** v/t americanizzare

amiable ['eimjəbl] cordiale

amicable ['æmikəbl] amichevole

amid(st) [ə'mid(st)] in mezzo a; tra

amiss [ə'mis]: **what's ~?** che c'è che non va?; **take ~** aversene a male

ammunition [ˌæmjuˈniʃən] munizioni f/pl di guerra

amnesty ['æmnisti] amnistia f

among(st) [ə'mʌŋ(st)] tra, fra

amount [ə'maunt] s somma f; quantità f; v/i ammontare

amperage [æm'pɛəridʒ] amperaggio m

ample ['æmpl] ampio; **~ify** v/t amplificare

amputat|e ['æmpjuteit] v/t amputare; **~ion** amputazione f

amulet ['æmjulit] amuleto m

amuse [ə'mjuːz] v/t divertire; v/r divertirsi; **~ment** divertimento m

an [æn, ən] un, una, uno

an(a)esthetic [ˌænis'θetik] anestetico m

analog|ous [ə'næləgəs] analogo; **~y** [ˌdʒi] analogia f

analyse

analy|se, Am **~ze** ['ænəlaiz] v/t analizzare; **~sis** [ə'nælɪsis] analisi f

anatomy [ə'nætəmi] anatomia f

ancest|or ['ænsɪstə] antenato m; **~ry** discendenza f

anchor ['æŋkə] s ancora f; v/t, v/i ancorare

anchovy ['æntʃəvi] acciuga f

ancient ['einʃənt] antico

and [ænd, ənd] e; **~ so on** e così via

anew [ə'nju:] di nuovo

angel ['eindʒəl] angelo m

anger ['æŋgə] ira f; rabbia f

angina [æn'dʒainə] angina f

angle ['æŋgl] s angolo m; v/i pescare (all'amo)

Anglican ['æŋglikən] s, a anglicano (m)

Anglo-Saxon ['æŋglou-'sæksən] s, a anglosassone (m)

angry ['æŋgri] arrabbiato; **get ~** arrabbiarsi

anguish ['æŋgwiʃ] angoscia f

angular ['æŋgjulə] angolare

animal ['ænɪməl] animale m

animate ['ænimeit] v/t animare; **~ed cartoon** disegno m animato; **~ion** animazione f

animosity [æni'mɔsiti] animosità f

anise ['ænis] anice m

ankle ['æŋkl] caviglia f

annex ['æneks] annesso m

annihilate [ə'naiəleit] v/t annientare

anniversary [æni'və:səri]

anniversario m

annotat|e ['ænəteit] v/t annotare; **~ion** annotazione f

announce [ə'nauns] v/t annunciare; **~ment** annuncio m

annoy [ə'nɔi] v/t seccare, dare fastidio; **~ance** seccatura f, fastidio m

annual ['ænjuəl] annuale

annul [ə'nʌl] v/t annullare; **~ment** annullamento m

anodyne ['ænəudain] analgesico m

anomalous [ə'nɔmələs] anomalo

anonymous [ə'nɔniməs] anonimo

another [ə'nʌðə] un altro, un'altra; **one ~** l'un l'altro

answer ['ɑ:nsə] s risposta f; v/t rispondere

ant [ænt] formica f

antagonist [æn'tægənist] antagonista m, f

antarctic [ænt'ɑ:ktik] antartico

antelope ['æntiloup] antilope f

anthem ['ænθəm] antifona f; **(national)** ~ inno m (nazionale)

anti ['ænti] anti-; **~biotic** [ˌæntibai'ɔtik] s, a antibiotico (m)

anticipate [æn'tisipeit] v/t anticipare; **~ion** anticipazione f

anti|dote ['æntidout] antidoto m; **~freeze** [ˌ~'fri:z] anticongelante m

antipath|etic [ˌæntipə'θetik]

antipatico; **~y** [æn'tipeθi]-
antipatia *f*

antiqu|ary ['æntikwəri] anti-
quario *m*; **~e** [æn'ti:k] antico; **~ity** [æn'tikwiti] anti-
quità *f*

antiseptic [ænti'septik] anti-
settico

antlers ['æntləz] *pl* corna
f/pl

anvil ['ænvil] incudine *f*

anxi|ety [æŋ'zaiəti] ansietà *f*;
~ous ansioso (**for, about** di,
per)

any ['eni] qualche; **not ~
longer** non più; **~body**
chiunque; qualcuno;
~how in ogni modo; **~-
thing** qualsiasi cosa; **~-
where** in qualsiasi posto

apart [ə'pɑ:t] da parte; **~-
ment** stanza *f*; **~ments** *pl*
stanze *f/pl*; alloggio *m*;
furnished ~ments stanze
f/pl ammobiliate

ape [eip] scimmia *f*

aperitive [ə'peritiv] aperitivo *m*

apiece [ə'pi:s] l'uno; cadau-
no

apolog|ize [ə'pɔlədʒaiz] *v/i*
scusarsi; **~y** scusa *f*

apoplexy ['æpəpleksi] apo-
plessia *f*

apostle [ə'pɔsl] apostolo *m*

apostrophe [ə'pɔstrəfi] apo-
strofe *f*

appal [ə'pɔ:l] *v/t* spaventare

apparatus [æpə'reitəs] apparecchio *m*; *med* apparato
m

apparent [ə'pærənt] mani-

festo; evidente

appeal [ə'pi:l] *s* (**for**) appello
m; attrattiva *f*; *v/i* rivolgersi
a; attirare; **Court of ≗** Corte *f* di appello; **~ing** suppli-
cante

appear [ə'piə] *v/t* apparire;
sembrare; **~ance** apparizio-
ne *f*; aspetto *m*; **~ances** *pl*
apparenze *f/pl*

appease [ə'pi:z] *v/t* placare;
~ment placamento *m*

append [ə'pend] *v/t* appendere; **~icitis** [əpendi'saitis]
appendicite *f*; (**vermi-
form**) **~ix** intestino *m* cieco

appet|ite ['æpitait] appetito
m; **~izing** appetitoso

applau|d [ə'plɔ:d] *v/t* ap-
plaudire; **~se** [~z] applauso
m

apple ['æpl] mela *f*; **~-pie**
torta *f* di mele

appliance [ə'plaiəns] strumento *m*; apparecchio *m*

applica|nt ['æplikənt] aspi-
rante *m*; richiedente *m*;
~tion applicazione *f*; domanda *f*

apply [ə'plai] *v/t* applicare; **~
o.s.** to rivolgersi a; **~ for**
fare domanda per (di)

appoint [ə'pɔint] *v/t* nominare; **~ment** nomina *f*; ap-
puntamento *m*

apportion [ə'pɔːʃən] *v/t* ri-
partire

appreciat|e [ə'pri:ʃieit] *v/t*
apprezzare; **~ion** apprezza-
mento *m*

apprehen|d [æpri'hend] *v/t*
afferrare; temere; **~sion** ap-

prensione f; **~sive** appren-sivo; timoroso

apprentice [əˈprentis] ap-prendista m, f; **~ship** tiro-cinio m

approach [əˈprout∫] s avvi-cinamento m; accesso m; v/t avvicinare, avvicinarsi

appropriate [əˈproupriit] a adatto; v/t appropriarsi; **~ion** appropriazione f

approval [əˈpruːvəl] appro-vazione f; **on ~al** comm in prova; **~e** v/t approvare

approximate [əˈprɔksimit] approssimato

apricot [ˈeiprikɔt] albicocca m

April [ˈeipril] aprile m

apron [ˈeiprən] grembiule m

apt [æpt] adatto; appropria-to

aquarium [əˈkwɛəriəm] acquario m

aquatic [əˈkwætik] acquati-co; **~ sports** pl sport m nautico

aqueduct [ˈækwidʌkt] acquedotto m

aquiline [ˈækwilain] aquilino m

Arab [ˈærəb] s, a arabo (m); **~ia** [əˈreibiə] Arabia f; **~ian** s, a arabo (m); **~ic** s, a arabo (m)

arbitrary [ˈɑːbitrəri] arbi-trario

arbour [ˈɑːbə] pergolato m

arc [ɑːk] arco m

arcade [ɑːˈkeid] portici m/pl; galleria f

arch [ɑːt∫] arco m; volta f

arch(a)eologist [ˌɑːkiˈɔlə-dʒist] archeologo m; **~y** archeologia f

archaic [ɑːˈkeiik] arcaico

archangel [ˈɑːkeindʒəl] ar-cangelo m; **~bishop** arcive-scovo m

archer [ˈɑːt∫ə] arciere m; **~** tiro m dell'arco

architect [ˈɑːkitekt] archi-tetto m; **~ure** architettura f

archives [ˈɑːkaivz] pl archi-vio m

arctic [ˈɑːktik] artico

ardent [ˈɑːdənt] ardente; zelante; **~our** zelo m

are [ɑː]: **we, you, they ~** siamo, siete, sono

area [ˈɛəriə] area f

Argentine [ˈɑːdʒəntain] s Argentina f; s, a argentino (m)

argue [ˈɑːgjuː] v/t, v/i discu-tere; **~ment** discussione f

arid [ˈærid] arido; **~ity** aridi-tà f

arise [əˈraiz] v/i alzarsi; sorgere

arithmetic [əˈriθmətik] arit-metica f

ark [ɑːk] arca f

arm [ɑːm] s braccio m; arma f; v/t armare; **~ament** [ˈɑːməmənt] armamento m; **~chair** poltrona f; **~ful** bracciata f

armistice [ˈɑːmistis] armi-stizio m

armo(u)r [ˈɑːmə] armatura f

armpit ascella f

arms pl armi f/pl

army [ˈɑːmi] esercito m

around [əˈraund] intorno a; adv intorno

arouse [əˈrauz] v/t svegliare

arrange [əˈreindʒ] v/t disporre; mettere in ordine; fissare; **~ment** disposizione f; ordine m; progetto m

arrears [əˈriəz] pl arretrati m/pl

arrest [əˈrest] s arresto m; v/t arrestare; fermarsi

arriv|al [əˈraivəl] arrivo m; **~e** v/i arrivare

arrow [ˈærou] freccia f

arsenic [ˈɑːsnik] arsenico m

art [ɑːt] arte f; **fine ~s** pl belle arti f/pl

arteriosclerosis [ɑːˈtiəriousklaˈrousis] arteriosclerosi f

artery [ˈɑːtəri] arteria f

artful [ˈɑːtful] astuto

artichoke [ˈɑːtitʃouk] carciofo m

article [ˈɑːtikl] articolo m

articulat|e [ɑːˈtikjuleit] v/t articolare

artificial [ɑːtiˈfiʃəl] artificiale

artillery [ɑːˈtiləri] artiglieria f

artisan [ɑːtiˈzæn] artigiano m

artist [ˈɑːtist] artista m, f; **~ic** [ɑːˈtistik] artistico

artless senza artifizio; ingenuo

as [æz, əz]: (time) mentre; (reason) siccome; **~ big** (così) grande quanto; **~ far possible** il più possibile; **~ far as I know** a quanto

sappia; **~ to** in quanto a; **~ an interpreter** come interprete; **~ you like** come vuoi; **so ~** in modo che

ascen|d [əˈsend] v/t, v/i salire; **~sion** ascensione f; **~t** salita f

ascertain [ˌæsəˈtein] v/t constatare; **~ment** costatazione f

ascribe [əsˈkraib] v/t attribuire

aseptic [æˈseptik] asettico

ash [æʃ] cenere v; **~es** [ˈæʃiz] pl ceneri f/pl; **~tray** portacenere m; **2 Wednesday** mercoledì m delle ceneri

ashamed [əˈʃeimd]: **be ~ of** vergognarsi di

ashore [əˈʃɔː] a terra

Asia [ˈeiʃə] Asia f; **~n** s, a asiatico (m); **~tic** [eiʃiˈætik] s, a asiatico (m)

aside [əˈsaid] da parte

ask [ɑːsk] v/t chiedere; domandare; **~ after s.o.** chiedere notizie di q.u.; **~ a favour** chiedere un favore; **~ for** chiedere di q.u.; **~ to forgiveness** chiedere di vedere q.u.; **to ~ forgiveness** chiedere perdono; **~ a question** fare una domanda

asleep [əˈsliːp] addormentato; **fall ~** addormentarsi

asparagus [əsˈpærəgəs] asparago m

aspect [ˈæspekt] aspetto m

aspir|ant [əsˈpairənt] s, a aspirante (m); **~e** [əsˈpaiə] v/i aspirare

aspirin [ˈæspirin] aspirina f

ass [æs] asino *m*

assail [əˈseil] *v/t* assalire; aggredire; **~ant** aggressore *m*

assassin [əˈsæsin] assassino *m*; **~ate** [~eit] *v/t* assassinare

assault [əˈsɔːlt] *s* assalto *m*; *v/t* assalire; aggredire

assemble [əˈsembl] *v/t* riunire; *v/i* riunirsi; **~y** assemblea *f*; *mech* montaggio *m*; **~y line** catena *f* di montaggio

assent [əˈsent] *s* consenso *m*; *v/i* acconsentire

assert [əˈsɔːt] *v/t* rivendicare; affermare

assess [əˈses] *v/t* fissare; **~ment** valutazione *f* (dell'imponibile)

assets [ˈæsets] *pl* com attivo *m*; **personal ~** beni *m/pl* mobili; **real ~** beni *m/pl* immobili

assign [əˈsain] *v/t* assegnare; **~ment** assegnamento *m*; incarico *m*

assimilate [əˈsimileit] *v/t*, *v/i* assimilare

assist [əˈsist] *v/t* aiutare; assistere; **~ance** aiuto *m*; assistenza *f*; **~ant** assistente *m*

assizes [əˈsaiziz] *pl* corte *f* di assisi

associate [əˈsouʃieit] *s* socio *m*; *v/t* associare; *v/i* associarsi; **~ion** associazione *f*

assorted [əˈsɔːtid] assortito

assume [əˈsjuːm] *v/t* assumere; **~ption** [əˈsʌmpʃən] assunzione *f*; *eccl* Ascensione *f*

assur|ance [əˈʃuərəns] assi-

curazione *f*; **~e** *v/t* assicurare

asthma [ˈæsmə] asma *f*

astir [əˈstɔː] in movimento; in agitazione

astonish [əsˈtɔniʃ] *v/t* stupire; **~ed** stupito; **~ing** sorprendente; **~ment** stupore *m*

astound [əsˈtaund] *v/t* sbalordire

astray [əsˈtrei] sviato

astringent [əsˈtrindʒənt] astringente

astrology [əsˈtrɔlədʒi] astrologia *f*

astronaut [ˈæstrənɔːt] astronauta *m*

asunder [əˈsʌndə] separatamente; a pezzi

asylum [əˈsailəm] manicomio *m*; **seek ~** cercare rifugio

at [æt, ət] a; **~ church** in chiesa; **~ first** all'inizio; **~ home** a casa; **~ John's** a casa di Giovanni, da Giovanni; **~ last** infine; **~ once** subito; **~ six** alle sei

atheist [ˈeiθiist] ateo *m*

athlet|e [ˈæθliːt] atleta *m*, *f*; **~ic** [~ˈletik] atletico; **~ics** *pl* atletica *f*

Atlantic [ətˈlæntik] atlantico; **~ Ocean** oceano Atlantico

atlas [ˈætləs] atlante *m*

atmosphere [ˈætməsfiə] atmosfera *f*

atom [ˈætəm] atomo *m*; **~ic** [əˈtɔmik] atomico; **~ bomb** bomba *f* atomica;

~ic pile reattore *m* nucleare

atomize ['ætəmaiz] *v/t* (*liquids*) nebulizzare

atone [ə'toun]: **~ for s.th.** espiare q.c.

atroci|ous [ə'trouʃəs] atroce; **~ty** atrocità *f*

attach [ə'tætʃ] *v/t* attaccare; **~ment** attaccamento *m*

attack [ə'tæk] *s* attacco *m*; *v/t* attaccare

attempt [ə'tempt] *s* tentativo *m*; *v/t* tentare

attend [ə'tend] *v/t* frequentare; assistere a; *v/i* fare attenzione a; provvedere a; **~ance** *med* assistenza *f*; **i** presenti *m/pl*; **~ant** adetto *m*

attention [ə'tenʃən] attenzione *f*; **pay ~** fare attenzione

attentive attento

attest [ə'test] *v/t* attestare; certificare

attic ['ætik] soffitta *f*

attitude ['ætitjuːd] atteggiamento *m*; **~ of mind** disposizione *f* di mente

attorney [ə'təːni] procuratore *m*; avvocato *m* (*del Ministero*)

attract [ə'trækt] *v/t* attirare; **~ion** attrazione *f*; **~iveness** fascino *m*

attribut|e ['ætribjuːt] *s* attributo *m*; [ə'tribjuːt] *v/t* attribuire

auction ['ɔːkʃən] asta *f*; **by ~** all'asta; **~eer** banditore *m*

audaci|ous [ɔː'deiʃəs] audace

audible ['ɔːdəbl] udibile

audience ['ɔːdjəns] udienza *f*; pubblico *m*

audit ['ɔːdit] verifica(zione) *f*

augment [ɔːg'ment] *v/t* aumentare

August ['ɔːgəst] agosto *m*

aunt [ɑːnt] zia *f*

au pair girl [ou'peə,gəːl] ragazza *f* alla pari

auspicious [ɔːs'piʃəs] di buon auspicio

auster|e [ɔs'tiə] austero; **~ity** [~'teriti] austerità *f*

Australia [ɔ(ː)s'treiljə] Australia *f*; **~n** *a*, *s* australiano (*m*)

Austria ['ɔstriə] Austria *f*; **~n** *a*, *s* austriaco (*m*)

authentic [ɔː'θentik] autentico

author ['ɔːθə] autore *m*; **~ess** autrice *f*; **~itative** autorevole; autoritario; **~ity** autorità *f*; **~ities** *pl* autorità *f/pl*; **~ize** *v/t* autorizzare

autobiography [,ɔːtoubai'ɔgrəfi] autobiografia *f*

autograph ['ɔːtəgrɑːf] autografo *m*

automatic [,ɔːtə'mætik] automatico

automobile [,ɔːtəmou'biːl, 'ɔːtəmoubiːl] automobile *f*

autonomy [ɔː'tɔnəmi] autonomia *f*

autumn ['ɔːtəm] autunno *m*

auxiliary [ɔːg'ziljəri] ausiliare

avail [ə'veil] *v/t* servire; **be of no ~** non servire a nulla;

~able disponibile

avalanche ['ævəlɑːnʃ] valanga f

avaric|e ['ævəris] avarizia f; **~ious** [ˌ~'riʃəs] avaro

avenge [ə'vendʒ] v/t vendicare

avenue ['ævinju:] viale m

average ['ævəridʒ] s media f; a medio; **on an ~** in media

avers|e [ə'vəːs] contrario a; **~ion** avversione f

avert [ə'vəːt] v/t (eyes, thought) distogliere; (danger) allontanare

aviary ['eiviəri] uccelliera f

aviat|ion [eivi'eiʃən] aviazione f; **~or**, [ˈ~tə] aviatore m

avoid [ə'vɔid] v/t evitare

avow [ə'vau] v/t confessare; ammettere; **~al** confessione f

await [ə'weit] v/t aspettare

awake [ə'weik] a sveglio; v/t svegliare; v/i svegliarsi; **~n** v/t risvegliare; v/i risvegliarsi

award [ə'wɔːd] s giudizio m; v/t aggiudicare; conferire

aware [ə'wɛə] consapevole; **be ~ of** rendersi conto di

away [ə'wei] via; lontano

aw|e [ɔː] soggezione f; **~ful** terribile; spaventoso

awhile [ə'wail] per qualche tempo

awkward ['ɔːkwəd] goffo

awning ['ɔːniŋ] tenda f

awry [ə'rai] di traverso

ax(e) [æks] ascia f (storto)

axis ['æksis], pl **axes** asse f

axle ['æksl] asse f (su cui girano le ruote)

azure ['eiʒə, 'æʒə] azzurro

B

babble ['bæbl] v/t balbettare; rivelare (un segreto)

babe [beib] bimbo m

baboon [bə'buːn] babbuino m

baby ['beibi] bimbo m; **~carriage** carrozzella f; **~hood** prima infanzia f

bachelor ['bætʃələ] scapolo m; **2 of Arts** laureato m in lettere

back [bæk] s dorso m; schiena f; schienale m; retro m; a arretrato; posteriore; adv indietro; **look ~** guardare indietro; **put ~** rimettere;

send ~ rimandare; v/t aiutare; spalleggiare; **~ a horse** puntare su un cavallo

back|bone spina f dorsale; **~fire** accensione f difettosa; **~ground** sfondo m; (family) ambiente f; **~hand** rovescio m; **~ing** appoggio m; **~stairs** pl retroscale f; **~ward** a arretrato; tardivo; riluttante; **~ward(s)** adv (all')indietro; al rovescio; **~ wheel** ruota f posteriore

bacon ['beikən] pancetta f; lardo m

bacteri|um [bæk'tiəriəm], *pl* **~a** [~iə] batterio *m*

bad [bæd] cattivo; **that's too ~** che peccato!; **~ly** male; **~ly wounded** gravemente ferito

badge [bædʒ] distintivo *m*

badger ['bædʒə] tasso *m*

badminton ['bædmintən] volano *m*

baffle ['bæfl] *v/t* impedire; rendere perplesso

bag [bæg] sacco *m*; borsa *f*; **~gage** bagaglio *m*; **~gy** largo; **~pipes** *pl* cornamusa *f*

bail [beil] cauzione *f*; **go ~ for** essere garante di

bait [beit] esca *f*

bake [beik] *v/t* cuocere in forno; **~r** fornaio *m*; **~ry** panetteria *f*

balance ['bæləns] bilancio *m*; equilibrio *m*; armonia *f*; *comm* differenza *f*; saldo *m*; *v/t* bilanciare, equilibrare; compensare; *v/i* bilanciarsi; *v/r* mettersi in equilibrio

balcony ['bælkəni] balcone *m*; *thea* galleria *f*

bald [bo:ld] calvo

bale [beil] balla *f*

balk [bo:k] *s* trave *f*; *v/t* (*hinder*) impedire; (*refuse to move*) essere ritroso

ball [bo:l] palla *f*; pallone *m*; ballo *m*; **~ast** ['bæləst] zavorra *f*; **~et** ['bælei] balletto *m*; **~oon** [bə'lu:n] pallone *m*; **~ot** ['bælət] ballottaggio *m*; **~ point pen** matita *f* a sfera

balm [ba:m] balsamo *m*

balustrade [bæləs'treid] balaustrata *f*

bamboo [bæm'bu:] bambù *m*

ban [bæn] *s* proibizione *f*; *v/t* proibire

banana [bə'na:nə] banana *f*

band [bænd] nastro *m*; banda *f*; **~age** [bændidʒ] *s* fascia *f*; *v/t* fasciare; **~sman** musicante *m*; **~stand** palco *m* della banda musicale

bang [bæŋ] *s* colpo *m* forte; *v/t* sbattere; *interj* pum!

banish ['bæniʃ] esiliare; **~ment** esilio *m*

banisters ['bænistəz] *pl* ringhiera *f*

bank [bæŋk] (*of river*) riva *f*, sponda *f*

bank banca *f*; **~ account** conto *m* in banca; **~bill** cambiale *f*; **~er** banchiere *m*; bancario *m*; **~ing** operazioni *f/pl* bancarie; **~note** banconota *f*

bankrupt ['bæŋkrʌpt] fallito; **~cy** fallimento *m*; bancarotta *f*

banner ['bænə] stendardo *m*

banns [bænz] *pl* pubblicazioni *f/pl* di matrimonio

banquet ['bæŋkwit] banchetto *m*

banter ['bæntə] *s* scherzi *m/pl*; *v/i* scherzare

bapt|ism ['bæptizəm] battesimo *m*; **~ize** [~'taiz] *v/t* battezzare

bar [ba:] *s* sbarra *f*; bar *m*; *v/t* sbarrare

barbarian

barbar|ian [baːˈbɛəriən] barbaro *m*; **~ous** [ˈ~bərəs] barbaro

barbed [baːbd]: **~ wire** filo *m* spinato

barber [ˈbaːbə] barbiere *m*; **at the ~'s** dal parrucchiere

bare [bɛə] *a* nudo; desolato; *v/t* denudare; scoprire; **~foot** scalzo; **~headed** a capo scoperto; **~ly** appena

bargain [ˈbaːgin] *s* affare *m*; occasione *f*; *v/i* contrattare

barge [baːdʒ] chiatta *f*; barcone *m*

bark [baːk] *s* scorza *f*; *v/i* abbaiare

barley [ˈbaːli] orzo *m*

barn [baːn] granaio *m*

barometer [bəˈrɔmitə] barometro *m*

baron [ˈbærən] barone *m*

barracks [ˈbærəks] *pl* caserma *f*

barrel [ˈbærəl] barile *m*; (*of a gun*) canna *f*; **~organ** organino *m*

barren [ˈbærən] sterile; arido

barr|icade [bæriˈkeid] *s* barricata *f*; *v/i* barricare; **~ier** [ˈbæriə] barriera *f*; ostacolo *m*

barrister [ˈbæristə] penalista *m*

barrow [ˈbærou] carriola *f*

barter [ˈbaːtə] *s* baratto *m*; *v/t* barattare

base [beis] *s* base *f*; *a* basso, meschino; *v/t* basare; **~ball** pallacanestro *m*; **~ment** sottosuolo *m*

bashful [ˈbæʃful] timido

basic [ˈbeisik] fondamentale

basin [ˈbeisn] catinella *f*; **wash-~** lavandino *m*

basis [ˈbeisis], *pl* **bases** [ˈbeisiːz] base *f*

bask [baːsk] *v/i* godersi (*il sole*)

basket [ˈbaːskit] cesta *f*; cestino *m*

bas-relief [ˈbæsriˌliːf] basso rilievo *m*

bass[1] [beis] basso *m*

bass[2] [bæs], *pl unchanged* pesce *m* persico

bastard [ˈbæstəd] bastardo *m*

bat [bæt] pipistrello *m*; bastone *m* (*per il giuoco del cricket*)

bath [baːθ] bagno *m*

bathe [beið] bagno *m* (*nel mare*); **go for a ~** fare il bagno

bathing [ˈbeiðiŋ] balneare; **~cap** cuffia *f* da bagno; **~costume**, **~suit** costume *m* da bagno; **~trunks** mutandine *f/pl* da bagno

bath|robe vestaglia *f*; **~room** stanza *f* da bagno; **~tub** vasca *f* da bagno

baton [ˈbætən] bacchetta *f*

batter [ˈbætə] *gast s* pasta *f*; *v/t* battere; **~y** batteria *f*; pila *f*

battle [ˈbætl] *s* battaglia *f*; *v/i* lottare; **~field** campo *m* di battaglia

bawl [bɔːl] *v/t* gridare

bay [bei] *s* baia *f*; *bot* alloro *m*; *v/i* abbaiare

bazaar [bə'za:] bazar *m*

be: to ~ *v/i* essere

beach [bi:tʃ] spiaggia *f*; lido *m*

beacon ['bi:kən] faro *m*

bead [bi:d] corallo *m*

beak [bi:k] becco *m*

beam [bi:m] *s* trave *f*; fascio *m* di luce; *v/i* raggiare

bean [bi:n] fagiolo *m*

bear [beə] *s* zool orso *m*

bear *v/t* portare; sopportare; generare

beard [biəd] barba *f*; **~ed** barbuto

bear|er ['beərə] portatore *m*, portatrice *f*; **~ing** portamento *m*

beast [bi:st] bestia *f*; **~ly** *coll* brutto; orribile

beat [bi:t] *s* battito *m*; *v/t* battere

beauti|ful ['bju:təful] bello; **~ify** ['~ifai] *v/t* abbellire; **~y** bellezza *f*; **~y parlo(ur)** salone *m* di bellezza

beaver ['bi:və] castoro *m*

because [bi'kɔz] perchè; **~ of** *prp* per, per ragione di

beck cenno *m*; **~on** *v/t* far cenno a

become [bi'kʌm] *v/i* divenire; **~ing** grazioso

bed [bed] letto *m*; strato *m*; **go to ~** andare a letto; **~clothes** *pl* coperte *f/pl*; **~ridden** allettato; **~room** camera *f* da letto; **at the ~side of** al capezzale di; **~time** ora *f* d'andare a letto

bee [bi:] ape *f*

beech [bi:tʃ] faggio *m*

beef [bi:f] manzo *m*; **~steak** bistecca *f*; **~ tea** brodo *m* di carne

bee|hive alveare *m*; **~keeper** apicultore *m*

beer [biə] birra *f*

beet [bi:t] bietola *f*

beetle ['bi:tl] scarafaggio *m*

befall [bi'fɔ:l], *irr* **fall** *v/i* accadere

before [bi'fɔ:] *adv* prima, avanti; *prp* prima di, avanti a; *conj* prima che; **~hand** in precedenza

beg [beg] *v/t* implorare, pregare; *v/i* mendicare; **~gar** ['begə] mendicante *m*

begin [bi'gin] *v/t* cominciare, iniziare; **~ner** principiante *m*; **~ning** inizio *m*, principio *m*

behalf [bi'ha:f]: **on ~ of** da parte di; **in ~ of** a favore di

behave [bi'heiv] *v/t* comportarsi; **~io(u)r** [~jə] comportamento *m*, condotta *f*

behind [bi'haind] indietro

being ['bi:in] essere *m*; esistenza *f*

belated [bi'leitid] tardivo

belfry ['belfri] campanile *m*

Belgi|an ['beldʒən] *s*, *a* belga (*m*, *f*); **~um** il Belgio *m*

belief [bi'li:f] credenza *f*; credo *f*; **~vable** credibile; **~ve** [~v] *v/t* credere; **~ver** credente *m*

bell [bel] (*church*) campana *f*; (*house*) campanello *m*; **ring the ~** suonare (il campanello)

bellow

bellow ['bɛlou] v/t, v/i gridare; ~s ['~z] pl soffietto m

belly ['bɛli] ventre m

belong [bi'lɔŋ] v/i appartenere a; ~ings pl effetti m/pl

beloved [bi'lʌvd] amato; diletto

below [bi'lou] prp sotto (a), al di sotto di; adv (al di) sotto

belt [bɛlt] cintura f

bench [bɛntʃ] panca f; sedile m; for tribunale m

bend [bɛnd] s curva f; v/t curvare; piegare; v/i curvarsi; piegarsi

beneath [bi'ni:θ] cf below

bene|diction [beni'dikʃən] benedizione f; ~factor ['~fæktə] benefattore m; ~ficial [~'fiʃəl] benefico, utile, vantaggioso; ~fit ['~fit] s beneficio m; profitto m; vantaggio m; ~fit v/t fare bene; v/i trarre vantaggio; ~volence benevolenza f

benign [bi'nain] benigno; ~ity [bi'nigniti] benignità f

bent [bɛnt] s inclinazione f; a piegato; curvo

benzine ['bɛnzi:n] benzina f

beque|ath [bə:ð] v/t legare, lasciare in eredità; ~st [bi'kwɛst] lascito m

bereave [bi'ri:v] v/t orbare

beret ['bɛrei] berretto m basco

berry ['bɛri] bacca f

berth [bə:θ] cuccetta f; naut posto m d'ancoraggio (di una nave)

beside [bi'said] accanto a; ~s adv inoltre; prep eccetto

besiege [bi'si:dʒ] v/t assediare

best [bɛst] ottimo; ~ man testimonio m dello sposo; ~ wishes tanti auguri m/pl; do one's ~ fare del proprio meglio; at ~ tutt'al più

bestow [bi'stou] v/t regalare; depositare

bet [bɛt] s scommessa f; v/i scommettere

betake: ~ o.s. v/r recarsi a

betray [bi'trei] v/t tradire; ~al tradimento m; ~er traditore m

better ['bɛtə] a migliore; adv meglio; v/t migliorare; s scommettitore m; so much the ~ tanto meglio; he is ~ sta meglio

between [bi'twi:n] tra, fra

beverage ['bɛvəridʒ] bevanda f

beware [bi'wɛə] v/i stare attento; ~ of the dog! cane m mordace!

bewilder [bi'wildə] v/t sgomentare; ~ment sgomento m

bewitch [bi'witʃ] v/t stregare

beyond [bi'jɔnd] prp al di là di, oltre a; adv al di là, oltre

bias ['baiəs] parzialità f; pregiudizio m

bib [bib] bavaglino m

Bible ['baibl] Bibbia f; 2ical ['biblikəl] biblico

bicker v/i contrastarsi, litigare

bicycle ['baisikl] s bicicletta f; v/i andare in bicicletta

bid [bid] v/t ordinare; offrire; ~ **farewell** dare l'addio

bier [biə] bara f

big [big] grande; grosso; importante

bike [baik] fam bicicletta f

bil|e [bail] bile f; **~ious** bilioso

bill [bil] becco m; conto m; progetto m di legge; cambiale f; fattura f; **~board** Am cartello m pubblicitario; **~ of fare** menù m

billiards ['biljədz] pl biliardo m

billion ['biljən] bilione m

bin [bin] bidone m

bind [baind] v/t, irr legare; **~ing** s rilegatura f; a impegnativo

binoculars [bi'nɔkjuləz, bai'-] pl binocolo m

biography [bai'ɔgrəfi] biografia f

biology [bai'ɔlədʒi] biologia f

birch [bəːtʃ] betulla f

bird [bəːd] uccello m; **~ of prey** uccello m di rapina; **~'s-eye view** vista f a volo d'uccello

birth [bəːθ] parto m; nascita f; **~control** controllo m delle nascite; **~day** compleanno m

biscuit ['biskit] biscotto m

bishop ['biʃəp] vescovo m; (chess) alfiere m

bit [bit] pezzo m; **a ~ of** un po' di

bitch [bitʃ] cagna f

bite [bait] s morso m; morsicatura f; v/t, irr mordere

bitter ['bitə] amaro

black [blæk] a nero; v/t annerire; **~berry** mora f; **~bird** merlo m; **~board** lavagna f; **~ eye** occhio m pesto; **~mail** s ricatto m; **~mail** v/t ricattare; **~smith** fabbro m ferraio

bladder ['blædə] vescica f

blade [bleid] knife lama f; grass foglia f

blam|e [bleim] s biasimo m; v/t biasimare; **~eless** senza colpa

blank [blæŋk] lacuna f; spazio m vuoto; **~ cheque** assegno m in bianco

blanket ['blæŋkit] coperta f di lana

blasphemy ['blæsfimi] bestemmia f

blast [blɑːst] s soffio m di vento; esplosione f; v/i soffiare

blaze [bleiz] s fiamma f; v/i fiammeggiare

bleach [bliːtʃ] v/t imbiancare

bleak [bliːk] desolato

bleed [bliːd] v/t sanguinare

blemish ['blemiʃ] s macchia f; v/t macchiare

blend [blend] s miscela f; v/t, irr mescolare

bless [bles] v/t benedire; **~ed** ['~id] benedetto; **~ing** benedizione f

blight [blait] golpe f; fig piaga f

blind [blaind] cieco; **~alley** vicolo *m* cieco; **~fold** *v/t* bendare gli occhi; **~ness** cecità *f*

blink [bliŋk] *v/i* ammiccare

bliss [blis] beatitudine *f*; **~ful** beato

blister [blistə] bolla *f*

blizzard ['blizəd] tormenta *f* di neve

bloat|ed ['bloutid] gonfio; **~er** arringa *f* affumicata

block [blɔk] *s* ceppo *m*; blocco *m*; *v/t* bloccare

blockade [blɔ'keid] blocco *m*

blond [blɔnd] biondo; **~e** biondina *f*

blood [blʌd] sangue *m*; **~ plasma** plasma *m* del sangue; **~ poisoning** avvelenamento *m* del sangue; **~ pressure** pressione *f* del sangue; **~shot** infiammato; **~vessel** vaso *m* sanguigno; **~y** insanguinato

bloom [blu:m] *s* fiore *m*; *v/i* florire

blossom ['blɔsəm] *s* floritura *f*; *v/i* sbocciare

blot [blɔt] *s* macchia *f*; *v/t* macchiare; **~ out** scancellare

blotter, blotting-paper carta *f* assorbente

blouse [blauz] blusa *f*; camicetta *f*

blow [blou] *s* colpo *m*; *v/t* soffiare; **~ up** fare saltare

blue [blu:] azzurro; **have the ~s** essere giù di morale; **~bell** campanula *f*

bluff [blʌf] brusco

bluish ['blu(:)iʃ] azzurrognolo

blunder ['blʌndə] gaffe *f*; svista *f*

blunt [blʌnt] (*not sharp*) che non taglia; (*lost its point*) spuntato; (*of a person*) ottuso, franco; **~ly** chiaro e tondo

blush [blʌʃ] *s* rossore *m*; *v/i* arrossire

boar [bɔː] cinghiale *m*

board [bɔːd] asse *f*; comitato *m*; **full ~** pensione *f* completa; **on ~** a bordo; **♀ of Trade** Ministero *m* del Commercio; **~er** pensionante *m*; **~ing-house** pensione *f*; **~ing-school** collegio *m*

boast [boust] *s* vanteria *f*; *v/i* vantarsi

boat [bout] barca *f*; nave *f*; vaporetto *m*

bob [bɔb] *v/t* tagliare corti (*i capelli*); **~bed hair** capelli *m/pl* alla maschietta

bobby ['bɔbi] *Brit fam* poliziotto *m*

bob-sleigh ['bɔb-] bob *m*

bodice ['bɔdis] busto *m*

bodily ['bɔdili] corporale, corporeo

body ['bɔdi] corpo *m*; parte *f* centrale; (*of a car*) carrozzeria *f*; **~guard** guardia *f* del corpo

bog [bɔg] palude *f*

boil [bɔil] *s* foruncolo *m*; *v/t* bollire; **~er** caldaia *f*

boisterous ['bɔistərəs] (*wind*) violento; (*behaviour*) chias soso, esuberante

bold [bould] audace; ardito

bolster ['boulstə] s cuscino m; v/t sostenere

bolt [boult] s paletto m; spranga f; v/t sprangare; v/i filare

bomb [bɔm] s bomba f; v/t bombardare

bond [bɔnd] legame m; contratto m; (financial) titolo m; **~age** schiavitù f

bone [boun] osso m; spina f

bonfire ['bɔnfaiə] falò m

bonnet ['bɔnit] cuffia f

bonny ['bɔni] carino

bonus ['bounəs] gratifica f

bony ['bouni] ossuto

book [buk] s libro m; v/t registrare; prenotare; **~ing-office** biglietteria f; **~keeper** contabile m; **~keeping** contabilità f; **~let** opuscolo m; **~maker** allibratore m; **~seller** libraio m; **~shop** libreria f

boom [bu:m] s rialzo m improvviso; com prosperità f

boor [buə] zoticone m

boot [bu:t] stivale m; **~-blacking** lustrascarpe m

booth [bu:ð] tenda f

booty ['bu:ti] bottino m

border ['bɔ:də] s bordo m; confine m; v/t bordare

bor|e [bɔ:] s foro m; noia f; seccatore m; v/t forare; **~edom** noia f; **~ing** noioso

borrow ['bɔrou] v/t prendere in prestito

bosom ['buzəm] petto m; seno m

boss [bɔs] padrone m; principale m

botany ['bɔtəni] botanica f

botch [bɔtʃ] v/t rabberciare

both [bouθ] entrambi, ambedue; **~ ... and** e ... e; tanto ... quanto

bother ['bɔðə] s fastidio m; v/t dare fastidio; v/i preoccuparsi

bottle ['bɔtl] s bottiglia f; v/t imbottigliare

bottom ['bɔtəm] fondo m; **at the ~** in fondo

bough [bau] ramo m

bounce [bauns] s balzo m; v/i balzare

bound [baund] s salto m; limite; a legato; obbligato; **~ for** diretto per; **~ary** confine m; **~less** senza limite, sconfinato

bouquet [bu(:)'kei] mazzo m di fiori

bout [baut] sport : assalto m; med accesso m

bow [bau] s inchino m; arco m; nodo m; fiocco m; v/i inchinarsi

bowels ['bauəlz] pl intestino m

bowl [boul] s scodella f; ciotola f; boccia f; v/t, v/i giocare alle bocce

box [bɔks] scatola f; cassa f; (at the theatre) palco m; **~er** pugilatore m; **~ing** pugilato m; **~ing match** incontro m di pugilato; **~-office** biglietteria f

boy [bɔi] ragazzo *m*

boycott ['bɔikɔt] *v/t* boicottare

boy|friend ragazzo *m*; fidanzato *m*; **~hood** infanzia *f*; **~ish** giovanile; **~ scout** esploratore *m*

bra [braː] *fam* reggipetto *m*

brace [breis] *s* sostegno *m*; *v/t* rinforzare; **~let** ['breislit] braccialetto *m*; **~s** *pl* bretelle *f/pl*

bracket ['brækit] parentesi *f*

brag [bræg] *v/i* vantarsi di; **~gart** [~ət] millantatore *m*

braid [breid] *s* treccia *f* di capelli; cordoncino *m*; *v/t* intrecciare

brain [brein] cervello *m*, intelletto *m*; **~y** intelligente

brake [breik] *s* freno *m*; *v/t* frenare

bramble ['bræmbl] rovo *m*

branch [braːntʃ] ramo *m*; succursale *f*; **~out** diramare

brand [brænd] *s* tizzone *m*; *comm* marca *f*; *v/t* marcare; **~ new** nuovo di zecca

brandy ['brændi] acquavite *f*, cognac *m*

brass [braːs] ottone *m*; (*in the orchestra*) gli ottoni *m/pl*; **~ plate** targa *f* di ottone

brassière ['bræsiə] reggipetto *m*

brave [breiv] *a* coraggioso; *v/t* sfidare; **~ry** coraggio *m*

brawl [brɔːl] rissa *f*

brawny [brɔni] muscoloso

Brazil [brə'zil] il Brasile *m*; **~ian** *s, a* brasiliano (*m*)

breach [briːtʃ] infrazione *f*; violazione *f*; **~ of peace** attentato *m* contro l'ordine pubblico; (*between friends*) rottura *f*; (*in wall*) fenditura *f*

bread [bred] pane *m*

breadth [bredθ] larghezza *f*

break [breik] *s*. rottura *f*; frattura *f*; *v/t* rompere; **~away** *v/t* staccare; *v/i* staccarsi da; **~down** guasto *m*; esaurimento *m* nervoso; **~down service** servizio *m* rimorchio; **~down** *v/t* abbattere; *v/i* (*into tears*) scoppiare in lagrime; **~open** sfondare; **~up** (*of a crowd*) disperdere; (*health*) rovinarsi

breakfast ['brekfəst] *s* (prima) colazione *f*; *v/t* fare colazione

breast [brest] petto *m*; **~stroke** nuotata *f* a rana

breath [breθ] respiro *m*; fiato *m*; **~e** [briːð] *v/t, v/i* respirare; **~ing** respiro; **~less** senza fiato; **take ~** riprendere fiato

breath [breθ] respiro *m*; fiato *m*; **~e** [briːð] *v/t, v/i* respirare; **~ing** respiro; **~less** senza fiato; **take ~** riprendere fiato

breeches ['britʃiz] *pl* brache *f/pl*

breed [briːd] *s* razza *f*; *v/t, v* *irr* generare; (*animals*) allevare; **~ing** (*persons*) educazione *f*; (*animals*) allevamento *m*

bubble

breeze [briːz] brezza f; **venticello** m

brevity ['breviti] brevità f

brew [bruː] v/t fare la birra; **~ery** fabbrica f di birra

bribe [braib] v/t corrompere; **~ery** corruzione f

brick [brik] mattone m; **~layer** pl muratore m; **~works** pl fornaci f/pl

brid|al ['braidl] nunziale; **~e** sposa f; **~egroom** sposo m, **~esmaid** damigella f d'onore

bridge [bridʒ] ponte m

bridle ['braidl] s briglia f; v/t imbrigliare

brief [briːf] breve; **~case** cartella f

brigade [bri'geid] brigata f; **fire-~** pompieri m/pl

bright [brait] luminoso; (light) forte; (colour, person) vivace; (sun) splendente; v/t, v/i illuminare

brillian|cy ['briljənsi] splendore m; **~t** splendente

brim [brim] (cup) orlo m; (hat) ala f, falda f

bring [briŋ] irr, v/t portare; **~about** cagionare; causare; **~in** introdurre; **~up** educare

brink [briŋk] orlo m

brisk [brisk] attivo; svelto

bristle ['brisl] s setola f; v/i raddrizzarsi; fig arrabbiarsi

Brit|ain ['britən] (Gran) Bretagna f, **~ish** ['britiʃ] britannico

brittle ['britl] fragile

broach [brout ʃ] v/t intavola-

re (una discussione)

broad [brɔːd] largo; **~cast** s trasmissione f; v/t trasmettere; **~casting station** stazione f trasmittente; **~en** v/t, v/i allargare; **~minded** aperto; spregiudicato

brochure [brou'ʃuə] fascicolo m

broil [brɔil] v/t arrostire

broke [brouk] fam senza soldi

broker ['broukə] sensale m

bronchitis [brɔŋ'kaitis] bronchite f

bronze [brɔnz] bronzo m

brooch [broutʃ] spilla f

brood [bruːd] s covata f; v/i covare

brook [bruk] ruscello m

broom [bruːm] scopa f; bot ginestra f; **~stick** manico m di scopa

broth [brɔθ] brodo m

brothel ['brɔθl] bordello m

brother ['brʌðə] fratello m; **~hood** fratellanza f; **~-in-law** cognato m; **~ly** fraterno

brow [brau] fronte f

brown [braun] marrone; **~paper** carta f da imballaggio

bruise [bruːz] s livido m; v/t ammaccare

brush [brʌʃ] s spazzola f; pennello m; v/t spazzolare

Brussels sprouts ['brʌsl 'sprauts] pl cavolini m/pl di Brusselle

brutal ['bruːtl] brutale; **~ity** [~'tæliti] brutalità f

bubble ['bʌbl] bolla f

2*

buck [bʌk] maschio; *Am* dollaro *m*

bucket ['bʌkit] secchia *f*

buckle ['bʌkl] *s* fibbia *f*; *v/t* affibbiare

buckskin pelle *f* di daino

bud [bʌd] *s* bocciolo *m*; *v/i* germogliare

budget ['bʌdʒit] bilancio *m*

buffalo ['bʌfələu] bufalo *m*

buffer ['bʌfə] *chem* tampone *m*; (*train*) respingente *m*; ~ **state** stato *m* cuscinetto

buffet ['bʌfit] banco *m*; caffè *m*; schiaffo *m*

bug [bʌg] cimice *f*

build [bild] *v/t*, *irr.* costruire; **~er** costruttore *m*; **~ing** costruzione *f*

bulb [bʌlb] *bot* bulbo *m*; *elec* lampadina *f*

Bulgaria [bʌlˈgɛəriə] Bulgaria *f*; **~n** *s, a* bulgaro (*m*)

bulge [bʌldʒ] *s* rigonfiamento *m*; protuberanza *f*; *v/i* rigonfiare

bulk [bʌlk] mole *f*; massa *f*; **~y** ingombrante

bull [bul] toro *m*; (*of some animals*) maschio *m*

bullet ['bulit] pallottola *f*

bulletin ['bulitin] bollettino *m*

bullion ['buljən] oro *m* e argento *m* in lingotti

bull's-eye occhio *m* di bue; centro *m* di bersaglio

bully ['buli] *s* prepotente *m*, tiranno *m*; *v/t* tiranneggiare

bum [bʌm] *fam* vagabondo *m*

bumble-bee ['bʌmbl-] cala-

brone *m*

bump [bʌmp] *s* scossa *f*; *v/t* scuotere; urtare; ~ **into** *v/i* urtarsi contro; *fig* incontrare (*per caso*)

bumper *aut* paraurti *m/pl*

bun [bʌn] brioscia *f*

bunch [bʌntʃ] mazzo *m*; ~ **of grapes** grappolo *m*

bundle ['bʌndl] fascio *m*

bungalow ['bʌngəlou] bungalò *m*; casetta *f* a un piano

bungle ['bʌngl] *v/t*, *v/i* abborracciare

bunion ['bʌnjən] infiammazione *f* del pollice del piede

buoy [bɔi] boa *f*

burden ['bɔːdn] *s* peso *m*; *v/t* caricare

bureau ['bjuərou] ufficio *m*

burglar ['bɔːglə] ladro *m*; **~y** furto *m* con scasso

burial ['beriəl] sepoltura *f*; funerali *m/pl*; **~-ground** cimitero *m*

burly ['bɔːli] robusto

burn [bɔːn] *s* bruciatura *f*; *v/t*, *v/i* bruciare; **~ing** in fiamme

burst [bɔːst] *s* scoppio *m*; *v/t*, *irr* fare scoppiare; *v/i* scoppiare

bury ['beri] *v/t* seppellire

bus [bʌs] autobus *m*; ~ **line** autolinea *f*; ~ **stop** fermata *f*

bush [buʃ] cespuglio *m*; **~y** folto

business ['biznis] affare *m*; affari *m/pl*; ~ **hours** *pl* ora *f* d'ufficio; **~like** capace; **~man** uomo *m* d'affari

calves

bust [bʌst] busto *m*
bustle ['bʌsl] *s* agitazione *f*; *v/i* agitarsi
busy ['bizi] *a* occupato; affaccendato; **~body** ficcanaso *m*
but [bʌt] *conj* ma; però; *prp* eccetto; solamente; **I cannot** ~ non posso fare a meno; **the last** ~ **one** penultimo *m*; ~ **for** senza; ~ **that** se non; ~ **than** d'altra parte
butcher ['butʃə] macellaio *m*; **~'s** macelleria *f*
butt [bʌt] zimbello *m*; (*of gun*) calcio *m*
butter ['bʌtə] burro *m*; **~cup** ranuncolo *m*; **~fly** farfalla *f*
buttocks ['bʌtəks] *pl* natiche *f/pl*
button ['bʌtn] *s* bottone *m*; *v/t* abbottonare; **~hole** occhiello *m*
buttress ['bʌtris] contrafforte *m*

buxom ['bʌksəm] grassoccio
buy [bai] *irr* comprare; **~er** compratore *m*; **~ing and selling** compravendita *f*
buzz [bʌz] *s* ronzio *m*; *v/i* ronzare
by [bai] *prp* (*at*) a; (*through*) per; da; ~ **day** di giorno; ~ **far** di gran lungo; ~ **o.s.** (da) solo; ~ **law** per legge; ~ **twos** a due a due; ~ **the way** a proposito; **day** ~ **day** giorno per giorno; **go** ~ passare davanti; **go** ~ **car** (**train**) andare in macchina (treno); *adv* vicino (a); ~ **and** ~ a poco a poco; **bye-bye** ['bai-'bai] *cf* **good-bye**; **~gone** passato; **~pass** circonvallazione *f*; **~product** prodotto *m* secondario; **~stander** astante *m*; **~street** stradetta *f*

C

cab [kæb] vettura *f* di piazza
cabbage ['kæbidʒ] cavolo *m*
cabin ['kæbin] cabina *f*; **~et** [~it] (*furniture*) stipo; *pol* gabinetto *m*; Consiglio *m* (dei Ministri); **~et-maker** stipettaio *m*
cable ['keibl] cavo *m*; **~car** funicolare *f*
cab|man tassista *m*, *f*; **~stand** posteggio *m*
cackle ['kækl] *v/i* chiocciare
cact|us ['kæktəs], *pl* **~uses** ['~siz], **~i** ['~ai] cacto *m*

café ['kæfei] caffè *m*
caffeine ['kæfiːn] coffeina *f*
cage [keidʒ] gabbia *f*
cake [keik] torta *f*; pasta *f*; dolce *m*
calamity [kæl'æmiti] calamità *f*
calcula|ble ['kælkjuləbl] calcolabile; **~te** *v/t* calcolare; **~tion** calcolo *m*
calendar ['kælində] calendario *m*
calf [kɑːf], *pl* **calves** [~vz] vitello *m*; *anat* polpaccio *m*

cali|bre, Am **~er** ['kælibə] calibro m

call [kɔːl] s chiamata f; (breve) visita f; v/t chiamare; ~ **for** far venire; ~ **on** far visita; **~s.o. names** insultare; **~box** cabina f telefonica; **~ing** vocazione f

callous ['kæləs] (of persons) insensibile

calm [kɑːm] s calmo m; v/t calmare; ~ **down** v/i calmarsi

calorie ['kæləri] caloria f

cambric ['keimbrik] batista f

camel ['kæməl] cammello m

camera ['kæmərə] macchina f fotografica; **~man** cameraman m

camomile ['kæməmail] camomilla f

camouflage ['kæmuflɑːʒ] s camuffamento m; v/t camuffare

camp [kæmp] s campo m; v/i accampare; **~stool** sedia f pieghevole

camp|aign [~'pein] campagna f; **~ing** (**~ground**) ['kæmpiŋ] campeggio m

campus ['kæmpəs] città f universitaria

can [kæn] v/d **I can** posso; **you ~** puoi etc; s scatola f di latta

Canad|a ['kænədə] Canada m; **~ian** [kə'neidjən] s, a canadese (m, f)

canal [kə'næl] canale m; **~ize** ['kænəlaiz] v/t canalizzare

canary [kə'nɛəri] canarino m

cancel ['kænsəl] v/t cancellare; annullare

cancer ['kænsə] cancro m

candid ['kændid] candido; **~ate** ['kændideit] candidato m

cand|ied ['kændid] candito; **~ies** pl Am caramelle f/pl

candle ['kændl] candela f; **~stick** bugia f

candy ['kændi] Am cf **~ies**

cane [kein] canna f; bastone m da passeggio

cann|ed [kænd] in scatola; **~ery** Am stabilimento m di conserve alimentari

cannon ['kænən] cannone m

cannot ['kænɔt] non potere

canoe [kə'nuː] canotto m

canopy ['kænəpi] baldacchino m

cant [kænt] ipocrisia f

can't cf **cannot**

canteen [kæn'tiːn] mensa f

canvas ['kænvəs] tela f; **~s** v/t sollecitare

cap [kæp] berretto m; cuffia f; tappo m

capab|ility [keipə'biliti] capacità f; **~le** (of) capace (di)

capacity [kə'pæsiti] capacità f

cape [keip] mantella f; geog capo m

caper ['keipə] cappero m; **~s: ~cut ~s** fare capriole

capital ['kæpitl] s capitale f; a eccellente; principale; **~letter** maiuscolo m; **~ism** capitalismo m; **~ punishment** pena f di morte

capitulate [kə'pitjuleit] v/t

capitolare

capricious [kə'priʃəs] capriccioso

capsize [kæp'saiz] v/t capovolgere

capsule ['kæpsju:l] capsula f

captain ['kæptin] capitano m, comandante m

caption ['kæpʃən] titolo m; didascalia f

captivate ['kæptiveit] v/t affascinare; **~e** s, a prigioniero; (m); **~ity** [~'tiviti] prigionia f

capture ['kæptʃ] s cattura f; v/t catturare

car [ka:] automobile f; macchina f; (railway) vagone m

caramel ['kærəməl] caramella f

carat ['kærət] carato m

caravan ['kærəvæn] carovana f, rimorchio m da campeggio

carbohydrate [ˌka:bou'haidreit] idrato m di carbonio; **~n** ['ka:bən] carbonio m; **~n dioxide** anidride f carbonica; **~n paper** carta f carbone

carburet(t)or, ~ter ['ka:bjuretə] carburatore m

carcase, ~ss [ka:kəs] carcassa f

card [ka:d] carta f (da giuoco); biglietto m; **~board** cartone m

cardigan ['ka:digən] golf m

cardinal ['ka:dinl] s, a cardinale (m)

care [kɛə] s cura f; v/i importarsi; **I don't ~** non m'im-

porta; **~ of** presso; **take ~** stare attento; **~ for** voler bene; piacere

career [kə'riə] carriera f

care|ful accurato; attento; **~less** trascurato

caress [kə'res] carezza f; v/t accarezzare

caretaker custode m, f

cargo ['ka:gou] carico m

caricature ['kærikə'tjuə] caricatura f

caries ['kɛərii:z] carie f

carnation [ka:'neiʃən] garofano m

carnival ['ka:nivəl] carnevale m

carol ['kærəl] canto m (di Natale)

carp [ka:p] carpa f

car-park parcheggio m per automobili

carpenter ['ka:pintə] falegname m

carpet ['ka:pit] tappeto m

carriage ['kæridʒ] carrozza f; portamento m; **~ free** franco di porto; **~ paid** franco a domicilio; **~way** carreggiata f

carrier ['kæriə] corriere m, imprenditore m di trasporti; **~pigeon** piccione m viaggiatore

carrot ['kærət] carota f

carry ['kæri] v/t portare; **~ on** v/t continuare; **~ out** v/t effettuare

cart [ka:t] carretto m; **~er** carrettiere m

carton ['ka:tən] scatola f di cartone

cartoon [ka:'tu:n] cartone m animato; (newspaper) vignetta f

cartridge ['ka:trɪdʒ] cartuccia f

carv|e [ka:v] v/t intagliare; **~er** scultore m; **~ing** intaglio m; scultura f

cascade [kæs'keɪd] cascata f

case [keɪs] s astuccio m; custodia f; cassa f; caso m; causa f; **in ~** per caso; caso mai; **in any ~** in ogni modo

cash [kæʃ] s denaro m liquido; contanti m/pl; **~ down** in contanti; **~ on delivery** contro assegno; **~ payment** pagamento m in contanti; v/t incassare; riscuotere; **~ier** cassiere m

casing ['keɪsɪŋ] copertura f

cask [ka:sk] botte f; barile m

cast [ka:st] s getto m; v/t gettare; **be ~ down** essere giù di morale

castanets [ˌkæstə'nets] pl nacchere f/pl

castaway ['ka:stəweɪ] naufrago m

caste [ka:st] casta f

cast-iron ferro m fuso; ghisa f

castle ['ka:sl] castello m

castor ['ka:stə] **oil** olio m di ricino

casual ['kæʒjuəl] casuale; **~ty** disgrazia f; ferito m

cat [kæt] gatto m, gatta f

catalog(ue) ['kætəlɔg] catalogo m

catarrh [kə'ta:] catarro m

catastrophe [kə'tæstrəfi]

catastrofe f

catch [kætʃ] s presa f; cattura f; pesca f; trappola f; v/t prendere; catturare; pescare; **~ (a) cold** infreddarsi; **~ it** buscarsela; **~ing** contagioso

caterpillar ['kætəpɪlə] bruco m

cathedral [kə'θi:drəl] cattedrale f; duomo m

Catholic ['kæθəlɪk] a, s cattolico (m)

cattle ['kætl] bestiame m

cauliflower ['kɔlɪflauə] cavolfiore m

cause [kɔ:z] s causa f; v/t causare; **~way** passerella f

cauterize ['kɔ:təraɪz] v/t cauterizzare

caution ['kɔ:ʃən] s cautela f; ammonizione f; v/t ammonire; **~ous** cauto; prudente

cavalry ['kævəlrɪ] cavalleria f

cave [keɪv] cava f; **~rn** ['kævən] caverna f

cavity ['kævɪtɪ] cavità f

caw [kɔ:] v/t gracchiare

cease [si:s] v/i cessare; **~less** incessante

cedar ['si:də] cedro m

cede [si:d] v/t cedere; v/i rendersi

ceiling ['si:lɪŋ] soffitto m

celebr|ate ['selɪbreɪt] v/t celebrare; **~ated** rinomato; **~ation** celebrazione f; **~ity** [sɪ'lebrɪtɪ] celebrità f

celery ['selərɪ] sedano m

celibacy ['selɪbəsɪ] celibato m

cell [sel] cella *f*; *biol* cellula *f*; **~ar** [selə] cantina *f*; **~ulose** ['seljuləs] cellulosa *f*

Celt [kelt] celta *m*; **~ic** celtico *m*

cement [si'ment] *s* cemento *m*; *v/t* cementare

cemetery ['semitri] cimitero *m*

censor ['sensə] censore *m*; **~orship** censura *f*; **~ure** ['sen∫ə] *s* censura *f*; biasimo *m*; *v/t* censurare

census ['sensəs] censimento *m*

cent [sent] centesimo *m* di dollaro; **per ~** per cento

centen|ary [sen'ti:nəri], **~nial** [sen'tenjəl] *a,s* centenario (*m*)

centi|metre, *Am* **~meter** ['sentimitə] centimetro *m*

cent|ral [sentrəl] centrale; **~ral heating** riscaldamento *m* centrale; **~re**, *Am* **~er** ['sentə] centro *m*; **~re-for-ward** centro-attacco *m*

century ['sent∫uri] secolo *m*

ceramics [si'ræmiks] *pl* ceramica *f*

cereal ['siəriəl] cereale *m*

cerebral ['seribrəl] cerebrale

ceremon|ial [seri'məuniəl] *s, a* cerimoniale (*m*); **~y** ['.məni] cerimonia *f*

certain ['sə:tn] certo; **~ty** certezza *f*

certif|icate [sə'tifikit] certificato *m*; **~y** ['sə:tifai] *v/t* certificare

chaffinch ['t∫æfint∫] fringuello *m*

chain [t∫ein] *s* catena *f*; *v/t* incatenare; **~ reaction** reazione *f* a catena

chair [t∫eə] sedia *f*; **~man** presidente *m*

chalk [t∫ɔ:k] gesso *m*

challenge ['t∫ælind3] *s* sfida *f*; *v/t* sfidare; obiettare

chamber ['t∫eimbə] camera *f*; **~maid** cameriera *f*; **2 of Commerce** camera *f* di commercio

chameleon [kə'mi:ljən] camaleonte *m*

chamois ['∫æmwɑ:] camoscio *m*

champagne [∫æm'pein] sciampagna *m*

champion ['t∫æmpjən] campione *m*; **~ship** campionato *m*

chance [t∫ɑ:ns] caso *m*; possibilità *f*; **by ~** per caso

chancellor ['t∫ɑ:nsələ] cancelliere *m*

chandelier [∫ændi'liə] lampadario *m*

change [t∫eind3] *s* cambiamento *m*; (*money*) spiccioli *m/pl*; *v/t* cambiare; spicciolare; **~able** mutevole; **~ one's mind** cambiar idea

channel ['t∫ænl] canale *m*; **the (English)** ♀ la Manica *f*

chant [t∫ɑ:nt] canto *m*

chap [t∫æp] *s* (*man*) tipo *m*; (*of the skin*) screpola *f*; *v/t* screpolare

chap|el ['t∫æpəl] cappella *f*; **~lain** ['.lin] cappellano *m*

chapter ['t∫æptə] capitolo *m*

character ['kæriktə] carattere *m*; *thea* parte *f*; **~istic** caratteristico; **~ize** *v/t* caratterizzare

charcoal ['tʃɑːkoul] carbone *m* di legno

charge [tʃɑːdʒ] *s* carica *f*; incarico *m*; prezzo *m*; accusa *f*; *v/t* caricare; incaricare; mettere a un certo prezzo; addebitare; accusare; **~s** *pl* spese *f/pl*; **in ~ of** incaricato di

charit|able ['tʃæritəbl] caritatevole; **~y** carità *f*

charm [tʃɑːm] *s* fascino *m*; *v/t* affascinare; **~ing** affascinante

chart [tʃɑːt] carta *f*; grafico *m*

charter ['tʃɑːtə] *s* carta *f*; *v/t* noleggiare

charwoman ['tʃɑːwumən] donna *f* delle pulizie

chase [tʃeis] *s* caccia *f*; rincorso *m*; *v/t* cacciare; rincorrere

chasm ['tʃæzm] abisso *m*

chast|e [tʃeist] casto; puro; **~ity** ['tʃæstiti] castità *f*

chat [tʃæt] *s* chiacchierata *f*; *v/i* chiacchierare; **~ter** *s* chiacchiera *f*; *v/i* ciarlare; **~terbox** ciarlone *m*

chauffeur ['ʃəufə] autista *m*

cheap [tʃiːp] a basso prezzo, a buon prezzo; **~en** *v/t* abbassare; *v/i* abbassare di prezzo

cheat [tʃiːt] *v/t, v/i* truffare; frodare; ingannare

check [tʃek] *s* controllo *m*; ostacolo *m*; scontrino *m*; assegno *m*; *v/t* controllare; arrestare; reprimere; **~ed** a quadretti; **~mate** scacco matto *m*; **~room** *Am* guardaroba *m*

cheek [tʃiːk] guancia *f*; **~y** impertinente

cheer [tʃiə] *s* grido *m* di acclamazione; *v/t* acclamare; **~ up** *v/i* rianimarsi; farsi coraggio; **~ up!** su!; coraggio!; **~ful** allegro; **~less** triste

cheese [tʃiːz] formaggio *m*

chef [ʃef] cuoco *m*

chemical ['kemikəl] chimico; **~s** *pl* prodotti *m/pl* chimici

chemist ['kemist] chimico *m*; farmacista *m*; **~ry** chimica *f*; **~'s shop** drogheria *f*; farmacia *f*

cheque [tʃek] assegno *m* (bancario); **~book** libretto *m* di assegni

cherish ['tʃeriʃ] *v/t* curare con affetto; tenere caro

cherry ['tʃeri] ciliegia *f*; **~tree** ciliegio *m*

chess [tʃes] scacchi *m/pl*; **~board** scacchiera *f*; **~man** scacco *m*

chest [tʃest] cassa *f*; torace *m*

chestnut ['tʃesnʌt] castagna *f*; **~tree** castagno *m*

chew [tʃuː] *v/t* masticare; **~inggum** gomma *f* americana

chicken ['tʃikin] pollo *m*; *gast* pollo *m*; **~pox** varicella *f*

chief [tʃiːf] *a* principale; *s*

capo *m*

chilblain ['tʃilblein] gelone *m*

child [tʃaild], *pl* **∼ren** ['tʃildrən] bambino(a), figlio(a) *m* (*f*); **∼birth** parto *m*; **∼hood** infanzia *f*; **∼ish** infantile, puerile

chill [tʃil] *s* fresco *m*; colpo *m* di freddo; *v/t* raffreddare; **∼y** (*weather*) fresco; (*person*) freddoloso

chime [tʃaim] *s* rintocco *m*; *v/i* (*bell*) suonare

chimney ['tʃimni] camino *m*; **∼-sweep** spazzacamino *m*

chin [tʃin] mento *m*

china ['tʃainə] porcellana *f*; **♀a** Cina *f*; **♀ese** *a*, *s* cinese (*m,f*)

chip [tʃip] *s* scheggia *f*; *v/t* scheggiare; *v/i* scheggiarsi

chirp [tʃɔːp] *v/i* cinguettare

chisel ['tʃizl] *s* cesello *m*, scalpello *m*; *v/t* cesellare

chivalr|ous ['ʃivəlrəs] cavalleresco; **∼y** cavalleria *f*

chive [tʃaiv] cipollina *f*

chlor|ine ['klɔːriːn] cloro *m*; **∼oform** ['klɔːrəfɔːm] cloroformio *m*

chocolate ['tʃɔkəlit] cioccolata *f*; cioccolatino *m*

choice [tʃɔis] *a* scelto; prelibato; squisito; *s* scelta *f*

choir ['kwaiə] coro *m*

choke [tʃouk] *v/t* soffocare; affogare; *v/i* soffocarsi; affogarsi

choose [tʃuːz] *v/t* scegliere

chop [tʃɔp] *s* costoletta *f* (*di*

maiale *o* di agnello); *v/t* tagliare; tagliuzzare; **∼sticks** *pl* bacchette *f/pl*

chord [kɔːd] corda *f*; *mus* accordo *m*

chorus ['kɔːrəs] coro *m*

Christ [kraist] Cristo *m*; **♀en** ['krisn] *v/t* battezzare; **∼endom** cristianità *f*; **♀ening** ['krisniŋ] battesimo *m*; **∼ian** ['kristjən] cristiano(a) *m* (*f*); **∼ianity** [‿i'æniti] cristianesimo *m*; **∼mas** Natale; **∼mas Day** Natale; **∼mas Eve** vigilia *f* di Natale; **Merry ∼mas!** Buon Natale!

chromium ['kroumjəm] cromio *m*

chronic ['krɔnik] cronico *m*

chron|icle ['krɔnikl] cronaca *f*; **∼ological** [krɔnə'lɔdʒikəl] cronologico

chubby ['tʃʌbi] grassetto

chuckle ['tʃʌkl] *v/t* ridere sotto voce

chum [tʃʌm] *fam* compagno(a) *m* (*f*)

chunk [tʃʌŋk] grosso pezzo *m*

church [tʃəːtʃ] chiesa *f*; **♀ of England** chiesa *f* anglicana; **∼ services** *pl* funzioni *f/pl*; **∼yard** cimitero *m*

cider ['saidə] sidro *m*

cigar [si'gɑː] sigaro *m*; **∼ette** [sigə'ret] sigaretta *f*

Cinderella [sində'relə] Cenerentola *f*

cine|-camera ['sini-] macchina *f* da presa; **∼ma** ['sinəmə] cinema *m*

cipher ['saifə] zero m; cifra f
circle ['sɔːkl] s cerchio m;
circolo m; v/t circondare;
v/i girare intorno
circuit ['sɔːkit] circuito m;
short ~ corto circuito m
circula|r ['sɔːkjulə] a circolare; **~r letter** circolare f;
~te v/i circolare; **~tion** f; (of a newspaper)
colazione f; (of a newspaper)
tiratura f
circum|ference [sə'kʌmfərəns] circonferenza f;
~scribe ['~skraib] v/t circoscrivere
circumstance circostanza f;
condizione f
circus ['sɔːkəs] circo m
cistern ['sistən] cisterna f;
serbatoio
cite [sait] v/t citare
cit|izen ['sitizn] cittadino(a)
m(f); **~izenship** cittadinanza f; **~y** ['siti] città f; **little ~y** cittadina f; **~y guide**
pianta f della città
civ|ic ['sivik] civico; **~il**
['sivl] civile; educato; gentile; **~il service** amministrazione f dello Stato;
~ilian [si'viljən] a, s borghese (m,f); **~ility** cortesia
f; **~ilization** civiltà f; **~ilize**
v/t incivilire
claim [kleim] s pretesa f;
reclamo m; v/t pretendere;
reclamare
clam|orous ['klæmərəs] clamoroso; **~o(u)r** s clamore
m; rumore m; v/i vociferare
clamp [klæmp] grappa f
clan [klæn] tribù f; clan m

clap [klæp] s colpo m; applauso m; v/i applaudire,
battere le mani
claret ['klærət] claretto m
clari|fy ['klærifai] v/t chiarire; **~ty** chiarezza f
clash [klæʃ] s contrasto m;
v/i contrastarsi
clasp [klɑːsp] s gancio m;
abbraccio m; v/t, v/i agganciare; stringere; abbracciare; **~knife** temperino m
class [klɑːs] s classe f; (social)
ceto m; v/t classificare
classic ['klæsik] a, s classico
(m)
class|ification [ˌklæsifi'keiʃən] classificazione f; **~ify**
['~fai] v/t classificare
class room aula f
clause [klɔːz] clausola f
claw [klɔː] s artiglio m; v/t
graffiare
clay [klei] argilla f; creta f
class|-mate compagno m di
classe; **~-room** aula f
clause [klɔːz] clausola f
claw [klɔː] s artiglio m; v/t
graffiare
clay [klei] argilla f; creta f
clean [kliːn] pulito; v/t pulire; **~-cut** Am netto; v/t
chiarire; **~er's** (shop) tintoria f; **~ing**, **~ness**
pulizia f; **~se** [klenz] v/t pulire
clear [kliə] a chiaro, libero;
v/t chiarire; liberare; v/i
(weather) schiarirsi; **~ance**
liquidazione f
clef [klef] mus chiave f
clemency ['klemənsi] clemenza f

clergy ['klə:dʒi] clero *m*;
~**man** ecclesiastico *m*

clerk [kla:k] impiegato *m*
d'ufficio; commesso *m*;
chierico *m*

clever ['klevə] abile; bravo;
intelligente

client [klaiənt] cliente *m*

cliff [klif] scogliera *f*

climate ['klaimit] clima *m*

climax ['klaimæks] punto *m*
culminante

climb [klaim] *s* salita *f*; *v/t*
salire

clinch [klintʃ] *v/t*, *v/i* afferrare; confermare; avvinghiare

cling [klin] *irr*, *v/i*, *irr* aderire *a*; attaccarsi a

clinic ['klinik] clinica *f*

clink [klink] *v/t* far tintinnare

clip [klip] *s* fermaglio *m*;
gancio *m*; taglio *m*; tosatura
f; *v/t* tagliare; tosare

clique [kli:k] cricca *m*

cloak [klouk] mantello *m*;
~**room** guardaroba *f*

clock [klɔk] orologio *m* da
muro

clog [klɔg] zoccolo *m*

close [klous] *s* conclusione *f*;
fine *f*; *v/t* chiudere; concludere; finire; ~ **to** *prp* vicino
a

closet ['klɔzit] *Am* armadio
m; gabinetto *m*

cloth [klɔθ] stoffa *f*; tessuto
m; tovaglia *f*; ~**e** [klouð] *v/t*
vestire

clothes [klouðz] *pl* vestiti
m/pl, abiti *m/pl*; ~**brush**

spazzola *f* per vestiti; ~
hanger gruccia *f*; ~**pin**, ~
peg fermabiancheria *m*

clothing vestiti *m/pl*

cloud [klaud] *s* nuvola *f*; *v/i*
rannuvolarsi; ~**y** nuvoloso

clove [klouv] chiodo *m* di
garofano

clover ['klouvə] trifoglio *m*

clown [klaun] pagliaccio *m*

club [klʌb] mazzo *m*; circolo
m

clue [klu:] indizio *m*

clumsy ['klʌmzi] goffo

clutch [klʌtʃ] *s* stretta *f*; *aut*
frizione *f*; *v/t* afferrare; aggrapparsi a

coach [koutʃ] *s* carrozza *f*;
corriera *f*; ripetitore *m*; allenatore *m*; *v/t* dare ripetizioni; allenare

coal [koul] carbone *m*; ~
mine, ~**pit** miniera *f* di
carbone

coarse [kɔːs] rozzo; ruvido;
grossolano

coast [koust] *s* costa *f*; *v/i*
costeggiare; ~**guard** milizia
f guardacoste

coat [kout] cappotto *m*; giacca *f*; paltò *m*; ~ **of arms**
stemma *m*; ~**ing** rivestimento *m*

coax [kouks] *v/t* invogliare

cobra ['koubrə] cobra *m*

cobweb ['kɔbweb] ragnatela
f

cock [kɔk] gallo *m*; maschio
m (di uccelli); ~**chafer** maggiolino *m*; ~**pit** carlinga *f*;
~**tail** cocktail *m*; ~**y** presuntuoso

cocoa ['koukou] cacao *m*

coconut ['koukənʌt] noce *f* di cocco

cocoon [kə'ku:n] bozzolo *m*

cod [kɔd] merluzzo *m*; ~
liver oil olio *m* di fegato di merluzzo

coddle ['kɔdl] *v/t* vezzeggiare

code [koud] codice *m*; cifrario *m*

coffee ['kɔfi] caffè *m*; ~**bean** chicco *m* di caffè; ~**mill** macchinetta *f* da caffè; ~
pot caffettiera *f*

coffin ['kɔfin] bara *f*

cog [kɔg] *mech* dente *f*; ~
wheel ruota *f* dentata

coherent [kou'hiərənt] coerente

coiffure [kwɑ:'fjuə] pettinatura *f*

coil [kɔil] *s* rotolo *m* (di corda); spira *f* (di serpe); *elec* bobina *f*; *v/t* arrotolare

coin [kɔin] *s* moneta *f*; *v/t* coniare; *fig* inventare

coincide [,kouin'said] *v/i* coincidere; ~**nce** [kou'insidəns] coincidenza *f*

cold [kould] *a* freddo; *fig* insensibile; **it is** ~ fa freddo; **feel** ~ aver freddo; *s* freddo *m*; raffreddore *m*; ~**ness** freddezza *f*

colic ['kɔlik] colica *f*

collaborate [kə'læbəreit] *v/i* collaborare; ~**ion** collaborazione *f*

collapse [kə'læps] *s* collasso *m*; crollo *m*; *v/i* avere un collasso; crollare

collar ['kɔlə] colletto *m*; ~
bone clavicola *f*

colleague ['kɔli:g] collega *m*

collect [kə'lekt] *s* colletta *f*; *v/t* fare collezione; mettere insieme; radunare; ~**ion** collezione *f*; raccolta *f*; ~**ive** collettivo

college ['kɔlidʒ] collegio *m* universitario; istituto *m* superiore

collide [kə'laid] *v/i* scontrarsi

colliery [kɔljəri] miniera *f* di carbone

collision [kə'liʒən] scontro *m*

colloquial [kə'loukwiəl] familiare; ~**y** colloquio *m*

colon ['koulən] *gram* due punti *m/pl*

colonel ['kə:nl] colonnello *m*

colonial [kə'lounjəl] coloniale

colony ['kɔləni] colonia *f*

colo(u)r ['kʌlə] *s* colore *m*; colorito *m*; tinta *f*; *v/t* colorire; *v/i* colorirsi; ~ **bar** discriminazione *f* razziale; ~**blind** daltonico; ~**ed** di colore; ~**ed man** uomo *m* di colore; negro *m*; ~**less** incolore; senza colore; ~**print** fotografia *f* a colori

column ['kɔləm] colonna *f*; rubrica *f* (di un giornale)

comb [koum] *s* pettine *m*; *v/t* pettinare

combat ['kɔmbət] *s* lotta *f*; *v/t* combattere; lottare contro

combination [kɔmbi'neiʃən] combinazione *f*; ~**e**

[kəm'bain] v/t combinare;
v/i combinarsi

combust|ible [kəm'bʌstəbl]
combustibile; **~ion** [.stʃən]
combustione f

come [kʌm] irr venire; ~
about accadere; ~ **across**
incontrare; ~ **back** ritornare; ~ **down** (di)scendere; ~
in entrare; ~ **off** scendere;
verificarsi; ~ **on!** su!; avanti; ~ **up** salire

comed|ian [kə'miːdjən] comico m; **~y** ['kɔmidi] commedia f

comfort ['kʌmfət] conforto
m; consolazione f; v/t confortare; consolare; **~able**
comodo

comic|(al) ['kɔmik(əl)] comico; buffo; **~ strips** pl fumetti m/pl

comma ['kɔmə] virgola f

command [kə'maːnd] s ordine f; comando m; padronanza f; v/t ordinare; comandare; **~er-in-chief** comandante m in capo;
~ment comandamento m

commemorate [kə'meməreit] v/t commemorare

commence [kə'mens] v/t,
v/i cominciare; iniziare

commend [kə'mend] v/t
raccomandare

comment ['kɔment] s commento m; v/i commentare;
~ary commento m; **~ator**
cronista m, f

commerc|e ['kɔmə(ː)s]
commercio m; **~ial** commerciale

commission [kə'miʃən] s
commissione f; v/t incaricare; **~er** commissario m

commit [kə'mit] v/t commettere; consegnare affidare; ~ **oneself** (**to**) v/i
compromettersi; **~ment**
impegno m

committee [kə'miti] comitato m

commodity [kə'mɔditi] genere m di prima necessità;
merce f; comodità f

common ['kɔmən] comune;
pubblico; volgare; **in** ~ in
comune; ~ **market** Mercato m Comune Europeo;
~ **sense** buon senso m;
~place s luogo comune m; a
banale; **~wealth** repubblica f

commotion [kə'mouʃən]
agitazione f

commun|al ['kɔmjunl] comunale; pubblico; **~icate**
[kə'mjuːnikeit] v/t comunicare; **~ication** comunicazione f; avviso m; **~icative**
comunicativo; **~ion** comunione f

commun|ism ['kɔmjunizəm] comunismo m; **~ist**
comunista m, f

community [kə'mjuːniti]
comunità f

commut|ation [,kɔmju'teiʃən] commutazione f; ~
ticket Am biglietto m
d'abbonamento; **~e** [kə'mjuːt] v/t commutare; viaggiare regolarmente

compact ['kɔmpækt] compatto

companion [kəmˈpænjən] compagno(a) *m* (*f*); **~ship** compagnia *f*; cameratismo *m*

company [ˈkʌmpəni] compagnia *f*

comparable [ˈkɔmpərəbl] paragonabile; **~ative** [kəmˈpærətiv] comparativo; **~e** [kəmˈpɛə] *v/t* paragonare; *v/i* sostenere il paragone; **~ison** [~ˈpærisn] paragone *m*

compartment [kəmˈpɑːtmənt] scompartimento *m*

compass [ˈkʌmpəs] *s* bussola *f*; *v/t* circondare; (**pair of**) **~es** *pl* compasso *m*

compassion [kəmˈpæʃən] compassione *f*

compatible [kəmˈpætəbl] compatibile

compatriot [kəmˈpætriət] compatriota *m*

compel [kəmˈpel] *v/t* costringere

compensate [ˈkɔmpenseit] *v/t* compensare; *v/i* compensarsi; **~ion** compensazione *f*; compenso *m*

compère [ˈkɔmpɛə] presentatore *m*

compete [kəmˈpiːt] *v/i* concorrere; **~ence** [ˈkɔmpitəns] competenza *f*; capacità *f*; **~ent** competente; capace; **~ition** [kɔmpiˈtiʃən] concorrenza *f*; **~itor** [kəmˈpetitə] concorrente *m,f*

compile *v/t* compilare

complacent [kəmˈpleisnt]

contento di se stesso

complain [kəmˈplein] *v/i* lagnarsi; reclamare; **~t** lagnanza *f*; *med* malattia *f*

complete [kəmˈpliːt] *a* completo; intero; perfetto; *v/t* completare; finire

complex [ˈkɔmpleks] *a, s* complesso (*m*)

complexion [kəmˈplekʃən] carnagione *f*

complicate [ˈkɔmplikeit] *v/t* complicare; **~ion** complicazione *f*

compliment [ˈkɔmplimənt] *s* complimento *m*; **~s** *pl* saluti *m/pl*; *v/t* congratularsi con; **~ary** di omaggio; **~ary ticket** biglietto *m* di omaggio

comply (**with**) [kəmˈplai] *v/i* acconsentire

component [kəmˈpounənt] *a, s* componente (*m*)

compose [kəmˈpouz] *v/t* comporre; **~e oneself** *v/i* calmarsi; **~ed** composto; **~er** compositore *m*; **~ition** composizione *f*; **~ure** [kəmˈpouʒə] compostezza *f*; calma *f*

compote [ˈkɔmpɔt] conserva *f*

compound [kəmˈpaund] *a* composto *m*; *v/t* comporre

comprehend [kɔmpriˈhend] *v/t* comprendere; includere; **~sible** comprensibile; **~sion** comprensione *f*; **~sive** comprensivo

compress [kəmˈpres] *v/t* comprimere; condensare

comprise [kəm'praiz] v/t comprendere; includere

compromise ['kɔmprə- maiz] s compromesso m; v/t, v/i accomodarsi; com- promettere

compuls|ion [kəm'pʌlʃən] costrizione f; **~ory** obbli- gatorio

compunction [kəm'pʌŋk- ʃən] rimorsi m/pl

comput|e [kəm'pju:t] v/t computare; **~er** calcolatore m elettronico: computer m

comrade ['kɔmrid] compa- gno m

conceal [kən'si:l] v/t nasconde- dere

concede [kən'si:d] v/t conce- dere

conceit [kən'si:t] presunzio- ne f; **~ed** presuntoso

conceiv|able concepibile; **~e** v/t concepire

concentrat|e ['kɔnsəntreit] v/t concentrare; v/i con- centrarsi

concept ['kɔnsept] concetto m; **~ion** [kən'sepʃən] conce- zione f

concern [kən'sə:n] s ansietà f; faccenda f; azienda f; ditta f; v/t concernere; riguar- dare; preoccupare; **~ed** in- teressato; preoccupato

concert ['kɔnsət] s concerto m; v/t concertare

concession [kən'seʃən] conces- sione f

conciliat|e [kən'silieit] v/t conciliare; **~ion** [kənsi- li'eiʃən] conciliazione f

concise [kən'sais] conciso

conclu|de [kən'klu:d] v/t concludere; terminare; **~sion** conclusione f; ter- mine m

concord ['kɔnkɔ:d] armonia f; mus accordo m

concrete ['kɔnkri:t] a concre- to; s cemento m

concur [kən'kə:] v/i concor- rere; accordarsi

concuss|ion (of the brain) [kən'kʌʃən] commozione f cerebrale

condemn [kən'dem] v/t condannare; **~ation** con- danna f

condense [kən'dens] v/t condensare; v/i conden- sarsi; **~r** condensatore m

condescend [kɔndi'send] v/i (ac)condiscendere; de- gnarsi

condition [kən'diʃən] s con- dizione f; v/t condizionare; stipulare; **~al** a, s condizio- nale (m)

condole [kən'doul] v/i fare le condoglianze; **~nce** condo- glianza f

conduct ['kɔndʌkt] s con- dotta f; direzione f; [kən- 'dʌkt] v/t condurre; diri- gere; **~ o.s.** comportarsi; **~or** [kən'dʌktə] mus diret- tore m d'orchestra; (on a bus) fattorino m; elec con- duttore m

cone [koun] cono m

confection [kən'fekʃən] confetto m; (dress) confe- zione f; **~er** pasticciere m;

~ery pasticceria f
confedera|cy [kən'fedərəsi] confederazione f; **~te** [~it] alleato
confer [kən'fə:] v/t conferire; **~ence** ['kɔnfərəns] conferenza f
confess [kən'fes] v/t confessare; **~ion** confessione f
confid|ant [ˌkɔnfi'dænt] confidente m; **~e** [kən'faid] v/t confidare; **~ence** confidenza f, fiducia f; **~ent** fiducioso; **~ential** [ˌ~'denʃəl] confidenziale
confine [kən'fain] v/t rinchiudere; **~ment** reclusione f; med parto m
confirm [kən'fə:m] v/t confermare; rettificare; cresimare; **~ation** conferma f; cresima f
confiscate ['kɔnfiskeit] v/t confiscare
conflict ['kɔnflikt] s conflitto m; [kən'flikt] v/i contraddirsi; **~ing** contraddittorio; opposto
conform [kən'fɔ:m] v/i conformare; **~ity** conformità f
confound [kən'faund] v/t confondere; **~ it!** fam maledetto
confront [kən'frʌnt] v/t affrontare; confrontare
confus|e [kən'fju:z] v/t confondere; **~ion** confusione f
congeal [kən'dʒi:l] v/t congelare
congestion [kən'dʒestʃən] congestione f
congratulat|e [kən'grætju-

leit] v/t congratularsi con; **~ion** congratulazione f; rallegramento m
congregate ['kɔŋgrigeit] v/i congregare; **~ion** (church) fedeli m/pl
congress ['kɔŋgres] congresso m
conjecture [kən'dʒektʃə] s congettura f; v/t congetturare
conjugal ['kɔndʒugəl] coniugale
conjugat|e ['kɔndʒugeit] v/t coniugare; **~ion** coniugazione f
conjunction [kən'dʒʌŋkʃən] congiunzione f
conjunctivitis [ˌkɔndʒʌŋkti'vaitis] congiuntivite f
conjure [kən'dʒuə] v/t scongiurare; ['kʌndʒə] v/i fare incanti; **~r** mago m
connect [kə'nekt] v/t legare; collegare; associare; connettere; v/i legarsi; collegarsi; associarsi; connettersi; **~ion** legame m; collegamento m; parente m
connexion [kə'nekʃən] cf **connection**
conquer ['kɔŋkə] v/t conquistare; vincere; **~or** conquistatore m; **~st** conquista f
conscien|ce ['kɔnʃəns] coscienza f; **~tious** [ˌ~i'enʃəs] coscienzioso
conscious ['kɔnʃəs] cosciente; **~ness** coscienza f
consecrat|e ['kɔnsikreit] v/t consacrare; dedicare; **~ion**

consacrazione f; dedica f

consecutive [kənˈsekjutiv] consecutivo

consent [kənˈsent] s consenso m; v/i acconsentire

consequen|ce [ˈkɔnsikwəns] conseguenza f; **~t** conseguente; **~tly** in conseguenza

conserv|ation [kɔnsəˈveiʃən] conservazione f; **~ative** [kənˈsɔːvətiv] a, s conservatore (m); **~atory** mus conservatorio m; **~e** v/t conservare; s conserva f

consider [kənˈsidə] v/t considerare; **~able** considerevole; **~ate** [~rit] riguardoso; **~ation** considerazione f

consign [kənˈsain] v/t consegnare; **~ee** destinatario m; **~ment** consegna f; partita f

consist [kənˈsist] v/i consistere; **~ence**, **~ency** consistenza f; **~ent** costante

consol|ation [kɔnsəˈleiʃən] consolazione f; **~e** [kənˈsoul] v/t consolare

consolidate [kənˈsɔlideit] v/t consolidare

consonant [ˈkɔnsənənt] consonante f

conspicuous [kənˈspikjuəs] cospicuo

conspir|acy [kənˈspirəsi] s congiura f; v/i cospirare; **~ator** congiurato m; **~e** [~ˈspaiə] v/i congiurare

constant [ˈkɔnstənt] costante

consternation [kɔnstə(ː)ˈneiʃən] costernazione f

constipation [kɔnstiˈpeiʃən] stitichezza f

constituen|cy [kənˈstitjuənsi] votanti m/pl; collegio m elettorale; **~t** s membro m di un collegio elettorale; a costituente

constitut|e [ˈkɔnstitjuːt] v/t costituire; **~ion** med costituzione f; fisico m; pol costituzione f

constrain [kənˈstrein] v/t costringere; **~t** costrizione f

constrict [kənˈstrikt] v/t comprimere; contrarre

construct [kənˈstrʌkt] v/t costruire; **~ion** costruzione f; **~ive** costruttivo

consul [ˈkɔnsəl] console m; **~ate** [ˈ~julit] consolato m; **~ship** consolato m

consult [kənˈsʌlt] v/t consultare; **~ation** [kɔnsəlˈteiʃən] consultazione f; consulto m; **~ing hours** pl ora f d'ufficio; orario m per le visite

consum|e [kənˈsjuːm] v/t consumare; v/i consumarsi; **~er** consumatore m; **~mate** [kənˈsʌmit] consumato; [ˈkɔnsəmeit] v/t consumare; **~ption** [kənˈsʌmpʃən] med tisi f

contact [ˈkɔntækt] s contatto m; v/t mettersi in rapporto con; **~ lenses** pl lenti f/pl a contatto

contagious [kənˈteidʒəs] contagioso

contain [kənˈtein] v/t contenere; **~er** recipiente m; involucro m

contaminate [kən'tæmineit] v/t contaminare

contemplat|e [kən'templeit] v/t contemplare; **~ion** contemplazione f

contemporary [kən'tempərəri] a, s contemporaneo (m)

contempt [kən'tempt] disprezzo m; **~uous** sprezzante

contend [kən'tend] v/t sostenere; affermare; v/i contendere

content [kən'tent] a contento; soddisfatto; s ['kontent] contento m; contentezza f; v/t accontentare, soddisfare

contents ['kontents] pl contenuto m

contest ['kontest] s gara f; v/t contendere

context ['kontekst] contesto m

continent ['kontinənt] continente m

contingency [kən'tindʒənsi] contingenza f

continu|al [kən'tinjuəl] continuo; **~ation** continuazione f; seguito m; **~e** v/t continuare; proseguire; **~ity** continuità f; **~ous** continuo

contort [kən'tɔːt] v/t contorcere

contour ['kontuə] contorno m

contraband ['kontrəbænd] contrabbando m

contraceptive [ˌkontrə'sep-

tiv] a, s anticoncezionale (m)

contract ['kontrækt] s contratto m; [kən'trækt] v/t contrarre; contrattare; **~ion** contrazione f; abbreviazione f; **~or** imprenditore m

contradict [ˌkontrə'dikt] v/t contraddire; far contraddizione f; **~ory** contraddittorio

contrary ['kontrəri] a, s contrario (m); opposto (m); **on the ~** al contrario

contrast ['kontrast] s contrasto m; [kən'trast] v/t confrontare; v/i contrastare

contribut|e [kən'tribju(ː)t] v/t contribuire; v/i collaborare; **~ion** contributo m; collaborazione f; **~or** [kən'tribjutə] collaboratore m; donatore m

contrite ['kontrait] contrito

contriv|ance [kən'traivəns] apparecchio m; **~e** v/t trovare il modo di

control [kən'troul] s controllo m; direzione f; dominio m; freno m; v/t controllare; dirigere; dominare; **~ler** controllore m

controvers|ial [ˌkontrə'vəːʃəl] controverso; **~y** ['ˌ..vəːsi] controversia f

contuse [kən'tjuːz] v/t contundere

convalescen|ce [ˌkonvə'lesns] convalescenza f; **~t** convalescente m, f

conven|e [kən'viːn] v/t convocare; **~ience** comodità f; **public ~ièe** gabinetto m pubblico; **~ient** comodo

convent ['kɔnvənt] convento m

convention convenzione f; assemblea f; **~al** convenzionale

convers|ation [ˌkɔnvə'sei-ʃən] conversazione f; **~e** [kən'vəːs] v/i conversare; a, s converso (m); contrario (m)

conver|sion [kən'vəːʃən] conversione f; **~t** s convertito m; v/t convertire; **~tible** trasformabile; convertibile

convey [kən'vei] v/t portare; trasportare; esprimere; trasmettere; **~ance** mezzo m di trasporto; **~or belt** nastro m scorrevole

convict ['kɔnvikt] ergastolano m; [kən'vikt] v/t dichiarare colpevole; **~ion** convinzione f

convince [kən'vins] v/t convincere

convoy ['kɔnvɔi] convoglio m

convulsion [kən'vʌlʃən] convulsione f

cook [kuk] s cuoco(a) m (f); v/t, v/i cuocere; cucinare; **~er** fornello m; **~ery** arte f culinaria; **~ie, ~y** biscotto m

cool [kuːl] s fresco m; a fresco; fig calmo; indifferente; v/t raffreddare; v/i raffreddarsi; **~ down** v/t calmare; v/i calmarsi

co-op [kou'ɔp] fam cf **co-**

operative society

co(-)operat|e [kou'ɔpəreit] v/i cooperare; **~ion** cooperazione f; **~ive** cooperativo; **~ive society** cooperativa f; **~or** collaboratore m

co(-)ordinate [kou'ɔːdineit] v/t coordinare; s mat coordinata f

cop [kɔp] fam poliziotto m

cope [koup]: **~ with** v/i far fronte a; lottare contro

copious ['koupjəs] copioso

copper ['kɔpə] rame m

copy ['kɔpi] s copia f; esemplare m; edizione f; v/t copiare; imitare; **~right** diritti m/pl d'autore

coral ['kɔrəl] corallo m

cord [kɔːd] corda f

cordial ['kɔːdjəl] cordiale; **~ity** cordialità f

corduroy ['kɔdjurɔi] velluto m a coste

core [kɔː] nucleo m; centro m; (fruit) torsolo m

cork [kɔːk] sughero m; tappo m; **~screw** cavatappi m

corn [kɔːn] grano m; callo m (del piede)

corner ['kɔːnə] angolo m; svolta f

cornet ['kɔːnit] cornetta f

coronation [ˌkɔrə'neiʃən] incoronazione f

coroner ['kɔrənə] magistrato m inquirente

corpora|l ['kɔːpərəl] s caporale m; a corporale; corporeo; **~tion** corporazione f; ente m autonomo

corpse [kɔːps] cadavere m

correct [kə'rekt] v/t correggere; **~ion** correzione f

correspond [koris'pɔnd] v/i corrispondere; **~ence** corrispondenza f; **~ent** corrispondente m, f

corridor ['kɔridɔ:] corridoio m

corroborate [kə'rɔbəreit] v/t corroborare

corro|de [kə'roud] v/t corrodere; v/i corrodersi; **~sion** [~ʒən] corrosione f

corrugate ['kɔrugeit] v/t corrugare; **~d iron** lamiera f ondulata

corrupt [kə'rʌpt] v/t corrompere; v/i corrompersi; a corrotto; **~ion** corruzione f

corset ['kɔ:sit] busto m

cosmetic [kɔz'metik] cosmetica f; **~ian** [~ə'tiʃən] estetista f

cosm|onaut ['kɔzmənɔ:t] cosmonauta m, f; **~os** cosmo m

cost [kɔst] s costo m; prezzo m; v/i, irr costare; **~ly** costoso; **~s** pl spese f/pl

costume ['kɔstju:m] costume m; completo m; **bathing ~** costume m da bagno

cosy ['kouzi] accogliente; piacevole

cottage ['kɔtidʒ] casetta f

cotton ['kɔtn] s cotone m; a di cotone; **~ wool** cotone m idrofilo

couch [kautʃ] divano m

cough [kɔf] s tosse f; v/i tossire

council [kaunsl] concilio m; consiglio m; **~lor** consigliere m

counsel ['kaunsəl] consiglio m; parere m; avvocato m; **~lor** consigliere m

count [kaunt] s conto; calcolo m; (noble) conte m; v/t, v/i contare; **~ on** contare su

countenance ['kauntinəns] (espressione f del) viso m

counter ['kauntə] s banco m; v/t opporsi a; adv contrario a

counter|act [,kauntə'rækt] v/t neutralizzare; **~balance** contrappeso m; **~clockwise** sinistroso; **~espionage** controspionaggio m; **~feit** ['~fit] falso m; **~part** riscontro m

countess ['kauntis] contessa f

countless ['kauntlis] illimitato; innumerevole

country ['kʌntri] campagna f; paese m; patria f; **~man** compatriota m; contadino m; **~seat** casa f di campagna; **~town** città f di provincia

county ['kaunti] contea f

couple ['kʌpl] s coppia f; paio m; v/t accoppiare; v/i accoppiarsi; **~ing** mec attacco m

coupon ['ku:pɔn] cedola f

courage ['kʌridʒ] coraggio m; **~ous** [kə'reidʒəs] coraggioso

courier ['kuriə] corriere m; messaggero m

course [kɔːs] corso *m*; direzione *f*; portata *f* (*in un pranzo*); (*sport*) pista *f*; **in due ~** in tempo utile; **matter of ~** cosa *f* ovvia

court [kɔːt] *s* corte *f*; tribunale *m*; *v/t* corteggiare; **~eous** [ˈkɔːtjəs] cortese; **~esy** [ˈkɔːtisi] cortesia *f*; **~ier** cortigiano *m*; **~martial** corte *f* marziale; **~room** aula *f* di udienza; **~ship** corte *f*; **~yard** cortile *m*

cousin [ˈkʌzn] cugino(a) *m* (*f*)

cover [ˈkʌvə] *s* coperta *f*; copertina *f*; riparo *m*; *v/t* coprire; **~ing** copertura *f*

covet [ˈkʌvit] *v/t* invidiare; **~ous** invidioso; bramoso

cow [kau] vacca *f*; femmina *f* (*di elefante ecc*); **~ard** codardo *m*; **~boy** vaccaro *m*

cower [ˈkauə] *v/i* rannicchiarsi

cow-hide vacchetta *f*

coxswain [ˈkɔkswein] timoniere *m*

coy [kɔi] timido

crab [kræb] granchio *m*

crack [kræk] *s* spaccatura *f*; *v/t* spaccare; *v/i* spaccarsi; **~er** petardo *m*; *Am* biscotto *m*; **~up** incidente *m*

cradle [ˈkreidl] culla *f*

craft [krɑːft] abilità *f*; arte *f*; furberia *f*; barchetta *f*; **~sman** artigiano *m*; **~smanship** artigianato *m*; **~y** furbo

crag [kræg] picco *m*

cramp [kræmp] *s* crampo *m*; *v/t* impacciare

crane [krein] *s* gru *f*; *v/t, v/i* allungare il collo

crank [kræŋk] manovella *f*; **~ up** avviare (*il motore*) a mano; **~y** eccentrico

crash [kræʃ] *s* fracasso *m*; *comm* crollo *m*; *v/i* crollare; precipitare (*di aeroplano*); **~helmet** casco *m*

crate [kreit] gabbia *f* da imballaggio

crater [ˈkreitə] cratere *m*

crave [kreiv] *v/t* bramare

crawl [krɔːl] *v/i* trascinarsi

crayon [ˈkreiən] matita *f*

crazy (**about**) [ˈkreizi] pazzo (di)

creak [kriːk] *v/i* cigolare; scricchiolare

cream [kriːm] crema *f*; (*del latte*) panna *f*; **~y** cremoso

crease [kriːs] *s* grinza *f*; piega *f* (*del pantalone*); *v/t* sgualcire; *v/i* sgualcirsi

creat|e [kriˈ(ː)eit] *v/t* creare; **~ion** creazione *f*; creato *m*; **~or** creatore *m*; **~ure** [ˈkriːtʃə] creatura *f*

credentials [kriˈdenʃəlz] credenziali *f/pl*

credible [ˈkredəbl] credibile

credit [ˈkredit] *s* credito *m*; **~card** tessera *f* assegno; *v/t* credere

creed [kriːd] credo *m*; fede *f*

creek [kriːk] fiumicino *m*

creep [kriːp] *v/i* arrampicarsi; strisciare; **~er** *bot* rampicante *m*

cremate [kri'meit] v/t cremare

crescent ['kresnt] quarto m di luna

cress [kres] crescione m

crest [krest] cresta f; criniera f; cima f; **~fallen** abbattuto

crevasse [kri'væs] crepaccio m

crevice ['krevis] fessura f; crepaccio m

crew [kru:] equipaggio m

crib [krib] presepio m; culla f (di bambino)

cricket ['krikit] grillo m; cricket m

crim|e [kraim] reato m; delitto m; **~inal** ['kriminl] a, s criminale (m, f); delinquente (m)

crimson ['krimzn] cremisi m

cripple ['kripl] s zoppo m; invalido m; mutilato m; v/t mutilare

crisis ['kraisis], pl **~es** ['~i:z] crisi f

crisp [krisp] crespo; croccante

crite|rion [krai'tiəriən], pl **~ria** [~riə] criterio m

critic ['kritik] critico m; **~al** critico; **~ism** [~sizəm] critica f; **~ize** v/t criticare

croak [krouk] v/i gracidare

crochet ['krouʃei] v/t, v/i lavorare all'uncinetto

crockery ['krɔkəri] vasellame m

crocodile ['krɔkədail] coccodrillo m

crocus ['kroukəs], pl **~es**

[~iz] croco m

crook [kruk] malvivente m; **~ed** ['~id] storto

crop [krɔp] s raccolto m; v/t tagliare corto; **~ up** v/i venire fuori

cross [krɔs] s croce f; biol incrocio m; v/t attraversare; contrariare; a nervoso; **~eyed** strabico; **~ out** scancellare; **~examination** interrogatorio m in contraddittorio; **~roads** pl crocevia f; **~word puzzle** parole f/pl incrociate

crouch [krautʃ] v/i accucciarsi

crow [krou] s corvo m; cornacchia f; v/i cantare; **~bar** leva f; piede m di porco

crowd [kraud] s folla f; massa f; v/t affollare; v/i affollarsi; **~ed** affollato

crwon [kraun] s corona f; v/t incoronare; **~ prince** principe m ereditario

crucial ['kru:ʃəl] cruciale; decisivo

crucif|ix ['kru:sifiks] crocifisso m; **~y** ['~fai] v/t crocifiggere

crude [kru:d] rozzo; volgare; primitivo

cruel [kruəl] crudele; **~ty** crudeltà f

cruet ['kru(:)it] ampollina f

cruise [kru:z] croceria f

crumb [krʌm] briciola f; **~le** ['~bl] v/t sbriciolare; v/i sbriciolarsi

crumple ['krʌmpl] v/t sgualcire; v/i sgualcirsi

crunch [krʌntʃ] v/t schiacciare rumorosamente

crusade [kru:'seid] crociata f

crush [krʌʃ] v/t schiacciare; sgualcire

crust [krʌst] crosta f

crutch [krʌtʃ] stampella f

cry [krai] s grido m; pianto m; v/i gridare; piangere

crypt [kript] cripta f

crystal ['kristl] s cristallo m; a di cristallo

cube [kju:b] cubo m; ~ **root** radice f cubica

cuckoo ['kuku:] cuculo m

cucumber ['kju:kʌmbə] cetriolo m

cuddle ['kʌdl] v/t abbracciare; coccolare

cue [kju:] battuta f

cuff [kʌf] polsino m; ~**links** pl gemelli m/pl

cuisine [kwi'zi:n] cucina f

culminate ['kʌlmineit] v/i culminare

culprit ['kʌlprit] colpevole m

cult [kʌlt] culto m; ~**ivate** ['ˌiveit] v/t coltivare; ~**ural** ['kʌltʃərəl] culturale; ~**ure** ['ˌtʃə] cultura f; ~**ured** colto

cunning ['kʌniŋ] s astuzia f; a astuto

cup [kʌp] tazza f; coppa f; ~**board** armadio m

curdle ['kə:dl] v/i accagliarsi

cure [kjuə] s cura f; rimedio m; v/t guarire

curfew ['kə:fju:] coprifuoco m

curio|sity [ˌkjuəri'ɒsiti] curiosità f; ~**us** curioso

curl [kə:l] s ricciolo m; v/t arricciare; v/i arricciarsi; ~**y** riccioluto

currant ['kʌrənt] ribes m

curren|cy ['kʌrənsi] moneta f circolante; **foreign** ~**cy** valuta f estera; ~**t** a, s corrente (f)

curricul|um [kə'rikjuləm], pl ~**a** [ˌə] curricolo m

curse [kə:s] s maledizione f; v/t, v/i maledire

curt [kə:t] brusco

curtail [kə:'teil] v/t diminuire; ridurre; impedire

curtain ['kə:tn] tenda f; thea sipario m

curts(e)y ['kə:tsi] s riverenza f; v/i fare una riverenza

curve [kə:v] s curva f; v/t curvare; v/i curvarsi

cushion ['kuʃən] cuscino m

custard ['kʌstəd] crema f

custody ['kʌstədi] custodia f; arresto m

custom ['kʌstəm] costume m; abitudine f; ~**ary** consueto; ~**er** cliente m; ~**s** pl dogana f; ~**s officer** doganiere m

cut [kʌt] s taglio m; riduzione f; v/t,irr tagliare; ~ **down** (tree) abbattere; (price) ridurre

cute [kju:t] astuto; Am attraente; bellino

cutlery ['kʌtləri] posate f/pl

cutlet ['kʌtlit] costoletta f

cutter ['kʌtə] tagliatore m; (boat) cottro m

cutthroat ['kʌtθrout] assassino *m*

cutting trincea *f*; ritaglio *m*

cycl|e ['saikl] *s* bicicletta *f*; ciclo *m*; *v/i* andare in bicicletta; **~ist** ciclista *m*

cylinder ['silində] cilindro *m*

cynical ['sinikəl] cinico

cypress ['saipris] cipresso *m*

cyst [sist] ciste *f*

Czech [tʃek] *a*, *s* ceco (*m*); **~oslovak** *a*, *s* cecoslovacco (*m*)

D

dachshund ['dækshund] bassotto *m*

dad [dæd], **~dy** ['ʌi] papà *m*; babbo *m*

daffodil ['dæfədil] narciso *m*

daft [dɑːft] sciocco; scemo

dagger ['dægə] daga *f*; pugnale *m*

daily ['deili] *s* quotidiano *m*; *a* giornaliero; quotidiano

dairy ['dɛəri] latteria *f*; **~man** lattaio *m*; **~ product** latticinio *m*

daisy ['deizi] margherita *f*

dam [dæm] *s* diga *f*; argine *m*; *v/t* arginare

damage ['dæmidʒ] *s* danno *m*; perdita *f*; *v/t* danneggiare; *v/i* danneggiarsi

damn [dæm] *v/t* dannare; maledire; **~ it!** maledetto!; **I don't care a ~** non me ne importa niente

damp [dæmp] *a* umido; *s* umidità *f*; *v/t* inumidire

danc|e [dɑːns] *s* danza *f*; ballo *m*; *v/i* danzare; ballare; **~er** ballerino(a) *m* (*f*); **~ing** ballo *m*

dandelion ['dændilaiən] radicchiella *f*

Dane [dein] danese *m*, *f*

danger ['deindʒə] pericolo *m*; **~ous** pericoloso

dangle ['dæŋgl] *v/t* dondolare; *v/i* dondolarsi

Danish ['deiniʃ] danese

dar|e [dɛə] *s* sfida *f*; *v/t* sfidare; *v/i* osare; **~ing** *s* audacia *f*; *a* audace

dark [dɑːk] *a* oscuro; buio; tenebroso; *s* buio *m*; oscurità *f*; **~en** *v/t* oscurare; *v/i* oscurarsi; **~ness** oscurità *f*; buio *m*

darling ['dɑːliŋ] *s* tesoro *m*; amore *m*; *a* delizioso; incantevole

darn [dɑːn] *s* rammento *m*; *v/t* rammentare

dart [dɑːt] *s* dardo *m*; *v/t* dardeggiare; *v/i* balzare; lanciarsi

dash [dæʃ] *s* scatto *m*; (*pen*) tratto *m*; *v/t* lanciarsi; **~board** cruscotto *m*

data ['deitə] *pl* dati *m/pl*

date [deit] *s* bot dattero *m*; data *f*; *v/t*, *v/i* datare; **up to ~** aggiornato; moderno; **out of ~** antiquato

daughter ['dɔːtə] figlia *f*; **~-in-law** nuora *f*

daunt [dɔːnt] *v/t* scoraggiare

dawn [dɔ:n] s alba f; v/i albeggiare

day [dei] giorno m; giornata f; di m; **all ~ long** tutto il santo giorno; **by ~** di giorno; **every other ~** ogni due giorni; **in the ~s of** ai tempi di; all'epoca di; **the ~ after tomorrow** dopodomani; **the ~ before yesterday** l'altro ieri; **~break** alba f; **~dream** fantasticheria f; **~light-saving time** ora f d'estate

daze [deiz] s stordimento m; v/t stordire

dazzle ['dæzl] v/t abbagliare

dead [ded] morto; **the ~** i morti m/pl; **~en** v/t ammortire; smorzare; **~ end** vicolo m cieco; **~line** limite m; **~lock** punto m morto; **~ly** mortale

deaf [def] sordo; **~en** v/t assordare; **~-mute** a, s sordomuto (m)

deal [di:l] s affare m; trattativa f; distribuzione f (di carte); **a good ~** abbastanza; v/t, irr distribuire; **~ in** v/i trattare in; **~er** commerciante m

dean [di:n] decano m

dear [diə] caro; **~ me!** Dio mio!

death [deθ] morte f; **~-rate** mortalità f

debase [di'beis] v/t abbassare

debate s dibattito m; discussione f; v/t, v/i dibattere; discutere

debauch [di'bɔ:tʃ] s orgia f; v/t pervertire

debit ['debit] comm s debito m; v/t addebitare

debris ['deibri] detriti m/pl

debt [det] debito m; **~or** debitore m

decade ['dekeid] decade f; decennio m

decaden|ce ['dekədəns] decadenza f; **~t** decadente

decapitate [di'kæpiteit] v/t decapitare

decay [di'kei] s decomposizione f; decadenza f; v/i decomporsi; decadere

decease [di'si:s] s morte f; v/i decadere; morire

deceit [di'si:t] inganno m; frode f; **~ful** falso; **~ve** v/t ingannare

December [di'sembə] dicembre m

decen|cy ['di:snsi] decenza f; decoro m; **~t** decente, decoroso

decept|ion [di'sepʃən] inganno m; **~ive** ingannevole

decide [di'said] v/t, v/i decidere

decimal ['desiməl] decimale m

decipher [di'saifə] v/t decifrare

decis|ion [di'siʒən] decisione f; **~ve** [di'saisiv] decisivo

deck [dek] ponte m; **~-chair** sdraia f

declaim [di'kleim] v/i declamare

declar|ation [deklə'reiʃən] declarazione f; **~e** [di'klɛə] *v/t* dichiarare; *v/i* dichiararsi

declension [di'klenʃən] declinazione *f*; **~ine** [di'klain] *s* declino *m*; ribasso *m* (*di prezzo*); consunzione *f*; *v/t gram* declinare; rifiutare; *v/i* declinarsi; rifiutarsi

decode ['di:'koud] *v/t* decifrare

decompos|e [ˌdi:kəm'pouz] *v/t* decomporre; *v/i* decomporsi

decor|ate ['dekəreit] *v/t* decorare; ornare; **~ation** decorazione *f*; ornamento *m*; **~um** decoro *m*

decrease ['di:kri:s] *s* diminuzione *f*; *v/t, v/i* diminuire

decree [di'kri:] *s* decreto *m*; *v/t* decretare

decrepit [di'krepit] decrepito

dedicat|e ['dedikeit] *v/t* dedicare; **~ion** dedicazione *f*; (*of a book*) dedica *f*

deduce [di'dju:s] *v/t* dedurre; desumere

deduct [di'dʌkt] *v/t* dedurre; sottrarre; **~ion** deduzione *f*

deed [di:d] *s* atto *m*

deep [di:p] profondo; **~en** *v/t* approfondire; *v/i* approfondirsi; **~ness** profondità *f*

deer [diə] cervo *m*; daino *m*; **~skin** pelle *f* di daino

deface [di'feis] *v/t* sfigurare

defame [di'feim] *v/t* diffamare; calunniare

defeat [di'fi:t] *s* sconfitta *f*; *v/t* sconfiggere

defect [di'fekt] difetto *m*; **~ive** difettoso; **mentally ~ive** deficiente; anormale

defen|ce, *Am* **~se** [di'fens] difesa *f*; protezione *f*; **~celess** indifeso; **~d** *v/t* difendere; **~dant** *for* accusato *m*; **~der** difensore *m*

defer [di'fə:] *v/t* differire; rimandare; **~ence** deferenza *f*

defiance [di'faiəns] sfida *f*

deficien|cy [di'fiʃənsi] deficienza *f*; **~t** deficiente; difettoso

deficit ['defisit] disavanzo *m*

defin|e [di'fain] *v/t* definire; **~ite** ['definit] definito; sicuro; **~ition** definizione *f*; **~itive** [di'finitiv] definitivo

deflate [di'fleit] *v/t* deflazionare; sgonfiare

deform [di'fɔ:m] *v/t* deformare; sformare

defraud [di'frɔ:d] *v/t* defraudare

defrost ['di:'frɔst] *v/t* togliere il ghiaccio a; (*refrigerator*) sbrinare

deft [deft] destro; abile

defy [di'fai] *v/t* sfidare

degenerate [di'dʒenərit] *v/i* degenerare

degrade [di'greid] *v/t* degradare

degree [di'gri:] grado *m*; laurea *f*

dejected [di'dʒektid] abbattuto

delay [di'lei] *s* ritardo *m*; *v/t* ritardare; *v/i* tardare; **without ~** immediatamente

delegat|e ['deligit] s delegato m; ['ǝgeit] v/t delegare; **~ion** [~'geiʃǝn] delegazione f

deliberate [di'libǝreit] v/t, v/i deliberare; [~it] a deliberato; premeditato

delica|cy [di'delikǝsi] delicatezza f; (food) leccornia f; **~te** ['~it] delicato

delicious [di'liʃǝs] delizioso

delight [di'lait] s gioia f; incanto m; v/t piacere molto; **~ful** delizioso

delinquen|cy [di'liŋkwǝnsi] delinquenza f; **~t** delinquente m

deliver [di'livǝ] v/t liberare; distribuire (posta); pronunciare (un discorso); sgravare (una partoriente); **~y** liberazione f; distribuzione f; parto m

delu|de [di'lu:d] v/t deludere; ingannare

deluge ['delju:dʒ] diluvio m

delusion [di'lu:ʒǝn] delusione f; inganno m; allucinazione f

demand [di'mɑ:nd] s richiesta f; esigenza f; v/t richiedere; esigere; **in ~** richiesto

democra|cy [di'mɔkrǝsi] democrazia f; **~t** ['demǝkræt] democratico m; **~tic** [~'krætik] democratico

demoli|sh [di'mɔliʃ] v/t demolire

demon ['di:mǝn] demonio m

demonstrat|e ['demǝnstreit] v/t dimostrare; **~ion** dimostrazione f; **~ive** [di'mɔnstrǝtiv] dimostrativo

demoralize [di'mɔrǝlaiz] v/t demoralizzare

den [den] tana f

denial [di'naiǝl] diniego m; rifiuto m

denomination [dinɔmi'neiʃǝn] denominazione f; confessione f

denote [di'nout] v/t denotare; indicare

denounce [di'nauns] v/t denunciare

dense [dens] denso; ottuso

dent [dent] s intaccatura f; v/t intaccare

dent|al ['dentl] dentale; **~al surgeon, ~ist** dentista m, f; **~ure** dentiera f; **~istry** odontoiatria f

deny [di'nai] v/t negare; rifiutare

depart [di'pɑ:t] v/i partire; **~ment** riparto m; **~ment store** grande magazzino m; **~ure** partenza f

depend (on) [di'pend] v/i dipendere (da); **~ence** dipendenza f; **~ent** s, a dipendente (m)

deplor|able [di'plɔ:rǝbl] deplorabile; **~e** v/t deplorare

depopulate [di:'pɔpjuleit] v/t spopolare

deport [di'pɔ:t] v/t deportare

depos|e [di'pouz] v/t deporre; **~it** [di'pɔzit] s deposito m; sedimento m; v/t depositare; **~ition** deposizione f; testimonianza f; **~itor** de-

depot

positante m; correntista m, f

depot ['depou] deposito m

depraved [di'preivd] depravato

depreciate [di'pri:ʃieit] v/t screditare; deprezzare

depress [di'pres] v/t deprimere; **~ion** depressione f

deprive [di'praiv] v/t privare

depth [depθ] profondità f; fondo m

deput|ation [,depju'teiʃən] deputazione f; delegazione f; **~y** delegato m; deputato m

derail [di'reil] v/t deragliare

deride [di'raid] v/t deridere

derive [di'raiv] v/t, v/i derivare

descend [di'sent] v/t, v/i scendere; **~ant** discendente m; **~t** discesa f

descri|be [dis'kraib] v/t descrivere; **~ption** descrizione f

desert ['dəzət] a, s deserto (m); [di'zə:t] v/t, v/i desertare; abbandonare

deserve [di'zə:v] v/t, v/i meritare

design [di'zain] s disegno m; v/t disegnare

designate ['dezigneit] v/t designare

designer [di'zainə] disegnatore m

desir|able [di'zaiərəbl] desiderabile; **~e** s desiderio m; v/t desiderare; **~ous** desideroso

desk [desk] scrivania f; banco m (di scuola)

desolat|e ['desəleit] desolato; **~ion** desolazione f

despair [dis'pɛə] s disperazione f; v/i disperare; disperarsi; **in ~** disperato

despatch s spedizione f; dispaccio m; prontezza f; v/t spedire

desperate ['despərit] disperato

despise [dis'paiz] v/t disprezzare

despite of [dis'pait] prp malgrado; nonostante

despond [dis'pond] v/i scoraggiarsi

dessert [di'zə:t] dolci e frutta (serviti alla fine del pranzo)

destin|ation [desti'neiʃən] destinazione f; **~e** ['~in] v/t destinare; **~y** destino m; sorte f

destitute ['destitju:t] bisognoso

destr|oy [dis'troi] v/t distruggere; **~uction** distruzione f

detach [di'tætʃ] v/t staccare

detail [di'teil] dettaglio m; **in ~** dettagliatamente

detain [di'tein] v/t trattenere

detect [di'tekt] v/t scoprire; scorgere; **~ive** agente m (di polizia); **~ive story** romanzo m poliziesco

detention [di'tenʃən] detenzione f

deter [di'tə:] v/t impedire; **~gent** detergente m

deteriorate [di'tiəriəreit] v/t

deteriorare; v/i deteriorarsi

determin|ation [ditə:mi-'neiʃən] determinazione f; **~e** [di'tə:min] v/t determinare; decidere; v/i decider-si

deterrent [di'terənt] misura f d'intimidazione f

detest [di'test] v/t detestare; **~able** detestabile

detonate ['dətouneit] v/t, v/i detonare

detour ['deituə] deviazione f

detriment ['detrimənt] detrimento m

devalu|ation [ˌdiːvælju'ei-ʃən] svalutazione f; **~e** ['ˌvælju:] v/t svalutare

devastate ['devəsteit] v/t devastare

develop [di'veləp] v/t sviluppare; v/i svilupparsi; **~ment** sviluppo m

deviate ['di:vieit] v/t deviare

device [di'vais] congegno m; espediente m

devil ['devl] diavolo m; demonio m

devise [di'vaiz] v/t escogitare

devoid [di'void]: **~ of** privo di

devote [di'vout] v/t dedicare; **~ion** devozione f

devour [di'vauə] v/t divorare

devout [di'vaut] devoto m

dew [dju:] rugiada f

dexter|ity [deks'teriti] destrezza f; **~ous** ['~rəs] destro; abile

diagnose ['daiəgnouz] v/t

diagnos|ticare [ˌdaiəg-'nousis], pl **~es** [ˌ~si:z] diagnosi f

dial ['daiəl] s quadrante m; v/t tel fare il numero

dialect ['daiəlekt] dialetto m

dialog(ue) ['daiələg] dialogo m

diameter [dai'æmitə] diametro m

diamond ['daiəmənd] diamante m; **~s** pl (cards) quadri m/pl

diaper ['daiəpə] Am pannolino m

diaphram ['daiəfræm] diaframma m

diarrh(o)ea [daiə'riə] diarrea f

diary ['daiəri] diario m

dict|ate [dik'teit] v/t, v/i dettare; **~ion** dizione f; **~ionary** vocabolario m

die [dai] v/i morire; **~ out** scomparire

die [dai] dado m, pl **dice** [dais] dadi m/pl.

diet ['daiət] s dieta f; regime m; v/i essere a dieta

differ ['difə] v/i differire; **~ence** differenza f; **~ent** differente

difficult ['difikəlt] difficile; **~y** difficoltà f

diffident ['difidənt] timido

diffus|e [di'fju:z] a diffuso; v/t diffondere; **~ion** diffusione f

dig [dig] v/t, v/i, irr vangare; scavare

digest [dai'dʒest, di~] v/t digerire; assimilare; **~ion** [di-

ˈdʒestʃən] digestione f

digni|fied [ˈdignifaid] dignitoso; **~ty** dignità f

digress [daiˈgres] v/i fare digressioni

digs [digz] pl fam alloggio m; stanza f (in affitto)

dike [daik] diga f

dilapidated [diˈlæpideitid] dilapidato

dilate [daiˈleit] v/t dilatare

diligen|ce [ˈdilidʒəns] diligenza f; **~t** diligente

dilute [daiˈljuːt] v/t diluire

dim [dim] oscuro; indistinto; fioco; vago; (of a person) tonto

dime [daim] Am pezzo m da dieci centesimi (di dollaro)

dimension [diˈmenʃən] dimensione f

diminish [diˈminiʃ] v/t, v/i diminuire

dimple [ˈdimpl] fossetta f

din [din] frastuono m

din|e [dain] v/i pranzare; **~ing-car** vagone m ristorante; **~ingroom** sala f da pranzo; **~ner** vagone m ristorante

dinner [ˈdinə] pranzo m; **~party** tavolata f

dip [dip] v/t immergere; tuffare

diphtheria [difˈθiəriə] difterite f

diploma [diˈploumə] diploma m; **~cy** diplomazia f; **~t** [ˈ~omæt] diplomatico m; **~tic** [~oˈmætik] diplomatico

dipper [ˈdipə] escavatore m

direct [diˈrekt] a diretto; v/t

dirigere; **~ current** corrente f continua; **~ion** direzione f; senso m; **~ions** pl istruzioni f/pl; **~or** direttore m; consigliere m; **managing ~or** consigliere m delegato; **(telephone) ~ory** elenco m (telefonico)

dirt [dəːt] sudiciume m; sporcizia f; **~y** sudicio; sporco

disabled [disˈeibld] invalido

disadvantage [disədˈvaːntidʒ] svantaggio m; **~ous** [ˌdisædvɑːnˈteidʒəs] svantaggioso

disagree [disəˈgriː] v/i non essere d'accordo; non andare d'accordo; dissentire; **~able** sgradevole; antipatico; **~ment** disaccordo m

disappear [disəˈpiə] v/i scomparire; **~ance** scomparsa f; sparizione f

disappoint [disəˈpoint] v/t deludere; **~ment** delusione f

disapprov|al [disəˈpruːvəl] disapprovazione f; **~e** v/t, v/i disapprovare

disarm [disˈaːm] v/t, v/i disarmare; **~ament** disarmo m

disarrange [ˌdisəˈreindʒ] v/t mettere in disordine; disorganizzare

disast|er [diˈzɑːstə] disastro m; **~rous** disastroso

disbelie|f [disbiˈliːf] incredulità f; **~ve** v/t non credere a

disc [disc] disco m

discard [dis'kɑ:d] v/t scartare

discern [di'sə:n] v/t discernere

discharge [dis'tʃɑ:dʒ] s scarico m; sparo m (di arma); emissione f (di liquido); licenziamento m; v/t sparare; emettere; licenziare; compiere (un dovere); v/i scaricarsi

disciple [di'saipl] s discepolo m

discipline ['disiplin] disciplina f

disclaim [dis'kleim] v/t negare

disclose [dis'klouz] v/t rivelare; scoprire

discolo(u)r [dis'kʌlə] v/t scolorire; v/i scolorirsi

discomfort [dis'kʌmfət] disagio m

disconcert [ˌdiskən'sə:t] v/t sconcertare

disconnect [ˌdiskə'nekt] v/t staccare

disconsolate [dis'kɔnsəlit] sconsolato

discontent [ˌdiskən'tent] scontentezza f

discontinue [ˌdiskən'tinju:] v/t sospendere; v/i interrompersi

discord ['diskɔ:d] discordia f; mus disarmonia f; dissonanza f; **~ance** [ˌ~'kɔ:dəns] discordanza f; disaccordo m

discotheque ['discoutek] discoteca f

discount ['diskaunt] s sconto m; **give a ~** fare uno sconto

discourage [dis'kʌridʒ] v/t scoraggiare; dissuadere

discover [dis'kʌvə] v/t scoprire; **~y** scoperta f

discredit [dis'kredit] s discredito m; v/t screditare

discreet [ˌ~'kri:t] discreto

discrete ['dis'kri:t] distinto; separato; **~ion** [dis'kreʃən] discrezione f

discriminate [dis'krimineit] v/t discriminare

discuss [dis'kʌs] discutere; **~ion** discussione f

disdain [dis'dein] s disdegno m; v/t disdegnare; **~ful** sdegnoso

disease [di'zi:z] malattia f; **~d** malato

disembark ['disim'bɑ:k] v/t, v/i sbarcare

disengage [ˌdisin'geidʒ] v/t disimpegnare; liberare

disentangle [ˌdisin'tæŋgl] v/t districare

disfavo(u)r [dis'feivə] disfavore m

disfigure [dis'figə] v/t deformare

disgrace [dis'greis] vergogna f; **~ful** vergognoso

disguise [dis'gaiz] s maschera f; travestimento m; v/t mascherare; travestire

disgust [dis'gʌst] s disgusto m; v/t disgustare; **~ing** disgustoso

dish [diʃ] piatto m; **~-cloth** strofinaccio m

dishearten [dis'hɑ:tn] v/t scoraggiare

dishonest [dis'ɔnist] disonesto

dishono(u)r [dis'ɔnə] s disonore m; v/t disonorare; comm protestare (una cambiale)

dish-washer lavastoviglie m, f

disillusion [disi'lu:ʒən] delusione f

disinclined ['disin'klaind]: **feel ~ed to** non avere voglia di

disinfect [disin'fekt] v/t disinfettare; **~ant** disinfettante m

disinherit ['disin'herit] v/t diseredare

disintegrate [dis'intigreit] v/t disintegrare

disinterested [dis'intristid] disinteressato

disjointed [dis'dʒɔintid] sconnesso

disk cf **disc**

dislike [dis'laik] s antipatia f; avversione f; v/t avere antipatia per; non piacere

dislocat|e v/t dislocare; slogare

disloyal [dis'lɔiəl] sleale

dismal ['dizməl] triste

dismantle [dis'mæntl] v/t smontare

dismay [dis'mei] costernazione f

dismember [dis'membə] v/t smembrare

dismiss [dis'mis] v/t mandare via; licenziare; scacciare; **~al** licenziamento m

dismount [dis'maunt] v/i scendere

disobedien|ce [disə'bi:djəns] disobbedienza f; **~t** disobbediente

disobey [disə'bei] v/t disobbedire

disorder [dis'ɔ:də] disordine m; confusione f

disorganize [dis'ɔ:gənaiz] v/t disorganizzare

disown [dis'oun] v/t ripudiare

disparage [dis'pæridʒ] v/t sprezzare

disparity [dis'pæriti] disparità f

dispassionate [dis'pæʃənit] spassionato

dispatch [dis'pætʃ] cf **despatch**

dispel [dis'pel] v/t dissipare

dispens|ation [,dispen'seiʃən] dispensa f; **~e** v/t dispensare; distribuire; **~e with** fare a meno di

disperse [dis'pə:s] v/t disperdere; v/i disperdersi

displace [dis'pleis] v/t spostare; **~d person** profugo m

display [dis'plei] s esibizione f; mostra f; v/t esibire; mettere in mostra

displeas|e [dis'pli:z] v/t dispiacere; **~ure** dispiacere m

dispos|al [dis'pouzl] disposizione f; **~e** v/t disporre; **~ition** disposizione f; carattere m

disproportionate [dispra-'pɔ:ʃnit] sproporzionato

dispute [dis'pju:t] s disputa

f; controversia *f*; *v/t*, *v/i* disputare

disqualifi|cation [dis₁kwɔ-lifiˈkeiʃən] squalifica *f*; **~y** [ˌˈkwolifai] *v/t* squalificare

disregard [ˌdisriˈgɑːd] *v/t* non dare retta

disreputable [disˈrepjutəbl] di cattiva reputazione; malfamato

dissatisfaction [ˈdis₁sætis-ˈfækʃən] malcontento *m*; **~ied: be ~ied** essere scontento

dissen|sion [diˈsenʃən] dissenso *m*; **~s** *s* dissenso *m*; *v/i* dissentire

dissimilar [ˈdiˈsimilə] dissimile

dissipate [ˈdisipeit] *v/t* dissipare; *v/i* dissiparsi

dissociate [diˈsouʃieit] *v/t* dissociare

dissol|ute [ˈdisəluːt] dissoluto; **~ve** [diˈzɔlv] *v/t* dissolvere; *v/i* dissolversi

dissonance [ˈdisənəns] dissonanza *f*

dissua|de [diˈsweid] *v/t* dissuadere; **~sion** dissuasione *f*

distan|ce [ˈdistəns] distanza *f*; **~t** distante

distaste [disˈteist] ripugnanza *f*; **~ful** ripugnante

distemper [disˈtempə] (*on a wall*) intonaco *m*; (*dogs*) cimurro *m*

distend [disˈtend] *v/t* dilatare

distil [disˈtil] *v/t* distillare; **~lation** distillazione *f*

distinct [disˈtiŋkt] distinto; nitido; **~ion** distinzione *f*; nitidezza *f*

distinguish [disˈtiŋwiʃ] *v/t* distinguere; **~ed** illustre

distort [disˈtɔːt] *v/t* deformare

distract [disˈtrækt] *v/t* distrarre; **~ed** sconvolto; **~ion** distrazione *f*

distress [disˈtres] dolore *m*; *v/t* addolorare; **~ed** addolorato; **~ing** doloroso

distribut|e [disˈtribju(ː)t] *v/t* distribuire; **~ion** [ˌdisˈbjuːʃən] distribuzione *f*

district [ˈdistrikt] zona *f*

distrust [disˈtrʌst] *s* diffidenza *f*; *v/t* diffidare di; **~ful** diffidente

disturb [disˈtəːb] *v/t* disturbare; **~ance** disturbo *m*; **~er** perturbatore *m*

disuse [disˈjuːs] disuso *m*

ditch [ditʃ] fossa *f*

dive [daiv] tuffo *m*; *v/i* tuffarsi; **~r** tuffatore *m*

diverge [daiˈvəːdʒ] *v/i* divergere; **~nce** divergenza *f*

diver|se [daiˈvəːs] diverso; **~sion** diversione *f*; deviazione *f*; **~t** *v/t* divertire; deviare

divide [diˈvaid] *v/t* dividere; *v/i* dividersi

divin|e [diˈvain] divino; **~ity** [diˈviniti] divinità *f*

divis|ible [diˈvizəbl] divisibile; **~ion** [diˈviʒən] divisione *f*

divorce [diˈvɔːs] *s* divorzio *m*; *v/t* divorziare; *v/i* divorziarsi

dizz|iness ['dizinis] vertigine *f*; **~y** vertiginoso; **feel ~y, get ~y** avere le vertigini

do *v/t* fare; eseguire; *fam* imbrogliare; **~ away with** sopprimere; abolire; **how you ~?** come sta?; **that will ~** basta così; **~ without** fare a meno di

docile ['dousail] docile

dock [dɔk] *s* bacino *m* con chiusa; **~yard** scalo *m* marittimo

doctor ['dɔktə] *s* dottore *m*; medico *m*; *v/t* medicare; falsificare

document ['dɔkjumənt] *s* documento *m*; **~ary** [~'mentəri] documentario *m*

dodge [dɔdʒ] *s* trucco *m*; *v/t* scansare

doe [dou] cerva *f*

dog [dɔg] cane *m*; **~ged** [~id] tenace

dogma ['dɔgmə] dogma *m*

doings [du(:)inz] *pl fam* ciò che la gente fa, combina, briga

dole [doul] *fam* sussidio *m* di disoccupazione

doll [dɔl] bambola *f*

dollar ['dɔlə] dollaro *m*

dolorous ['dɔlərəs] doloroso

dolphin ['dɔlfin] delfino *m*

dome [doum] cupola *f*

domestic [dou'mestik] domestico; casalingo; **~ate** *v/t* addomesticare

domicile ['dɔmisail] domicilio *m*

domin|ate ['dɔmineit] *v/t* dominare; **~ation** domi-

nio *m*; tirannia *f*; **~eer** [~'niə] *v/i* tiranneggiare

domino ['dɔminou], *pl* **~es** [~nouz] domino *m*

dona|te [dou'neit] *v/t* donare; **~tion** donazione *f*

done [dʌn] fatto; *(food)* cotto

donkey ['dɔŋki] asino *m*; somaro *m*

doom [du:m] destino *m (funesto)*; **~sday** *il* Giudizio Universale

door [dɔ:] porta *f*; **~keeper,** *Am* **~man** portinaio *m*; **~step** gradino *m* della porta

dope [doup] *s* narcotico *m*; *v/t* eccitare con stupefacenti

dormant ['dɔ:mənt] addormentato; inattivo

dormitory ['dɔ:mitri] dormitorio *m*

dose [dous] *s* dose *f*; *v/t* dosare

dot [dɔt] punto *m*; puntino *m*

dote [dout]: **~ (up)on** *v/i* adorare

double [dʌbl] *a* doppio; *s* doppio *m*; duplicato *m*; *(film)* controfigura *f*; *v/t* raddoppiare; *v/i* raddoppiarsi; **~breasted** a doppio petto; **~cross** *v/t* ingannare; **~dealing** duplicità *f*; **~meaning** *s* ambiguità *f*; *a* ambiguo

doubt [daut] *s* dubbio *m*; *v/t, v/i* dubitare; **~ful** dubbioso; **~less** senza dubbio

dough [dou] pasta *f*; impasto *m*; **~nut** bombolone *m*

dove [dʌv] colombo *m*;

~tailed a coda di rondine

down [daun] *adv* giù; *prp* giù per; ~ s landa *f*; peluria *f*; **~cast** abbattuto; **~fall** rovina *f*; **~pour** diluvio *m*; **~stairs: go ~stairs** scendere le scale; andare al piano di sotto

dowry ['dauəri] dote *f*

doze [douz] *s* sonnellino *m*; *v/i* sonnecchiare

dozen ['dʌzn] dozzina *f*

drab [dræb] *a* smorto; squallido

draft [drɑ:ft] bozza *f*; brutta copia *f*; tratta *f*; **~sman** disegnatore *m*

drag [dræg] *v/t* trascinare; dragare

dragon ['drægən] dragone *m*; **~fly** libellula *f*

drain [drein] *s* fogna *f*; tubo *m* di scarico; *v/t* scolare; prosciugare; **~age** prosciugamento *m*

drama ['drɑːmə] dramma *m*; **~tic** [drə'mætik] drammatico; **~tist** ['dræmətist] drammaturgo *m*; **~tize** *v/t* drammatizzare

drape [dreip] *v/t* coprire; drappeggiare

drastic ['dræstik] drastico

draught [drɑ:ft] *Am* **draft** corrente *f* d'aria; **~s** *pl* dama *f* (*game*)

draw [drɔ:] *s* estrazione *f*; attrazione *f*; (*football*) pareggio *m*; *v/t* tirare; estrarre; attrarre; tirare a sorte; (*football*) pareggiare; (*money*) riscuotere; **~ out** tirare

fuori; **~ up** redigere

draw|back inconveniente *m*; **~bridge** ponte *m* levatoio; **~er** cassetto *m*; **~ing** disegno *m*; sorteggio *m*; **~ing-room** salotto *m*

dread [dred] *s* terrore *m*; *v/t* avere il terrore di; temere; **~ful** terribile; spaventoso

dream [dri:m] *s* sogno *m*; *v/t, v/i, irr* sognare

dreary ['driəri] triste; melanconico

dregs [dregz] *pl* fondi *m/pl*

drench [drentʃ] *v/t* inzuppare

dress [dres] *s* vestito *m*; abito *m*; *v/t* vestire; medicare; *v/i* vestirsi; **~er** credenza *f* (*di cucina*); **~ing** condimento *m*; *med* bende *f/pl*; **~ing-gown** vestaglia *f*; **~maker** sarta *f*; **~ rehearsal** prova *f* generale

drift [drift] *s* corrente *f*; deriva *f*; proposito *m*; *v/i* andare alla deriva; lasciarsi andare; **~wood** legno *m* flottante

drill [dril] *s* trapano *m*; esercizi *m/pl*; *v/t* perforare; fare esercitare; *v/i* fare esercizi

drink [driŋk] *s* bevanda *f*; *v/t, v/i* bere

drip [drip] *s* goccia *f*; *v/i* gocciolare

driv|e [draiv] *s* passeggiata *f* in carrozza; viale *m* carrozzabile; *v/t, v/i, irr* condurre; guidare; *v/i* andare in carrozza; andare in macchina; **~er** autista *m*; **~ing licence**

patente *f*; **~ing school** scuola *f* (di) guida; **~ing-wheel** volante *m*

drizzle ['drizl] *s* pioggerella *f*; *v/i* piovigginare

drone [droun] fuco *m*

droop [dru:p] *v/i* languire

drop [drɔp] *s* goccia *f*; *v/t* fare cadere; *v/i* cadere; **~per** contagocce *m*

drown [draun] *v/t* affogare; annegare; *v/i* affogarsi; annegarsi

drowsy ['drauzi] sonnolento

drudge [drʌdʒ] *v/i* affaticarsi

drug [drʌg] *s* droga *f*; *v/t* drogare; **~ addict** tossicomane *m/f*; **~gist** farmacista *m*, *f*; droghiere *m*; **~store** *Am* farmacia *f*

drum [drʌm] *s* tamburo *m*; *(of an ear)* timpano *m*; *v/i* tamburellare

drunk [drʌŋk] ubriaco; **~ard** ubriacone *m*; **~en** ubriaco

dry [drai] *a* asciutto; arido; secco; *v/t* asciugare; seccare; **~-clean** *v/t* lavare a secco; **~ dock** bacino *m* di carenaggio *f*; **~ goods** *pl Am* stoffe *f/pl*; tessuti *m/pl*; **~ness** aridità *f*; siccità *f*

dubious ['dju:bjəs] dubbio

dual ['dju(:)əl] duale

duchess ['dʌtʃis] duchessa *f*

duck [dʌk] anitra *f*

due [dju:] *a* dovuto; debito; *s* tassa *f*; **be ~ to** dovere

duel ['dju(:)əl] duello *m*

duke [dju:k] duca *m*

dull [dʌl] noioso; monotono; *(colour)* smorto; *(sound)* sordo; **~ness** noia *f*

duly ['dju:li] debitamente

dumb [dʌm] muto; **~found** *v/t* stupefare

dummy ['dʌmi] *a* imitato; falso; *s* manichino *m*

dump [dʌmp] *v/t* scaricare

dune [dju:n] duna *f*

dung [dʌŋ] letame *m*

dungeon ['dʌndʒən] prigione *f* sotterranea

dupe [dju:p] *v/t* ingannare

duplicate ['dju:plikit] *a*, *s* duplicato (*m*); ['~eit] *v/t* duplicare

dura|ble ['djuərəbl] duraturo; **~tion** durata *f*

during ['djuəriŋ] durante

dusk [dʌsk] crepuscolo *m*

dust [dʌst] *s* polvere *f*; *v/t* spolverare; **~bin** pattumiera *f*; **~er** cencio *m* (*per la polvere*); **~pan** pattumiera *f*; **~y** polveroso

Dutch [dʌtʃ] *s*, *a* olandese (*m,f*); **the ~** *pl* gli olandesi *m/pl*; **~ cheese** formaggio *m* olandese; **~man** olandese *m*; **~woman** olandese *f*

duty ['dju:ti] dovere *m*; imposta *f*; **be on ~** essere di servizio; **~y-free** esente da tasse

dwarf [dwɔ:f] nano *m*

dwell [dwel] *v/i*, *irr* abitare; dimorare; **~er** abitante *m*; **~ing** abitazione *f*; dimora *f*

dwindle ['dwindl] *v/i* diminuire

dye [dai] *s* tintura *f*; *v/t*

editorial

tingere; v/i tingersi; **~r's:
~r's and cleaner's** tintoria f

dying ['daiiŋ] moribondo

dynamic [dai'næmik] dinamico; **~s** pl dinamica f

dynam|ite ['dainəmait] dinamite f; **~o** dinamo f

dysentery ['disntri] dissenteria f

dyspepsia [dis'pepsiə] dispepsia f

E

each [i:tʃ] a ogni; ciascuno; pron ognuno; **~ other** l'un l'altro

eager ['i:gə] ansioso; desideroso; **~ness** ansietà f

eagle ['i:gl] aquila f

ear [iə] bot spiga f; anat orecchio m; **~drum** timpano m

earl [ə:l] conte m

early ['ə:li] a mattutino; mattiniero; adv presto; di buon ora

earn [ə:n] v/t guadagnare; **~ings** pl guadagni m/pl

earnest ['ə:nist] serio; **in ~** seriamente; sul serio

earnings ['ə:niŋz] pl guadagni m/pl

ear|-phone cuffia f; **~ring** orecchino m

earth [ə:θ] terra f; **~en** di terra; vasellame m di terracotta; **~quake** terremoto m; **~worm** lombrico m

ease [i:z] s agio m; facilità f; v/t sollevare; calmare

easel ['i:zl] cavalletto m

east [i:st] est m; oriente m; **Near ~** Vicino Oriente; **Middle ~** Medio Oriente

Easter ['i:stə] Pasqua f; **~ week** settimana f santa

eastern ['i:stən] orientale

eastward(s) ['i:stwəd(z)] verso est

easy ['i:zi] facile; comodo

eat [i:t] v/t, v/i irr mangiare; **~ up** consumare; divorare

ebb(-tide) ['eb('taid)] bassa marea f

ebony ['ebəni] ebano m

eccentric [ik'sentrik] a, s eccentrico (m)

ecclesiastic [ikli:zi'æstik] ecclesiastico

echo ['ekou] eco m

econom|ic [i:kə'nɔmik], **~ical** economo; **~ics** pl economia f; scienze f/pl economiche; **~ist** [i'kɔnemist] economista m; **~ize** v/t, v/i economizzare; **~y** economia f

edg|e [edʒ] s bordo m; filo m (tagliente); v/t bordare; **~ing** bordo m

edible ['edibl] mangiabile

edif|ice ['edifis] edificio m; **~y** v/t edificare

edit ['edit] v/t editare; dirigere; redigere; **~ion** [i'diʃən] edizione f; **~or** ['editə] direttore m; **~orial** [edi'tɔ:riəl] a editoriale; s articolo *m* di fondo

educate ['edju(:)keit] *v/t* istruire; **~ion** istruzione *f*

eel [i:l] anguilla *f*

efface [i'feis] *v/t* scancellare

effect [i'fekt] *s* effetto *m*; conseguenza *f*; risultato *m*; *v/t* effettuare; **~ive** effettivo; efficace; **~s** *pl* effetti *m/pl*; beni *m/pl*

effeminate [i'feminit] effeminato

effervescent [efə'vesnt] effervescente

efficien|cy [i'fifənsi] efficienza *f*; *~t* efficace

effort ['efət] sforzo *m*

effusive [i'fju:siv] espansivo

egg [eg] uovo *m*; **~cup** portauovo *m*; **~plant** melanzana *f*; **~shell** guscio *m* d'uovo

egoism ['egouizəm] egoismo *m*

Egypt ['i:dʒipt] Egitto *m*; **~ian** [i'dʒipʃən] *a, s* egiziano *(m)*

either ['aiðə, *Am* 'i:ðə] l'uno o l'altro; *(with negative verb)* nessuno; **~ ... or** o ... o; sia ... che; **not ... ~** neanche

eject [i(:)'dʒekt] *v/t* cacciare fuori; emettere

elaborate [i'læbərit] *a* elaborato; complicato; [-eit] *v/t* elaborare

elapse [i'læps] *v/i* passare

elastic [i'læstik] *a, s* elastico *(m)*

elate [i'leit] *v/t* esaltare

elbow ['elbou] gomito *m*; *v/i* spingere a gomitate

elde|r ['eldə] *a, s* maggiore *(m)*; *bot* sambuco *m*; **~rly** anziano; **~st** ['-ist] *a, s* maggiore *(m) (di tutti)*

elect [i'lekt] *a* eletto; scelto; *v/t* eleggere; **~ion** elezione *f*; **~or** *m* elettore *m*; **~orate** elettorato *m*; votanti *m/pl*

electr|ic [i'lektrik] elettrico; **~ical** elettrico; **~ician** [~-'triʃən] elettricista *m*; **~icity** elettricità *f*; **~ocute** [i'lektrəkju:t] *v/t* fulminare

elegan|ce [i'eligəns] eleganza *f*; *~t* elegante

element ['elimənt] elemento *m*; componente *m*; **~ary** elementare

elephant ['elifənt] elefante *m*

elevat|e ['eliveit] *v/t* elevare; **~ion** elevazione *f*; **~or** montacarichi *m*; *Am* ascensore *m*

eligible ['elidʒəbl] eleggibile

eliminat|e [i'limineit] *v/t* eliminare; **~ion** eliminazione *f*

elk [elk] alce *m*

ellipse [i'lips] ellissi *f*

elm [elm] olmo *m*

elope [i'loup] *v/i* fuggire

eloquen|ce ['eləkwəns] eloquenza *f*; *~t* eloquente

else [els] altro; **nothing ~** niente altro; **somebody ~** qualcun'altro; **something ~** qualche altra cosa; **~where** in qualche altro posto; da qualche altra parte

elud|e [i'lu:d] *v/t* eludere; **~sive** elusivo

emaciated [i'meiʃieitid]
emaciato

emanate ['eməneit] v/i
emanare

emancipat|e [i'mænsipeit]
v/t emancipare; **~ion**
emancipazione f

embalm [im'ba:m] v/t imbalsamare

embankment [im'bæŋk-
mənt] argine m; diga f

embargo [em'ba:gou], pl
~es [~ouz] embargo m

embark [im'ba:k] v/t im-
barcare; v/i imbarcarsi; **~
upon something** mettersi
a; lanciarsi a; **~ation** [,em-
ba:'keiʃən] imbarcazione f

embarrass [im'bærəs] v/t
imbarazzare; **~ing** imba-
razzante; **~ment** imbaraz-
zo m

embassy ['embəsi] amba-
sciata f

embellish [im'beliʃ] v/t ab-
bellire

embers ['embəz] pl ceneri
f/pl ardenti

embezzle [im'bezl] v/t appropriarsi (con frode)

embitter [im'bitə] v/t ama-
reggiare

emblem ['embləm] emblema m

embody [im'bɔdi] v/t incarnare; incorporare

embolism ['embəlizəm]
embolia f

embrace [im'breis] s abbraccio m; v/t abbracciare

embroider [im'brɔidə] v/t
ricamare; **~y** ricamo m

emerald ['emərəld] smeraldo m

emerge [i'mə:dʒ] v/i emergere

emergency [i'mə:dʒənsi]
emergenza f; **~ brake** freno
m di emergenza; **~ call** numero m telefonico di soc-
corso; **~ exit** uscita f di
sicurezza; **~ landing** aer atterraggio m di fortuna

emery ['eməri] smeriglio m;
~-paper carta f smerigliata

emigra|nt ['emigrənt] emi-
grante m; **~te** [~eit] v/i emi-
grare; **~tion** emigrazione f

eminent ['eminənt] emi-
nente

emi|ssion [i'miʃən] emissio-
ne f; **~t** v/t emettere

emotion [i'mouʃən] emozione f; **~al** emotivo

emperor ['empərə] impera-
tore m

empha|sis ['emfəsis] enfa-
si f; **~ize** mettere in rilievo

empire ['empaiə] impero m

employ [im'plɔi] v/t impiegare; adoperare; **~ee** [em-
plɔi'i:] impiegato m; **~er** da-
tore m di lavoro; padrone
m; **~ment** impiego m; occupazione f; **~ment exchange** ufficio m di collocamen-
to

empress ['empris] impera-
trice f

empt|iness ['emptinis] vuo-
to m; **~y** vuoto a

enable [i'neibl] v/t dare la
possibilità; permettere

enact [i'nækt] v/t mettere in

atto

enamel [i'næməl] s smalto m; v/t smaltare

enchant [in'tʃɑːnt] v/t incantare

encircle [in'sɜːkl] v/t circondare

enclos|e [in'klouz] v/t rinchiudere; **~ure** [~ʒə] recinto m

encounter [in'kauntə] s incontro m; v/t incontrare

encourage [in'kʌridʒ] v/t incoraggiare; **~ement** m incoraggiamento m

end [end] s fine f; termine m; v/t, v/i finire; terminare; **in the ~** in fin dei conti

endanger [in'deindʒə] v/t mettere in pericolo

endear [in'diə] v/t rendere caro

endeavo(u)r [in'devə] s sforzo m; v/i sforzarsi

ending ['endiŋ] fine f; conclusione f; gram desinenza f; **~less** interminabile

endorse [in'dɔːs] comm v/t girare; firmare (cheques)

endow [in'dau] v/t dotare; **~ed with** dotato di

endur|ance [in'djuərəns] sopportazione f; **~e** v/t sopportare

enemy ['enimi] a, s nemico (m)

energ|etic [‚enə'dʒetik] energico; **~y** ['enədʒi] energia f

enforce [in'fɔːs] v/t mettere in vigore

enfranchise [in'fræntʃaiz]

v/t affrancare

engage [in'geidʒ] v/t occupare; assumere (in servizio); **~d** occupato; impegnato; fidanzato; **~ment** impegno m; fidanzamento m

engine ['endʒin] motore m; macchina f; **~-driver** macchinista m; **~er** [endʒi'niə] ingegnere m; **~ering** ingegneria f

England ['iŋglənd] Inghilterra f

English ['iŋgliʃ] a inglese; (language) inglese m; **the ~** pl gli inglesi; **~man** inglese m; **~woman** inglese f

engrav|e [in'greiv] v/t incidere; **~ing** incisione f

engross [in'grous] v/t assorbire

enigma [i'nigmə] enimma m

enjoy [in'dʒɔi] v/t godere; **o.s.** v/r divertirsi; **~able** piacevole

enlarge [in'lɑːdʒ] v/t estendere; ingrandire; **~ment** ingrandimento m

enlighten [in'laitn] v/t illuminare

enlist [in'list] v/t arrolare; v/i arrolarsi

enliven [in'laivn] v/t ravvivare

enmity ['enmiti] inimicizia f

enormous [i'nɔːməs] enorme

enough [i'nʌf] abbastanza

enquire [in'kwaiə] cf **inquire**

enrage [in'reidʒ] v/t rendere furioso

enrapture [in'ræptʃə] *v/t* entusiasmare

enrich [in'ritʃ] *v/t* arricchire

enrol [in'roul] *v/t* iscrivere; *v/i* iscriversi; **~ment** iscrizione *f*; registrazione *f*

ensign ['ensain] insegna *f*; bandiera *f*

enslave [in'sleiv] *v/t* fare schiavo

ensue [in'sju:] *v/i* risultare

ensure [in'ʃuə] *v/t* assicurare

entangle [in'tæŋgl] *v/t* imbrogliare

enter ['entə] *v/t* entrare in; *comm* registrare

enterprise ['entəpraiz] impresa *f*; **~ing** intraprendente

entertain [entə'tein] *v/t* intrattenere; divertire; ricevere (*ospiti*); **~ing** divertente; **~ment** trattenimento *m*; divertimento *m*

enthusiasm [in'θju:ziæzəm] entusiasmo *m*; **~t** entusiasta *m*, *f*; **~tic** entusiastico; entusiasmato

entice [in'tais] *v/t* attrarre; allettare

entire [in'taiə] intero

entitle [in'taitl] *v/t* autorizzare; dare il diritto; **be ~d to** avere il diritto a

entity ['entiti] entità *f*

entrails ['entreilz] *pl* viscere *f/pl*

entrance [in'trɑns] entrata *f*; ingresso *m*; **~fee** prezzo *m* d'ingresso

entreat [in'tri:t] *v/t* supplicare

entrust [in'trʌst] *v/t* affidare

entry ['entri] ingresso *m*; entrata *f*

enumerate [i'nju:məreit] *v/t* enumerare

envelop [in'veləp] *v/t* avvolgere; **~e** ['envəloup] busta *f*

enviable ['enviəbl] invidiabile; **~ous** invidioso

environment [in'vaiərəmənt] ambiente *m*; **~al pollution** inquinamento *m* dell'ambiente

environs ['envirənz, in'vaiərənz] *pl* dintorni *m/pl*

envisage [in'vizidʒ] *v/t* contemplare

envoy ['envɔi] inviato *m*

envy ['envi] *s* invidia *f*; *v/t* invidiare

epidemic (**disease**) [epi'demik] epidemia *f*

epidermis [epi'də:mis] epidermide *f*

epilepsy ['epilepsi] epilessia *f*; **~tic** [,epi'leptik] epilettico

episode ['episoud] episodio *m*

epoch ['i:pɔk] epoca *f*

equal ['i:kwəl] *a*, *s* uguale; **~ity** [i(:)'kwɔliti] uguaglianza *f*; **~ize** *v/t* uguagliare

equanimity [ekwə'nimiti] equanimità *f*

equation [i'kweiʒən] equazione *f*

equator [i'kweitə] equatore *m*

equilibrium [,i:kwi'libriəm] equilibrio *m*

equip [i'kwip] v/t equipaggiare; attrezzare; **~ment** attrezzatura f

equivalent [i'kwivələnt] equivalente

era ['iərə] epoca f

eradicate [i'rædikeit] v/t sradicare

erase [i'reiz] v/t scancellare

erect [i'rekt] a eretto; ritto; v/t erigere; innalzare; **~ion** erezione f; elevazione f

erosion [i'rouʒən] erosione f

erotic [i'rɔtik] erotico

err [ə:] v/i errare; sbagliare

errand ['erənt] commissione f; **~boy** fattorino m; garzone m

errant ['erənt] errante

err|oneous [i'rounjəs] erroneo; **~or** ['erə] errore m, sbaglio m

erupt [i'rʌpt] v/i eruttare

escalator ['eskəleitə] scala f mobile

escape [is'keip] v/t sfuggire a; evitare; v/i sfuggire; scappare; s fuga f

escort ['eskɔ:t] s scorta f; accompagnatore m; [is'kɔ:t] v/t scortare; accompagnare

especial [is'peʃəl] speciale; **~ly** specialmente; soprattutto

espionage [espiə'nɑ:ʒ] spionaggio m

essay ['esei] saggio m, tema m (scolastico); **~ist** saggista m

essen|ce ['esns] essenza f; **~tial** [i'senʃəl] essenziale

establish [is'tæbliʃ] v/t sta-

bilire; istituire; fondare; **~ment** stabilimento m; istituzione f; istituto m; casa f commerciale

estate [is'teit] proprietà f; tenuta f; **~car** giardinetta f; **real ~** beni m/pl immobili

esteem [is'ti:m] s stima f; v/t stimare

estimat|e ['estimeit] s preventivo m; v/t valutare; **~ion** valutazione f; stima f

estrange [is'treindʒ] v/t alienare

estuary ['estjuəri] estuario m

etcetera [it'setrə, et~] eccetera

etern|al [i(:)'tə:nl] eterno; **~ity** eternità f

ether ['i:θə] etere m

ethics ['eθiks] pl etica f

Ethiopia [ˌi:θi'oupjə] Etiopia f

eucalyptus [ˌju:kə'liptəs] eucalipto m

Europe ['juərəp] Europa f; **~an** [juərə'pi(:)ən] a, s europeo (m)

evacuate [i'vækjueit] v/t evacuare; sfollare; sgombrare

evade [i'veid] v/t evitare; sottrarsi a

evaluate [i'væljueit] v/t valutare

evangelical [ˌi:væn'dʒelikəl] evangelico

evaporate [i'væpəreit] v/t evaporare; v/i evaporarsi

evasion [i'veiʒən] evasione f; sotterfugio m

eve [i:v] vigilia f

even ['iːvən] a piano, liscio; uguale, pari; fermo; adv anche; perfino; ~ **though** anche se; **not** ~ neanche; v/t appianare; livellare; aggiustare

evening ['iːvnin] sera f; **good** ~ buona sera; ~ **dress** abito m da sera

event [i'vent] avvenimento m; **at all** ~**s** in tutti i casi; ~**ful** memorabile; movimentato; ~**ual** eventuale; ~**ually** finalmente

ever ['evə] mai; sempre; **for** ~; ~**green** sempreverde; per sempre; ~ **since** da quando

every ['evri] ogni; tutti; ~ **other day** ogni due giorni; ~**body**, ~**one** ognuno; tutti; ~**day** quotidiano; ~**thing** tutto; ~**where** da tutte le parti

evidenle ['evidəns] evidenza f; testimonianza f; **give** ~**ce** testimoniare; ~**t** evidente; chiaro

evil ['iːvl] s male m; a cattivo

evince [i'vins] v/t manifestare

evoke [i'vouk] v/t evocare

evolution [iːvə'luːʃən] evoluzione f; svolgimento m

evolve [i'vɔlv] v/t evolvere; v/i evolversi

ewe [juː] pecora f

exact [ig'zækt] a esatto; preciso; v/t esigere; ~**ly** esattamente; ~**ness** esattezza f

exaggeratle [ig'zædʒəreit]

v/t esagerare; ~**ion** esagerazione f

exalt [ig'zɔːlt] v/t esaltare; ~**ation** esaltazione f

examinlation [igˌzæmi'neiʃən] esame m; ~**e** v/t esaminare

example [ig'zɑːmpl] esempio m; **for** ~ per esempio

exasperate [ig'zɑːspəreit] v/t esasperare

excavate ['ekskəveit] v/t scavare

exceed [ik'siːd] v/t eccedere; superare

excellenlce ['eksələns] eccellenza f; ~**t** eccellente; ottimo

except [ik'sept] prp eccetto; salvo; ~ **for** all'infuori di; v/t eccettuare; ~**ion** eccezione f; meno; ~**ion** eccezione f; ~**ional** eccezionale

excerpt ['eksəpt, ik'sɜːpt] estratto m

excess [ik'ses] eccesso m; ~ **fare** supplemento m; ~**ive** eccessivo

exchange [iks'tʃeindʒ] s cambio m; Borsa f; centrale f (telefonica); v/t scambiare; ~ **rate** cambio m

Exchequer [iks'tʃekə]: **Chancellor of the** ~ Cancelliere m dello Scacchiere; Ministro m delle Finanze

excitle [ik'sait] v/t eccitare; agitare; ~**ement** eccitazione f; agitazione f; ~**ing** emozionante; avvincente

exclaim [iks'kleim] v/t, v/i esclamare; ~**mation** esclamazione *f*; **~mation mark** punto *m* esclamativo

exclu|de [iks'klu:d] *v/t* escludere; **~sion** esclusione *f*; **~sive** esclusivo

excommunicate [ˌekskə-'mju:nikeit] *v/t* scomunicare

excursion [iks'kə:ʃən] gita *f*

excuse [iks'kju:z] *s* scusa *f*; *v/t* scusare; **~ me** scusi signore!

execut|e ['eksikju:t] *v/t* eseguire; giustiziare; **~ion** esecuzione *f*; **~ive** [ig'zekjutiv] *s* potere *m* esecutivo; *a* esecutivo

exemplary [ig'zempləri] esemplare

exempt [ig'zempt] *a* esente; *v/t* esentare

exercise ['eksəsaiz] *s* esercizio *m*; *v/t* esercitare; **~book** libro *m* scolastico

exert [ig'zə:t] *v/t* esercitare; **~ o.s.** *v/r* sforzarsi; **~ion** sforzo *m*

exhale [eks'heil] *v/t* esalare

exhaust [ig'zə:st] scarico *m*; **~ pipe** tubo *m* di scarico; *v/t* esaurire; **~ion** esaurimento *m*

exhibit [ig'zibit] *s* oggetto *m* in esposizione; *v/t* esibire; **~ion** [eksi'biʃən] esposizione *f*

exhort [ig'zə:t] *v/t* esortare

exigence [ek'sidʒənsi, 'eksidʒənsi] esigenza *f*

exile ['eksail] *s* esilio *m*; *v/t* esiliare

exist [ig'zist] *v/i* esistere;

~ence esistenza *f*; **~ent, ~ing** esistente

exit ['eksit] uscita *f*

exorbitant [ig'zə:bitənt] esorbitante

exotic [eg'zɔtik] esotico

expan|d [iks'pænd] *v/t* espandere; sviluppare; *v/i* espandersi; svilupparsi; **~se** distesa *f*; espansione *f*; sviluppo *m*; **~sive** espansivo

expect [iks'pekt] *v/t* aspettare; aspettarsi; **~ance, ~ation** aspettativa *f*; **~ant mother** donna *f* incinta

expedient [iks'pi:djənt] espediente *m*

expedition [ekspi'diʃən] spedizione *f*

expel [iks'pel] *v/t* espellere

expen|d [iks'pend] *v/t* espendere; consumare; **~diture** spesa *f*; **~se** spesa *f*; **~sive** costoso

experience [iks'piəriəns] *s* esperienza *f*; *v/t* provare; sentire; **~d** esperto

experiment [iks'perimənt] *s* esperimento *m*; *v/t* esperimentare

expert ['ekspə:t] *a* esperto; *s* esperto *m*; perito *m*

expir|ation [ˌekspaiə'reiʃən] espirazione *f*; morte *f*; *comm* scadenza *f*; **~e** [iks-'paiə] *v/i* espirare; morire; *comm* scadere

expla|in [iks'plein] *v/t* spiegare; **~nation** spiegazione *f*

explicit [iks'plisit] esplicito

explode [iks'ploud] v/t fare esplodere; v/i esplodere

exploit [iks'ploit] s prodezza f; v/t sfruttare

explor|ation [eksplɔ:'reiʃən] esplorazione f; **~e** v/t esplorare; **~er** esploratore m

explos|ion [iks'plouʒən] esplosione f; **~ive** esplosivo

export ['ekspɔ:t] s esportazione f; [eks'pɔ:t] v/t esportare; **~ation** esportazione f; **~er** esportatore m

expos|e [iks'pouz] v/t esporre; smascherare; **~ition** [ekspou'ziʃən] esposizione f; **~ure** esposizione f; smascheramento m; **~ure meter** esposimetro m

express [iks'pres] s espresso m; **~ train** rapido m; a apposito; v/t esprimere; **~ion** espressione f; **~ive** espressivo

expropriate [eks'prouprieit] v/t espropriare

expulsion [iks'pʌlʃən] espulsione f

exquisite ['ekskwisit] squisito

extant [eks'tænt] esistente

exten|d [iks'tend] v/t estendere; prolungare; allargare; v/i estendersi; prolungarsi; allargarsi; **~sion** estensione f; prolungamento m; allargamento m; **~sive** esteso; a distesa f; **to a certain ~t** fino a un certo punto

exterior [eks'tiəriə] s esterno m; a esteriore; esterno

exterminate [iks'tə:mineit] v/t sterminare

external [eks'tə:nl] esterno

extin|ct [iks'tiŋkt] estinto; **~guish** [iks'tiŋwiʃ] v/t estinguere

extirpate ['ekstə:peit] v/t estirpare

extort [iks'tɔ:t] v/t estorcere

extra ['ekstrə] a extra; straordinario; addizionale; s supplemento m; aggiunta f; adv extra; in più

extract ['ekstrækt] s estratto m; [iks'trækt] v/t estrarre; **~ion** estrazione f

extradite ['ekstrədait] v/t estradare

extraordinary [iks'trɔ:dnri] straordinario

extravagan|ce [iks'trævigəns] stravaganza f; **~t** stravagante

extrem|e [iks'tri:m] a estremo; s estremo m; estremità f; **~ist** estremista m, f; **~ity** [~'tremiti] estremità f

exuberant [ig'zju:bərənt] esuberante

exult [ig'zʌlt] v/i esultare; **~ant** esultante

eye [ai] s occhio m; **keep an ~ on** tenere d'occhio; v/t adocchiare; **~ball** palla f dell'occhio; **~brow** sopracciglio m; **~glasses** pl occhiali m pl; **~lash** ciglio m; **~let** occhiello m; **~lid** palpebra f; **~shot** vista f; **~sight** vista f; **~witness** testimone m oculare

F

F

fable ['feibl] favola f

fabric ['fæbric] tessuto m; **~ate** ['~eit] v/t inventare; fabbricare

fabulous ['fæbjuləs] favoloso

façade [fə'sɑ:d] facciata f

fac|e [feis] s faccia f; viso m; **~e to ~** faccia a faccia; v/t fare fronte a; affrontare; essere di fronte a; **~ing** di fronte a

facil|itate [fə'siliteit] v/t facilitare; **~ity** facilità f

fact [fækt] fatto m; **in ~** infatti

factor ['fæktə] fattore m; elemento m; **~y** fabbrica f

faculty ['fækəlti] facoltà f

fade [feid] v/i (colour) sbiadire; (flowers) appassire; (light) spegnersi; (memory) scancellarsi; (sound) perdersi

fail [feil] v/t abbandonare; essere bocciato (a un esame); v/i fallire; mancare; **~ure** ['~jə] fallimento m; bocciatura f (a un esame)

faint [feint] a debole; (colour) pallido; v/i svenire

fair [feə] a biondo; giusto; discreto; bello; buono; s fiera f; **~ play** giuoco m leale; **~ly** piuttosto; **~ness** giustizia f

fairy ['feəri] fata f; **~tale** fiaba f

faith [feiθ] fede f; fiducia f; **~ful** fedele; **Yours ~fully** con profonda stima

fake [feik] s imitazione f; v/t imitare; falsificare

falcon ['fɔ:lkən] falcone m

fall [fɔ:l] s caduta f; abbassamento m; ribasso m; v/i cadere; abbassarsi; **~ asleep** addormentarsi; **~ due** comm scadere; **~ ill** ammalarsi; **~ in love with** innamorarsi di; **~ (up)on** attaccare

fallacious [fə'leiʃəs] fallace

false [fɔ:ls] falso; **~hood** bugia f

falsify ['fɔ:lsifai] v/t falsificare

falter ['fɔ:ltə] v/i vacillare

fame [feim] fama f

famil|iar [fə'miljə] familiare; **~iarity** [~i'æriti] familiarità f; **~y** ['fæmili] famiglia f; **~y name** cognome m; **~y tree** albero m genealogico

fami|ne ['fæmin] carestia f; **~shed** affamato; morto di fame

famous ['feiməs] famoso; celebre

fan [fæn] s ventaglio m; ventilatore m; (slang) tifoso m; v/t sventolare; ventilare

fanatic [fə'nætik] a, s fanatico (m)

fanci|ful ['fænsiful] fantasioso; **~y** s fantasia f; capriccio m; a (di) fantasia; **~y dress** maschera f

fang [fæŋ] zanna f

fantas|tic [fæn'tæstik] fantastico; **~y** ['fæntəsi] fantasia f

far [fɑ:] lontano; **as ~ as** fino a; **by ~** di molto; di gran lungo; **~ better** molto migliore; **how ~?** fin dove?; *adv* molto meglio; **~off** lontano; **~reaching** di grande portata; **so ~** finora

farce [fɑ:s] farsa f

fare [feə] cibo m; tariffa f; **~well** addio m

farm [fɑ:m] s podere m; fattoria f; v/t coltivare; **~er** agricoltore m; **~hand** bracciante m; **~house** casa f colonica; **~ing** coltivazione f

far-sighted lungimirante

farth|er più lontano; **~est** il più lontano

fascinate ['fæsineit] v/t affascinare; **~ing** affascinante; **~ion** fascino m

fashion ['fæʃən] s moda f; **~able** di moda

fast [fɑ:st] a veloce; fermo; leggero; adv veloce; fermamente; s digiuno m; v/i digiunare

fasten ['fɑ:sn] v/t attaccare; fissare; **~er** chiusura f; fermatura f

fat [fæt] a, s grasso (m)

fat|al ['feitl] fatale; **~e** destino m; sorte f

father ['fɑ:ðə] padre m; **~hood** paternità f; **~-in-law** suocero m; **~land** patria f; **~less** orfano di padre; **~ly** paterno

fatigue [fə'ti:g] s fatica f; v/t

affaticare

fatten ['fætn] v/t ingrassare

fatuous ['fætjuəs] fatuo

faucet ['fɔ:sit] Am rubinetto m

fault [fɔ:lt] colpa f; difetto m; **~less** perfetto; **~y** difettoso

favo(u)r ['feivə] s favore m; v/t favorire; **~able** favorevole; **~ite** ['~rit] a, s preferito (m)

fear [fiə] s paura f; timore m; v/t temere; avere paura di; **~ful** pauroso; terribile

feasible ['fi:zəbl] possibile

feast [fi:st] s festa f (religiosa); banchetto m; v/t festeggiare; banchettare

feat [fi:t] prodezza f

feather ['feðə] piuma f; penna f; **~weight** peso m più piuma

feature ['fi:tʃə] geog configurazione f; caratteristica f; **~s** pl fattezze f/pl; lineamenti m/pl

February ['februəri] febbraio m

fecund ['fi:kənd] fecondo

federal ['fedərəl] federale; **~tion** federazione f; confederazione f

fee [fi:] onorario m; quota f; tassa f

feeble ['fi:bl] debole

feed [fi:d] s nutrimento m; v/t nutrire; dare da mangiare; v/i nutrirsi; **be fed up with** essere stufo di; **~ing** nutrizione f; **~ing-bottle** poppatoio m

feel [fi:l] v/t, irr sentire; toccare; provare; v/i sentirsi; ~ **well** stare bene; ~**ing** sentimento m; sensazione f

feign [fein] v/t fingere

felicitate [fi'lisiteit] v/t congratularsi con

fell [fel] v/t abattere

fellow ['felou] s tipo m; compagno m; individuo m; socio m; ~**citizen** concittadino m

felt [felt] feltro m

female ['fi:meil] s femmina f; a femminile

feminine ['feminin] femminile

fen [fen] pantano m

fence [fens] s recinto m; steccato m; v/t chiudere con recinto; v/i schermire; ~**ing** scherma f

fend [fend] v/t parare; ~**er** Am parafango m

ferment ['fə:ment] s fermento m; v/t far fermentare; v/i fermentare; ~**ation** fermentazione f

fern [fə:n] felce f

ferocity [fə'rɔsiti] ferocità f

ferry ['feri] s traghetto m; v/t traghettare

fertile ['fə:tail] fertile; ~**ity** [~'tiliti] fertilità f; ~**ize** [~'ai-laiz] v/t fertilizzare

fervent ['fə:vənt] fervente

fester ['festə] v/i suppurare

festival ['festə] festa f; mus festival m; ~**e** festivo; ~**ities** [~'tivi-tiz] pl festa f

festoon [fes'tu:n] festone m; ghirlanda f

fetch [fetʃ] v/t andare a prendere; v/i vendersi per

fête [feit] festa f

fetish ['fi:tiʃ] feticcio m

fetters ['fetəz] ceppi m/pl

feudal ['fju:dl] feudale

fever ['fi:və] febbre f; ~**ish** febbrile

few [fju:] a, s pochi(e) (m/pl, f/pl); **a** ~ alcuni(e)

fiancé [fi'ɑ:nsei] fidanzato m; ~**e** fidanzata f

fib [fib] (piccola) bugia f

fibre, Am ~**er** ['faibə] fibra f; ~**rous** fibroso

fickle ['fikl] incostante

fiction ['fikʃən] finzione f; romanzi m/pl; ~**tious** [~'ti-ʃəs] fittizio

fiddle ['fidl] s violino m; v/i suonare il violino; giuocare con; ~**sticks** pl sciocchezze f/pl

fidelity [fi'deliti] fedeltà f

fidget ['fidʒit] v/i agitarsi

field [fi:ld] campo m; prato m; ~**glasses** pl binocolo m

fiend [fi:nd] demonio m

fierce [fiəs] feroce

fiery ['faiəri] focoso

fife [faif] piffero m

fig [fig] fico m

fight [fait] s lotta f; litigio m; v/t, irr combattere; lottare; litigare

figurative ['figjurətiv] figurativo

figure ['figə] s figura f; cifra f; v/t raffigurare; v/i fare calcoli; figurare; ~**skating** pattinaggio m artistico

file [fail] s lima f; mil fila f;

schedario m; v/t limare; classificare; archiviare

filigree ['filigri] filigrana f

fill [fil] v/t riempire; occupare; otturare (un dente); ~ **in**, ~ **up** riempire; completare; v/i riempirsi

fillet ['filit] filetto m; fetta f (di pesce)

filling (of tooth) otturazione f; ~ **station** Am stazione f di servizio

filly ['fili] puledra f

film [film] s pellicola f; film m; patina f ~ v/t filmare; girare una pellicola

filter ['filtə] s filtro m; v/t filtrare

filth [filθ] sudiciume m; ~**y** sudicio

fin [fin] pinna f

final ['fainl] a finale m; a finale; ultimo; ~**ity** [fai-'næliti] finalità f

finance [fai'næns] s finanza f; v/t finanziare; ~**ial** [~'[əl] finanziario; ~**ier** finanziere m; ~**ing** finanziamento m

finch [fintʃ] fringuello m

find [faind] v/t, v/i irr trovare; incontrare; ~ **out** scoprire; s scoperta f; ~**ings** pl conclusioni f/pl; med, for reperto m

fine [fain] a fine; bello; **it is** ~ **weather** fa bel tempo; **that is** ~ va benissimo; s multa f; v/t multare

finger ['fingə] s dito m; pl dita f/pl; **little** ~ mignolo m; v/t toccare; ~**nail** unghia f; ~**prints** pl impronte f/pl digitali

finish ['finiʃ] s fine f; termine m; rifinitura f; v/t finire; rifinire

finite ['fainait] finito

Finland ['finlənd] Finlandia f; ~**n** [fin] finlandese m, f; ~**nish** a, s finlandese (m,f)

fir [fə:] s abete m

fire ['faiə] s fuoco m; incendio m; **on** ~ in fiamme; **set on** ~ incendiare; v/t fam licenziare; v/i sparare; ~ **arms** pl armi f/pl da fuoco; ~ **escape** scala f di sicurezza; ~**extinguisher** estintore m; ~**insurance** assicurazione f contro gli incendi; ~**man** pompiere m; fuochista m; ~**place** camino m; ~**proof** incombustibile; ~**side** camino m; ~**works** pl fuochi m/pl d'artificio

firm [fə:m] a fermo; deciso; s ditta f; ~**ness** fermezza f

first [fə:st] primo; ~ **aid** primo soccorso m; ~ **class** ottimo; ~**hand** di prima mano; ~**ly** in primo luogo; ~ **night** thea la prima f; ~**rate** di prima classe

firth [fə:θ] estuario m

fiscal ['fiskəl] fiscale

fish [fiʃ], pl (~**es**) ['~iz] s pesce m; v/t, v/i pescare; ~**erbone** spina f di pesce; ~**erman** pescatore m; ~**ing rod** canna f da pesca; ~**ing tackle** attrezzi m/pl da pesca; ~**monger's** pescheria f

fissure ['fiʃə] fessura f

fist [fist] pugno m

fit *a* adatto; conveniente; in forma; *v/t* andare bene; *s* attacco *m*; colpo *m*; **~ on** applicare; **~ out** attrezzare; **~ness** opportunità *f*; buona salute *f*; **~ting** *a* adatto; conveniente; *s* prova *f*; **~tings** *pl* accessori *m/pl*

fix [fiks] difficoltà *f*; *v/t* fissare; **~ up** combinare; **~tures** *pl* infissi *m/pl*

flabbergast ['flæbəgɑːst] *v/t* sbalordire

flabby ['flæbi] floscio

flag [flæg] bandiera *f*; **lower the ~** abbassare la bandiera; **hoist the ~** innalzare la bandiera

flagrant ['fleigrənt] flagrante

flake [fleik] scaglia *f*; fiocco *m (di neve)*

flamboyant [flæm'bɔiənt] fiammeggiante

flam|e [fleim] *s* fiamma *f*; *v/i* fiammeggiare

flank [flæŋk] *s* fianco *m*; *v/t* fiancheggiare

flannel ['flænl] flanella *f*

flap [flæp] *v/t* battere; *s* battito *m*

flare [flɛə] *v/i* fiammeggiare; brillare

flash [flæʃ] *s* lampo *m*; baleno *m*; *v/i* brillare; **~light** lampada *f* elettrica

flask [flɑːsk] fiasco *m*

flat [flæt] *a* piatto; piano; monotono; *s* mus bemolle *m*; appartamento *m*; **~ of the hand** palma *f*; **~ten** *v/t* appiattire; *v/i* appiattirsi

flatter ['flætə] *v/t* lusingare; **~y** lusinga *f*

flavo(u)r ['fleivə] sapore *m*; gusto *m*; *v/t* dare il sapore di

flaw [flɔː] difetto *m*; **~less** perfetto; senza difetti

flax [flæks] lino *m*; **~en** biondo

flea [fliː] pulce *f*

flee [fliː] *v/i, v/t, irr* fuggire

fleece [fliːs] *s* vello *m*; lana *f*; *v/t* tosare; *fam* pelare

fleet [fliːt] flotta *f*; **~ing** veloce

Flemi|ng ['flemiŋ] fiammingo *m*; **~sh** *a, s* fiammingo *(m)*

flesh [fleʃ] carne *f* viva; **~y** carnoso

flexible [fl'eksəbl] flessibile

flick [flik] colpetto *m*

flicker ['flikə] *s* tremolio *m*; *v/i* vacillare

flight [flait] fuga *f*; volo *m*; **~ of stairs** rampa *f* di scale

flimsy ['flimzi] inconsistente

flinch [flintʃ] *v/i* indietreggiare; smuoversi

fling [fliŋ] *v/t, irr* gettare; lanciare

flint [flint] pietra *f* focaia

flippant ['flipənt] leggero; poco serio

flirt [flɜːt] *s* civetta *f*; *v/i* civettare; flirtare; **~ation** flirt *m*

float [flout] *v/i* galleggiare; *v/t* far galleggiare

flock [flɔk] gregge *f (di pecore)*; stormo *m (di uccelli)*; branco *m (di animali)*; *v/i*

fool

riunirsi in stormi, a branchi

flog [flɔg] v/t fristare

flood [flʌd] s inondazione f; fig abbondanza f; v/t inondare; **~gates** pl cateratta f

floor [flɔː] s pavimento m; piano m; v/t pavimentare; fig atterrare; **take the ~** prendere la parola; **~lamp** lampada f a stelo; **~walker** ispettore m di magazzino

flop [flɔp] s fiasco m; v/i far fiasco

florist ['flɔrist] fioraio m

flounder ['flaundə] passera f

flour ['flauə] farina f

flourish ['flʌriʃ] v/t agitare; v/i fiorire; prosperare

flow [flou] s corrente f; flusso m; v/i scorrere; fluire

flower ['flauə] s fiore m; v/i fiorire; **~bed** aiuola f; **~vase** vaso m da fiori; **~show** mostra f di fiori

fluctuate ['flʌktjueit] v/i fluttuare

flu [fluː] cf influenza

flue [fluː] canna f fumaria

fluent ['fluːənt] corrente; scorrevole

fluff [flʌf] peluria f

fluid [fluːid] a, s liquido (m)

flunk [flʌŋk] v/i Am bocciare

flurry ['flʌri] raffica f (di vento); agitazione f

flush [flʌʃ] s rossore m; v/i arrossire

fluster ['flʌstə] s agitazione f; v/t innervosire

flute [fluːt] flauto m

flutter ['flʌtə] s svolazzamento m; agitazione f; (slang) speculazione f; v/t agitare; v/i svolazzare; agitarsi

flux [flʌks] flusso m

fly [flai] s mosca f; v/i, irr volare; fuggire; **~ing squad** pronto intervento m; **~ing time** durata f di volo

foal [foul] puledro m

foam [foum] s schiuma f; spuma f; v/i schiumare; spumeggiare; **~y** schiumeggiante; spumeggiante

focus ['foukəs] fuoco m; v/t mettere a fuoco

fodder ['fɔdə] foraggio m

foetus ['fiːtəs] feto m

fog [fɔg] nebbia f; **~gy** nebbioso

foil [fɔil] s lamina f; v/t far fallire

fold [fould] s piega f; ovile m; v/t piegare; incrociare (le braccia); **~ing bed** branda f

foliage ['fouliidʒ] fogliame m

folk [fouk] gente f

follow ['fɔlou] v/t, v/i seguire; **~er** seguace m; **~ing** seguente

folly ['fɔli] follia f

fond [fɔnd] affezionato; appassionato; **be ~ of** essere affezionato a; **~le** v/t accarezzare

food [fuːd] cibo m; alimento m; **~stuffs** pl commestibili m/pl

fool [fuːl] sciocco(a) m (f);

make a ~ of o.s. rendersi ridicolo; v/t ingannare; v/i fare lo sciocco; **~ish** sciocco; **~ishness** scioccezza f; **~proof** assolutamente sicuro; **~scap** carta f protocollo

foot [fut], pl **feet** [fi:t] piede m; zampa f (di animali); **on ~** a piedi; **put one's ~ in it** fare una gaffe; **~ball** calcio m; **~lights** pl luci f/pl della ribalta; **~print** orma f; impronta f del piede; **be ~sore** aver male ai piedi; **~step** passo m

for [fɔ:; fə] prp per; per ragione di; conj perché

forbear [fɔ:'bɛə] v/i, irr guardarsi da; trattenersi da

forbid [fə'bid] v/t, irr proibire; vietare

force [fɔ:s] s forza f; potere m; v/t forzare; **armed ~s** pl forze f/pl armate; **come in-to ~** entrare in vigore; **~ful** energico

forceps ['fɔ:seps] pl forcipe m

forcible ['fɔ:səbl] forzato; potente

ford [fɔ:d] guado m

fore [fɔ:] s davanti m; a anteriore; **~arm** avambraccio m; **~cast** v/t prevedere; s previsione f; **weather ~cast** previsioni f/pl del tempo; **~fathers** pl antenati m/pl; **~finger** indice m; **~front** avanguardia f; **~going** precedente; **~ground** primo piano m; **~head** ['fɔrid] fronte f

foreign ['fɔrin] straniero; **~ currency** moneta f estera; **~er** straniero m; **~ exchange** moneta f estera; **2 Office** Ministero m degli Affari Esteri (in Inghilterra)

fore|leg gamba f anteriore; **~man** capo m operaio; **~most** primo; **~see** v/t prevedere; **~sight** previsione f

forest ['fɔrist] foresta f

fore|stall v/t prevenire; anticipare; **~taste** v/t pregustare; **~tell** v/t predire

forever [fə'revə] per sempre

foreword prefazione f

forfeit ['fɔ:fit] pegno m

forge [fɔ:dʒ] v/t falsificare; **~ry** falsificazione f; firma f falsa

forget [fə'get] v/t, irr dimenticare; **~ful** dimentico; **~me-not** non ti sordar di me m

forgive [fə'giv] v/t, irr perdonare; **~ness** perdono m

forgo [fɔ:'gou] v/t, irr rinunciare a

fork [fɔ:k] forchetta f; forca f; biforcazione f; **~** biforcarsi

forlorn [fə'lɔ:n] abbandonato

form [fɔ:m] s forma f; modulo m; banco m; modello m; v/t formare

formal ['fɔ:məl] formale; **~ity** [~'mæliti] formalità f

formation [fɔ:'meiʃən] formazione f

former ['fɔ:mə] a precedente; **the** ~ il primo; quegli; **~ly** prima; nel passato

formidable ['fɔ:midəbl] formidabile

formula ['fɔ:mjulə] formula f; **~te** v/t formulare

forsake [fə'seik] v/t, irr abbandonare

fort [fɔ:t] fortezza f

forth [fɔ:θ] (in) avanti; fuori; **and so** ~ eccetera; **~coming** prossimo; **~with** immediatamente

fortify ['fɔ:tifai] v/t fortificare

fortitude ['fɔ:titju:d] fortezza f (d'animo)

fortnight ['fɔ:tnait] quindici giorni; **~ly** quindicinale

fortress ['fɔ:tris] fortezza f

fortuitous [fɔ:'tju(:)itəs] fortuito

fortunate ['fɔ:tʃnit] fortunato

fortune ['fɔ:tʃən] fortuna f; sorte f

forum ['fɔ:rəm] foro m

forward ['fɔ:wəd] a precoce; adv (in) avanti; in poi; v/t far proseguire; spedire

foster ['fɔstə] v/t nutrire; **~child** figlio m adottivo; **~mother** madre f adottiva

foul [faul] a sudicio; osceno; v/t sporcare

found [faund] v/t fondare; **~ation** fondazione f; **~er** fondatore m; **~ling** trovatello m

foundry ['faundri] fonderia f

fountain ['fauntin] fontana

f; fonte f; **~pen** penna f stilografica

four [fɔ:]: **on all ~s** a quattro zampe; **~footed** quadrupede

fowl [faul] pollame m

fox [fɔks] volpe f

fraction ['frækʃən] frazione f; **~ure** ['fræktʃə] s frattura f; v/t fratturare; v/i fratturarsi

fragile ['frædʒail] fragile; delicato

fragment ['frægmənt] frammento m

fragrance ['freigrəns] fragranza f; **~t** fragrante

frail [freil] delicato; fragile

frame [freim] s cornice f; struttura f; telaio m; v/t incorniciare; **~work** ossatura f; cornice f

franc [fræŋk] franco m

France [frɑ:ns] Francia f

franchise ['fræntʃaiz] diritto m di voto

frank [fræŋk] franco; **~ly** francamente

frankfurter ['fræŋkfətə] salsiccia f

frantic ['fræntik] fuori di sè; frenetico

fraternal [frə'tə:nl] fraterno; **~ity** fraternità f

fraud [frɔ:d] frode f; **~ulent** fraudolento

freak [fri:k] fenomeno m; uomo m strambo; eccentrico m

freckle ['frekl] lentiggine f

free [fri:] libero; gratuito; ~ **on board** franco a bordo; ~

freedom

trade libero scambio *m*; *v/t* liberare; **~dom** libertà *f*; **~mason** massone *m*; **~ticket** biglietto *m* gratuito; **~way** *Am* strada *f* di grande comunicazione

freez|e [fri:z] *v/t, irr* gelare; congelare; *v/i* gelarsi; congelarsi; **~er** frigorifero *m*; **~ing-point** punto *m* di congelamento

freight [freit] nolo *m* f

French [frentʃ] *a, s* francese (*m, f*); **the ~** *pl* i francesi; **~ window** balcone *m*; **~woman** francese *f*

frequen|cy [ˈfriːkwənsi] frequenza *f*; **~t** frequente

fresh [freʃ] fresco; nuovo; **~ air** aria *f* pura; **~ water** acqua *f* dolce; **~man** matricola *f*; **~ness** freschezza *f*

fret [fret] *v/i* innervosirsi; **~ful** nervoso

friar [ˈfraiə] frate *m*

friction [ˈfrikʃən] frizione *f*; attrito *m*

Friday [ˈfraidi] venerdì *m*

fridge [fridʒ] *fam* frigorifero *m*

fried [fraid] fritto; cotto

friend [frend] amico(a) *m (f)*; **~boy~** fidanzato *m*; **~girl~** fidanzata *f*; **~ly** amichevole; **~ship** amicizia *f*

fright [frait] spavento *m*; **~en** *v/t* spaventare; **~ful** spaventoso; terribile

frigid [ˈfridʒid] frigido

frill [fril] gala *f*

fringe [frindʒ] frangia *f*; bordo *m*

frisky [ˈfriski] allegro

frivolous [ˈfrivələs] frivolo

fro [frou]: **to and ~** avanti e indietro

frock [frɔk] vestito *m*; tonaca *f*

frog [frɔg] rana *f*

frolic [ˈfrɔlik] *v/i* far capriole

from [frɔm, frəm] da; fin da; **~ ... to** da ... a

front [frʌnt] *s* davanti *m*; facciata *f*; *a* anteriore; **in ~ (of)** davanti (a); **~ier** [ˈ~iə] frontiera *f*; **~ page** frontespizio *m*; **~ seat** sedile *m* anteriore; **~wheel drive** trasmissione *f* sulle ruote anteriori

frost [frɔst] gelo *m*; **~y** gelido

froth [frɔθ] schiuma *f*; spuma *f*

frown [fraun] *s* aggrottamento *m* delle ciglia; *v/i* aggrottare le ciglia

frozen [ˈfrouzn] gelato; congelato

frugal [ˈfruːgəl] frugale

fruit [fruːt] frutto *m*; frutta *f*; prodotto *m*; **dried ~** frutta secca; **preserved ~** frutta conservata

fruit|ful fruttuoso; **~less** infruttuoso

frustrate [frʌsˈtreit] *v/t* frustrare

fry [frai] *v/t, v/i* friggere; **~ing-pan** padella *f*

fuel [fjuəl] combustibile *m*

fugitive [ˈfjuːdʒitiv] *a, s* fuggitivo (*m*)

fulfil [fulˈfil] *v/t* compiere; eseguire

full [ful] pieno; completo; ~
board pensione f completa; ~ **stop** punto m

fumble ['fʌmbl] v/i frugare

fume [fju:m] s fumo m; vapore m; v/i fumare; emettere vapore; essere arrabbiato

fun [fʌn] divertimento m; sva-
go m; **for ~, in ~** per scherzo

function ['fʌŋkʃən] funzio-
ne f; **~ary** funzionario m

fund [fʌnd] fondo m

fundamental [ˌfʌndə-
'mentl] fondamentale

funeral ['fju:nərəl] funerale
m

fungus ['fʌŋgəs], pl **~i**
['fʌŋgai] fungo m

funicular [fju(:)'nikjulə] funicolare f

funnel ['fʌnl] imbuto m; ciminiera f (di nave, macchina
a vapore)

funny ['fʌni] divertente;
buffo; strano

fur [fə:] pelliccia f; ~ **coat**
pelliccia f

furious ['fjuəriəs] furioso

furnace ['fə:nis] fornace f;
caldaia f (del termosifone)

furnish ['fə:niʃ] v/t fornire;
ammobiliare; **~ture** mobili
m/pl

furrow ['fʌrou] solco m; ruga f

further ['fə:ðə] a ulteriore;
adv oltre; più lontano; v/t
promuovere; favorire; **~er-
more** inoltre; **~est** il più
lontano (di tutti)

furtive ['fə:tiv] furtivo

fury ['fjuəri] furia f

fuse [fju:z] s fusibile m; spo-
letta f; v/t fulminare; fondere; v/i fulminarsi

fusion ['fju:ʒən] fusione f

fuss [fʌs] s agitazione f; storie f/pl; v/i agitarsi; fare
storie; **~y** pignolo; difficile

futile ['fju:tail] futile

future ['fju:tʃə] a venturo;
futuro; s futuro m; avvenire
m

fuzzy ['fʌzi] confuso

G

gab [gæb] chiacchiere f/pl

gabardine ['gæbədi:n] ga-
bardina f

gadfly ['gædflai] tafano m

gadget ['gædʒit] aggeggio m

gag [gæg] s bavaglio m; v/t
imbavagliare

gage [geidʒ] pegno m

gaiety ['geiəti] allegria f; **~ly**
allegramente

gain [gein] s (money) guada-

gno m; (weight) aumento m;
v/t guadagnare; aumenta-
re; (watch) andare avanti

gait [geit] andatura f

gale [geil] bufera f di
vento

gall [gɔ:l] bile f; fiele f

gallant ['gælənt] a valoroso;
galante

gall-bladder cistifellea f;
vescica f biliare

gallery ['gæləri] galleria *f*; *thea* loggione *m*

galley ['gæli] galea *f*

gallon ['gælən] gallone *m* (*litri 4,543*)

gallop ['gæləp] *s* galoppo *m*; *v/i* galoppare

gallows ['gælouz] *pl* forca *f*

gall-stone calcolo *m* biliare

galore [gə'lɔ:] *a* bizzeffe

gambl|e ['gæmbl] *v/t*, *v/i* giuocare; **~er** giuocatore *m*; **~ing** giuoco *m* d'azzardo

gambol ['gæmbəl] salto *m*

game [geim] giuoco *m*; partita *f*; **~keeper** guardacaccia *m*

gander ['gændə] papero *m*

gang [gæŋ] banda *f*; squadra *f*

gangrene ['gæŋgri:n] cancrena *f*

gangster ['gæŋgstə] gangster *m*

gangway ['gæŋwei] passerella *f*

gaol [dʒeil] prigione *f*; carcere *m*; **~er** carceriere *m*

gap [gæp] fenditura *f*; breccia *f*; lacuna *f*

gape [geip] *v/i* stare con la bocca aperta

garage ['gæra:dʒ] autorimessa *f*

garbage ['ga:bidʒ] rifiuti *m/pl*

garden ['ga:dn] giardino *m*; **~er** giardiniere *m*

gargle ['ga:gl] *s* gargarismo *m*; *v/i* fare gargarismi

garland ['ga:lənd] ghirlanda *f*

garlic ['ga:lik] aglio *m*

garment ['ga:mənt] indumento *m*; articolo *m* di vestiario

garnish ['ga:niʃ] *v/t* guarnire

garret ['gærət] soffitta *f*

garrison ['gærisn] guarnigione *f*

garrulous ['gæruləs] loquace

garter ['ga:tə] giarrettiera *f*

gas [gæs] *s* gas *m*; *Am* benzina *f*; *v/t* asfissiare

gash [gæʃ] squarcio *m*

gasket ['gæskit] guarnizione *f*

gas-mask maschera *f* antigas

gasoline ['gæsəli:n] *Am* benzina *f*

gasp [ga:sp] *v/i* boccheggiare

gas|station *Am* posto *m* di rifornimento; **~stove** fornello *m* a gas

gastritis [gæs'traitis] gastrite *f*

gastronomy [gæs'trɔnəmi] gastronomia *f*

gas-works *pl* officine *f/pl* del gas

gate [geit] porta *f*; cancello *m*

gather ['gæðə] *v/t* raccogliere; riunire; capire; *v/i* riunirsi; **~ing** riunione *f*

gaudy ['gɔ:di] sfarzoso

gauge [geidʒ] *s* calibro *m*; scartamento *m*; misura *f*; indicatore *m*; *v/t* misurare; calibrare

gaunt [gɔ:nt] sparuto; macilento

gauze [gɔːz] garza f

gawky [gɔːki] goffo

gay [gei] allegro

gaze [geiz] s sguardo m fisso; v/i guardare fisso

gear [giə] equipaggiamento m; mec ingranaggio m; **in ~** ingranato; in azione; **out of ~** non ingranato; guasto; **~ change** cambio m delle marce; **~ lever** leva f del cambio

gem [dʒem] gioiello m; gemma f

gender ['dʒendə] genere m

general ['dʒenərəl] a generale; s generale m; **~ize** v/t, v/i generalizzare

generate ['dʒenəreit] v/t generare; **~ion** generazione f; **~or** generatore m

generosity [,dʒenə'rɔsiti] generosità f; **~us** generoso

genial ['dʒiːnjəl] geniale

genital ['dʒenitl] genitale; **~s** pl genitali m/pl

genitive ['dʒenitiv] genitivo m

genius ['dʒiːnjəs] genio m

gentle dolce; ben nato; **~man** gentiluomo m; signore m; **~manlike** cavalleresco; **~ness** mitezza f; **~woman** gentildonna f; signora f

genuine ['dʒenjuin] genuino; autentico

geography [dʒi'ɔgrəfi] geografia f

geology [dʒi'ɔlədʒi] geologia f

geometry [dʒi'ɔmitri] geometria f

geranium [dʒi'reinjəm] geranio m

germ [dʒəːm] germe m

German ['dʒəːmən] s, a tedesco (m); **~y** Germania f

germinate ['dʒəːmineit] v/i germinare

gerund ['dʒerənd] gerundio m

gesticulate [dʒes'tikjuleit] v/i gesticolare; **~ure** ['dʒestʃə] gesto m

get [get] v/t, irr ottenere; comprare; ricevere; guadagnare; prendere; v/i arrivare; raggiungere; diventare; **~ about** andare in giro; viaggiare; **~ away** scappare; **~ back** v/i tornare; v/t recuperare; **~ lost** perdersi; **~ on** procedere; **~ on with** andare avanti; andare d'accordo con; **~ out** scendere; interj fuori di qui; **~ ready** prepararsi; **~ up** alzarsi; **I have got to** avere; tenere; **I have got to** ho da fare; devo

geyser ['gaizə] scaldabagno m

ghastly ['gɑːstli] orribile

gherkin ['gəːkin] cetriolino m

ghost [goust] fantasma m; spettro m; **Holy ♀ Spirito** m Santo; **give up the ~** morire; **~ly** spettrale

giant ['dʒaiənt] gigante m

gibbon ['gibən] gibone m

giblets ['dʒiblits] pl rigaglie f/pl

giddy ['gidi] vertiginoso;

feel ~ avere le vertigini

gift [gift] regalo m; dono m; talento m; **~ed with** dotato di

gigantic [dʒai'gæntik] gigantesco

giggle ['gigl] s risata f sciocca; v/i ridere scioccamente

gild [gild] v/t, irr dorare

gill [gil] branchia f

gilt-edged securities pl titoli m/pl sicuri

gin [dʒin] gin m

ginger ['dʒindʒə] zenzero m

gipsy ['dʒipsi] zingaro(a) m (f)

giraffe [dʒi'rɑːf] giraffa f

gird [gəːd] v/t, irr cingere; **~le** cintura f; panciera f

girl [gəːl] ragazza f; **~ guide** esploratrice f; **~ish** da ragazza

girth [gəːθ] circonferenza f

gist [dʒist] sostanza f; contenuto m essenziale

give [giv] v/t, irr dare; regalare; **~ back** restituire; **~ in** cedere; **~ out** distribuire; **~ up** rinunciare a; **~ o.s. up** v/r arrendersi; **~n name** nome m di battesimo; **~n to** dedito a

glacier ['glæsjə] ghiacciaio m

glad [glæd] contento; lieto; **~ly** volentieri

glamo(u)r ['glæmə] fascino m; **~ous** affascinante

glance [glɑːns] s occhiata f; sguardo m; v/i, v/t dare un'occhiata; gettare uno sguardo; **~ over a book** sfogliare un libro

gland [glænd] ghiandola f

glare [glɛə] s bagliore m; sguardo m feroce; v/t risplendere; guardare ferocemente

glass [glɑːs] a di vetro; di cristallo; s vetro m; bicchiere m; cristallo m; specchio m; barometro m; (**a pair of**) **~es** pl occhiali m/pl; **stained** ~ vetro m colorato; **~ware** cristallerie f/pl; **~works** pl vetreria f

glaucoma [glɔː'koumə] glaucoma m

glaze [gleiz] s vernice f; smalto m; v/t verniciare; smaltare; fornire di vetri; **~ier** vetraio m

gleam [gliːm] s barlume m; v/i brillare; **~ing** brillante

glee [gliː] giubilo m

glib [glib] pronto di lingua

glide [glaid] v/i scivolare; planare; **~r** aliante m

glimmer ['glimə] s luce f fioca; v/i mandare una luce fioca

glimpse [glimps] s sguardo m; v/t intravedere

glint [glint] s luccichio m; v/i luccicare

glisten ['glisn] v/i luccicare

glitter ['glitə] s luccichio m; v/i luccicare

gloat [glout] (**over**) v/i gioire di

globe [gloub] mappamondo m

gloom [gluːm] oscurità f; tristezza f; **~y** oscuro; triste

glor|ify ['glɔːrifai] v/t glorifi-

care; **~ious** glorioso; **~y** gloria *f*

gloss [glɔs] *s* lucidezza

glossary ['glɒsəri] glossario *m*

glove [glʌv] guanto *m*

glow [gloᵘ] *s* incandescenza *f*; ardore *m*; splendore *m*; *v/i* ardere; essere incandescente; **~ing** ardente; incandescente; entusiasta; **~worm** lucciola *f*

glue [glu:] *s* colla *f*; *v/t* incollare

glum [glʌm] triste; di mal umore

glut [glʌt] *s* saturazione *f*; sazietà *f*; *v/t* saturare; saziare; **~ton** ghiottone *m*; **~tony** ingordigia *f*; golosità *f*

gnarled [nɑ:ld] nodoso

gnash [næʃ] *v/t* digrignare (*i denti*)

gnat [næt] moscerino *m*

gnaw [nɔ:] *v/t* rodere; rosicchiare

go [goᵘ] *v/i, irr* andare; camminare; funzionare; **~ ahead** andare avanti; **~ away** andare via; **~ back** tornare; **~ by** passare; **~ for** andare a prendere; attaccare; **~ home** andare a casa; **~ in for** iscriversi a; dedicarsi a; **~ off** andarsene; andare a male; **~ on** continuare; proseguire; **~ out** uscire; spegnersi; **~ through** passare per; **~ up** salire; **~ without** fare a meno; **~** *fam* spirito *m*; energia *f*; **on the ~** in attività

goad [goᵘd] *s* pungolo *m*; *v/t* pungolare

goal [goᵘl] meta *f*; porta *f* (*nel calcio*); rete *f* (*nel calcio*); **~keeper** portiere *m*

goat [goᵘt] capra *f*

go-between mediatore *m*

goblet ['gɒblit] coppa *f*

goblin ['gɒblin] folletto *m*

God [gɒd] Dio *m*

god|child figlioccio(a) *m* (*f*); **~dess** dea *f*; **~father** padrino *m*; **~less** ateo; empio; **~ly** devoto; pio; **~mother** madrina *f*; **~parents** *pl* padrini *m/pl*

goggles ['gɒglz] *pl* occhiali *m/pl* di protezione

going ['goᵘiŋ]; **be ~ to** stare per

goitre ['gɔitə] gozzo *m*

gold [goᵘld] oro *m*; **~en** d'oro; **~fish** pesce *m* rosso; **~smith** orefice *m*

golf [gɒlf] golf *m*; **~course** campo *m* da golf; **~er** giocatore *m* di golf

gone [gɒn] andato; perduto; passato; morto

good [gᵘd] *s* bene *m*; *a* buono; **as ~ as** (tanto) buono quanto; **~ afternoon** buona sera; **~ deal** parecchio; **~bye** arrivederci; **~for-nothing** buono a niente *m*; **2 Friday** Venerdì *m* Santo; **it's no ~** non vale niente; è inutile; **~looking** bello; **~ luck!** buona fortuna!; **~ morning** buon giorno; **~ness** bontà *f*; **~will** buona volontà *f*

goods pl merce f; ~ **train** treno m merci

goose [gu:s], pl **geese** [gi:s] oca f

gooseberry ['guzbəri] uva f spina; ~**flesh** ['gu:s-] pelle f d'oca

gorge [gɔ:dʒ] geog gola f; ~**ous** splendido; sfarzoso

gorilla [gə'rilə] gorilla m

gospel ['gɔspəl] vangelo m

gossip ['gɔsip] s pettegolezzi m/pl; pettegolo(a) m (f); v/i pettegolare

gothic ['gɔθik] gotico

gourd [guəd] zucca f

gout [gaut] gotta f

govern ['gʌvən] v/t governare; dominare; ~**ess** istitutrice f; ~**ing board** consiglio m amministrativo; ~**ment** governo m

gown [gaun] vestito m; toga f

grab [græb] v/t acchiappare

grace [greis] s grazia f; favore m; v/t favorire; ~**ful** aggraziato

gracious ['greiʃəs] condiscendente; **good** ~! caspita!

grad|e [greid] s grado m; v/t classificare; ~**e crossing** Am passaggio m a livello; ~**ient** ['greidjənt] pendenza f; ~**ual** ['grædʒuəl] graduale; ~**ually** adv a poco a poco; ~**uate** ['~djueit] v/t graduare; v/i (university) laurearsi

graft [grɑ:ft] s innesto m; v/t innestare

grain [grein] grano m

grammar ['græmə] gram-

matica f; ~**ian** grammatico m; ~**school** scuola f media

gram [græm] cf **gramme**

gramme [græm] grammo m

gramophone ['græməfoun] grammofono m

grand [grænd] in grande; illustre; magnifico; ~**daughter** nipote f; ~**eur** ['~ndʒə] splendore m; ~**father** nonno m; ~**iose** grandioso; ~**mother** nonna f; ~**son** nipote m; ~**pa** ['~npɑ:] fam nonno m; ~**son** nipote m; ~**stand** tribuna f

granite ['grænit] granito m

granny ['græni] fam nonna f

grant [grɑ:nt] s concessione f; borsa f di studio; v/t concedere; **take for** ~**ed** essere sicuro; dare per fatto

granulate ['grænjuleit] v/t granulare

grape [greip] uva f; chicco m d'uva; ~**fruit** pompelmo m

graphic ['græfik] grafico

grasp [grɑ:sp] v/t afferrare; s presa f; stretta f; comprensione f; ~**ing** avido; avaro

grass [grɑ:s] erba f; ~**hopper** cavalletta f

grate [greit] s grata f; griglia f; v/t grattugiare

grateful ['greitful] grato; riconoscente; ~**ness** gratitudine f

grating ['greitiŋ] s grata f; inferriata f; a irritante

gratis ['greitis] a gratuito; adv gratis

gratuit|ous [grə'tju(:)itəs]

gratuito; **~y** gratificazione *f*

grave [greiv] *a* grave; serio; *s* tomba *f*

gravel ['grævəl] ghiaia *f*

graveyard camposanto *m*

gravitation [grævi'teiʃən] gravitazione *f*

gravity ['~ti] gravità *f*; serietà *f*

gravy ['greivi] sugo *m* di carne

gray [grei] *Am* grigio

graz|e [greiz] *s* abrasione *f*; *v/t* sfiorare; escoriare; *v/i* pascolare; **~ing** pascolo *m*

greas|e [gri:s] *s* grasso *m*; lubrificante *m*; unto *m*; *v/t* ungere; lubrificare; **~y** grasso; unto; untuoso

great [greit] grande; **a ~ deal** molto, **a ~ many** molti(e); **~est** massimo; **~grandfather** bisnonno *m*; **~grandmother** bisnonna *f*; **~ly** molto; **~ness** grandezza *f*

Grecian ['gri:ʃən] greco

greed [gri:d] golosità *f*; avidità *f*; **~y** goloso; avido

Greek [gri:k] *a*, *s* greco (*m*)

green [gri:n] *a* verde; *s* verde *m*; **~grocer** ortolano *m*; **~house** serra *f*; **~s** *pl* verdura *f*

greet [gri:t] *v/t* salutare; **~ing** saluto *m*

grenade [gri'neid] granata *f*

grey [grei] grigio; **~hound** levriere *m*

grid [grid] rete *f*

grief [gri:f] dolore *m*; **~vance** lagnanza *f*; **~ve** *v/t*

affliggere; *v/i* essere addolorato; soffrire

grill [gril] *s* griglia *f*; *v/t* fare alla griglia

grim [grim] torvo; fosco

grimace [gri'meis] smorfia *f*

grim|e [graim] sudiciume *m*; **~y** sudicio

grin [grin] *s* sogghigno *m*; *v/i* sogghignare

grind [graind] *v/t*, *irr* macinare; digrignare (*i denti*); *v/i* sgobbare; **~stone** macina *f*

grip [grip] *s* stretta *f*; presa *f*; *v/t* afferrare

gripes [graips] *pl* colica *f*

grisly ['grizli] spaventoso; orribile

gristle ['grisl] cartilagine *f*

grit [grit] sabbia *f*

grizzled ['grizld] grigio

groan [groun] *s* gemito *m*; *v/i* gemere

grocer ['grousə] negoziante *m* di generi alimentari; droghiere *m*; **~'s ~y** negozio *m* di generi alimentari; (**shop**) drogheria *f*

grog [grɔg] grog *m*; **~gy** debole; intontito

groin [grɔin] inguine *m*

groom [grum] *s* mozzo *m* (*di stalla*); *v/t* strigliare

groove [gru:v] *s* solco *m*; *v/t* solcare

grope [group] *v/t*, *v/i* andare a tentoni

gross [grous] grossolano; volgare; *comm* lordo; **~ weight** peso *m* lordo

grotesque [grou'tesk] grot-

tesco
ground [graund] s suolo m;
terreno m; terra f; motivo
m; base f; v/t basare; fondare; v/i incagliarsi; ~ **floor**
pianterreno m; ~ **hog** marmotta f; **less** infondato; ~
nut arachide f; **work** fon-
damento m; base f

group [gru:p] s gruppo m;
v/t raggruppare; v/i rag-
grupparsi

grove [grouv] boschetto m

grow [grou] v/t, irr coltivare; v/i crescere; svilupparsi; diventare; ~ **dark**
oscurarsi; farsi buio; **less**
diminuire; ~ **old** invec-
chiarsi; ~ **up** crescere; **er**
coltivatore m; **ing** a cre-
scente; s coltivazione f

growl [graul] s borbottio m;
v/i borbottare

grown-up adulto m

growth [grouθ] crescita f;
sviluppo m; med tumore m

grub [grʌb] larva f; **by** sudicio

grudge [grʌdʒ] s rancore m;
risentimento m; v/t dare
malvolentieri

gruel [gruəl] pappa f

gruesome ['gru:sʌm] maca-
bro; orribile

gruff [grʌf] aspro, sgarbato

grumble ['grʌmbl] v/i borbottare; brontolare; **r**
brontolone m

grunt [grʌnt] v/i grugnire

guarantee [ˌgærən'ti:] s garanzia f; v/t garantire; **or**

[~'tɔ:] mallevadore m; **y**
['~ti] garanzia f

guard [ɡɑ:d] s guardia f; mil
sentinella f; **on one's** ~ in
guardia; v/t, v/i proteggere;
custodire; **ian** guardiano
m; tutore m

guess [ges] s supposizione f;
congettura f; v/t, v/i indovinare; supporre

guest [gest] ospite m, f;
cliente m, f; **house** pensione f

guid|ance ['gaidəns] guida f;
e s guida f; v/t guidare; **e-
book** guida f

guild [gild] arte f; corpora-
zione f

guile [gail] astuzia f

guillotine [ˌgiːlə'ti:n] ghi-
gliottina f

guilt [gilt] colpa f; colpevo-
lezza f; **less** innocente; **y**
colpevole

guinea ['gini] ghinea f; **~
pig** porcellino m d'India

guise [gaiz] apparenza f;
foggia f

guitar [gi'ta:] chitarra f

gulf [gʌlf] golfo m

gull [gʌl] gabbiano m

gullet ['gʌlit] esofago m; gola f; **y** burrone m

gulp [gʌlp] v/t trangugiare

gum [gʌm] s gomma f; gengiva f; v/t ingommare

gun [gʌn] fucile m; cannone
m; pistola f; **powder** polvere f da sparo; **smith**
armaiolo m

gurgle ['gə:gl] s gorgoglio m;
v/t gorgogliare

gush [gʌʃ] *s* zampillo *m*; *fam* effusioni *f*/*pl*; *v*/*i* zampillare; fare effusioni

gust [gʌst] raffica *f*

gusto ['gʌstou] gusto *m*; entusiasmo *m*

guts [gʌts] *pl* intestino *m*; minugia *f*; **have ~s** avere coraggio

gutter ['gʌtə] cunetta *f*; grondaia *f*

guy [gai] spauracchio *m*; *Am* uomo *m*; tipo *m*

gym [dʒim], **gymnas|ium** [~'neizjəm] palestra *f*; **~tics** [~'næstiks] *pl* ginnastica *f*

gyn(a)ecolog|ist [gaini'kɔ-lədʒist] ginecologo *m*; **~y** ginecologia *f*

gypsy ['dʒipsi] zingaro(a) *m*

H

haberdashery ['hæbədæʃə] merceria *f*

habit ['hæbit] abitudine *f*; costume *m*; **~able** abitabile

habitual [hə'bitjuəl] abituale

hack [hæk] cavallo *m* di nolo; **~neyed** comune; **~saw** sega *f* per metalli

haddock ['hædək] merluzzo *m*

h(a)emorrhage ['heməridʒ] emorragia *f*

hag [hæg] strega *f*

haggard ['hægəd] magro; sparuto

hail [heil] *s* grandine *f*; grido *m*; saluto *m*; *v*/*i* grandinare; *v*/*t* chiamare

hair [hɛə] pelo *m*; capelli *m*/*pl*; **~brush** spazzola *f* per capelli; **~cut** taglio *m* di capelli; **~dresser** parrucchiere *m* per signora; **~drier** asciugatore *m* per capelli; **~pin** forcina *f*; **~raising** orripilante; **~y** peloso

half [hɑːlf] *s* mezzo *m*; metà

f; *a* mezzo; *adv* metà; **~an hour** mezz'ora *f*; **~back** (*sport*) secondo *m*; **~baked** immaturo; **~breed** mesticcio *m*; **~brother** fratellastro *m*; **~moon** mezza luna *f*; **~witted** scemo; **~yearly** semestrale

halibut ['hælibət] pianuzza *f*

hall [hɔːl] ingresso *m*; sala *f*; salone *m*

hallo! [hə'lou] ciao!

hallowed ['hæloud] santificato

hallucination [hə,luːsi'nei-ʃən] allucinazione *f*

halo ['heilou] aureola *f*

halt [hɔːlt] *s* fermata *f*; *v*/*t* fermare; *v*/*i* fermarsi

halter ['hɔːltə] cavezza *f*

halve [hɑːv] *v*/*t* dividere in due parti uguali; dimezzare

ham [hæm] prosciutto *m*

hamlet ['hæmlit] piccolo villaggio *m*

hammer ['hæmə] *s* martello *m*; *v*/*t* martellare

hammock ['hæmək] amaca *f*

hamper ['hæmpə] cesta *f*; *v/t* impedire; ostacolare

hamster ['hæmstə] criceto *m*

hand [hænd] *s* mano *f*; lancetta *f* (*dell'orologio*); calligrafia *f*; **at ~** disponibile; **on the one ~** da una parte; **on the other ~** dall'altra parte; **on the right ~** a destra, **second ~** di seconda mano; *v/t* porgere; **~ in**, **~ over** consegnare; **~bag** borsa *f* a mano; **~book** manuale *m*; **~cuffs** *pl* manette *f/pl*; **~ful** manata *f*; pugno *m*

handi|cap ['hændikæp] *s* impedimento *m*; svantaggio *m*; *v/t* mettere a svantaggio; **~craft** lavoro *m* a mano; artigianato *m*

handkerchief ['hæŋkətʃif] fazzoletto *m*

handle ['hændl] *s* manico *m*; maniglia *f*; *v/t* maneggiare; **~ bar** manubrio *m*

hand|-luggage bagaglio *m* a mano; **~-made** fatto a mano; **~rail** mancorrente *m*; **~shake** stretta *f* di mano; **~some** bello; **~work** lavoro *m* a mano; **~writing** calligrafia *f*; **~y** destro, comodo

hang [hæŋ] *v/t*, *v/i* irr appendere; attaccare; impiccare (*un criminale*); *v/i* pendere; essere sospeso

hangar ['hæŋə] aviorimessa *f*

hanger ['hæŋə], **coat ~** gruccia *f*

hang|ings ['hæŋiŋz] *pl* tap-

pezzeria *f*; **~man** boia *m*; **~over** conseguenze *f/pl* (di ubriachezza)

hank [hæŋk] matassa *f*

haphazard ['hæp'hæzəd] *a* a casaccio

happen ['hæpən] *v/i* succedere; accadere; trovarsi; **~ing** avvenimento *m*

happ|ily ['hæpili] felicemente; **~iness** felicità *f*; **~y** felice; **~y-go-luck** spensierato

harass ['hærəs] *v/t* tormentare

harbo(u)r ['haːbə] *s* porto *m*; *fig* rifugio *m*; *v/t* accogliere; albergare; *fig* nutrire

hard [haːd] duro; difficile; severo; **~boiled egg** uovo *m* sodo; **~ up** a corto di quattrini; **~en** *v/t* indurire; *v/i* indurirsi; **~headed** pratico; **~hearted** duro; insensibile; **~ly** appena; **~ly ever** quasi mai; **~ness** durezza *f*; **~ship** sacrificio *m*; **~ware** ferramenta *f/pl*; **~y** robusto

hare [hɛə] lepre *f*; **~bell** campanula *f*; **~brained** scervellato; **~lip** labbro *m* leporino

harem ['hɛərəm] arem *m*

haricot ['hærikou] fagiolino *m*

hark! [haːk] ascoltate!

harlequin ['haːlikwin] Arlecchino *m*

harm [haːm] *s* danno *m*; *v/t* danneggiare; **~ful** dannoso; **~less** innocuo

harmon|ious [haːˈmounjəs] armonioso; **~y** [ˈhaːməni] armonia f

harness [ˈhaːnis] bardatura f; finimenti m/pl; v/t bardare; fig utilizzare

harp [haːp] s arpa f; **~ on** v/i insistere; **~ist** arpista m, f

harpoon [haːˈpuːn] s fiocina f; v/t fiocinare

harpsichord [ˈhaːpsikɔːd] clavicembalo m

harrow [ˈhærou] v/t fig straziare; s erpice m

harsh [haːʃ] aspro; severo

harvest [ˈhaːvist] s raccolto m; v/t raccogliere; **combine ~er** mietitrebbia f

hash [hæʃ] s ragù m; fig pasticcio m; v/t pasticciare; **make a ~** fare un pasticcio

hast|e [heist] s fretta f; **~en** v/i affrettarsi; **~y** frettoloso

hat [hæt] cappello m

hatch [hætʃ] s covata f; v/t covare; v/i schiudersi; (ideas) maturarsi

hatchet [ˈhætʃit] accetta f

hat|e [heit] s odio m; v/t odiare; **~eful** odioso; **~red** odio m

haughti|ness [ˈhɔːtinis] superbia f; **~y** altero; superbo

haul [hɔːl] s retata f (di pesci); fig guadagno m; v/t tirare; trascinare

haunch [hɔːntʃ] anca f

haunt [hɔːnt] s ritrovo m; v/t frequentare; ossessionare

have [hæv, həv] v/t, irr avere; **I had rather** prefe-

rirei; **~ got** fam avere; **~ to** dovere

haven [ˈheivn] porto m; rifugio m

havoc [ˈhævək] distruzione f; devastazione f

hawk [hɔːk] falco m; **~er** venditore m ambulante

hawthorn [ˈhɔːθɔːn] biancospino m

hay [hei] fieno m; **~ fever** asma m del fieno; **~loft** fienile m

hazard [ˈhæzəd] s azzardo m; v/t azzardare

haz|e [heiz] nebbia f; **~y** nebbioso

H-bomb [ˈeitʃbɔm] bomba f H; bomba f all'idrogeno

he pron egli; **~ who** quello che; chi

head [hed] s testa f; capo m; v/t intestare; v/i dirigersi; **~ache** mal m di testa; **~gear** acconciatura f del capo; **~ing** titolo m; **~lights** pl fari m/pl; **~line** titolo m; **~ master** direttore m; **~ mistress** direttrice f; **~ office** sede f centrale; **~quarters** pl quartieri m/pl generali; **~strong** testardo; **~way** progressi m/pl

heal [hiːl] v/t guarire; sanare

health [helθ] salute f; **~y** sano

heap [hiːp] s mucchio m; cumulo m; v/t ammucchiare; accumulare

hear [hiə] v/t, irr sentire; **~er** ascoltatore m; **~ing** udito m; ascolto m; udienza f; **with-**

4*

in ~ing a portata di voce; ~say diceria *f*

hearse [hə:s] carro *m* funebre

heart [hɑ:t] cuore *m*; **at ~** in fondo; **by ~** a memoria; ~**breaking** straziante; ~**burn** bruciore *m* di stomaco; ~**en** *v/t* rincorare; ~**y** cordiale

hearth [hɑ:θ] focolare *m*

heat [hi:t] *s* caldo *m*; calore *m*; *v/t* riscaldare; *v/i* riscaldarsi; ~**er** stufa *f*

heathen ['hi:ðən] *a*, *s* pagano (*m*)

heather ['heðə] erica *f*

heating ['hi:tiŋ] riscaldamento *m*

heave [hi:v] *v/t*, *irr* alzare; sollevare; ~ **a sigh** sospirare

heaven ['hevn] cielo *m*; paradiso *m*; ~**ly** divino; celeste

heav|iness ['hevinis] pesantezza *f*; ~**y** pesante; ~**y current** corrente *f* elettrica ad alta tensione; ~**y-handed** maldestro; ~**yweight** peso *m* massimo

Hebrew ['hebru:] *a*, *s* ebraico (*m*); ebreo (*m*)

hectic ['hektik] febbrile; agitato

hedge [hedʒ] *s* siepe *f*; *v/i* essere evasivo; ~**hog** riccio *m*

heed [hi:d] *s* attenzione *f*; *v/t* fare attenzione; ~**less** disattento

heel [hi:l] tallone *m*; tacco *m* (della scarpa); **take to one's** ~**s** fuggire

hefty ['hefti] forte; robusto

heifer ['hefə] giovenca *f*

height [hait] altezza *f*; *fig* colmo *m*; culmine *m*; ~**en** *v/t* aumentare

heinous ['heinəs] orribile; atroce

heir [ɛə] erede *m*; ~**dom** eredità *f*; ~**ess** ereditiera *f*

helicopter ['helicɔptə] elicottero *m*

hell [hel] inferno *m*; ~**ish** infernale

hello ['he'lou] *interj* buon giorno; (*telephone*) pronto

helm [helm] timone *m*

helmet ['helmit] casco *m*

help [help] *s* aiuto *m*; soccorso *m*; *v/t* aiutare; soccorrere; **I can't ~ laughing** non posso fare a meno di ridere; ~**ful** servizievole; utile; ~**ing** porzione *f*; ~**less** impotente

hem [hem] *s* orlo *m*; *v/t* orlare; fare l'orlo a

hemisphere ['hemisfiə] emisferio *m*

hemlock ['hemlɔk] cicuta *f*

hemp [hemp] canapa *f*

hemstitch ['hemstitʃ] orlo *m* a giorno

hen [hen] gallina *f*

hence [hens] *adv* da qui; quindi; perciò; ~**forth** d'ora in poi

hen|-coop ['henku:p] pollaio *m*; ~**pecked** dominato dalla moglie

hepatitis [ˌhepə'taitis] epatite *f*

her [hə:] *adj poss* suo, sua (di

lei); suoi; sue (*di lei*); *pron pers* lei, la, la

herald ['herəld] *s* araldo *m*; *v/t* annunciare; **~ry** araldica *f*

herb [hə:b] erba *f*; **sweet ~s** *pl* erbe *f/pl* aromatiche *f*

herd [hə:d] branco *m*; gregge *f*; mandria *f*; *v/t* riunire in greggi; *v/i* formare greggi; **~sman** mandriano *m*

here [hiə] *adv* qui; **~ you are** eccoti; **~'s to you** alla sua salute; **look ~** guarda qui; **~ over ~** per di qui; **~after** in seguito

hereditary [hi'reditəri] ereditario

herein qui dentro; **~of** di questo

heresy ['herəsi] eresia *f*

heritage ['heritidʒ] eredità *f*

hermit ['hə:mit] eremito *m*; **~ine** ['hə:njə] ernia *f*

hernia ['hə:njə] ernia *f*

hero ['hiərou] eroe *m*; protagonista *m*; **~ic** [hi'rouik] eroico; **~ine** ['herouin] eroina *f*; protagonista *f*; **~ism** eroismo *m*

heron ['herən] airone *m*

herring ['heriŋ] aringa *f*

hers [hə:z] *pron poss* suo, sua, sua; il suo, la sua; suoi; sue; i suoi, le sue; **~elf** sé stessa; lei stessa

hesitate ['heziteit] *v/i* esitare; **~tion** esitazione *f*

hew [hju:] *v/t, irr* abbattere (*alberi*); spaccare (*pietra*)

hi! [hai] *Am* ciao

hibernate ['haibəneit] *v/i* svernare

hiccup ['hikʌp] singhiozzo *m*

hide [haid] *v/t* nascondere; *v/i* nascondersi; *s* pelle *f*

hideous ['hidiəs] orribile; mostruoso

hiding-place nascondiglio *m*

hierarchy ['haiərɑ:ki] gerarchia *f*

high [hai] alto; elevato; caro, **be ~** essere alticcio; **it is ~ time** sarebbe proprio ora; **~brow** intellettuale; **~handed** arbitrario; **~lands** *pl* regione *f* montuosa; **~light** *v/t* dare risalto; **~ness** altezza *f*; **~ pressure** alta pressione *f*; **~ school** scuola *f* media; **~spirited** vivace; **~tide** alta marea *f*; **~way** *Am* strada *f* maestra; **~way code** codice *m* stradale

hijack ['haidʒæk] *v/t* rapire

hike [haik] *v/i* fare una gita (*a piedi*); *s* gita *f*; **~r** viandante *m*

hilarious [hi'lɛəriəs] allegrissimo

hill [hil] colle *m*; collina *f*; **~y** collinoso

hilt [hilt] elsa *f*; impugnatura *f*

him [him] *pron pers* lui, lo, gli; **~self** sé stesso; lui stesso

hind [haind] *s* daina *f*; cerva *f*; *a* posteriore

hinder ['haind] *v/t* impedire; ostacolare

hindmost ['haindmoust] ultimo

hindrance ['hindrəns] impedimento m; ostacolo m

hinge [hindʒ] cardine m; ganghero m

hint [hint] s allusione f; accenno m; v/t alludere; accennare

hinterland ['hintəlænd] retroterra f

hip [hip] anca f; fianco m

hippopotamus [hipə'pɔtəməs] ippopotamo m

hire ['haiə] s nolo m; v/t noleggiare; affittare; **~ling** mercenario m; **~-purchase** vendita f a rate

his adj poss suo, sua (di lui); suoi, sue (di lui); pron poss suo, sua (di lui); la sua; suoi, sue, i suoi, le sue

hiss [his] s fischio m; sibilo m; v/t, v/i fischiare; sibilare

histor|**ian** [hi'stɔriən] storico m; **~ic, ~ical** storico; **~y** ['hɔri] storia f

hit [hit] s colpo m; successo m; v/t colpire; picchiare; **~-and-run-driving** latitanza f del conducente; **~ the nail on the head** dire proprio giusto

hitch [hitʃ] s scossa f; v/t agganciare; **~-hike** fare l'autostop

hither ['hiðə] qui; qua; **~to** finora

hive [haiv] alveare m

hoard [hɔ:d] s provvisione f; v/t ammassare; accumulare; **~ing** impalcatura f

hoarfrost ['hɔ:'frɔst] brina f

hoarse [hɔ:s] rauco

hoax [houks] s inganno m; v/t ingannare

hobble ['hɔbl] v/i zoppicare

hobby ['hɔbi] passione f; passatempo m preferito; **~horse** cavallo m a dondolo; passione f

hobgoblin ['hɔgɔblin] folletto m

hobo ['houbou] vagabondo m

hocus-pocus ['houkəs'poukəs] sciocchezze f/pl

hoe [hou] s zappa f; v/t zappare

hog [hɔg] porco m; maiale m

hoist [hɔist] s montacarico m; v/t innalzare; sollevare

hold [hould] s presa f; fig dominio m; v/t, irr tenere; **~ back** ritenere; **~ off** tenere lontano; **~ out** resistere; **~ up** tenere in alto; reggere; trattenere; **~ing** tenuta f; **~ up** assalto m a mano armata; congestionamento m

hole [houl] buco m

holiday ['hɔlədi, **~dei**] festa f; **~s** pl vacanze f/pl

hollow ['hɔlou] a incavato; s incavo m; v/t scavare

holly ['hɔli] agrifoglio m

holy ['houli] santo; **2 Ghost** Spirito m Santo; **2 Thursday** Giovedì m Santo

homage ['hɔmidʒ]: **pay ~** fare omaggio

home [houm] casa f; **at ~** in casa; **~less** senza tetto; **~ly** casalingo; semplice; **~ market** mercato m nazionale; **2 Office** Ministero m degli Interni (*in Inghilterra*); ♀ **Secretary** Ministro *m* degli Interni (*in Inghilterra*); **~sick: feel ~sick** avere la nostalgia; **~ town** città *f* natale; **~ward(s)** a casa, verso casa

homicide ['hɔmisaid] omicidio *m*

homosexual *a*, *s* ['hɔmou-'seksjuəl] omosessuale (*m*)

honest ['ɔnist] onesto; **~y** onestà *f*

honey ['hʌni] miele *m*; **~comb** favo *m*; **~moon** luna *f* di miele; **~suckle** caprifoglio *m*

hono(u)r ['ɔnə] *s* onore *m*; onoranza *f*; (*title*) eccellenza *f*; *v/t* onorare; *comm* accettare; pagare; **~able** onorevole

hood [hud] cappuccio *m*; mantice *m* (*di carrozza*, *carrozzina*); **~wink** *v/t* ingannare

hoodlum ['hu:dləm] teppista *m*

hoof [hu:f], *pl* **~s**, **hooves** zoccolo *m*

hook [huk] *s* gancio *m*; uncino *m*; amo *m*; **by ~ or by crook** per dritto o per traverso; in un modo o in un altro; *v/t* agganciare

hoop [hu:p] cerchio *m* (*di legno o di metallo*)

hooping cough ['hu:piŋkɔf] tosse *f* canina

hoot [hu:t] *v/i* gridare; (*train*) fischiare; (*car*) suonare

hop [hɔp] *s* salto *m*; *v/i* saltare

hope [houp] *s* speranza *f*; *v/t*, *v/i* sperare; **~ful** speranzoso; ottimista; **~less** senza speranza; disperato

horizon [hə'raizn] orizzonte *m*; **~tal** [hɔri'zɔntl] orizzontale

horn [hɔ:n] corno *m*

hornet ['hɔ:nit] calabrone *m*

horny ['hɔ:ni] calloso

horoscope ['hɔrəskoup] oroscopo *m*

horr|ible ['hɔrəbl] orribile; **~id** odioso; **~ify** [~ifai] *v/t* far inorridire; **~or** orrore *m*

horse [hɔ:s] cavallo *m*; cavalleria *f*; **on ~back** a cavallo; **~hair** crine *m* di cavallo; **~man** cavaliere *m*; **~power** cavallo *m* vapore; **~race** corsa *f* di cavalli; **~radish** rafano *m*; **~shoe** ferro *m* di cavallo; **~whip** frustino *m*

horticulture ['hɔ:tikʌltʃə] orticultura *f*

hos|e [houz] pompa *f*; **~e** *pl* calze *f/pl*; **~iery** maglieria *f*

hospi|table ['hɔspitəbl] ospitale; **~tal** ospedale *m*; **~tality** ospitalità *f*

host [houst] ospite *m*; moltitudine *f*

hostage ['hɔstidʒ] ostaggio *m*

hostel ['hɔstəl] casa *f* dello studente; **youth ~** albergo *m* della gioventù

hostess ['houstis] padrona *f* di casa

hostil|e ['hɔstail] ostile; **~ity**

[~'tiliti] ostilità *f*

hot [hɔt] caldo; *fig* ardente; ~
dog salsiccia *f* con panino; ~
get ~ riscaldarsi; **it is** ~ fa
caldo; **~-blooded** di sangue
caldo; **~-water-bottle** bottiglia *f* d'acqua calda

hotel [hou'tel] albergo *m*

hot-headed impulsivo; **~house** serra *f*; **~springs** *pl*
acque *f*/*pl* termali; **~water-bottle** bottiglia *f*
d'acqua calda

hound [haund] cane *m* da
caccia; levriero *m*

hour ['auə] ora *f*; **~ly** ogni
ora

house [haus] *s* casa *f*; *teat*
sala *f*; 2 **of Commons** Camera *f* dei Comuni; Camera
f dei Deputati (*in Inghilterra*); 2 **of Lords** Senato *m* (*in
Inghilterra*); 2**s** *pl* **of Parliament** Parlamento *m* (*in
Inghilterra*); *v*/*t* alloggiare;
~keeper governante *f*;
~maid cameriera *f*; **~wife**
massaia *f*; **~work** lavoro *m*
domestico; faccende *f*/*pl* di
casa

how [hau] *adv* come; (*exclamatory*) come; quanto; ~
far? quant'è lontano?; ~
long? quanto tempo?; ~
much? quanto(a)?; ~
many? quanti(e)?; ~ **do
you do?**, ~ **are you?** come
sta?; **know-how** cognizione *f* di causa

however *conj* comunque;
tuttavia; *adv* per quanto ...
che sia

howl [haul] *s* grido *m*; *v*/*i*
gridare; urlare

hub [hʌb] mozzo *m* (*di ruota*); *fig* punto *m* centrale

hubbub ['hʌbʌb] tumulto
m; vociare *m*

huckle ['hʌkl] anca *f*, fianco
m

huddle ['hʌdl] *v*/*i* ammucchiarsi; accoccolarsi

hue [hju:] colore *m*; tinta *f*

hug [hʌg] abbraccio *m* forte;
v/*t* abbracciare

huge [hju:dʒ] enorme; immenso

hull [hʌl] scafo *m*

hullabaloo [hʌləbə'lu:]
chiasso *m*

hullo [hʌ'lou] *interj* (telephone) pronto

hum [hʌm] *s* ronzio *m*; *v*/*t*
canticchiare (*a labbre chiuse*); *v*/*i* ronzare

human ['hju:mən] umano;
~e [~'mein] umano; **~itarian** [~mæni'tɛəriən] umanitario; **~ity** [~'mæniti] umanità *f*

humble ['hʌmbl] umile;
~ness umiltà *f*

humbug ['hʌmbʌg] sciocchezze *f*/*pl*; (person) impostore *m*

humdrum ['hʌmdrʌm]
monotono

humid ['hju:mid] umido;
~ity [~ju(:)'miditi] umidità *f*

humiliate [hju(:)'milieit]
v/*t* umiliare; **~ation** umiliazione *f*; **~ty** umiltà *f*

humming-bird ['hʌmiŋbəd] colibrì *m*

humorous [ˈhjuːmərəs] umoristico; spiritoso

humo(u)r [ˈhjuːmə] *s* umore *m*; umorismo *m*; *v/t* prendere per il verso buono

hump [hʌmp] gobba *f*

hunch [hʌntʃ] gobba *f*; *fam* idea *f*; **~back** gobbo *m*

hundredweight [ˈhʌndrədweit] quintale *f*

Hungar|ian [hʌŋˈgɛəriən] *a*, *s* ungherese (*m*, *f*); **~y** Ungheria *f*

hung|er [ˈhʌŋgə] fame *f*; *v/i* bramare; **~ry** affamato; **be ~ry** avere fame

hunk [hʌŋk] tozzo *m*

hunt [hʌnt] *s* caccia *f*; *v/t*, *v/i* cacciare; **~er** cacciatore *m*; **~ing** caccia *f*

hurdle [ˈhɜːdl] graticcio *m*; siepe *f* mobile

hurl [hɜːl] *v/t* scagliare

hurra|h!, **~y** [hureiˈ] evviva!

hurricane [ˈhʌrikən] uragano *m*

hurry [ˈhʌri] *s* fretta *f*; *v/i* **be in a ~** avere fretta; *v/t* affrettare; *v/i* affrettarsi; **~ up!** sbrigati!

hurt [hɜːt] *s* danno *m*; ferita *f*; *v/t*, *v/i*, *irr* far male a

husband [ˈhʌzbənd] marito *m*; sposo *m*

hush [hʌʃ] *s* silenzio *m*; *v/t* far star zitto; *interj* zitto!; silenzio!; **~ up** mettere a tacere

husk [hʌsk] buccia *f*; **~y** rauco; forte

hustle [ˈhʌsl] *v/t* spingere; *v/i* affaccendarsi

hut [hʌt] capanna *f*

hutch [hʌtʃ] capanna *f*; gabbia *f* (*per conigli*)

hyacinth [ˈhaiəsinθ] giacinto *m*

hybrid [ˈhaibrid] *a*, *s* ibrido (*m*)

hydrant [ˈhaidrənt] idrante *m*

hydraulic [haiˈdrɔːlik] idraulico

hydro|carbon [ˈhaidrəu-] idrocarburo *m*; **~chloric** cloridrico; **~gen** idrogeno *m*; **~gen bomb** bomba *f* all'idrogeno; **~plane** idrovolante *m*; **~therapy** idroterapeutica *f*

hyena [haiˈiːnə] iena *f*

hygiene [ˈhaidʒiːn] igiene *f*; **~ic** [haiˈdʒiːnik] igienico

hymn [him] inno *m*

hyphen [ˈhaifən] trattino *m*

hypnotize [ˈhipnətaiz] *v/t* ipnotizzare

hypocri|sy [hiˈpɔkrəsi] ipocrisia *f*; **~te** [ˈ~] ipocrita *m*, *f*; **~tical** [hipouˈkritikəl] ipocrito

hypothe|sis [haiˈpɔθisis] ipotesi *f*; **~tical** ipotetico

hysteri|a [hisˈtəriə] isteria *f*; isterismo *m*; **~cal** isterico; **~cs** *pl* accesso *m* d'isterismo

I [ai] io
ice [ais] ghiaccio *m*; ~ **cream** gelato *m*
Iceland ['aislənd] Islanda *f*; ~**er** islandese *m*, *f*; ~**ic** islandese
ice-skate pattino *m*
ic|icle ['aisikl] ghiacciolo *m*; ~**ing** smaltatura *f* di zucchero; ~**y** gelato; gelido; di ghiaccio
idea [ai'diə] idea *f*; ~**l** *a*, *s* ideàle (*m*); ~**lize** *v/t* idealizzare
identi|cal [ai'dentikəl] identico; ~**fication** [.fi'keiʃən] identificazione *f*; ~**ify** *v/t* identificare; ~**ty** identità *f*; ~**ty card** carta d'identità
idiom ['idiəm] idioma *m*; modo *m* di dire
idle ['aidl] *s* ozioso; vano; *v/i* oziare; ~**ness** ozio *m*
idol ['aidl] idolo *m*; ~**ize** *v/t* deificare; idolatrare
if [if] se; **as** ~ come se; ~ **not** se non
ignit|e [ig'nait] *v/t* accendere; ~**ion** [ig'niʃən] ignizione *f*; combustione *f*
ignoble [ig'noubl] ignobile
ignor|ance ['ignərəns] ignoranza *f*; ~**e** [ig'nɔ:] *v/t* trascurare
ill [il] *a* malato; *adv* male; ~ **at** male *m*; **fall** ~ ammalarsi; ~ **-advised** imprudente
illegal [i'li:gəl] illegale

illiterate [i'litərit] *a*, *s* inalfabeto (*m*)
ill -tempered di brutto carattere; ~**timed** inopportuno; ~**treated** maltrattato
illuminat|e [i'lju:mineit] *v/t* illuminare; ~**ion** illuminazione *f*
illus|ion [i'lu:ʒən] illusione *f*; ~**ory** illusorio
illustrat|e ['iləstreit] *v/t* illustrare; ~**ion** illustrazione *f*; ~**ive** illustrativo
illustrious [i'lʌstriəs] illustre
ill will cattiva volontà *f*
imag|e ['imidʒ] immagine *f*; ~**ination** [i.mædʒi'neiʃən] immaginazione *f*; fantasia *f*; ~**ine** [i'mædʒin] *v/t* immaginare
imbecile ['imbisi:l] imbecille
imitate ['imiteit] *v/t* imitare
immeasurable [i'meʒərəbl] immensurabile
immediate [i'mi:djət] immediato
immature [.imə'tjuə] immaturo
immense [i'mens] immenso
immers|e [i'mə:s] *v/t* immergere
immigra|nt ['imigrənt] *a*, *s* immigrante (*m*, *f*); ~**tion** immigrazione *f*
im|minent ['iminənt] imminente; ~**mobile** [i'moubail] immobile; ~**moderate** immoderato; ~**modest** immodesto; impudico

~**moral** immorale; ~**mortal** [i'mɔːtl] immortale; ~**mune** immune

impact ['impækt] urto m; impressione f

impair [im'pɛə] v/t danneggiare; menomare

impart [im'pɑːt] v/t impartire; comunicare

impatient [im'peiʃənt] impaziente

imped|e [im'piːd] v/t impedire; ostacolare; ~**iment** impedimento m

impending [im'pendiŋ] imminente

imperative [im'perətiv] a imperioso; imperativo; s imperativo m

imperfect [im'pəːfikt] a, s imperfetto (m)

imperial [im'piəriəl] imperiale

im|peril [im'peril] v/t mettere in pericolo; ~**permeable** impermeabile; ~**personal** impersonale

imperishable [im'periʃəbl] non deperibile

impetuous [im'petjuəs] impetuoso

impet|us ['impitəs], pl ~**es** [~iz] impeto m

implement ['implimənt] strumento m

implicat|e ['implikeit] v/t implicare; ~**ion** implicazione f

implicit [im'plisit] implicito

implore [im'plɔː] v/t supplicare

imply [im'plai] v/t implicare; insinuare

impolite [,impə'lait] scortese; ~**ness** scortesia f

import [im'pɔːt] v/t importare; ['impɔːt] s importazione f; ~**ance** [~'pɔːtəns] importanza f; ~**ant** importante; ~**ation** importazione f

importune [im'pɔːtjuːn] v/t importunare

impos|e [im'pouz] v/t imporre; ~**e upon** approfittare; ~**ing** imponente

impossible [im'pɔsibl] impossibile

impostor [im'pɔstə] impostore m

impotent ['impətənt] impotente

impoverish [im'pɔvəriʃ] v/t impoverire

impregnate ['impregneit] v/t impregnare; ingravidare

impresario [,impre'sɑːriou] impresario m

impress [im'pres] v/t impressionare; imprimere; ~**ion** impressione f; ~**ive** impressionante

imprint [im'print] s impronta f; v/t imprimere; stampare

imprison [im'prizn] v/t imprigionare; ~**ment** imprigionamento m

improper [im'prɔpə] scorretto; conveniente

improve [im'pruːv] v/t, v/i migliorare; ~**ment** miglioramento m

improvise

improvise ['imprəvaiz] v/t, v/i improvvisare

impudent ['impjudənt] sfacciato

impulse ['impʌls] impulso m; **~ive** [im'pʌlsiv] impulsivo

impunity [im'pjuːniti] impunito

impure [im'pjuə] impuro

in [in] prp in; a; entro; adv dentro; in casa; ~ 1979 nel 1979; ~ **the morning** di mattina; ~ **time** a tempo; ~ **order** in regola; ~ **print** stampato

in|accessible [inæk'sesəbl] inaccessibile; **~accurate** inesatto; **~active** inattivo; **~appropriate** inadatto; **~attentive** disattento; distratto

inborn ['inbɔːn] innato

incapable incapace

incapacit|ate [inkə'pæsiteit] v/t incapacitare; **~y** incapacità f

incarcerate [in'kɑːsəreit] v/t incarcerare

incarnate [in'kɑːnit] v/t incarnare

incense ['insens] s incenso m; [in'sens] v/t incensare; fig far arrabbiare

incentive [in'sentiv] incentivo m

incessant [in'sesənt] incessante

incest ['insest] incesto m

inch [intʃ] pollice m (2,54 cm)

inciden|ce ['insidəns] incidenza f; **~t** s incidente m; a incidente; inerente; **~tal** fortuito; **~tally** a proposito

incise [in'saiz] v/t incidere

incite [in'sait] v/t incitare; **~ment** incitamento m

incline [in'klain] s pendio m; v/t, v/i pendere; **~d** propenso

inclu|de [in'kluːd] v/t comprendere; **~ded** compreso; **~sion** inclusione f; **~sive terms** pl prezzo m globale

incom|e ['inkʌm] rendita f; reddito m; entrata f; **~e-tax** imposta f sul reddito; **~ing** in arrivo

inconceivable [inkən'siːvəbl] inconcepibile

inconsiderate irriguardoso; incurante

inconsistent inconsistente

inconstant incostante

inconvenien|ce inconveniente m; v/t disturbare; scomodare; **~t** scomodo

incorporate [in'kɔːpəreit] v/t incorporare

incredible incredibile

increase [in'kriːs] s aumento m; v/t aumentare; v/i aumentarsi

incriminate [in'krimineit] v/t incriminare

incubator ['inkjubeitə] incubatrice f

incur [in'kɔː] v/t incorrere in; ~ **debts** contrarre m debito

indebted [in'detid] indebitato

indecen|cy [in'di:snsi] indecenza f; **~t** indecente

indecisive [ˌindi'saisiv] indeciso

indeed [in'di:d] infatti; effettivamente; **~?** veramente?; davvero?

indefatigable [indi'fætigəbl] instancabile

indefinite [in'definit] indefinito

indelicate [in'delikit] indelicato

indemni|fy [in'demnifai] v/t indennizzare; **~ty** indennità f

indent [in'dent] v/t dentellare

independen|ce indipendenza f; **~t** indipendente

indescribable [indis'kraibəbl] indescrivibile

indeterminate indeterminato; indefinito

index ['indeks] indice m

India ['indjə] India f; **~rubber** gomma f per cancellare; **~n** a, s indiano (m); (Red) ~ pellirossa m; **~n summer** estate f di San Martino

indicat|e ['indikeit] v/t indicare; **~ion** indicazione f; **~ive** indicativo m; **~or** indicatore m

indict [in'dait] v/t accusare; **~ment** accusa f

indifferen|ce indifferenza f; **~t** indifferente

indigent ['indidʒənt] indigente

indigesti|ble [ˌindi'dʒestəbl] indigesto; **~on** indigestione f

indign|ant [in'dignənt] indignato; **~ation** indignazione f

indirect [in'dairekt] indiretto

indiscre|et [indis'kri:t] indiscreto; **~tion** indiscrezione f

indiscriminate [ˌindis'kriminit] che non fa discriminazioni; generale

indispensable [indis'pensəbl] indispensabile

indispos|ed [indis'pouzd] indisposto; **~ition** indisposizione f

in|disputable ['indis'pju:təbl] indiscutibile; **~distinct** confuso

individual [indi'vidjuəl] a individuale; s individuo m

indolen|ce ['indələns] indolenza f; **~t** indolente

indoor ['indɔ:] interno; interiore; in casa; **~s** [in'dɔz] in casa

indorse [in'dɔ:s] cf endorse

induce [in'dju:s] v/t indurre; **induction** [in'dʌkʃən] induzione f

indulge [in'dʌldʒ] v/t assecondare; v/i indulgere; abbandonarsi a; **~nce** indulgenza f; **~nt** indulgente

industr|ial [in'dʌstriəl] industriale; **~ialize** v/t industrializzare; **~ious** attivo; industrioso; **~y** ['indəstri] industria f

in|effective [ini'fektiv] inef-
ficace; **~efficient** [-'fiʃənt]
inefficiente

inept [i'nept] inetto

inequality [ini'kwoliti] inu-
guaglianza f; disuguaglian-
za f

inert [i'nɔːt] inerte; **~ia** [~ʃiə]
inerzia f

in|evitable [in'evitəbl] ine-
vitabile; **~exhaustible** [-ig-
z'ɔːstəbl] inesauribile;
~expensive [-iks'pensiv]
poco costoso; di poco
prezzo; **~experienced**
[-iks'piəriənsd] inesperto;
~expressible [-iks'pres-
səbl] inesprimibile

infam|ous ['infəməs] infa-
me; **~y** infamia f

infan|cy ['infənsi] infanzia f;
~t bimbo(a) m (f); **~tile** ['in-
fəntail] infantile

infect [in'fekt] v/t infettare;
contagiare; **~ion** infezione
f; **~ious** contagioso

infer [in'fɔː] v/t inferire;
~ence ['infərəns] deduzione
f

inferior [in'fiəriə] s, a inferiore (m); **~ity** [~'ɔriti] infe-
riorità f

infernal [in'fɔːnl] infernale

infidelity [infi'deliti] infedeltà f

infiltrate ['infiltreit] v/t in-
filtrare

infinite ['infinit] infinito;
~y [in'finiti] infinità f

infirm [in'fɔːm] infermo

inflammable [in'flæməbl]
infiammabile

inflat|e [in'fleit] v/t, v/i gon-

fiare; **~ion** gonfiamento;
(financial) inflazione f

inflect [in'flekt] v/t inflet-
tere

inflexible [in'fleksəbl] inflessibile

inflict [in'flikt] v/t infligge-
re; **~ion** inflizione f

influen|ce ['influəns] s in-
fluenza f; v/t influenzare;
~tial [~'enʃəl] influente

influenza [influ'enzə] influenza f

influx ['inflaks] afflusso m

inform [in'fɔːm] v/t infor-
mare; **~ against** denunciare; **~al** informale; **~ation**
[infə'meiʃən] informazione
f; **~ation office** ufficio m
informazioni; **~er** informa-
tore m; denunciante m

infuriate [in'fjuərieit] v/t
infuriare

infuse [in'fjuːz] v/t infon-
dere

ingen|ious [in'dʒiːnjəs] in-
gegnoso; **~uity** [~i'njuː(:)iti]
ingegnosità f

ingot ['ingət] lingotto m

ingredient [in'griːdjənt] in-
grediente m

inhabit [in'hæbit] v/t abitare; **~ant** abitante m, f

inhale [in'heil] v/t inalare

inherent [in'hiərənt] inerente

inherit [in'herit] v/t eredi-
tare; **~ance** eredità f

initial [i'niʃəl] a, s iniziale (f)

inject [in'dʒekt] v/t iniettare; **~ion** iniezione f

injur|e ['indʒə] v/t ferire;

~ious [in'dʒuəriəs] ingiurioso; **~y** [~əri] ferita f

injustice [in'dʒʌstis] ingiustizia f

ink [iŋk] inchiostro m

inkling [iŋkliŋ] nozione f vaga; accenno m vago

inland ['inlənd] a s interno; adv nell'interno; verso l'interno

inmate ['inmeit] inquilino m; ricoverato m

inmost ['inmoust] intimo, profondo

inn [in] albergo m; locanda f

inner ['inə] interiore; interno

innocen|ce ['inəsns] innocenza f; **~t** innocente

innovation [inou'veiʃən] innovazione f

inquest ['inkwest] inchiesta f

inquir|e [in'kwaiə] v/t domandare; v/i indagare; informarsi; **~y** indagine f

inquisi|tion [,inkwi'ziʃən] inquisizione f; **~ive** [in'kwizitiv] curioso

insane [in'sein] pazzo; folle; **~ity** [in'sæniti] pazzia f; follia f

inscri|be [in'skraib] v/t iscrivere; **~ption** [~ipʃən] iscrizione f

insect ['insekt] insetto m

insert [in'sə:t] v/t inserire

inside [in'said] a interiore; interno; s interno m; adv nell'interno; **~ out** al rovescio; rivoltato

insight ['insait] penetrazione f

insincere insincero

insist [in'sist] v/i insistere

in|solent ['insələnt] insolente; **~soluble** [~'səljubl] insolubile

insomnia [in'sɔmniə] insonnia f

insomuch [insou'mʌtʃ] fino al punto; tanto

inspect [in'spekt] v/t ispezionare; **~ion** ispezione f; **~or** ispettore m

inspir|ation [inspə'reiʃən] ispirazione f; **~e** [in'spaiə] v/t ispirare

instal(l) [in'stɔ:l] v/t installare; **~ation** installazione f; impianto m; **~ment** puntata f; rata f; **~ment payment** pagamento m a rate

instan|ce ['instəns] istanza f; esempio m; **for ~ce** per esempio; **~t** istante m; **~tly** immediatamente

instead [in'sted] adv invece; **~ of** prp invece di; al posto di

instinct [i'instiŋkt] istinto m; **~ive** [in'stiŋktiv] istintivo

institu|te ['institju:t] s istituto m; v/t istituire; **~ion** istituzione f

instruct [in'strʌkt] v/t istruire; **~ion** istruzione f; **~ive** istruttivo

instrument ['instrumənt] strumento m

insufferable insopportabile

insulate ['insjuleit] v/t isolare

insurance [in'ʃuərəns] assicurazione f; **~ company** compagnia f d'assicurazioni

insure [in'ʃuə] v/t assicurare

insurrection [insə'rekʃən] insurrezione f

intact [in'tækt] intatto

integrate ['intigreit] v/t integrare; v/i integrarsi

intellect ['intilekt] intelletto m; **~ual** [~'lektjuəl] intellettuale

intelligen|ce [in'telidʒəns] intelligenza f; informazione f; **~t** intelligente

intend [in'tend] v/t intendere; avere intenzione di

intens|e [in'tens] intenso; **~ity** intensità f; **~ive** intensivo

intent [in'tent] intento; **~ion** intenzione f

inter [in'tə:] v/t seppellire

intercede [intə(:)'si:d] v/i intercedere

interchange [intə(:)-'tʃeindʒ] s scambio m; v/t scambiare; v/i scambiarsi

intercourse ['intə(:)kɔ:s] rapporto m; rapporti m/pl sessuali

interdict [intə(:)'dikt] v/t interdire; proibire

interest ['intrist] s interesse m; v/t interessare; **~ing** interessante

interfer|e [intə'fiə] v/i intromettersi; intervenire; **~ence** in-

tromissione f

interior [in'tiərie] a interiore; interno; s interiore m

intermediary [intə(:)'mi:djəri] a, s intermediario (m)

inter|mingle v/t inframmischiare; v/i inframmischiarsi; **~mission** intervallo m

intern ['intə:n] Am medico m assistente

interpret [in'tə:prit] v/t, v/i interpretare; **~er** interprete m, f

inter|rupt [intə'rʌpt] v/t interrompere; v/t interrupt; **~sect** v/i incrociarsi

interval ['intəvəl] intervallo m

interven|e [intə(:)'vi:n] v/i intervenire; **~tion** [~'venʃən] intervento m

interview ['intəvju:] s intervista f; colloquio m; v/t intervistare

intestines [in'testinz] pl intestino m

intima|cy ['intiməsi] intimità f; **~te** a intimo; v/t annunciare; comunicare

into ['intu, 'intə] in

intolerant [in'tɔlərənt] intollerante

intoxicat|e [in'tɔksikeit] v/t ubriacare; med intossicare

intricate ['intrikit] intricato

intrigue [in'tri:g] s intrigo m; trama f; v/i intrigare

introduc|e [intrə'dju:s] v/t presentare; introdurre; **~tion** [~'dʌkʃən] presentazione f; introduzione f

intrude [in'tru:d] *v/i* intromettersi

intuition [intju(:)'iʃən] intuizione *f*

inundation [inʌn'deiʃən] inondazione *f*

invade [in'veid] *v/t* invadere

invalid [in'væli(:)d] *a*, *s* malato (*m*); [in'vælid] invalido

invaluable [in'væljuəbl] inestimabile

invent [in'vent] *v/t* inventare; **~ion** invenzione *f*

inverse [in'və:s] inverso; *v/t* invertire; **~ted commas** *pl* virgolette *f/pl*

invest [in'vest] *v/t* investire; **~ment** investimento *m*

invitation [invi'teiʃən] invito *m*; **~e** [in'vait] *v/t* invitare

invoice [in'vɔis] fattura *f*

involve [in'vɔlv] *v/t* coinvolgere; significare

inward [in'inwəd] interno; intimo; **~s** verso l'interno

iodine ['aioudi:n] iodio *m*

irascible [i'ræsibl] irascibile

Ireland ['aiələnd] Irlanda *f*

Irish ['aiəriʃ] *a*, *s* irlandese (*m*, *f*); **~man** irlandese *m*

irk [ə:k] *v/t* infastidire

iron ['aiən] *s* ferro *m*; ferro *m* da stiro; *a* di ferro; ferreo; *v/t* stirare

ironic(al) [ai'rɔnik(əl)] ironico

irregular irregolare

irrelevant non pertinente

irrespective of senza tenere conto di

irrigate ['irigeit] *v/t* irrigare; **~ion** irrigazione *f*

island ['ailənd] isola *f*

isolate ['aisəleit] *v/t* isolare; **~ion** isolazione *f*

issue ['iʃu:] *s* problema *m*; esito *m*; discendenza *f*; emissione *f*; pubblicazione *f*; *v/t* emettere; pubblicare; *v/i* uscire; emergere; risultare

it *pron pers* esso, essa; lo, la; *impers* ~ **is hot** fa caldo; **who is ~?** chi è

Italian [i'tæljən] *a*, *s* italiano (*m*)

italic [i'tælik] corsivo

itch [itʃ] prurito *m*; *v/i* prudere

item ['aitəm] articolo *m*; voce *f*; numero *m* (*di rivista*)

itinerary [ai'tinərəri] itinerario *m*

its [its] *pron poss* suo, sua; il suo, la sua; **~elf** [it'self] sè; sè stesso; **by ~elf** si da sè

ivory ['aivəri] ivorio *m*

ivy ['aivi] edera *f*

J

jab [dʒæb] *v/t*, *v/i* pugnalare

jack [dʒæk] *mec* binda *f*; cricco *m*; fante *m* (*a carte*)

jackal ['dʒækɔ:l] sciacallo *m*

jackass ['dʒækæs] asino *m*

jacket ['dʒækit] giacca *f*

jack-knife coltello *m* a serramanico; **~ of all trades**

jade 114

uomo *m* di tutti i mestieri
jade ['dʒeid] giada *f*
jagged ['dʒægid] dentellato;
frastagliato
jaguar ['dʒəgjuə] giaguaro *m*
jail [dʒeil] carcere *m*; prigione *f*
jam [dʒæm] *s* marmellata *f*;
blocco *m* (*stradale*); *v/t* in-
castrare; *v/i* incastrarsi
janitor ['dʒænitə] bidello *m*
January ['dʒænjuəri] gennaio *m*
Japan [dʒə'pæn] Giappone
m; **∼ese** [dʒæpə'niːz] *a*, *s*
giapponese (*m, f*)
jar [dʒɑː] *s* barattolo *m*; scossa *f*; *v/t* stonare; scuotere
jargon ['dʒɑːgən] gergo *m*
jasmin(e) ['dʒæsmin] gelso-
mino *m*
jaundice ['dʒɔːndis] itterizia
f
javelin ['dʒævlin] giavellotto *m*
jaw [dʒɔː] mascella *f*
jealous ['dʒeləs] geloso
jeer [dʒiə] *s* derisione *f*; *v/t*,
v/i deridere
jelly ['dʒeli] gelatina *f*; **∼
fish** medusa *f*
jeopardize ['dʒepədaiz] *v/t*
mettere in pericolo
jerk [dʒəːk] *s* scatto *m*; *v/t*
strappare; *v/i* muoversi a
scatti
jersey ['dʒəːzi] maglia *f*
jest [dʒest] *s* scherzo *m*; *v/i*
scherzare
Jesuit ['dʒezjuit] gesuita *m*
Jesus ['dʒiːzəs] Gesù
jet [dʒet] getto *m*; aeroplano

m a reazione; **∼ engine** motore *m* a reazione
jetty ['dʒeti] molo *m*
Jew [dʒuː] ebreo *m*
jewel ['dʒuːəl] gioiello *m*;
∼(l)er gioielliere *m*; **∼lery**
gioielli *m/pl*
Jewess ['dʒu(ː)is] ebrea *f*;
∼ish ebreo; ebraico
jiffy ['dʒifi] *Am fam* istante
m
jig ['dʒig] giga *f*
jingle ['dʒiŋgl] *s* tintinnio *m*;
v/i tintinnare
job [dʒɔb] impiego *m*; lavoro
m; posto *m*
jockey ['dʒɔki] fantino *m*
jog [dʒɔg] *s* urto *m*; *v/t* urtare
join [dʒɔin] *v/t* unire; raggiungere; *v/i* unirsi; associarsi; **∼er** falegname *m*
joint [dʒɔint] *s* articolazione
f; giuntura *f*; pezzo *m* di
carne (*macellata*); *fam* locale *m*; *a* unito; collettivo; **∼
stock company** società *f*
anonima
joke [dʒouk] *s* scherzo *m*;
barzelletta *f*; *v/i* scherzare
jolly ['dʒɔli] *a* allegro; *adv
fam* molto
jolt [dʒoult] *s* scossa *f*; sol-
balzo *m*; *v/t*, *v/i* scuotere
jostle ['dʒɔsl] *v/t* spingere
journal ['dʒəːnl] giornale *m*;
diario *m*; **∼ist** giornalista *m*
journey ['dʒəːni] *s* viaggio
m; *v/i* viaggiare; **∼man**
operaio *m* esperto
joy [dʒɔi] ellegria *f*; **∼ful** allegro
jubil|ant ['dʒuːbilənt] giubi-

lante; **~ee** giubileo *m*

judge ['dʒʌdʒ] *s* giudice *m*; *v/t* giudicare; **~ment** giudizio *m*

judicious [dʒu(:)'diʃəs] giudizioso

jug [dʒʌg] brocca *f*; anfora *f*

juggle ['dʒʌgl] *v/i* fare giochi di destrezza; raggirare; **~r** prestigiatore *m*

Jugoslav ['ju:gou'slɑːv] *a*, *s* iugoslavo (*m*); **~ia** Iugoslavia *f*

juice [dʒuːs] sugo *m* (*di carne*); succo *m* (*di frutta*); **~y** succoso

juke-box ['dʒuːk-] music-box *m*

July [dʒu(:)'lai] luglio *m*

jumble ['dʒʌmbl] *s* confusione *f*; mescolanza *f*; *v/t* confondere; mescolare

jump [dʒʌmp] *s* salto *m*; balzo *m*; *v/i* saltare; balzare; **~y** nervoso

junction ['dʒʌŋkʃən] unione *f*; nodo *m* ferroviario

June [dʒuːn] giugno *m*

jungle ['dʒʌŋgl] giungla *f*

junior ['dʒuːnjə] *s* giovane *m*; subalterno *m*; *a* più giovane; di grado inferiore

junk [dʒʌŋk] robaccia *f*

juris|diction giurisdizione *f*; **~prudence** giurisprudenza *f*; **~st** giurista *m*, *f*

juror ['dʒuərə] giurato *m*; **jury** ['dʒuəri] giuria *f*

just [dʒʌst] *a* giusto; *adv* esattamente; giustamente; appena; in questo momento

justice ['dʒʌstis] giustizia *f*

justif|ication [dʒʌstifi'keiʃən] giustificazione *f*; **~y** ['ˌfai] *v/t* giustificare

jut [dʒʌt] *v/i* sporgere

juvenile ['dʒuːvinail] giovanile; **~ court** tribunale *m* dei minorenni

K

kale, kail [keil] cavolo *m*

kangaroo [ˌkæŋgə'ruː] canguro *m*

keel [kiːl] chiglia *f*

keen [kiːn] acuto; entusiasta

keep [kiːp] *v/t* tenere; mantenere; conservare; trattenere; osservare; festeggiare; *v/i* mantenersi; conservarsi; continuare; **~ in mind** tener presente; **~ on** continuare; proseguire; seguitare; **~ talking** continuare a parlare; **~ to** tenersi a; **~**

books tenere i libri; fare la contabilità; **~er** custode *m*; **~ing** custodia *f*; **~sake** ricordo *m*

kennel ['kenl] canile *m*

kerb [kəːb] bordo *m* del marciapiede

kernel ['kəːnl] gheriglio *m*; *fig* nocciolo *m*

kettle ['ketl] bollitore *m*; **~drum** timpano *m*

key [kiː] chiave *f*; *mus* chiave *f*; tasto *m*; *mec* chiavetta *f*; tasto *m* (*della macchina da* scrivere); **~board** tastiera f; **~hole** buco m della serratura; **~ring** anello m portachiavi

kick [kik] s calcio m; v/t, v/i dare calci

kid [kid] capretto m; fam bambino(a) m (f); v/t rapire; prendere in giro

kidnap ['kidnæp] v/t rapire; **~per** rapitore m; **~ping** rapimento m

kidney ['kidni] rene m; rognone m

kill [kil] v/t uccidere; ammazzare; **~ing** fam buffo

kilo|gram(me) ['kiloulou græm] chilogramma m; **~metre** chilometro m; **~watt** kilowatt m

kilt [kilt] gonnellina f scozzese

kimono [ki'mounou] chimono m

kin [kin] parentela f

kind [kaind] a gentile; buono; **~ regards** pl cordiali saluti m/pl; s genere m; specie f; tipo m

kindergarten ['kindəga:tn] giardino m d'infanzia

kindle ['kindl] v/t accendere; v/i ardere

kind|ly ['kaindli] gentile; **~ness** gentilezza f

kindred ['kindrid] s parenti m/pl; parentela f; a affine

king [kiŋ] re m; **~dom** reame m; **~fisher** martin m pescatore

kiosk [ki'ɔsk] chiosco m

kiss [kis] s bacio m; v/t baciare

kit [kit] gattuccio m; **~bag** sacco m a spalla

kitchen ['kitʃin] cucina f; **~ garden** orto m

kite [kait] aquilone m

kitten ['kitn] gattino m

knack [næk] facoltà f

knapsack ['næpsæk] zaino m

knead [ni:d] v/t impastare

knee [ni:] ginocchio m; **~l (down)** v/i, irr inginocchiarsi

knickerbockers ['nikəbɔkəz] pl calzoni m/pl alla zuava

knickers pl mutande f/pl alla donna

knife [naif], pl knives [~vz] s coltello m; v/t accoltellare

knight [nait] cavaliere m

knit [nit] v/t, irr fare a maglia; v/i lavorare a maglia; fare la calza; **~ting-needle** ferro m da calza; **~wear** maglieria f

knob [nɔb] bottone m; pomo m; bernoccolo m

knock [nɔk] colpo m; v/t bussare; **~ down** rovesciare; investire; **~ out** mettere fuori combattimento

knot [nɔt] s nodo m; gruppo m; naut miglio m marino; v/t annodare; **~ty** nodoso; fig difficile

know [nou] v/t, v/i, irr sapere; conoscere; **~ing** abile; accordo; **~ledge** conoscenze f/pl; sapere m; **~ how to** sapere; **to my ~ledge** per quanto sappia io; a quel che

so; **without my ~ledge** a mia insaputa; **make ~n** far sapere; far conoscere; **well-~n** ben conosciuto
knuckle ['nʌkl] nocca f
Koran [kɔ'rɑːn] Corano m

L

label ['leibl] s etichetta f; v/t mettere un'etichetta; fig classificare

laboratory [lə'bɔrətəri] laboratorio m

laborious [lə'bɔːriəs] laborioso

labor union ['leibə] Am sindacato m (operaio)

labo(u)r ['leibə] s fatica f; lavoro m faticoso; mano f d'opera; doglie f/pl del parto; ⌖ **Party** Partito m Laborista; **hard ~** lavori m/pl forzati; v/i affaticarsi; v/t: **~er:** (**farm**) **~er** bracciante m; (**manual**) **~er** operaio m

labyrinth ['læbərinθ] labirinto m

lace [leis] s pizzo m; merletto m; v/t allacciare

lack [læk] s mancanza f; v/i mancare di; v/i mancare

lacquer ['lækə] lacca f

lad [læd] giovane m; ragazzo m

ladder ['lædə] s scala f (a piuoli); smagliatura f (di calze)

Ladies pl Signore f/pl; **~and Gentlemen** Signore e Signori

ladle ['leidl] romaiolo m

lady ['leidi] signora f; **~doctor** dottoressa f; **~like** elegante; ben educato

lag [læg] v/i rimanere indietro

lagoon [lə'guːn] laguna f

lair [lɛə] covo m; tana f

lake [leik] lago m

lamb [læm] agnello m

lame [leim] zoppo; v/t zoppicare

lament [lə'ment] s lamento m; v/t lamentare; v/i lamentarsi; **~able** deplorevole

lamp [læmp] lampada f; **~shade** paralume m

lance [lɑːns] s lancia f; v/t surg tagliare col bisturi

land [lænd] s terra f; terreno m; suolo m; paese m; **by ~** per terra; v/i sbarcare; atterrare; **~holder** proprietario m di terra; **~ing** sbarco m; atterraggio m; **~lady** ['lænleidi] padrona f di casa; **~lord** padrone m di casa; **~mark** punto m di riferimento; **~scape** passaggio m; **~slide** frana f

lane [lein] viottolo m

language ['læŋgwidʒ] lingua f; linguaggio m

langui|d ['læŋgwid] languido; **~sh** v/i languire; **~or** languore m

lank [læŋk] magro; **~ hair** capelli m/pl lisci

lantern ['læntən] lanterna f

lap [læp] grembo *m*; **~el** [lə-'pel] risvolta *f*

lapse [læps] periodo *m* di tempo

larceny ['lɑːsəni] furto *m*

lard [lɑːd] strutto *m*; **~er** dispensa *f*

large [lɑːdʒ] grande; ampio; grosso; **at ~** latitante; **~ly** in gran parte

lark [lɑːk] allodola *f*; *fam* scherzo *m*

larva ['lɑːvə] larva *f*

laryn|gitis [ˌlærin'dʒaitis] laringite *f*; **~x** laringe *f*

lascivious [lə'siviəs] lascivo

lash [læʃ] *s* ciglio *m*; sferza *f*; *v/t* sferzare

lass [læs] ragazza *f*

lasso [læ'suː] laccio *m*

last [lɑːst] *a* ultimo; passato; finale; **~ but one** penultimo; **~ night** stanotte; ieri sera; **~ week** la settimana scorsa; *adv* in ultimo; finalmente; **at ~** alla fine; *v/i* durare; **~ing** duraturo; **~ly** in ultimo; **~ name** nome *m* di famiglia

latch [lætʃ] saliscendi *m*; **~key** chiavetta *f*

late [leit] *a* in ritardo; recente; ultimo; *adv* tardi; **it is ~** è tardi; **I am ~** sono in ritardo; **~ly** ultimamente, recentemente; **~r on** più tardi; **~st** il più tardi (*di tutti*); il più recente (*di tutti*)

lath [lɑːθ] listello *m*

lathe [leið] tornio *m*

lather ['lɑːðə] schiuma *f*

Latin ['lætin] *s*, *a* latino (*m*)

latitude ['lætitjuːd] latitudine *f*

latter ['lætə] *pron* questi; ultimo; secondo; *a* ultimo; secondo

lattice ['lætis] grata *f*

laudable ['lɔːdəbl] lodevole

laugh [lɑːf] *s* risata *f*; *v/i* ridere; **~ter** risata *f*

launch [lɔːntʃ] *s* lancia *f*; *v/t* lanciare; varare; **~ing** varo *m*

laund|erette [lɔːndə'ret] lavanderia *f* con autoservizio; **~ress** lavandaia *f*; **~ry** lavanderia *f*

laurel ['lɔrəl] lauro *m*

lavatory ['lævətəri] gabinetto *m*

lavender ['lævində] lavanda *f*

lavish ['læviʃ] prodigo; *v/t* prodigare

law [lɔː] legge *f*; diritto *m*; **by ~** per legge; **civil ~** diritto civile; **criminal ~** diritto penale; **~-court** tribunale *m*; **~ful** legale; legittimo; **~less** illegale; illegittimo

lawn [lɔːn] prato *m*

law|suit [lɔː'sjuːt] causa *f*; **~yer** ['-jə] avvocato *m*

lax [læks] trascurato; **~ative** *a*, *s* lassativo (*m*); purgante *m*

lay [lei] *v/t*, *irr* porre; collocare; **~ down** deporre; **~ out** stendere

layer ['leiə] strato *m*

layman ['leimən] laico *m*

lazy ['leizi] pigro

lead¹ [liːd] *s* guida *f*; guinzaglio m; elec filo m; v/t, irr guidare; condurre

lead[2] [led] piombo m; mina f (del lapis); **~en** di piombo

leader ['li:dǝ] capo m

leaf [li:f], pl **leaves** [~vz] foglia f; **~let** foglietto m

league [li:g] lega f

leak [li:k] s fuga f; perdita f; v/t perdere; **~age** perdita f; **~y** difettoso

lean [li:n] a magro; scarno; v/i, irr appoggiarsi; **~ out** sporgersi

leap [li:p] s salto m; balzo m; v/i saltare; balzare; **~year** anno m bisestile

learn [lǝːn] v/t, v/i, irr imparare; **~ed** dotto; erudito; **~ing** sapere m; cultura f; istruzione f

lease [li:s] s contratto m d'affitto; v/t affittare

leash [li:ʃ] guinzaglio m

least [li:st] s il minimo; il minimo; a minimo; adv minimamente; **at ~** almeno

leather ['leðǝ] cuoio m; pelle f

leave [li:v] s permesso m; congedo m; licenza f; v/i, irr partire; v/t lasciare; abbandonare

lecture ['lektʃǝ] s conferenza f; lezione f (universitaria); v/i fare una conferenza; fare la lezione; **~r** conferenziere m; docente m universitario

ledge [ledʒ] ripiano m

leech [li:tʃ] sanguisuga m

leek [li:k] porro m

leer [liǝ] s occhiata f lasciva;

v/i dare un'occhiata lasciva

left [left] s sinistra f; a sinistro; **to the ~** a sinistra; alla sinistra; **~-handed** mancino; **~-luggage office** deposito m bagagli; **~overs** pl resti m/pl; rimanenze f/pl

leg [leg] gamba f; (animal) zampa f; (furniture) piede m; **pull s.o.'s ~** prendere in giro

legacy ['legǝsi] lascito m

legal ['li:gǝl] legale; legittimo; **~ize** v/t legalizzare; legittimare

legation [li'geiʃǝn] legazione f

legend ['ledʒǝnd] leggenda f; **~ary** leggendario

legible ['ledʒǝbl] leggibile

legion ['li:dʒǝn] legione f

legislat|ion [ledʒis'leiʃǝn] legislazione f; **~ive** ['~lǝtiv] legislativo; **~or** legislatore m

legitimate [li'dʒitimit] legittimo

leisure ['leʒǝ] tempo m libero; **~ly** senza fretta

lemon ['lemǝn] limone m; **~ade** [~'neid] limonata f; **~ juice** succo m di limone; **~ squash** limonata f

lend [lend] v/t, irr prestare; **~ing library** biblioteca f circolante

length [leŋθ] lunghezza f; **at ~** a lungo; **~en** v/t allungare; v/i allungarsi; **~wise** ['~waiz] per il lungo

lenient ['li:njǝnt] indulgente

lens [lenz] lente f

Lent [lent] quaresima f
lentil ['lentil] lenticchia f
leopard ['lepəd] leopardo m
leprosy ['leprəsi] lebbra f
less [les] meno; **grow** ~ diminuire; **more or** ~ più o meno; **~en** v/t diminuire; attenuare; **~er** minore
lesson [lesn] lezione f
lest [lest] per paura che
let [let] v/t, irr lasciare; permettere; affittare; **~ down** abbassare; abbandonare; **~ in** far entrare; **~ off** esentare; sparare; lasciare in libertà; lasciare senza punizione; **~ out** far uscire
lethal ['li:θəl] letale
lethargy ['leθədʒi] letargia f
letter ['letə] lettera f; **registered** ~ lettera raccomandata; **~box** cassetta f postale
lettuce ['letis] lattuga f
leuc(a)emia [lju(:)'ki:miə] leucemia f
level ['levl] livello m; ~ **crossing** passaggio m a livello; v/t livellare; spianare
lever ['li:və] leva f
levity ['leviti] levità f
levy ['levi] s imposta f; v/t imporre; arrolare
lewd [lu:d] lascivo
liability [laiə'biliti] responsabilità f; pl comm passività f; **~le** ['laiəbl] responsabile; soggetto a; tenuto a
liaison [li(:)'eizən] relazione f
liar ['laiə] bugiardo(a) m (f)
libel ['laibəl] s diffamazione f; v/t diffamare

liberal ['libərəl] s, a liberale (m)
liberat|e ['libəreit] v/t liberare; **~ion** liberazione f
liberty ['libəti] libertà f; **be at** ~ essere libero
librar|ian [lai'brɛəriən] bibliotecario m; **~y** ['~brəri] biblioteca f
Libya ['libiə] Libia f; **~n** a, s libico (m)
lice [lais] (pl di louse) pidocchi m/pl
licen|ce, Am **~se** ['laisəns] licenza f; permesso m; patente f; v/t autorizzare; permettere; **~tious** [lai'senʃəs] licenzioso
lick [lik] s leccata f; v/t leccare
lid [lid] coperchio m; anat palpebra f
lie[1] [lai] s bugia f; menzogna f; v/t mentire
lie[2] [lai] v/i, irr essere sdraiato; giacere; essere situato; **~ down** sdraiarsi
lieutenant [lef'tenənt] luogotenente m
life [laif], pl **lives** [~vz] vita f; **~belt** cintura f di salvataggio m; **~boat** barca f di salvataggio; **~buoy** salvagente m; **~ insurance** assicurazione f sulla vita; **~jacket** giubbotto m di salvataggio; **~less** senza vita
lift [lift] s ascensore m; montacarichi m; passaggio m (in macchina); v/t alzare; sollevare; v/i dissiparsi
ligature ['ligətʃuə] legatura f

lizard

light [lait] s luce f; giorno m; a leggero; chiaro; v/t ~ (**up**) accendere; illuminare; v/i accendersi; ~**en** v/t alleggerire; ~**er** accendisigaro m; ~**house** faro m; ~**ing** illuminazione f; ~**ning** [ˈlaitniŋ] lampo m; ~**ning-conductor** parafulmine m

like [laik] a simile; adv come; s simile m; v/t piacere; amare; avere simpatia; **feel** ~ aver voglia di; **I** ~ **tea** mi piace il tè; ~**lihood** probabilità f; ~**ly** probabile; ~**ness** somiglianza f; ~**wise** similmente

liking [ˈlaikiŋ] simpatia f

lilac [ˈlailək] lilla m

lily [ˈlili] giglio m

limb [lim] membro m

lime [laim] calce f; bot tiglio m; ~**light** luce f della ribalta

limit [ˈlimit] s limite m; v/t limitare

limp [limp] a floscio; debole; v/i zoppicare

line [lain] s linea f; ruga f; comm ramo m; v/t rigare; foderare; v/i ~ **up** allinearsi

linen [ˈlinin] lino m; biancheria f

liner [ˈlainə] transatlantico m

linger [ˈliŋgə] v/i indugiare

lingerie [ˈlænʒəri:] lingeria f

linguist [ˈliŋgwist] linguista m, f

lining [ˈlainiŋ] fodera f

link [liŋk] s legame m; v/t collegare

links [liŋks] pl campo m da golf

lion [ˈlaiən] leone m; ~**ess** leonessa f

lip [lip] labbro m; ~**stick** rossetto m

liqueur [liˈkjuə] liquore m

liquid [ˈlikwid] a, s liquido (m); ~**ate** v/t liquidare

liquorice [ˈlikəris] liquorizia f

lisp [lisp] v/i balbettare

list [list] s lista f; elenco m; v/t elencare

listen [ˈlisn] v/i ascoltare

listless [ˈlistlis] indifferente; svogliato

literal [ˈlitərəl] letterale

literary [ˈlitərəri] letterario; ~**ture** [~rit∫ə] letteratura f

lithe [laið] flessibile

litre, Am ~**er** [ˈli:tə] litro m

litter [ˈlitə] s lettiga f; figliata f (di animali); rifiuti m/pl; ~**basket**, ~**bin** secchio m della spazzatura

little [ˈlitl] a piccolo; poco; ~**finger** mignolo m; s poco m; adv poco

live [laiv] a vivo; vivente; [liv] v/i vivere; abitare; ~**lihood** [ˈlaivlihud] sussistenza f; ~**ly** [ˈlaivli] vivace

liver [ˈlivə] fegato m

livestock [ˈlaivstɔk] bestiame m

livid [ˈlivid] livido; furioso

living [ˈliviŋ] a vivo; vivente; s vita f; ~**room** soggiorno m

lizard [ˈlizəd] lucertola f

load [loud] *s* carica *f; v/t* caricare

loaf [louf], *pl* **loaves** [~vz] pagnotta *f;* pane *m; v/i* oziare; **~er** bighellone *m*

loam [loum] terriccio *m*

loan [loun] *s* prestito *m; v/t* prestare; **on ~** in prestito

loath [louθ] restio; **~e** [louð] *v/t* detestare; **~some** ripugnante

lobby [ˈlɔbi] ingresso *m;* corridoio *m*

lobe [loub] lobo *m*

lobster [ˈlɔbstə] aragosta *f*

loca|l [ˈloukəl] locale; **~lity** [~ˈkæliti] località *f;* **~lize** *v/t* localizzare; **~te** [louˈkeit] *v/t* individuare; **be ~ted** trovarsi; **~tion** situazione *f*

loch [lɔk] *Scot* lago *m*

lock [lɔk] *s* serratura *f;* chiusa *f; v/t* chiudere a chiave

locomotive [ˌloukəˈmoutiv] locomotiva *f*

locust [ˈloukəst] locusta *f*

lodge [lɔdʒ] casetta *f;* portineria *f; v/t, v/i* alloggiare; **~er** pensionante *m;* **~ings** *pl* stanze *f/pl* in affitto

loft [lɔft] abbaino *m;* solaio *m;* **~y** alto; altero

log [lɔg] ceppo *m;* tronco *m;* **~(-book)** *naut* diario *m* di bordo

loggerhead [ˈlɔgəhed]: **at ~s with** in urto con

loggia [ˈlɔdʒə] loggia *f*

logic [ˈlɔdʒik] logica *f;* **~al** logico

loin [lɔin] lombo *m*

loiter [ˈlɔitə] *v/i* indugiare

London [ˈlʌndən] Londra *f;* **~er** londinese *m, f*

lone|liness [ˈlounlinis] solitudine *f;* **~ly, ~some** solitario; solo

long [lɔŋ] *a* lungo; *adv* a lungo; **in the ~ run** alla lunga; **as ~ as** finché; **~ ago** molto tempo fa; **all day ~** tutto il giorno; **how ~?** per quanto tempo?; **no ~er** non più; **~ since** da molto tempo; **~ for** *v/i* bramare, desiderare *(fortemente)*

long-distance call telefonata *f* interurbana

longing desiderio *m (forte)*

look [luk] *s* sguardo *m;* aspetto *m;* espressione *f; v/i* guardare; sembrare; **~ after** curare; occuparsi di; **~ at** guardare; **~ for** cercare; **~ bad** star male; sembrare brutto; **~ into** investigare; **~ out** take care; badare; **~ over** riguardare; **~ing-glass** specchio *m*

loom [lu:m] telaio *m*

loop [lu:p] laccio *m;* **~hole** scappatoia *f*

loose [lu:s] sciolto; **~n** *v/t* sciogliere

loot [lu:t] bottino *m; v/t* saccheggiare

lord [lɔːd] signore *m;* **Mayor** Sindaco *m* di Londra; **2's Prayer** paternostro *m*

lorry [ˈlɔri] camion *m;* autotreno *m*

los|e [lu:z] *v/t, irr* perdere; **~s** [lɔs] perdita *f;* **be at a ~s**

non sapere che fare; **.t** perduto; **get .t** perdersi

lost-property office ufficio m oggetti smarriti

lot [lɔt] destino m; sorte f; quantità f; **a ~ of, ~s of** molto

lotion ['louʃən] lozione f

lottery ['lɔtəri] lotteria f

lotus ['loutəs] loto m

loud [laud] alto; forte; vistoso; **.ly** ad alta voce; **~speaker** altoparlante m

lounge [laundʒ] salotto m

louse [laus], pl **lice** [lais] pidocchio m

lout [laut] zoticone m

love [lʌv] s amore m; v/t amare; voler bene; **fall in ~** innamorarsi; **make ~** far l'amore; **~affair** amore m/pl; **~r** amante m/pl; **~ly** bello; **~story** romanzo m d'amore

loving ['lʌviŋ] affettuoso

low [lou] a basso; v/i muggire; **~er** a più basso; inferiore; v/t abbassare; **~lands** terra f bassa; **~ly** umile; **~tide,~water** marea f bassa

loyal ['lɔiəl] leale; **~ty** lealtà f

lozenge ['lɔzindʒ] losanga f; pasticca f

lubricant ['luːbrikənt] a, s lubrificante (m); **~te** v/t lubrificare

lucid ['luːsid] lucido

luck [lʌk] sorte f; fortuna f; **~y** fortunato; **bad ~** sfortuna f; **good ~** buona fortuna f

lucrative ['luːkrətiv] lucrativo

ludicrous ['luːdikrəs] ridicolo; assurdo

lug [lʌg] v/t reascinare

luggage ['lʌgidʒ] bagagli m/pl; **~carrier** facchino m; **~ (delivery) office** ufficio m dei bagagli; **~ ticket** scontrino m dei bagagli; **~van** bagagliaio m

lukewarm ['luːkwɔːm] tepido; fig indifferente

lull [lʌl] s momento m di calma; v/t cullare; addormentare; **~aby** ['~əbai] ninnananna f

lumbago [lʌm'beigou] lombaggine f

lumber ['lʌmbə] legname m

luminous ['luːminəs] luminoso

lump [lʌmp] s massa f; pezzo m; gonfiore m; zolletta f (di zucchero); **~ sum** somma f globale

lunacy ['l(j)uːnəsi] pazzia f; follia f; **~r** lunare; **~tic** ['~nətik] a, s pazzo (m); **~tic asylum** manicomio m

lunch [lʌntʃ] (seconda) colazione f

lung [lʌŋ] polmone m

lurch [ləːtʃ] v/i traballare

lure [ljuə] s attrattiva f; inganno m; v/t attrarre

luscious ['lʌʃəs] saporoso

lust [lʌst] sensualità f; lussuria f

lusty ['lʌsti] robusto

Lutheran ['luːθərən] a, s luterano (m)

luxurious [lʌg'zjuəriəs] lussuoso; **~y** ['lʌkʃəri] lusso m

lying falso
lymph [limf] linfa *f*
lynch [lintʃ] *v/t* linciare

lynx [liŋks] lince *f*
lyric ['lirik] *a* lirico; *s* poema *m* lirico

M

macaroni [ˌmækə'rouni] pasta *f* asciutta; maccheroni *m/pl*
machine [mə'ʃiːn] macchina *f*; **~gun** mitragliatrice *f*; **sewing-~** macchina da cucire
mackerel ['mækrəl] sgombro *m*
mack [mæk] *fam for* **mackintosh** ['ɪntɔʃ] impermeabile *m*
mad [mæd] pazzo; folle; **~ about** andare pazzo per; **go ~** impazzire
madam ['mædəm] signora *f*
made [meid] fatto; fabbricato; **~ up** fittizio; truccato
madhouse manicomio *m*
magazine [mægə'ziːn] rivista *f*
magic ['mædʒik] *a* magico; *s* magia *f*; **~ian** [mə'dʒiʃən] mago *m*
magistrate ['mædʒistreit] · magistrato *m*
magnet ['mægnit] calamita *f*; **~ic** magnetico
magnify ['mægnifai] *v/t* ampliare; esagerare
magnitude ['mægnitjuːd] grandezza *f*
mahogany [mə'hɔgəni] mogano *m*
maid [meid] cameriera *f*; **old ~** zitella *f*

mail [meil] *s* corrispondenza *f*; *v/t* mandare per posta; **~box** buca *f* per lettere; **~man** postino *m*
maim [meim] *v/t* mutilare
main [mein] principale; essenziale; **~land** continente *m*
maintain [mein'tein] *v/t* mantenere; sostenere; **~tenance** ['meintənəns] mantenimento *m*; manutenzione *f*
maize [meiz] granturco *m*
majestic [mə'dʒestik] maestoso; **~y** ['mædʒisti] maestà *f*; maestosità *f*
major ['meidʒə] *s* maggiore *m*; *a* maggiore; più importante; **~ road** strada *f* principale
majority [mə'dʒɔriti] maggioranza *f*; età *f* maggiore
make [meik] *s* marca *f*; fattura *f*; fabbricazione *f*; *v/t*, *irr* fare; produrre; **~ fun of** prendere in giro; **~ good** riparare; **~ known** far sapere; far conoscere; **~ the best of** approfittare; **~ out** stendere; capire; **~ up** formare; comporre; truccarsi; **~ up for** compensare; **~ up one's mind** decidersi; **~ it up** far pace; **~r** creatore *m*; **~shift** espediente *m*; **~up** trucco *m*

malady ['mælədi] malattia f

malaria [mə'lɛəriə] malaria f

male [meil] s maschio m; a maschile

male|diction [mæli'dikʃən] maledizione f; **~factor** malfattore m; **~volent** [mə'levələnt] malevolo

malic|e ['mælis] malignità f; **~ious** [mə'liʃəs] maligno

malignant [mə'lignənt] maligno

malnutrition [ˌmælnju(:)-'triʃən] cattiva nutrizione f

malt [mɔːlt] malto m

mammal ['mæməl] mammifero m

man [mæn], pl **men** [men] uomo m

manage ['mænidʒ] v/t dirigere; amministrare; v/i riuscire; **~ment** direzione f; gestione f; **~r** direttore m; amministratore m; gestore m; impresario m

mandate ['mændeit] mandato m

mane [mein] criniera f

maneuver [mə'nuːvə] Am for manoeuvre

manger ['meindʒə] mangiatoia f

mangle ['mæŋgl] s mangano m; v/t manganare

mania ['meinjə] mania f

manifest ['mænifest] a manifesto; chiaro; v/t manifestare

manifold ['mænifould] molteplice

manipulate [mə'nipjuleit] v/t manipolare

man|kind [mæn'kaind] genere m umano; **~ly** virile

manner ['mænə] maniera f; modo m; **~s** pl maniere f/pl

manoeuvre [mə'nuːvə] s manovra f; v/t, v/i manovrare

manslaughter ['mænˌslɔːtə] omicidio m

mansion ['mænʃən] palazzo m

mantelpiece ['mæntlpiːs] mensola f di caminetto

manual ['mænjuəl] a, s manuale (m)

manufacture [ˌmænju'fæktʃə] s fabbricazione f; v/t fabbricare

manure [mə'njuə] concime m; v/t concimare

manuscript ['mænjuskript] manoscritto m

many ['meni] molti(e); **a great ~** moltissimi(e)

map [mæp] carta f

maple ['meipl] acero m

marble ['mɑːbl] marmo m

March [mɑːtʃ] marzo m

mare [mɛə] giumenta f

margarine [ˌmɑːdʒə'riːn] margarina f

margin ['mɑːdʒin] margine m; bordo m

marine [mə'riːn] a marino; marittimo; s marina f

marionette [ˌmæriə'net] pupazzo m

maritime ['mæritaim] marittimo

mark [mɑːk] s segno m;

marca *f*; voto *m* (*scolastico*; *v/t* segnare; marcare; correggere (*compiti*); **~ed** segnato

market ['mɑːkit] *s* mercato *m*; *v/t* piazzare sul mercato

marmalade ['mɑːməleid] marmellata *f* di arance

marquis ['mɑːkwis] marchese *m*

marri|age ['mæridʒ] matrimonio *m*; **~age certificate**, **~age lines** *pl* fede *f* di matrimonio; **~ed** sposato(a); **get ~ed** sposarsi

marrow ['mærou] midolla *f*; zucchino *m*

marry ['mæri] *v/t* sposare; sposarsi con; *v/i* sposarsi

marsh [mɑːʃ] palude *f*

marshal ['mɑːʃəl] maresciallo *m*

martial ['mɑːʃəl] marziale

martyr ['mɑːtə] martire *m*

marvel ['mɑːvəl] *s* meraviglia *f*; *v/t* meravigliarsi; **~(l)ous** meraviglioso

mascot ['mæskət] portafortuna *f*

masculine ['mæskjulin] maschile

mash [mæʃ] *v/t* schiacciare; **~ed potatoes** *pl* purè *m* di patate

mask [mɑːsk] maschera *f*

mason ['meisn] muratore *m*; massone *m*; **~ry** massoneria *f*

mass [mæs] massa *f*; (*church*) messa *f*

massage ['mæsɑːʒ] *s* massaggio *m*; *v/t* fare massaggi a

massive ['mæsiv] massiccio

mast [mɑːst] albero *m*

master ['mɑːstə] *s* padrone *m*; maestro *m*; *v/t* impadronirsi di; **~key** comunella *f*; **~ly** autorevole; **~piece** capolavoro *m*

mat [mæt] stoia *f*

match [mætʃ] fiammifero *m*; partita *f*; uguale *m*; *v/t* assortire; **~ing** assortito

mate [meit] *s* compagno *m*; *naut* secondo *m*; *v/t* accoppiare

material [mə'tiəriəl] *s* materiale *m*; tessuto *m*; *a* materiale

matern|al [mə'təːnl] materno; **~ity** maternità *f*

mathematic|ian [mæθimə-'tiʃən] matematico *m*; **~s** [~'mætiks] *pl* matematica *f*

maths [mæθs] *fam* for **mathematics**

matriculate [mə'trikjuleit] *v/t, v/i* immatricolare

matron ['meitrən] matrona *f*; caposala *f* (*in un ospedale*)

matter ['mætə] *s* cosa *f*; faccenda *f*; **what's the ~?** che cosa c'è?; **it doesn't ~** non importa; *v/i* importare; **a ~ of fact** fatto *m*

mattress ['mætris] materasso *m*

matur|e [mə'tjuə] *a* maturo; *comm* scaduto; *v/i* maturare; *comm* scadere; **~ity** maturità *f*; *comm* scadenza *f*

Maundy Thursday ['mɔːndi] giovedì *m* santo

May [mei] maggio *m*

may [mei] *v/d* potere; **~ I come in?** posso entrare?; **~be** forse

mayonnaise [ˌmeiəˈneiz] maionese *m*

mayor [mɛə] sindaco *m*

maze [meiz] labirinto *m*

me [mi(:)] *pron* me; mi; **it's ~** sono io; **he told ~ me** disse

meadow [ˈmedou] prato *m*

meagre, *Am* **~er** [ˈmiːgə] magro; scarno; povero

meal [miːl] pasto *m*; farina *f*

mean [miːn] *s* medio; meschino; *v/t, ir* significare; voler dire; **~s** *pl* mezzi *m/pl*; **by no ~s** in nessun modo; per niente; **by ~s of** per mezzo di

meaning significato *m*; **~less** senza senso

mean|time, **~while** frattempo

measles [ˈmiːzlz] *sg* morbillo *m*

measure [ˈmeʒə] *s* misura *f*; *v/t* misurare; **~ment** misura *f*

meat [miːt] carne *f*

mechanic [miˈkænik] meccanico *m*; **~al** meccanico; **~cs** *pl* meccanica *f*; **~sm** [ˈmekənizəm] meccanismo *m*; **~ze** *v/t* meccanizzare

medal [ˈmedl] medaglia *f*

meddle [ˈmedl] *v/i* intromettere

mediate [ˈmiːdieit] *v/t, v/i* mediare; **~ion** mediazione *f*

medic|al [ˈmedikəl] medico; **~ine** [ˈmedsin] medicina *f*

medieval [ˌmediˈiːvəl] medioevale

meditat|e [ˈmediteit] *v/t, v/i* meditare; **~ion** meditazione *f*

Mediterranean [meditəˈreinən] (**Sea**) (Mar *m*) mediterraneo

medium [ˈmiːdjəm] *a* medio; *s* mezzo *m*

meek [miːk] remissivo

meet [miːt] *v/t, v/i, ir* incontrare; far fronte; **~ing** riunione *f*; incontro *m*

melancholy [ˈmelənkəli] malinconia *f*

mellow [ˈmelou] maturo; tenere

melon [ˈmelən] mellone *m*

melt [melt] *v/t* fondere; sciogliere; *v/i* fondersi; sciogliersi

member [ˈmembə] membro *m*; socio *m*; **~ship** affiliati *m/pl*

memory [ˈmeməri] memoria *f*; ricordo *m*

men [men] *pl of* **man**

menace [ˈmenəs] *s* minaccia *f*; *v/t, v/i* minacciare

mend [mend] *v/t* accomodare; rammendare; riparare

menstruation [ˌmenstruˈeiʃən] mestruazione *f*; regole *f/pl*

mental [ˈmentl] mentale; **~ home** manicomio *m*

mention [ˈmenʃən] *s* accenno *m*; *v/t* accennare; **don't ~ it!** prego!, non c'è di che!

menu [ˈmenju:] lista *f*

merchan|dise [ˈməːtʃəndaiz] merce *f*; **~t** commerciante *m*

merci|ful ['mə:siful] misericordioso; **~less** senza pietà

mercury ['mə:kjuri] mercurio *m*

mercy ['mə:si] misericordia *f*; pietà *f*

mere [miə] semplice

merge [mə:dʒ] *v/t* fondere; *v/i* fondersi

merit ['merit] *s* merito *m*; *v/t* meritare

merr|iment ['meriment] allegria *f*; **~y** allegro; **~y-go-round** carosello *m*

mess [mes] pasticcio *m*; confusione *f*; **make a ~** fare un pasticcio

mess|age ['mesidʒ] messaggio *m*; **~enger** ['mesindʒə] messaggero *m*

metal ['metl] *s* metallo *m*; *a* di metallo; **~lic** [mi'tælik] metallico

meter ['mi:tə] contatore *m* (*del gas, della luce*)

method ['meθəd] metodo *m*

metre, *Am* **~er** ['mi:tə] metro *m*

metropolitan [metrə'pɔlitən] metropolitano

mew [mju:] *v/i* miagolare

Mexic|an ['meksikn] *a, s* messicano (*m*); **~o** Messico *m*

mice [mais] *pl of* **mouse**

microphone ['maikrəfoun] microfono *m*

middle ['midl] *a* medio; di mezzo; *s* mezzo *m*; **2 Ages** medioevo *m*; **~ class** ceto *m*

medio; classe *f* media

midnight mezzanotte *f*

midwife levatrice *f*

might [mait] *s* potere *m*; **~y** potente

migra|te [mai'greit] *v/i* migrare; **~tion** migrazione *f*

mild [maild] mite; dolce

mile [mail] miglio *m*

military ['militəri] militare

milk [milk] *s* latte *m*; *v/t* mungere; **~man** lattaio *m*

mill [mil] molino *m*; fabbrica *f*

milliner ['milinə] modista *f*

million ['miljən] milione *m*; **~aire** [~'nɛə] miliardario *m*

mimic ['mimik] *v/t* imitare

mince [mins] *s* carne *f* tritata; *v/t* tritare

mind [maind] *s* mente *f*; spirito *m*; **bear in ~** tenere presente; **change one's ~** cambiare idea; *v/t* badare a; *v/i* dispiacersi; **do you ~?** ti dispiace?; **never ~** non importa

mine[1] ['main] *pron poss* mio, mia, miei, mie; **il mio**, la mia, i miei, le mie

mine[2] [main] *s* miniera *f*; mina *f*; *v/t, v/i* minare; **~r** minatore *m*

mineral ['minərəl] minerale *m*

mingle ['miŋgl] *v/t* mescolare

miniature ['minjətʃə] miniatura *f*

minimum ['miniməm] *a, s* minimo *m*

minist|er ['ministə] ministro *m*; pastore *m*; **~ry** mi-

mode

nistero m

mink [miŋk] visone m

minor ['mainə] a minore; s minorenne m; **ity** [**ʌ**ʹnɔriti] minoranza f; (age) minorità f

minster ['minstə] duomo m

minstrel ['minstrəl] trovatore m

mint [mint] bot menta f; zecca f

minus ['mainəs] prp meno

minute [mai'nju:t] a minuto; ['minit] s minuto m; **s** pl verbale m

miracle ['mirəkl] miracolo m; **ulous** miracoloso

mirror ['mirə] specchio m

mirth [mə:θ] allegria f

misadventure disgrazia f

misapply v/t applicare sbagliatamente

misapprehend v/t fraintendere; **sion** malinteso m

misbehave v/i comportarsi male

miscarriage aborto m; **y** v/i abortire

mischief ['mistʃif] birichinata f; **vous** birichino

misdeed malefatto m

miser ['maizə] avaro m

miserable ['mizərəbl] misero; **y** miseria f

mishap ['mishæp] contrattempo m; incidente m

mislay v/t, irr (lay) smarrire

mislead v/t, irr (lead) sviare; ingannare

mismanage v/t amministrare male; **ment** cattiva amministrazione f

misprint [mis'print] errore m di stampa

misrule malgoverno m; v/t governare male

Miss [mis] s signorina f

miss [mis] v/t perdere; sentire la mancanza di; v/i mancare

missile ['misail] missile m

mission ['miʃən] missione f

mist [mist] nebbia f

mistake [mis'teik] s sbaglio m; v/t fraintendere; **by ~** per sbaglio; **make a ~** fare uno sbaglio

Mister ['mistə] signore m

mistletoe ['misltou] vischio m

mistress ['mistris] padrona f; (school) maestra f; signora f; amante f

mistrust [mis'trʌst] s sfiducia f; v/t diffidare di

misty ['misti] nebbioso

misunderstand v/t, irr (stand) fraintendere; **ing** malinteso m

misuse [mis'ju:z] s abuso m; maltrattamento m; v/t abusare; maltrattare

mix [miks] v/t mescolare; v/i mescolarsi; **ture** miscela f; miscuglio m

moan [moun] s gemito m; v/i gemere

mob [mɔb] folla f

mobile ['moubail] mobile

mock [mɔk] a falso; finto; imitato; v/t deridere; **ery** derisione f

mode [moud] (way) modo m; (fashion) moda f

model

model ['mɔdl] a modello; s modello m; modella f

moderate ['mɔdərit] a moderato; v/t moderare

modern ['mɔdən] moderno

modest ['mɔdist] modesto; **~y** modestia f

modify ['mɔdifai] v/t modificare

moist [mɔist] umido

molar ['mɔulə] ~ **teeth** pl molari m/pl

molest [mou'lest] v/t molestare

moment ['moumənt] momento m; **~ary** momentaneo

monarch ['mɔnək] monarca m; **~y** monarchia f

monastery ['mɔnəstəri] monastero m

Monday ['mʌndi] lunedì m

monetary ['mʌnitəri] monetario

money ['mʌni] denaro m; **~ order** vaglia m postale

monk [mʌŋk] monaco m

monkey ['mʌŋki] scimmia f

monopolize [mə'nɔpəlaiz] v/t monopolizzare

monotonous [mə'nɔtənəs] monotono

monst|er ['mɔnstə] s mostro m; a enorme; **~rous** mostruoso

month [mʌnθ] mese m; **~ly** mensile

monument ['mɔnjumənt] monumento m

mood [mu:d] umore m; capriccio m; **~y** di malumore; capriccioso

moon [mu:n] luna f; **~light** luce f della luna; **~shine** chiaro m di luna

moor [muə] s brughiera f; v/t ormeggiare

mop [mɔp] straccio m; v/t pulire

moral ['mɔrəl] a, s morale (m); **~ity** moralità f; **~ize** v/t, v/i moralizzare; **~s** pl morale f

morbid ['mɔ:bid] morboso

more [mɔ:] a più; adv più; di più; **~ and ~** sempre più; **once ~** ancora una volta; **~over** inoltre

morning ['mɔ:niŋ] mattina f; **good ~** buon giorno; **tomorrow ~** domani mattina; a mattutino

morose [mə'rous] non socievole; sgarbato

morph|ia ['mɔ:fjə], **~ine** ['~fi:n] morfina f

mortal ['mɔ:tl] a, s mortale (m); **~ity** [~'tæliti] mortalità f

mortgage ['mɔgidʒ] s ipoteca f; v/t ipotecare

mortician [mɔ:'tiʃən] Am imprenditore m di pompe funebri

mortuary ['mɔ:tjuəri] camera f mortuaria

mosaic [mou'zeiik] mosaico m

Moslem ['mɔzləm] cf **Muslim**

mosque [mɔsk] moschea f

mosquito [məs'ki:tou] zanzara f; **~net** zanzariera f

moss [mɔs] muschio m

most [moust] *a* la maggior parte; *adv* il più; **at (the)** ~ al più; **~ly** per lo più

moth [moθ] tarma *f*

mother ['mʌðə] madre *f*; **~country** patria *f*; **~hood** maternità *f*; **~in-law** suocera *f*; **~ly** materno; **~of-pearl** madreperla *f*; **~ tongue** lingua *f* materna

motif [mou'ti:f] motivo *m*

motion ['mouʃən] movimento *m*; **~less** immobile; **~ picture** pellicola *f*

motive ['moutiv] *a* motivo *m*; *a* motore

motor ['moutə] *a, s* motore (*m*); **~bicycle, ~bike** motocicletta *f*; **~boat** motoscafo *m*; **~car** automobile *f*; **machina *f*; ~cycle** motocicletta *f*; **~ist** automobilista *m*; **~ize** motorizzare; **~ road** autostrada *f*

mould [mould] *s* muffa *f*; forma *f*; *v/t* modellare; formare

mound [maund] montagnola *f*

mount [maunt] *s* monte *m*; *v/t* salire

mountain ['mauntin] montagna *f*; **~eer** [~'niə] alpinista *m*; **~ range** catena *f* di montagne

mourn [mɔ:n] *v/t, v/i* piangere; **~ful** afflitto; lugubre; **~ing** lutto *m*

mouse [maus], *pl* **mice** [mais] topo *m*

moustache [məs'ta:ʃ] baffi *m/pl*

mouth [mauθ], *pl* **~s** [mauðz] bocca *f*; sbocco *m*; **~ful** boccata *f*; boccone *m*; **~piece** bocchino *m*; portavoce *m*

move [mu:v] *s* mossa *f*; *v/t* muovere; *v/i* muoversi; **~ment** movimento *m*; **~ies** ['mu:viz] *pl* cinema *m*; **~ing** commovente

much [mʌtʃ] molto; **as ~ as** tanto quanto; **so ~ the better** tanto meglio; **too ~** troppo; **very ~** moltissimo

muck [mʌk] sudiciume *m*

mucus ['mjukəs] *biol* muco *m*

mud [mʌd] fango *m*

muddle ['mʌdl] *s* confusione *f*; imbroglio *m*; *v/t* imbrogliare

muddy ['mʌdi] fangoso; **~guard** parafango *m*

muff [mʌf] manicotto *m*

muffle ['mʌfl] *v/t* attutire

mug [mʌg] coppa *f*

mulberry ['mʌlbəri] moro *m*

mule [mju:l] mulo *m*

multiple ['mʌltipl] *s, a* multiplo (*m*); **~plication table** [~pli'keiʃən] abbaco *m*; tavola *f* pitagorica; **~ply** ['~plai]; *v/t* moltiplicare; **~tude** moltitudine *f*

mumble ['mʌmbl] *v/t, v/i* borbottare

mummy ['mʌmi] mummia *f*

mumps [mʌmps] *pl* orecchioni *m/pl*

munch [mʌntʃ] *v/t* masticare

municipal [mju(:)'nisipəl] municipale; **~ity** [~'pæliti] municipalità f

munition [mju(:)'niʃən], pl munizioni f/pl

murder ['mə:də] s assassinio m; v/t assassinare; **~er** er assassino m

murmur ['mə:mə] s mormorio m; v/t mormorare

musc|le ['mʌsl] muscolo m; **~ular** ['~kjulə] muscoloso

muse [mju:z] v/t, v/i meditare

museum [mju(:)'ziəm] museo m

mushroom ['mʌʃrum] fungo m

music ['mju:zik] musica f; **~al** a musicale; s film m musicale; **~al comedy** operetta f; **~hall** varietà f; **~ian** musicista m, f

musket ['mʌskit] moschetto m; **~eer** moschettiere m

Muslim ['muslim] a, s mussulmano (m)

must¹ [mʌst] v/d dovere; avere a; **I ~ write** devo scrivere; **it ~ be late** deve essere tardi

must² [mʌst] s muffa f

mustache ['mʌstaʃ] Am baffi m/pl

mustard ['mʌstəd] senape f; mostarda f

muster ['mʌstə] v/t radunare

musty ['mʌsti] ammuffito

mute [mju:t] a muto; s muto(a) m(f)

mutilate ['mju:tileit] v/t mutilare

mutin|ous ['mju:tinəs] sedizioso; ribelle; **~y** ammutinamento m

mutter ['mʌtə] v/t, v/i borbottare

mutton ['mʌtn] carne f di montone

mutual ['mju:tʃuəl] reciproco

muzzle ['mʌzl] museruola f

my [mai] a poss mio, mia, miei, mie

myrtle ['mə:tl] mirto m

myself [mai'self] me stesso

myst|erious [mis'tiəriəs] misterioso; **~ery** ['~təri] mistero m; **~ify** ['mistifai] v/t mistificare

N

nag [næg] v/t trovare da ridire su tutto

nail [neil] s chiodo m; v/t inchiodare

naïve [nɑː'iːv] ingenuo

naked ['neikid] nudo

name [neim] s nome m; v/t nominare; **~less** senza nome; **what is your ~?** Qual'è il suo nome?

nanny ['næni] bambinaia f

nap [næp] pisolino m; pelo m

nape [neip] nuca f

napkin ['næpkin] tovagliolo m

narcosis [nɑː'kousis] narcosi f

narcotic ['nɑːˈkɔtik] *a, s* narcotico (*m*)

narrate [næˈreit] *v/t* narrare; **~ion** narrazione *f*

narrow ['nærou] *a* stretto; ristretto; *v/t* restringere; *v/i* restringersi

nasty ['nɑːsti] brutto

nation ['neiʃən] nazione *f*; **~al** ['næʃənl] nazionale; **~ality** [~'næliti] nazionalità *f*

native ['neitiv] *a* nativo; indigeno; *s* indigeno *m*; **~ language** lingua *f* madre

natural ['nætʃrəl] naturale

nature ['neitʃə] natura *f*

naught [nɔːt] zero *m*

naughty ['nɔːti] birichino

nausea ['nɔːsjə] nausea *f*; **~ting** ['~ieitin] ripugnante

nave [neiv] navata *f*

navel ['neivəl] ombelico *m*

navy ['neivi] marina *f*

near [niə] *a* vicino; *adv* vicino; *prp* vicino a; *v/i* avvicinarsi; **~ly** quasi; **~ness** prossimità *f*; **~sighted** miope

neat [niːt] ordinato

necessary ['nesisəri] necessario

necessitate [ni'sesiteit] *v/t* richiedere; **~y** necessità *f*

neck [nek] collo *m*; **~lace** ['~lis] collana *f*; **~tie** cravatta *f*

need [niːd] *s* bisogno *m*; *v/t, v/i* aver bisogno di; **he ~ not come** non è necessario che venga

needle ['niːdl] ago *m*

negation [ni'geiʃən] negazione *f*; **~ve** ['negətiv] *s* negativo *m*; *a* negativo

neglect [nig'lekt] *s* trascuratezza *f*; *v/t* trascurare

negligible ['neglidʒəbl] trascurabile

negotiate [ni'gouʃieit] *v/t* negoziare; contrattare; **~ion** trattative *f/pl*

negress ['niːgris] negra *f*; **~o**, [~'ou], *pl* **~oes** negro *m*

neighbo(u)r ['neibə] vicino(a) *m* (*f*); **~hood** vicinanza *f*; **~ing** vicino

neither ['neiðə, *Am* 'niːðə] *a, pron* nessuno (dei due); *conj* nè; neppure; **~ ... nor** nè ... nè

nephew ['nevju(ː)] nipote *m*

nerve [nəːv] nervo *m*; **~ous** nervoso; **~ousness** nervosità *f*

nest [nest] nido *m*

net [net] rete *f*

Netherlands ['neðələndz] *pl* Paesi *m/pl* Bassi

nettle ['netl] ortica *f*

network ['netwəːk] rete *f*

neurosis [njuə'rousis] nevrosi *f*

neuter ['njuːtə] *a, s* neutro (*m*); **~ral** *a, s* neutro (*m*); **~ral gear** *aut* marcia *f* folle

never ['nevə] mai; non ... mai; **~theless** nonostante

new [njuː] nuovo; fresco; **~born** neonato; *s* **~** [njuː] *pl* notizie *f/pl*; **~s-boy** giornalaio *m*; **~spaper** giornale *m*; **~sreel** attualità *f/pl*; notiziario *m*; ♀ **Year's Day** il primo dell'anno

next [nekst] *a* prossimo; **~door** accanto; **~ month** il mese prossimo; **~ time** la volta prossima

nibble ['nibl] *v/t*, *v/i* rosicchiare

nice [nais] simpatico; bello; carino

nickname ['nikneim] soprannome *m*

nicotine ['nikəti:n] nicotina *f*

niece [[ni:s] nipote *f*

niggardly ['nigədli] taccagno

night [nait] notte *f*; **at ~** di notte; **last ~** stanotte; ieri sera; **tomorrow ~** domani sera; **~-gown** camicia *f* da notte; **~ingale** rosignolo *m*

nip [nip] *s* pizzicotto *m*; *v/t* pizzicare

nipple ['nipl] capezzolo *m*

no [nou] *adv* no; non; *a* nessuno; **it's ~ good** non serve; **~ matter** non importa; **~ one** nessuno

noble ['noubl] nobile

nobody ['noubədi] nessuno

nod [nɔd] *s* cenno *m*; *v/i* fare cenno

nois|e [nɔiz] rumore *m*; **~eless** silenzioso; **~y** rumoroso

nomina|l ['nɔminl] nominale; **~te** ['..eit] *v/t* nominare; **~tion** nomina *f*

non|-alcoholic analcolico; **~descript** indefinito

none [nʌn] nessuno

non-existent inesistente

nonsense ['nɔnsəns] sciocchezze *f/pl*

non|-smoker non fumatori *m/pl*; **~stop** senza fermate

noodle ['nu:dl]: **~s** *pl* tagliatelle *f/pl*

noon [nu:n] mezzogiorno *m*

nor [nɔː] nè; neppure

north [nɔːθ] *s* nord *m*; *a* del nord; settentrionale; *adv* al nord; **~erly, ~ern** del nord; **~wards** al nord; verso il nord

Norw|ay ['nɔːwei] Norvegia *f*; **~egian** [nɔː'wiːdʒən] *a*, *s* norvegese (*m*, *f*)

nostrils ['nɔstrils] narici *f/pl*

not [nɔt] non; **~ at all** per niente; **~ yet** non ancora

notary ['noutəri] notaio *m*

note [nout] *s* nota *f*; biglietto *m*; appunto *m*; *v/t* notare; **~book** agenda *f*; quaderno *m*; **~paper** carta *f* da scrivere; **~worthy** notevole

nothing ['nʌθiŋ] niente; nulla; **for ~** gratis

notice ['noutis] *s* avviso *m*; attenzione *f*; *v/t* notare; avvertire; **give ~** preavvisare; dare gli otto giorni

notion ['nouʃən] nozione *f*; opinione *f*; idea *f*

notwithstanding [notwiθ-'stændiŋ] nonostante

nougat ['nuːgɑː] torrone *m*

noun [naun] nome *m*; sostantivo *m*

nourish ['nʌriʃ] *v/t* nutrire; **~ing** nutriente; **~ment** nutrimento *m*

novel ['nɔvəl] *a* nuovo; *s* romanzo *m*; **~ty** novità *f*

November [nou'vembə] novembre *m*

now [nau] ora; **~ and then** ogni tanto

nowhere ['nouwɛə] da nessuna parte

nuclear ['nju:kliə] nucleare; **~us** ['nju:kliəs] nucleo *m*

nude [nju:d] nudo

nuisance ['nju:sns] fastidio *m*

null [nʌl] nullo; **~ify** *v/t* annullare

numb [nʌm] intorpidito

number ['nʌmbə] *s* numero *m*; *v/t* numerare

numeral ['nju:mərəl] *s* numero *m*; *a* numerale; **~ous** numeroso

nun [nʌn] monaca *f*; **~nery** convento *m* (di monache)

nurse [nə:s] *s* infermiera *f*; bambinaia *f*; **~ing** cura *f*; **~ery** stanza *f* dei bambini; **~ery school** giardino *m* d'infanzia

nut [nʌt] noce *f*; *mech* dado *m*; **~crackers** schiaccianoci *m*

O

oak [ouk] quercia *f*

oar [ɔ:] *s* remo *m*; *v/t* remare

oat [out]: **~s** *pl* avena *f*

oath [ouθ] giuramento *m*; bestemmia *f*

oatmeal [giocchi *m/pl* d'avena

obdurate ['ɔbdjurit] ostinato

obedien|ce [ə'bi:djəns] ubbidienza *f*; **~t** ubbidiente

obey [ə'bei] *v/t* ubbidire

obituary [ə'bitjuəri] necrologia *f*

object ['ɔbdʒikt] oggetto *m*; *gram* complimento *m*; *v/t* obiettare; *v/i* opporsi; **~ion** obiezione *f*; **~ive** *a*, *s* obiettivo (*m*)

obligation [ɔbli'geiʃən] obbligo *m*; **~ory** [ə'bligətəri] obbligatorio

oblige [ə'blaidʒ] *v/t* obbligare; costringere

oblique [ə'bli:k] obliquo

obliterat|e [ə'blitəreit] *v/t* cancellare; spegnere

oblivious [ə'bliviəs] dimentico

oblong ['ɔblɔŋ] oblungo

obnoxious [ɔb'nɔkʃəs] odioso

obscene [ɔb'si:n] osceno

obscure [ɔb'skjuə] *a* oscuro; *v/t* oscurare

observan|ce [ɔb'zə:vəns] osservanza *f*; **~t** osservante

observ|ation [ɔbzə(:)-'veiʃən] osservazione *f*; **~atory** osservatorio *m*; **~e** *v/t* osservare; **~er** osservatore *m*

obsess [ɔb'ses] *v/t* ossessionare; **~ion** ossessione *f*

obsolete ['ɔbsəlit] caduto in disuso

obstacle [ˈɔbstəkl] ostacolo m

obstetric|ian [ˌɔbsteˈtriʃən] ostetrico m; ~s pl ostetricia f

obstina|cy [ˈɔbstinəsi] ostinazione f; ~te ostinato

obstruct [əbˈstrʌkt] v/t ostacolare

obtain [əbˈtein] v/t ottenere

obvious [ˈɔbviəs] ovvio

occasion [əˈkeiʒn] occasione f; ~al raro; ~ally di quando in quando

Occident [ˈɔksidənt] occidente m

occult [ɔˈkʌlt] occulto

occupant [ˈɔkjupənt] inquilino m; occupante m

occup|ation [ˌɔkjuˈpeiʃən] occupazione f; impiego m; ~y [ˈ~pai] v/t occupare

occur [əˈkə:] v/i accadere; ~rence [əˈkʌrəns] avvenimento m

ocean [ˈouʃən] oceano m; ~ liner transatlantico m

o'clock [əˈklɔk]: **it is two** ~ sono le due

October [ɔkˈtoubə] ottobre m

ocul|ar [ˈɔkjulə] oculare; ~ist oculista m, f

odd [ɔd] strano; dispari; strano; **thirty** ~ trenta e tanto; ~s **and ends** pl oggetti m/pl disparati

odo(u)r [ˈoudə] odore m

of [ɔv, əv] prp di, a, da, per; ~ **silk** di seta; **a friend** ~ **mine** un mio amico; ~ **late** ultimamente; ~ **course** naturalmente

off [ɔf] prp via da; lontano da; adv via; lontano; **take** ~ v/t togliere; v/i decollare (dell'aeroplano)

offen|ce, Am ~**se** [əˈfens] offesa f; reato m; ~d v/t offendere; v/i trasgredire; ~**sive** s offensiva f; a offensivo

offer [ˈɔfə] s offerta f; proposta f; v/t offrire; v/i offrirsi; ~**ing** offerta f

office [ˈɔfis] ufficio m; ~r ufficiale m

official [əˈfiʃəl] a ufficiale; s funzionario m

offspring [ˈɔ(:)fspriŋ] progenie f

often [ˈɔfn] spesso

oil [ɔil] s olio m; petrolio m; v/t ungere; ~**cloth** tela f cerata; ~**painting** pittura f a olio; ~**y** oleoso; untuoso

ointment [ˈɔintmənt] unguento m; pomata f

okay [ˈouˈkei] okay; va bene

old [ould] vecchio; anziano; antico; ~ **age** vecchiaia f; ~ **fashioned** passato di moda; all'antica; 2 **Testament** Antico Testamento m; ~ **town** città f vecchia

olive [ˈɔliv] oliva f

Olympic games [ouˈlimpik] pl olimpiadi f/pl

omelet(te) [ˈɔmlit] frittata f

omen [ˈoumen] augurio m; presagio m

ominous [ˈɔminəs] minaccioso

omis|sion [əˈmiʃən] omissione f; ~**t** v/t omettere

omnipotent [ɔmˈnipətənt]

onnipotente

on [ɔn] prp su; sopra; ~ **account of** a causa di; ~ **Monday** il lunedì; ~ **foot** a piedi; ~ **horseback** a cavallo; ~ **purpose** apposta; adv avanti; addosso; **go** ~! avanti!; **come** ~! andiamo!; **and so** ~ e così via

once [wʌns] una volta; **at** ~ subito; ~ **more** ancora una volta

one [wʌn] a un, uno(a); unico; pron uno m; una f; un tale m; ~ **hundred** cento; **it is** ~ è l'una; ~ **by** ~ a uno a uno; ~ **self** sè; sè stesso ~ **sided** unilaterale; ~ **way** (street) a senso unico

onion ['ʌnjən] cipolla f

only ['ounli] a unico; adv solo; solamente; conj solo che

onward ['ɔnwəd] avanti; ~**s** in avanti

open ['oupən] a aperto; libero; v/t aprire; v/i aprirsi; ~**ing** apertura f; inaugurazione f

opera ['ɔpərə] opera f; ~ **glasses** pl binocolo m da teatro

operate ['ɔpəreit] v/t operare; ~**ion** [ɔpə'reiʃən] operazione f; ~**or** ['ɔpəreitə] operatore m

opinion [ə'pinjən] opinione f

opponent [ə'pounənt] antagonista m; avversario m

opportun|e ['ɔpətju:n] opportuno; ~**ity** [ˌɔpə'tju:niti]

occasione f

oppos|e [ə'pouz] v/t opporre; opporsi a; ~**ed** contrario; ~**ing** contrario; opposto; ~**ite** ['ɔpəzit] s opposto m; a contrario; opposto; prp di fronte; ~**ition** [ɔpə'ziʃən] opposizione f

oppress [ə'pres] v/t opprimere; ~**ion** oppressione f; ~**ive** oppressivo

optic|al ['ɔptikəl] ottico; ~**ian** [ɔp'tiʃən] ottico m; ~**s** pl ottica f

optional ['ɔpʃənl] facoltativo

opulent ['ɔpjulənt] opulente

opus ['ɔpəs, 'oupəs] opera f

or [ɔ:] o; oppure

oral ['ɔ:rəl] orale

orange ['ɔrindʒ] arancia f; ~**ade** [ˌ'~eid] aranciata f

orator ['ɔrətə] oratore m

orchard ['ɔ:tʃəd] frutteto m

orchestra ['ɔ:kistrə] orchestra f

orchid ['ɔ:kid] orchidea f

ordain [ɔ:'dein] v/t ordinare

ordeal [ɔ:'di:l] prova f dura

order ['ɔ:də] s ordine m; **put in** ~ mettere in ordine; **out of** ~ guasto; **in** ~ **to** per (e infinito); **in** ~ **that** affinchè; v/t ordinare; ~**ly** ordinato

ordinary ['ɔ:dnri] comune; solito

ore [ɔ:] minerale m

organ ['ɔ:gən] organo m

organic [ɔ:'gænik] organico; ~**sm** ['ɔ:gənizəm] organismo m

organization [ˌɔ:gənai'zei-

[ən] organizzazione f; **~e**
['ɔːnaiz] v/t organizzare

orgy ['ɔːdʒi] orgia f

Orient ['ɔːriənt] Oriente m;
~al orientale

orientation [ˌɔːrien'teiʃən]
orientazione f

origin ['ɔridʒin] origine m;
~al [ə'ridʒənl] s, a originale
(m); **~ality** [əridʒi'næliti]
originalità f; **~ate** [ə'ridʒi-
neit] v/i avere origine

orna|ment ['ɔːnəmənt] s or-
namento m; v/t adornare;
~te [ɔː'neit] ornato

orphan ['ɔːfən] orfano(a) m
(f); **~age** orfanotrofio m

oscillate ['ɔsileit] v/i oscillare

ostrich ['ɔstritʃ] struzzo m

other ['ʌðə] a, pron altro,
altra, altri, altre; **the ~ day**
recentemente; **~wise**
['~waiz] altrimenti

ought [ɔːt] v/d: **I ~** dovrei; **he
~ to write** dovrebbe scri-
vere

ounce [auns] oncia f

our ['auə] a nostro(a, i, e); **~s**
il nostro, la nostra, i nostri,
le nostre; **~selves** noi stessi

oust [aust] v/t soppiantare

out [aut] adv fuori; prp fuori
di; **go ~** uscire; **way ~** uscita
f; **~ of danger** fuori pericolo; **~burst** esplosione f;
~come risultato m;
~doors all'aperto; **~fit**
corredo m; equipaggia-
mento m; **~law** fuorilegge
m; **~lay** spesa f; **~let** uscita
f; **~live** v/t sopravvivere a;

~look prospettiva f; **~put**
produzione f; **~rage** s oltraggio m; v/t oltraggiare;
~rageous scandaloso;
~side a, s esterno (m); adv
fuori; prp fuori di; **~skirts**
pl periferia f; **~spoken**
franco; sincero; **~standing**
preminente; comm in sospeso; **~ward** esteriore; esterno; **~wit** v/t superare (in
furberia)

oval ['ouvəl] a, s ovale (m)

oven ['ʌvn] forno m

over ['ouvə] prp sopra; **~
again** di nuovo; **~ and ~**
ripetutamente

over|all ['ouvərɔːl] grembiu-
le m; tuta f; **~board** in
mare; **~burden** v/t so-
vraccaricare; **~coat** sopra-
bito m; **~come** v/t, irr superare; vincere; **~do** v/t esagerare; **~due** scaduto; **~flow**
v/t inondare; v/i straripare;
~head costs pl spese f/pl
generali; **~hear** v/t, irr udire per caso; **~joyed** conten-
tissimo; **~load** v/t sovracca-
ricare; **~look** v/t dominare;
passare sopra; **~night** durante la notte; **~seas** d'ol-
tremare; **~sight** svista f;
~state v/t esagerare;
~strain tensione f eccessi-
va; **~take** v/t, irr raggiungere; sorpassare; **~throw** v/t
rovesciare; **~time** straordinario m

overture ['ouvətjuə] prelu-
dio m

over|turn v/t capovolgere;

~weight peso *m* eccessivo;
~whelm *v/t* sopraffare;
~work *v/i* lavorare troppo
owe [ou] *v/t* dovere
owing [ˈouin] *a* dovuto a
owl [aul] civetta *f*; gufo *m*
own [oun] *v/t* possedere; *a.*

proprio; **~er** proprietario *m*
ox [ɔks], *pl* **~en** [ˈ~ən]
bue *m*
ox|ide [ˈɔksaid] ossido *m*;
~ygen [ˈɔksidʒən] ossigeno
m
oyster [ˈɔistə] ostrica *f*

P

pace [peis] passo *m*
pacif|ic [pəˈsifik] pacifico;
~ist pacifista *m*, *f*; **~y**
[ˈpæsifai] *v/t* pacificare
pack [pæk] *s*, balla *f*; sacco *m*
(*di bugie*); banda *f* (*di ladri*);
mazzo *m* (*di carte*); *v/t* imballare; *v/i* fare le valige
pack|age [ˈpækidʒ] collo *m*;
balla *f*; **~et** pacchetto *m*
pact [pækt] patto *m*
pad [pæd] tampone *m*; cuscinetto *m*; **~ding** imbottitura *f*; **~lock** lucchetto *m*
pagan [ˈpeigən] *a*, *s* pagano
(*m*)
page [peidʒ] *s* pagina *f*; *v/t*
impaginare
pageant [ˈpædʒənt] corteo *m*
(*storico*)
pain [pein] *s* dolore *m*; pena
f; *v/t* affliggere; soffrire;
~ful doloroso; **~less** indolore
paint [peint] *s* pittura *f*; *v/t*
dipingere; *v/i* dipingersi;
~er pittore *m*; **~ing** pittura
f; quadro *m*
pair [pɛə] *s* paio *m*; **~ of
scissors** forbici *f/pl*; **~ of
scales** bilancia *f*; **~ of
glasses** occhiali *m/pl*; **~ of

trousers** pantaloni *m/pl*; **~
of shoes** paio *m* di scarpe;
v/t accoppiare
palace [ˈpælis] palazzo *m*;
reggia *f*
palate [ˈpælit] palato *m*
pale [peil] pallido; **grow ~**
impallidire
palm [pɑːm] palmo *m* (*della
mano*); palma *f*
palpitat|e [ˈpælpiteit] *v/i*
palpitare; **~ion** palpitazione
f
paltry [ˈpɔːltri] meschino
pamphlet [ˈpæmflit] opuscolo *m*
pan [pæn] tegame *m*; padella
f; **~cake** frittella *f*
pane [pein] vetro *m*
panel [ˈpænl] pannello *m*
pang [pæn] dolore *m* acuto
panic [ˈpænik] *s* panico *m*;
v/t perdere la testa
panther [ˈpænθə] pantera *f*
panties [ˈpæntiz] *pl fam* mutandine *f/pl*
pantry [ˈpæntri] dispensa *f*
pants [pænts] *pl* calzoni
m/pl; mutande *f/pl*
papa [pəˈpɑː] papà *m*
paper [ˈpeipə] carta *f*; gior-

nale *m*; **~back** libro *m* tascabile; **~ money** carta *f* moneta

par [pɑː] pari *f*; **be on a ~ with** essere alla pari di

parachute ['pærəʃuːt] paracadute *m*; **~ist** paracadutista *m*

parade [pə'reid] *s* sfilata *f*; *v/i* sfilare

paradise ['pærədais] paradiso *m*

paradox ['pærədɔks] paradosso *m*

paragraph ['pærəgrɑːf] paragrafo *m*

parallel ['pærəlel] *a*, *s* parallelo *m*

paraly|se, *Am* **~ze** ['pærəlaiz] *v/t* paralizzare; **~sis** [pə'rælisis] paralisi *f*

paramount ['pærəmaunt] supremo

parasite ['pærəsait] parassita *m*

parasol [ˌpærə'sɔl] parasole *m*

parcel ['pɑːsl] *s* pacco *m*; *v/t* fare un pacco

parch [pɑːtʃ] *v/t* inaridire; **~ment** pergamena *f*

pardon ['pɑːdn] *s* perdono *m*; *v/t* perdonare; **I beg your ~** scusi; **~able** perdonabile

pare [pɛə] *v/t* sbucciare

parent ['pɛərənt] padre *m*; madre *f*; **~s** *pl* genitori *m/pl*

parenthe|sis [pə'renθisis], *pl* **~ses** [-siːz] parentesi *f*

parish ['pæriʃ] parrocchia *f*; **~ priest** parroco *m*

park [pɑːk] *s* parco *m*; *v/t* parcheggiare; **~ing** parcheggio *m*

parliament ['pɑːləmənt] parlamento *m*; **Member of ♀ Brit** deputato *m*

parlo(u)r ['pɑːlə] salotto *m*

parrot ['pærət] pappagallo *m*

parsley ['pɑːsli] prezzemolo *m*

parsimony ['pɑːsiməni] parsimonia *f*

parson ['pɑːsn] parroco *m* (*anglicano*)

part [pɑːt] *s* parte *f*; **take ~** partecipare; *v/t* separare; *v/i* separarsi; **~ with** disfarsi di

partake [pɑː'teik] *v/i* partecipare

partial ['pɑːʃəl] parziale; **~ity** [ˌ-ʃi'æliti] parzialità *f*

participate [pɑː'tisipeit] *v/i* partecipare

particular [pə'tikjulə] *a* particolare; speciale; *s* particolare *m*; (**personal**) **~s** *pl* particolari *m/pl*

parting ['pɑːtiŋ] (*hair*) riga *f*

partisan [ˌpɑːti'zæn] *a*, *s* partigiano (*m*)

partition [pɑː'tiʃən] divisione *f*; parete *f* divisoria

partly ['pɑːtli] in parte

partner ['pɑːtnə] socio(a) *m* (*f*); **~ship** società *f*

partridge ['pɑːtridʒ] pernice *f*

party ['pɑːti] partito *m*; festa *f*; ricevimento *m*

pass [pɑːs] *s* passo *m*; pas-

pear

saggio *m*; *v/t* passare; approvare (*una legge*); **~age** ['pæsidʒ] passaggio *m*; corridoio *m*; brano *m*; **~enger** ['pæsindʒə] passeggero *m*; **~er-by** ['pɑːsə-'bai] passante *m*

passion ['pæʃən] passione *f*; **~ate** appassionato

passive ['pæsiv] passivo

pass|port ['pɑːspɔːt] passaporto *m*; **~word** parola *f* d'ordine

past [pɑːst] *a*, *s* passato (*m*); *prp* oltre; dopo; *adv* oltre; **half ~ six** le sei e mezzo; **~ hope** senza speranza

paste [peist] *s* pasta *f*; colla *f*; *v/t* incollare; **~board** cartone *m*

pastime ['pɑːstaim] passatempo *m*

pastry ['peistri] pasta *f* frolla; pasticceria *f*

pasture ['pɑːstʃə] *s* pascolo *m*; *v/t* pascolare

pat [pæt] *s* colpetto *m*; *v/t* dare colpetti (*con la mano*)

patch [pætʃ] *s* toppa *f*; *v/t* rattoppare; **~work** raffazzonamento *m*

patent ['peitənt, *Am* 'pætənt] *a* brevettato; *s* brevetto *m*; *v/t* far brevettare; **~ leather** pelle *f* lucida

patern|al [pə'tɜːnl] paterno; **~ity** paternità *f*

path [pɑːθ], *pl* **~s** [pɑːðz] sentiero *m*

pathetic [pə'θetik] patetico; commovente

patien|ce ['peiʃəns] pazienza

f; **~t** *a* paziente; *s* ammalato *m*

patriot ['peitriət] *a*, *s* patriota (*m*, *f*)

patrol [pə'troul] *s* pattuglia *f*; *v/t* pattugliare

patron ['peitrən] *s* patrono *m*; **~age** ['pætrənidʒ] patronato *m*; **~ize** ['pætrənaiz] *v/t* frequentare; *comm* favorire

pattern ['pætən] modello *m*; campione *m*

paunch [pɔːntʃ] pancia *f*

pauper ['pɔːpə] povero *m*

pause [pɔːz] *s* pausa *f*; *v/i* fermarsi

pave [peiv] *v/t* pavimentare; **~ment** marciapiede *m*

pavilion [pə'viljən] padiglione *m*

paw [pɔː] zampa *f*

pawn [pɔːn] *s* pegno *m*; *v/t* impegnare; **~shop** monte *m* di pietà

pay [pei] *s* paga *f*; *v/t* pagare; **~ back** rimborsare; **~ cash** pagare in contanti; **~ in advance** pagare in anticipo; **~ a visit** fare una visita; **~able** pagabile; **~ment** pagamento *m*

pea [piː] pisello *m*

peace [piːs] pace *f*; **~ful** pacifico

peach [piːtʃ] pesca *f*

peacock ['piːkɔk] pavone *m*

peak [piːk] cima *f*; culmine *m*

peal [piːl] *s* scampanio *m*; *v/i* scampanare; risuonare

peanut ['piːnʌt] arachide *f*

pear [pɛə] pera *f*

pearl [pɔːl] perla f

peasant ['pezənt] contadino m

pebble ['pebl] sassolino m

peck [pek] v/t beccare

peculiar [pi'kjuːljə] strano; **~ity** [‿liˈæriti] peculiarità f

pedal ['pedl] s pedale m; v/t pedalare

pedant ['pedənt] pedante m

peddler ['pedlə] cf **pedlar**

pedestrian [pi'destriən] pedone m; **~ crossing** passaggio m pedonale

pedigree ['pedigriː] albero m genealogico

pedlar ['pedlə] venditore m ambulante

peel [piːl] v/t sbucciare; s buccia f

peep [piːp] v/i far capolino

peer [piə] s pari m; v/t guardare da presso

peevish ['piːviʃ] nervoso; innervosito

peg [peg] piuolo m

pelican ['pelikən] pelicano m

pelvis ['pelvis] anat pelvi f

pen [pen] penna f

penalty ['penlti] pena f

penance ['penəns] penitenza f

pence [pens] pl of **penny**

pencil ['pensil] matita f; **~sharpener** temperalapis m

pend|ant ['pendənt] s, a pendente (m); **~ing** a pendente; sospeso; prp durante

pendulum ['pendjuləm] pendolo m

penetrate ['penitreit] v/t penetrare

penguin ['peŋgwin] pinguino m

penicillin [ˌpeniˈsilin] penicillina f

peninsula [pi'ninsjulə] penisola f

penitent ['penitənt] penitente

penknife temperino m

penniless ['penilis] senza soldi

penny ['peni], pl **pence** [pens] soldo m

pension ['penʃən] s pensione f; v/t pensionare; **~er** pensionato m

pensive ['pensiv] pensoso

penthouse ['penthaus] appartamentino m in soffitta

people ['piːpl] popolo m; gente f

pepper ['pepə] pepe m; **~mint** menta f

per [pɔː] per

perambulator ['præmbjuleitə] carrozzina f (per bambini)

perceive [pə'siːv] v/t accorgersi di

percent, ~age [pə'sent] percentuale f

perch [pɔːtʃ] v/i appollaiarsi; posarsi

percussion [pə'kʌʃən] percussione f

peremptory [pə'remptəri] perentorio

perfect ['pɔːfikt] a perfetto; s gram passato m prossimo; v/t perfezionare; **~ion** perfezione f

perforation [ˌpɜːfəˈreiʃən] perforazione f

perform [pəˈfɔːm] v/t eseguire; *thea* rappresentare; **~ance** esecuzione f; rappresentazione f

perfume [ˈpɜːfjuːm] s profumo m; v/t profumare

perhaps [pəˈhæps, præps] forse

peril [ˈperil] pericolo m; **~ous** pericoloso

period [ˈpiəriəd] periodo m; punto m

perish [ˈperiʃ] v/i perire; **~able** deperibile

perm, **~anent** [pəːm] permanente; **~anent wave** permanente f

permission [pəˈmiʃən] permesso m; **~t** v/t permettere; s permesso m

perpetual [pəˈpetʃuəl] perpetuo

perplex [pəˈpleks] v/t rendere perplesso

persecute [ˈpɜːsikjuːt] v/t perseguitare; **~ion** persecuzione f; **~or** persecutore m

persevere [ˌpɜːsiˈviə] v/i perseverare

Persian [ˈpɜːʃən] a, s persiano (m)

persist [pəˈsist] v/i persistere; **~ence** persistenza f; **~ent** persistente

person [ˈpɜːsn] persona f; **~age** personaggio m; **~al** personale m; **~ality** [ˌpɜːsəˈnæliti] personalità f; **~ify** [ˈ~so-

nifai] v/t personificare; **~nel** [ˌ~soˈnel] personale m

perspective [pəˈspektiv] prospettiva f

perspir|ation [ˌpɜːspəˈreiʃən] traspirazione f; sudore m; **~e** [pəsˈpaiə] v/i traspirare; sudare

persua|de [pəˈsweid] v/t persuadere; **~sion** [~ˈʒən] persuasione f; **~sive** persuasivo

perturb [pəˈtɜːb] v/t perturbare

perus|al [pəˈruːzəl] lettura f; **~e** v/t leggere attentamente

pervade [pəːˈveid] v/t permeare

perver|se [pəˈvɜːs] perverso; ostinato; **~sion** perversione f; corruzione f

pessimi|sm [ˈpesimizəm] pessimismo m; **~t** pessimista m, f

pest [pest] peste f; **~er** v/t infastidire; tormentare

pet [pet] animale m domestico; beniamino m

petal [ˈpetl] petalo m

petition [piˈtiʃən] petizione f

petrify [ˈpetrifai] v/t petrificare

petrol [ˈpetrəl] benzina f; **~ station** posto m di rifornimento

petticoat [ˈpetikout] sottoveste f

petty [ˈpeti] meschino; insignificante

pew [pjuː] banco m di chiesa

pharmac|ist [ˈfaːməsist] farmacista m (laureato in

farmacia); **~y** farmacia f (fa-coltà)

pheasant ['feznt] fagiano m

phenomenal [fi'nominl] fe-nomenale

philolog|ist [fi'bləʤist] fi-lologista m; **~y** filologia f

philosoph|er [fi'lɔsəfə] filo-sofo m; **~ic, ~ical** filosofico; **~y** filosofia f

phone [foun] fam for **telephone**

photo ['foutou] fam for **~graph** ['~təgraːf] foto-grafia f; **take ~s** fare foto-grafie

photograph|er [fə'tɔgrəfə] fotografo m; **~y** fotografia f

phrase [freiz] frase f

physic|al ['fizikəl] fisico; **~ian** [fi'ziʃən] medico m; **~ist** ['~sist] fisico m; **~s** sg fisica f

physique [fi'ziːk] fisico m

pian|ist ['pjænist, 'pianist] pianista m, f; **~o** ['pjænou, 'pjaːnou] pianoforte m

pick [pik] s piccone m; scelta f; v/t scegliere; cogliere; **~ up** raccogliere

picket ['pikit] picchetto m

pickle ['pikl]: **~s** pl sottaceti m/pl; v/t mettere sotto aceto

pickpocket borsaiuolo m

picnic ['piknik] merenda f (in campagna)

picture ['piktʃə] quadro m; **~gallery** pinacoteca f; **postcard** cartolina f illu-strata; **~sque** [~'resk] pitto-resco

pie [pai] torta f; pasticcio m

piece [piːs] pezzo m; **~ of advice** consiglio m; **~ of furniture** mobile m

pier [piə] molo m; pilone m

pierce [piəs] v/t forare; pe-netrare

piety ['paiəti] pietà f

pig [pig] maiale m; porco m

pigeon ['piʤin] piccione m; **~hole** casella f

pig|sty porcile m; **~tail** trec-cia f

pike [paik] luccio m

pile [pail] s mucchio m; v/t ammucchiare; **~ up** am-mucchiarsi

pilgrim ['pilgrim] pellegri-no m; **~age** pellegrinaggio m

pill [pil] pillola f

pillar ['pilə] pilastro m; co-lonna f; fig sostegno m

pillow ['pilou] cuscino m

pilot ['pailət] s pilota m; v/t pilotare

pimple ['pimpl] foruncolo m

pin [pin] s spillo m; v/t attac-care con lo spillo

pincers ['pinsəz] pl pinze f/pl; tenaglie f/pl

pinch [pintʃ] s pizzico m; v/t pizzicare

pine [pain] s pino m; v/i struggersi; **~apple** ananas m

pink [piŋk] a rosa

pinnacle ['pinəkl] pinnacolo m; fig culmine m

pint [paint] pinta f

pioneer [paiə'niə] pioniere m

pious ['paɪəs] pio
pipe [paɪp] tubo m; canna f (dell'organo); pipa f (per fumare)
pirate ['paɪərɪt] pirata m
pistol ['pɪstl] pistola f
piston ['pɪstən] mech pistone m; stantuffo m
pit [pɪt] pozzo m; thea platea f
pitch [pɪtʃ] s pece f; grado m; tono m; v/t lanciare; ~ **dark** buio pesto
piteous ['pɪtɪəs] pietoso
pitfall trappola f
piti|ful ['pɪtɪful] pietoso; **~less** spietato
pity ['pɪtɪ] s pietà f; v/t compatire; **what a ~** che peccato!
pivot ['pɪvət] s pernio m; v/i girare su pernio
placard ['plækɑːd] manifesto m; affisso m
place [pleɪs] s posto m; luogo m; **in ~ of** al posto di; **take ~** avere luogo; v/t mettere
placid ['plæsɪd] placido
plague [pleɪg] s peste f; pestilenza f; v/t tormentare
plain [pleɪn] a piatto; chiaro; semplice; s pianura f
plaint|iff ['pleɪntɪf] querelante m; **~ive** lamentoso
plait [plæt, Am pleɪt] treccia f (di capelli)
plan [plæn] s progetto m; v/t progettare
plane [pleɪn] a piano; s platano m; aeroplano m
planet ['plænɪt] pianeta m
plank [plæŋk] asse f; tavola f

plant [plɑːnt] s pianta f; impianto m; v/t piantare; **~ation** [plæn'teɪʃən] piantagione f
plaque [plɑːk] placca f
plaster ['plɑːstə] s gesso m; cerotto m; intonaco m; v/t intonacare
plastic ['plæstɪk] plastico; **~s** pl plastica f
plate [pleɪt] piatto m; targa f; tavola f; dentiera f
platform ['plætfɔːm] piattaforma f
platinum ['plætɪnəm] platino m
play [pleɪ] s giuoco m; thea commedia f; v/t giuocare; thea rappresentare; (instrument) suonare; **~er** (game) giocatore m; (instrument) sonatore m; **~ful** scherzoso; **~ground** campo m per ricreazione; **~mate** compagno m di giochi; **~wright** drammaturgo m
plead [pliːd] v/t difendere (una causa); addurre; v/i supplicare
pleas|ant ['pleznt] piacevole; simpatico; **~e** [pliːz] v/t piacere a; **~ed** contento; **~ure** ['pleʒə] piacere m
pleat [pliːt] s piega f; v/t piegare
pledge [pledʒ] s pegno m; v/t impegnare
plentiful ['plentɪful] abbondante; **~y** abbondanza f
pliable ['plaɪəbl] flessibile
pliers ['plaɪəz] pl pinzette f/pl

plight [plait] difficoltà f

plot [plɔt] s cospirazione f; trama f (di commedia, libro); pezzo m (di terreno); v/t cospirare

plough, Am plow [plau] s aratro m; v/t arare

pluck [plʌk] s coraggio m; v/t cogliere; spenare (un pollo)

plug [plʌg] s tappo m; spina f; presa f; v/t tappare

plum [plʌm] susina f; prugna f

plumage ['plu:midʒ] piumaggio m

plump [plʌmp] grassoccio

plunder ['plʌndə] s bottino m; v/t saccheggiare

plunge [plʌndʒ] s tuffo m; immersione f; v/t tuffare; immergere

plural ['pluərəl] a, s plurale (m)

plus [plʌs] più

ply [plai] s piega f; v/t assalire; v/i andare e venire

pneumonia [nju(:)'mounjə] polmonite f

poach [poutʃ] v/t cuocere in camicia (di uova); cacciare di frodo; **~er** cacciatore di frodo

pocket ['pɔkit] s tasca f; v/t intascare; **~book** portafoglio m

poem ['pouim] poesia f

poet ['pouit] poeta m; **~ry** ['~itri] poesia f

poignant ['pɔinənt] commuovente

point [pɔint] punto m; punta f; **on the ~ of** sul punto di;

come to the ~ venire al sodo; **see the ~** capire; **~ed** appuntato; **~less** inutile; **~ out** far notare

poise [pɔiz] s equilibrio m; v/t equilibrare

poison ['pɔizn] s veleno m; v/t avvelenare; **~ous** velenoso

poke [pouk] v/t attizzare (il fuoco); dare colpi

Poland ['poulənd] Polonia f

polar ['poulə] polare; **~ bear** orso m bianco

Pole [poul] polacco(a) m (f)

pole [poul] palo m; elec polo m

polemic [pɔ'lemik] polemico

police [pə'li:s] polizia f; **~man** poliziotto m; guardia f; vigile m urbano; **~ station** commissariato m

policy ['pɔlisi] politica f; polizza f (di assicurazioni)

polio ['pouliou], **~myelitis** ['pouliou,maiə'laitis] poliomielite f

Polish ['pouliʃ] polacco

polish ['pɔliʃ] v/t lucidare; verniciare; s lucido m; vernice f

polite [pə'lait] cortese; **~ness** cortesia f

politic|al [pə'litikəl] politico; **~ian** [pɔli'tiʃən] politico m; **~s** ['pɔlitiks] pl politica f

poll [poul] lista f elettorale; elezione f; scrutinio m

pollut|e [pə'lu:t] v/t contaminare; **~ion** contaminazione f

pound

pomp [pɔmp] pompa *f;*
~ous pomposo

pond [pɔnd] laghetto *m*

ponder ['pɔndə] *v/t* meditare; **~ous** ponderoso

pontiff ['pɔntif] pontefice *m*

pony ['pouni] cavallino *m*

poodle [pu:dl] barboncino
m

pool [pu:l] laghetto *m*

poor [puə] povero

pop [pɔp] scoppio *m*

pope [poup] papa *m*

poplar ['pɔplə] pioppo *m*

poppy ['pɔpi] papavero *m*

popular ['pɔpjulə] popolare; **~arity** [~'læriti] popola-
rità *f;* **~ate** ['~eit] *v/t* popolare; **~ation** popolazione *f*

porcelain ['pɔːslin, -lein]
porcellana *f*

porch [pɔːtʃ] portico *m;* veranda *f*

pore [pɔː] poro *m*

pork [pɔːk] carne *f* di maiale

pornography [pɔː'nɔgrəfi]
pornografia *f*

porridge ['pɔridʒ] papa *f*
d'avena

port [pɔːt] porto *m*

portable ['pɔːtəbl] portatile

porter ['pɔːtə] facchino *m;*
portiere *m*

portfolio [pɔːt'fouljou] cartella *f;* portafoglio *m* (*mini-
steriale*)

porthole ['pɔːthoul] oblò *m*

portion ['pɔːʃən] porzione *f*

portly ['pɔːtli] corpulento

Portugal [,pɔːtjugəl] il Portogallo

portrait ['pɔːtrit] ritratto *m*

Portuguese [,pɔːtjuˈgiːz] *a, s*
portoghese (*m, f*)

pose [pouz] *s* posa *f; v/t*
porre; *v/i* posare

position [pəˈziʃən] posizione
f

positive ['pɔzətiv] *a, s* positivo (*m*)

possess [pəˈzes] *v/t* possedere; **~ion** possesso *m*

possibility [pɔsəˈbiliti] possibilità *f;* **~le** ['pɔsəbl] possibile; **~ly** possibilmente

post [poust] *s* posto *m;* posta
f; palo *m; v/t* imbucare;
mandare; spedire; **~age** af-
francatura *f;* **~age stamp**
francobollo *m;* **~card** cartolina *f* postale; **~er** manifesto
m

poste restante [poustˈresˈ-
tãːnt] fermo posta

postpone [poustˈpoun] *v/t*
rimandare

posture ['pɔstʃə] atteggiamento *m*

pot [pɔt] pentola *f*

potato [pəˈteitou], *pl* **~es** patata *f*

potent ['poutənt] potente

pottery ['pɔtəri] stoviglie
f/pl

pouch [pautʃ] borsa *f*

poultice ['poultis] cataplasma *m*

poultry ['poultri] pollame *m*

pounce [pauns] *v/t* acchiappare

pound [paund] *s* libbra *f;* **~
sterling** sterlina *f; v/t* pestare

pour [pɔː] v/t versare; v/i riversarsi

poverty ['pɔvəti] povertà f

powder ['paudə] polvere f

power ['pauə] potere m; potenza f; **~ful** potente; **~less** impotente; **~plant**, **~station** centrale f elettrica

practicable ['præktikəbl] praticabile; **~ce** ['~tis] pratica f; esercizio m; **~se** v/t esercitare; praticare; v/i esercitarsi

prairie ['prɛəri] prateria f

praise [preiz] s lode f; v/t lodare

pram [præm] fam carrozzina f

prank [præŋk] burla f

pray [prei] v/t pregare; **~er** [prɛə] preghiera f

preach [priːtʃ] v/t, v/i predicare; **~er** predicatore m

precede [priː'siːd] v/t, v/i precedere; **~ent** ['presidənt] precedente m

precept ['priːsept] precetto m

precious ['preʃəs] prezioso

precipice ['presipis] precipizio m; **~tate** [pri'sipiteit] v/t, v/i precipitare; **~tation** precipitazione f; **~tous** precipitoso

precise [pri'sais] preciso; **~ion** [~'siʒən] precisione f

precocious [pri'kouʃəs] precoce

predecessor ['priːdisesə] predecessore m

predicament [pri'dikəmənt] difficoltà f

predict [pri'dikt] v/t predire

predisposition ['priːdispə'ziʃən] predisposizione f

predominant [pri'dɔminənt] predominante; **~te** v/i predominare

preface ['prefis] prefazione f; eccl prefazio m

prefect ['priːfekt] prefetto m

prefer [pri'fɔː] v/t preferire; **~able** ['prefərəbl] preferibile; **~ence** ['prefərəns] preferenza f

prefix ['priːfiks] prefisso m

pregnancy ['pregnənsi] gravidanza f; **~t** incinta

prejudice ['predʒudis] s pregiudizio m; v/t pregiudicare

preliminary [pri'liminəri] preliminare

premeditate [pri(ː)'mediteit] v/t, v/i premeditare

premier ['premjə] primo ministro m

premise ['premis] premessa f; **~s** pl locale m

premium ['priːmjəm] premio m

preoccupation [pri(ː),ɔkju'peiʃən] preoccupazione f; **~y** [~'ɔkjupai] v/t preoccupare

preparation [prepə'reiʃən] preparazione f; preparativo m; preparato m; **~e** [pri'pɛə] v/t preparare

preposition [prepə'ziʃən] preposizione f

preposterous [pri'pɔstərəs] assurdo

Presbyterian [ˌprezbiˈtiə-riən] *a, s.* presbiteriano (*m*)

prescri|be [prisˈkraib] *v/t* prescrivere; ordinare; **~ption** [ˌˈkripʃən] ricetta *f* medica

presence [ˈprezns] presenza *f*

present[1] [ˈpreznt] *s* regalo *m*; presente *m*; *a* presente; attuale; **at ~** attualmente; **be ~ at** assistere a

present[2] [priˈzent] *v/t* presentare; regalare

presentation [prezenˈtei-ʃən] presentazione *f*; **~ly** [ˈprezntli] tra un poco

preservation [prezɔ(:)ˈvei-ʃən] conservazione *f*; **~e** [priˈzɔːv] *v/t* conservare; preservare; **~es** *pl* conserve *f/pl*

preside [priˈzaid] *v/i* presiedere; **~ncy** [ˈprezidənsi] presidenza *f*; **~nt** presidente *m*

press [pres] *s* stampa *f*; *v/t* premere; pressare; insistere; **~ure** [ˈˌˌʃə] pressione *f*

prestige [presˈtiːʒ] prestigio *m*

presume [priˈzjuːm] *v/t* presumere

presumpt|ion [priˈzʌmp-ʃən] presunzione *f*; **~uous** presuntuoso

preten|ce, *Am* **~se** [priˈtens] finzione *f*; **~d** *v/t* fingere; **~sion** pretesa *f*

pretext [ˈpriːtekst] pretesto *m*

pretty [ˈpriti] *a* carino; *adv fam* abbastanza

prevail [priˈveil] *v/i* prevalere; **~ on** indurre

prevent [priˈvent] *v/t* impedire; **~ion** misura *f* preventiva

previous [ˈpriːvjəs] precedente

prey [prei] preda *f*

price [prais] *s* prezzo *m*; *v/t* valutare; **~less** inestimabile; **~-list** listino *m* dei prezzi

prick [prik] *s* puntura *f*; *v/t* punzecchiare; **~ one's ears** drizzare gli orecchi

pride [praid] orgoglio *m*

priest [priːst] sacerdote *m*

primary [ˈpraiməri] primario; **~ school** scuola *f* elementare

prime [praim] primo; principale

primitive [ˈprimitiv] primitivo

prince [prins] principe *m*; **~ss** [ˌˈses] principessa *f*

principal [ˈprinsəpəl] *a* principale; *s* principale *m*; capo *m*; **~ity** [ˌprinsiˈpæliti] principato *m*

principle [ˈprinsəpl] principio *m*

print [print] *s* stampa *f*; impronta *f*; tessuto *m* stampato; *v/t* stampare; **in ~** stampato; **~ed matter** stampe *f/pl*; **~ing-works** *pl* tipografia *f*

prior [ˈpraiə] *a.* antecedente; *s* priore *m*; **~ity** [ˌˈɔriti] priorità *f*

prison ['prizn] prigione *f*; carcere *m*; **~er** prigioniero *m*

privacy ['praivəsi, 'pri-] intimità *f*; solitudine *f*

private ['praivit] privato

privation [prai'veiʃən] privazione *f*

privilege ['privilidʒ] privilegio *m*; **~d** privilegiato

prize [praiz] *s* premio *m*; *v/t* valutare

probab|ility [prɔbə'biliti] probabilità *f*; **~le** ['ɔəbl] probabile

probation [prə'beiʃən] prova *f*

probe [proub] *v/t* sondare; *s* sonda *f*

problem ['prɔblem] problema *m*

procedure [prə'si:dʒə] procedura *f*

proceed [prə'si:d] *v/i* procedere; **~ings** *pl* procedimento *m*; **~s** ['prousi:dz] *pl* ricavo *m*

process ['prouses] processo *m*; **~ion** [prə'seʃən] processione *f*; corteo *m* funebre

proclaim [prə'kleim] *v/t* proclamare; **~mation** [prɔklə'meiʃən] proclamazione *f*

procure [prə'kjuə] *v/t* procurare

prodigal ['prɔdigəl] prodigo

prodig|ious [prə'didʒəs] prodigioso; **~y** ['prɔdidʒi] prodigio *m*

produce [prə'dju:s] *s* prodotto *m*; *v/t* produrre; **~r**

produttore *m*; regista *m* (*di teatro, e di cinema*)

product ['prɔdəkt] prodotto *m*

profane [prə'fein] profano

profess [prə'fes] *v/t* professare; esercitare; **~ion** professione *f*; **~ional** professionale; **~or** professore *m*

proficien|cy [prə'fiʃənsi] conoscenza *f*; **~t** esperto

profile ['proufail] profilo *m*

profit ['prɔfit] *s* profitto *m*; **and loss** guadagno *e* perdita; *v/t* giovare; **~ by** *v/i* approfittare; **~able** vantaggioso

profound [prə'faund] profondo

profusion [prə'fju:ʒən] profusione *f*

prognos|is [prɔg'nousis], *pl* **~es** [-si:z] prognosi *f*

program(me) ['prougræm] programma *m*

progress ['prougres] *s* progresso *m*; [~'gres] *v/i* fare progressi; **~ive** [prə'gresiv] progressivo

prohibit [prə'hibit] *v/t* proibire; **~ion** [proui'biʃən] proibizione *f*

project [prɔdʒekt] *s* progetto *m*; [prə'dʒekt] *v/t* progettare; *v/i* sporgere; **~ile** proiettile *m*; **~ion** proiezione *f*; **~or** proiettore *m*

pro|logue, *Am* **~log** ['proulɔg] prologo *m*

prolong [prou'lɔŋ] *v/t* prolungare

promenade [prɔmi'nɑ:d]

passeggiata f; lungomare m

prominent ['prɔminənt] prominente

promise ['prɔmis] s promessa f; v/t promettere

promot|e [prə'mout] v/t promuovere; ~ion promozione f

prompt [prɔmpt] a pronto; v/t incitare; suggerire; ~er suggeritore m

prone ['proun] prostrato; propenso

pronoun ['prounaun] pronome m

pron|ounce [prə'nauns] v/t pronunciare; ~unciation [~nʌnsi'eiʃən] pronuncia f

proof [pru:f] prova f; bozze f/pl (di stampe)

prop [prɔp] s appoggio m; sostegno m; v/t appoggiare; sostenere

propaganda [ˌprɔpə'gændə] propaganda f

propagate ['prɔpəgeit] v/t propagare

propel [prə'pel] v/t spingere

propensity [prə'pensiti] propensione f

proper ['prɔpə] proprio; vero; ~ty proprietà f

prophe|cy ['prɔfisi] profezia f; ~sy [~sai] v/t profetizzare; ~t profeta m

propitious [prə'piʃəs] propizio

proportion [prə'pɔ:ʃən] proporzione f; out of ~ sproporzionato

propos|al [prə'pouzəl] proposta f; proposta f di matri-

monio; ~e v/t proporre; v/i fare una proposta di matrimonio; ~ition [prɔpə'ziʃən] proposizione f; proposta f

propriet|ary [prə'praiətəri] brevettato; ~or, ~ress proprietario(a) m (f)

propulsion [prə'pʌlʃən] propulsione f

prose [prouz] prosa f

prosecut|e ['prɔsikju:t] v/i intentare giudizio; ~ion [ˌprɔsi'kju:ʃən] processo m

prospect ['prɔspekt] prospettiva f

prospectus [prəs'pektəs] opusculo m

prosper ['prɔspə] v/i prosperare; ~ity [~'periti] prosperità f; ~ous ['~pərəs] prosperoso

prostitut|e ['prɔstitju:t] s prostituta f; v/t prostituire; ~ion [ˌprɔsti'tju:ʃən] prostituzione f

prostrat|e ['prɔstreit] a prostrato; v/t prostrare

protect [prə'tekt] v/t proteggere; ~ion protezione f; ~ive protettivo

protest ['proutest] s protesta f; v/i/t protestare

Protestant ['prɔtistənt] a, s protestante (m, f); ~ism protestantesimo m

protract [prə'trækt] v/t protrarre

protrude [prə'tru:d] v/i sporgere

proud [praud] orgoglioso; superbo

prove [pru:v] v/t provare;

v/i risultare

proverb ['prɒvəːb] proverbio *m*; **~ial** [prə'vəːbjəl] proverbiale

provide [prə'vaid] *v/t* provvedere; **~d (that)** purché

providence ['prɒvedəns] provvidenza *f*

provinc|e ['prɒvins] provincia *f*; **~ial** [prə'vinʃəl] provinciale

provision [prə'viʒən] provvista *f*

provo|cation [prɒvə'keiʃən] provocazione *f*; **~ke** [prə'vouk] *v/t* provocare

proxy ['prɒksi] procura *f*

prude [pruːd] puritana *f*

pruden|ce ['pruːdəns] prudenza *f*; **~t** prudente

prune [pruːn] *s* prugna *f* secca; *v/t* potare

psalm [sɑːm] salmo *m*

pseudo ['sjuːdou] pseudo; **~nym** pseudonimo *m*

psychiatr|ist [sai'kaiətrist] psichiatra *m, f*; **~y** psichiatria *f*

psych|ic ['saikik] psichico; **~ological** [saikə'lɒdʒikəl] psicologico; **~ologist** [Λ'kɒlədʒist] psicologo *m*; **~ology** [Λ'kɒlədʒi] psicologia *f*

pub [pʌb] *fam* osteria *f*

puberty ['pjuːbəti] pubertà *f*

public ['pʌblik] *a, s* pubblico; **~ house** bar *m*; **~ity** [Λ'lisiti] pubblicità *f*

publish ['pʌbliʃ] *v/t* pubblicare; **~ing house** casa *f* editrice

pudding ['pudiŋ] budino *m*

puddle ['pʌdl] pozzanghera *f*

puff [pʌf] *s* soffio *m*; *v/t* soffiare

pull [pul] *v/t* tirare

pulley ['puli] puleggia *f*

pull-over ['pulvə] golf *m*; pullover *m*

pulp [pʌlp] polpa *f*

puls|ate [pʌl'seit] *v/i* pulsare; **~e** polso *m*

pulverize ['pʌlvəraiz] *v/t* polverizzare

pump [pʌmp] *s* pompa *f*; *v/t* pompare

pumpkin ['pʌmpkin] zucca *f*

punch [pʌntʃ] *s* pugno *m*; *v/t* dare un pugno a

Punch [pʌntʃ] burattino *m*; **~ and Judy show** ['dʒuːdi] teatro *m* di burattini

punctual ['pʌŋktjuəl] puntuale

punctuation [ˌpʌŋktju'eiʃən] punteggiatura *f*

puncture ['pʌŋktʃə] foratura *f*

pungent ['pʌndʒənt] pungente

punish ['pʌniʃ] *v/t* punire; **~ment** punizione *f*; castigo *m* [solaro *m*]

pupil ['pjuːpl] alunno *m*;

puppet ['pʌpit] burattino *m*

puppy ['pʌpi] cucciolo *m*

purchase ['pəːtʃəs] *s* acquisto *m*; *v/t* acquistare; comprare

pure [pjuə] puro

purgative ['pəːgətiv] *a, s*

purgante (m)

purg|atory ['pə:gətəri] purgatorio m; **~e** [pə:dʒ] s purga f; v/t purgare

purify ['pjuərifai] v/t purificare

Puritan ['pjuəritən] a, s puritano (m)

purple ['pə:pl] s porpora f; a porporeo

purport ['pə:pət] significato m

purpose ['pə:pəs] s scopo m; proposito m; v/i proporsi; **on ~** apposta

purr [pə:] v/i far le fusa

purse [pə:s] portamonete m

pursu|e [pə'sju:] v/t inseguire; continuare; v/i proseguire; **~it** [~'sju:t] inseguimento m; occupazione f

pus [pʌs] pus m

push [puʃ] s spinta f; v/t spingere

puss [pus], **~y(-cat)** gatto m

put [put] v/t, irr mettere; **~ back** rimettere; **~ down** deporre; **~ in** inserire; **~ off** rimandare; **~ on** mettersi, indossare; **~ out** spegnere; **~ up** ospitare; **~ up with** sopportare

putr|efy ['pju:trifai] v/t putrefare; v/i putrefarsi; **~id** putrido

puzzle ['pʌzl] rompicapo m; problema m; v/i essere perplesso; **(cross-word) ~** cruciverba m

pyjamas [pə'dʒɑ:məz] pl pigiama m

pylon ['pailon] pilone m

pyramid ['pirəmid] piramide f

Q

quack [kwæk] v/i schiamazzare

quadrangle ['kwodræŋgl] quadrangolo m

quadrup|ed ['kwodruped] quadrupede m; **~le** quadruplo

quaint [kweint] strano

quake [kweik] v/i tremare

qualif|ication [,kwolifi'keiʃən] requisito m; titolo m; **~ied** ['~faid] idoneo; **~y** v/t qualificare; v/i essere idoneo

quality ['kwoliti] qualità f

qualm [kwɑ:m] nausea f; fig scrupolo m

quantity ['kwontiti] quantità f

quarantine ['kworənti:n] quarantena f

quarrel ['kworəl] s litigio m; v/i litigare; **~some** litigioso

quarry ['kwori] cava f

quarter ['kwo:tə] quarto m; quartiere m; trimestre m; **a ~ (of an hour)** un quarto (d'ora); **~ly** trimestrale

quartet(te) [kwɔ:'tet] quartetto *m*

quaver ['kweivə] *v/i* tremolare

quay [ki:] banchina *f*

queen [kwi:n] regina *f*

queer [kwiə] strano

quell [kwel] *v/t* reprimere

quench [kwentʃ] *v/t* spegnere; calmare

querulous ['kwerələs] querulo

query ['kwiəri] *s* domanda *f*; *v/t* mettere in dubbio; interrogare

question ['kwestʃən] *s* domanda *f*; questione *f*; **ask a ~** fare una domanda; *v/t* interrogare; mettere in dubbio; **~able** in questione; dubbioso; **~-mark** punto *m* interrogativo; **~naire** [~stiə'neə] questionario *m*

queue [kju:] *s* coda *f*; **~ (up)** *v/i* far la coda

quick [kwik] veloce; rapido; **~en** *v/t* affrettare; **~ness** velocità *f*; rapidità *f*

quiet ['kwaiət] *a* tranquillo; quieto; silenzioso; *s* tranquillità *f*; quiete *f*

quilt [kwilt] coltrone *m*

quinine [kwi'ni:n, *Am* 'kwainain] chinino *m*

quit [kwit] *v/t* lasciare; smettere

quite [kwait] completamente; abbastanza

quiver ['kwivə] *v/i* tremare

quiz [kwiz] *s* esame *m*; *v/t* esaminare

quota ['kwoutə] quota *f*

quot|ation [kwou'teiʃən] citazione *f*; *comm* quotazione *f*; **~ation marks** *pl* virgolette *f/pl*; **~e** [kwout] *v/t* citare; *comm* quotare

quotient ['kwouʃənt] quoziente *m*

R

rabbi ['ræbai] rabbino *m*

rabbit ['ræbit] coniglio *m*

rabble ['ræbl] ciurmaglia *f*

race [reis] *s* razza *f*; corsa *f* (*di cavalli*); **~course** ippodromo *m*; **~horse** cavallo *m* da corsa

rack [ræk] *s* rete *f*; tortura *f*; *v/t* torturare

racket ['rækit] racchetta *f*

racoon [rə'ku:n] procione *m* lavatore

radar ['reidə] radiotelemetro *m*

radian|ce ['reidjəns] splendore *m*; **~t** risplendente

radi|ate ['reidieit] *v/i* irradiare; **~o** radio *f*; **~o station** stazione *f* radio

radioactive radioattivo

radish ['rædiʃ] ravanello *m*

raffle ['ræfl] lotteria *f*

raft [rɑ:ft] zattera *f*

rag [ræg] cencio *m*; straccio *m*

rage [reidʒ] s rabbia f; v/i infuriare; essere furibondo

raid [reid] s incursione f; v/t assalire

rail [reil] sbarra f; inferriata f; rotaia f (del treno); **..ing(s)** pl inferriata f

railway ferrovia f; ~ **guide** orario m ferroviario

rain [rein] s pioggia f; v/i piovere; **..bow** arcobaleno m; ~ **coat** impermeabile m; **..y** piovoso

raise [reiz] v/t alzare; allevare; ~ **one's voice** alzare la voce

raisin ['reizn] uva f passa

rake [reik] rastrello m

rally ['ræli] s riunione f; v/t riunire; v/i riunirsi

ram [ræm] montone m

ramble ['ræmbl] v/i vagare; divagare

rampart ['ræmpa:t] bastione m

ranch [ra:ntʃ, Am ræntʃ] azienda f

random ['rændəm] caso m; casaccio m; **at ~** a casaccio

range [reindʒ] s estensione f; fila f; serie f; catena f (di montagne); assortimento m; cucina f economica; v/t disporre; v/i estendersi; andare

rank [ræŋk] s fila f; grado m; rango m; v/t classificare; a esuberante; flagrante

ransack ['rænsæk] v/t frugare; saccheggiare

ransom ['rænsəm] s riscatto m; v/t riscattare

rap [ræp] s colpo m; picchio m; v/t colpire; picchiare

rapacious [rə'peiʃəs] rapace

rape [reip] s ratto m; v/t rapire; violare

rapid ['ræpid] rapido; **..ity** [rə'piditi] rapidità f

rapt [ræpt] rapito; estasiato; **..ure** estasi f

rare [rɛə] raro

rascal ['ra:skəl] mascalzone m

rash [ræʃ] a imprudente; s sfogo m; eruzione f

raspberry ['ra:zbəri] lampone m

rat [ræt] topo m; **I smell a ~** qualche gatto ci cova sotto

rate [reit] s tasso m; velocità f; **at any ~** in ogni caso; ~ **of exchange** cambio m; v/t valutare; calcolare

rather ['ra:ðə] abbastanza; piuttosto; **I would ~, I had ~** preferirei

ratify ['rætifai] v/t ratificare

ratio ['reiʃiou] proporzione f

ration ['ræʃən] s razione f; v/t razionare

rational ['ræʃənl] razionale; **..ize** ['..ʃnəlaiz] v/t razionalizzare

rattle ['rætl] s sonaglio m; rumore m secco; v/i fare rumori secchi; v/t fig innervosire; ~ **snake** serpente m a sonagli

ravage ['rævidʒ] v/t devastare

rave [reiv] v/i delirare

raven ['reivn] corvo m; **..ous** ['rævənəs] vorace; affamato

ravine
156

ravine [rə'vi:n] burrone *m*

raving ['reivin] delirante

ravish ['ræviʃ] *v/t* estasiare

raw [rɔ:] crudo; grezzo; ~ **flesh** carne *f* viva; ~ **material** materia *f* prima; ~ **silk** seta *f* cruda

ray [rei] raggio *m*

razor ['reizə] rasoio *m*

reach [ri:tʃ] *s* distesa *f*; portata *f*; *v/t* raggiungere; *v/i* estendersi

react [ri(:)'ækt] *v/i* reagire; ~**ion** reazione *f*; ~**ionary** [~ʃnəri] reazionario; ~**or** reattore *m*

read [ri:d] *v/t*, *irr* leggere; ~ **aloud** leggere ad alta voce; ~**er** lettore *m*

readiness prontezza *f*

reading ['ri:din] lettura *f*

readjust ['ri:ə'dʒʌst] *v/t* raggiustare

ready ['redi] pronto; ~ **made** confezionato

reaffirm ['ri:ə'fə:m] *v/t* riaffermare

real [riəl] reale; vero; ~ **estate**, ~ **property** beni *m/pl* immobili; ~**ism** realismo *m*; ~**ist** realista *m*, *f*; ~**istic** realistico; ~**ity** [ri(:)-'æliti] realtà *m*; ~**ize** *v/t* rendersi conto; realizzare; ~**ly** veramente

realm [relm] reame *m*; regno *m*

reap [ri:p] *v/t* mietere; ~**er** mietitore *m*

rear [riə] *a* posteriore; *s* parte *f* posteriore; *v/t* allevare; educare; sollevare; *v/i* (ca-

valli) impennarsi; ~**guard** retroguardia *f*; ~**lamp**, ~**light** riflettore *m* posteriore

rearmament [ri(:)'ɑːmə-mənt] riarmo *m*

rear-view mirror specchio *m* retrovisore

reason ['ri:zn] *s* ragione *f*; *v/i* ragionare; ~**able** ragionevole; ~**ing** ragionamento *m*

reassure [ri:ə'ʃuə] *v/t* rassicurare

rebate ['ri:beit] sconto *m*; restituzione *f*

rebel ['rebl] *a*, *s* ribelle (*m*); *v/i* ribellarsi; ~**lion** [~'beljən] ribellione *f*

re-book ['ri:'buk] *v/t* cambiare la prenotazione

rebound [ri'baund] *v/i* rimbalzare

rebuff [ri'bʌf] *v/t* respingere

rebuke [ri'bju:k] *v/t* rimproverare

recall [ri'kɔ:l] *v/t* rievocare; ricordare

recapture [ri:'kæptʃə] *v/t* riprendere; catturare di nuovo

recast ['ri:'kɑ:st] *v/t* rifare

recede [ri'si:d] *v/i* recedere

receipt [ri'si:t] ricevuta *f*

receive [ri'si:v] *v/t* ricevere; ~**r** ricevitore *m*

recent ['ri:snt] recente

reception [ri'sepʃən] ricevimento *m*; accoglienza *f*

recess [ri'ses] nicchia *f*

recipe ['resipi] ricetta *f*

recipient [ri'sipiənt] recipiente *m*

reciprocal [ri'siprəkəl] reciproco

recital [ri'saitl] racconto *m*; *mus* audizione *f*; recital *m*; **~e** *v/t* recitare; raccontare

reckless ['reklis] temerario

reckon ['rekən] *v/t* contare; pensare

reclaim [ri'kleim] *v/t* reclamare

recline [ri'klain] *v/i* sdraiarsi

recognition [rekəg'niʃən] riconoscimento *m*; **~ze** *v/t* riconoscere

recoil [ri'koil] *v/i* indietreggiare

recollect [rekə'lekt] *v/t* ricordare; **~ion** ricordo *m*

recommend [rekə'mend] *v/t* raccomandare; **~ation** [rekəmen'deiʃən] raccomandazione *f*

recompense ['rekəmpens] *s* ricompensa *f*; *v/t* ricompensare

reconcile ['rekənsail] *v/t* riconciliare; **~iation** [rekənsili'eiʃən] riconciliazione *f*

reconsider [ri:kən'sidə] *v/t* riconsiderare

reconstruct ['ri:kən'strʌkt] *v/t* ricostruire

record ['rekɔ:d] *s* registro *m*; disco *m*; primato *m*; ricordo *m*; [ri'kɔ:d] *v/t* registrare; incidere; **~er** registratore *m*; **~-player** giradischi *m*

recourse [ri'kɔ:s] ricorso *f*

recover [ri'kʌvə] *v/t* recuperare; *v/i* rimettersi; **~y** guarigione *f*; ricupero *m*

recreation [rekri'eiʃən] ri-

creazione *f*; riposo *m*

recruit [ri'kru:t] *s* recluta *f*; *v/t* reclutare

rectangle ['rektæŋgl] rettangolo *m*

rectify ['rektifai] *v/t* rettificare

rector ['rektə] rettore *m*; parroco *m*

recuperate [ri'kju:pəreit] *v/t* recuperare; *v/i* rimettersi

recur [ri'kə:] *v/i* ricorrere; ritornare; ripetersi; **~rence** [ri'kʌrəns] ricorrenza *f*; ritorno *m*; ripetizione *f*

red [red] rosso *m*; ♀ **Cross** Croce *f* Rossa; **~den** *v/i* arrossire; **~dish** rossiccio

redeem [ri'di:m] *v/t* redimere; **~emer** redentore *m*; **~mption** [ri'dempʃən] redenzione *f*

red-handed in flagrante; ♀ **Indian** indiano *m*

redouble [ri'dʌbl] *v/i* raddoppiarsi

reduce [ri'dju:s] *v/t* ridurre; **~tion** [ri'dʌkʃən] riduzione *f*

redundant [ri'dʌndənt] sovrabbondante

reed [ri:d] canna *f*

reef [ri:f] scoglio *m*; scogliera *f*

reek [ri:k] *v/i* fumare; odorare male; **~ of** odorare di

re-establish *v/t* ristabilire

refer [ri'fə:] *v/t* riferire; *v/i* riferirsi a; **~ee** [refə'ri:] arbitro *m*; **~ence** ['refrəns] referenza *f*; riferimento *m*; allusione *f*; **~ence book**

opera *f* di consultazione

refill ['ri:fil] *s* ricambio *m*; *v/t* riempire

refine [ri'fain] *v/t* raffinare; *v/i* raffinarsi; **~ment** raffinatezza *f*; **~ry** raffineria *f*

reflect [ri'flekt] *v/t* riflettere; **~ion** riflesso *m*; riflessione *f*

reflex ['ri:fleks] riflesso *m*

reform [ri'fɔːm] *s* riforma *f*; *v/t* riformare; **~ation** [refə-'meiʃən] riforma *f*

refract [ri'frækt] *v/t* rifrangere; **~ion** rifrazione *f*; **~ory** refrattario

refrain [ri'frein] *s* ritornello *m*; *v/i* trattenersi

refresh [ri'freʃ] *v/t* rinfrescare; **~ment** rinfresco *m*

refrigerator [ri'fridʒəreitə] frigorifero *m*

refuge ['refjuːdʒ] *s* rifugio *m*; **~e** [~u(ː)'dʒiː] profugo *m*

refund [ri:'fʌnd] *s* rimborso *m*; *v/t* rimborsare

refusal [ri'fjuːzəl] rifiuto *m*; **~e** *v/t* rifiutare; ['refjuːs] *s* rifiuti *m/pl*

refute [ri'fjuːt] *v/t* confutare

regain [ri'gein] *v/t* recuperare

regard [ri'gɑːd] *s* considerazione *f*; **with ~ to**, **~ing** riguardo a; **~less of** ciò nonostante; senza tenere in considerazione; **kind ~s** *pl* cordiali saluti *m/pl*

regenerate [ri:'dʒenəreit] *v/t* rigenerare

regent ['ri:dʒənt] reggente *m*

regime [rei'ʒiːm] regime *m*

regiment ['redʒimənt] *s* reggimento *m*; *v/t* reggimentare

region ['ri:dʒən] regione *f*; **~al** regionale

register ['redʒistə] *s* registro *m*; *v/t* registrare; iscrivere; **~ration** [,redʒis'treiʃən] registrazione *f*

regret [ri'gret] *s* dispiacere *m*; rammarico *m*; *v/t* rammaricarsi di; **~ful** dispiacersi; **~table** spiacevole

regular ['regjulə] regolare; **~rity** [~'læriti] regolarità *f*; **~te** ['regjuleit] *v/t* regolare; **~tion** regolamento *m*

rehearsal [ri'hə:səl] prova *f*; **~e** *v/t*, *v/i* provare

reign [rein] *v/i* regnare; *s* regno *m*

rein [rein] redine *m/pl*

reindeer ['reindiə] renna *f*

reinforce [ri:in'fɔːs] *v/t* rinforzare

reissue ['ri:'isjuː, -'iʃjuː] *v/t* ristampare

reject [ri'dʒekt] *v/t* respingere; scartare; *s* scarto *m*

rejoice [ri'dʒɔis] *v/i* far festa

relapse [ri'læps] *s med* ricaduta *f*; *v/i* ricadere

relate [ri'leit] *v/t* raccontare; riguardare; *v/i* riferirsi a; **~ed** affine, connesso; **~ion** [ri'leiʃən] relazione *f*; rapporto *m*; parente *m*; **~ionship** rapporto *m*; parentela *f*; **~ive** ['relətiv] *a* relativo; *s* parente *m*

relax [ri'læks] *v/t* rilassare; *v/i* rilassarsi

relay ['ri:'lei] v/t ritrasmettere

release [ri'li:s] s liberazione f; v/t liberare

relent [ri'lent] v/i ritornare su una lentezza; lasciarsi intenerire

relevant ['relivǝnt] pertinente

reliable [ri'laiǝbl] fidato

relic ['relik] reliquia f

relief [ri'li:f] sollievo m; assistenza f; cambio m; soccorso m

relieve [ri'li:v] v/t sollevare

religio|n [ri'lidʒǝn] religione f; ~us religioso

relinquish [ri'liŋkwiʃ] v/t abbandonare

relish ['reliʃ] s gusto m; piacere m; v/t gustare; piacere

reluctan|ce [ri'lʌktǝns] riluttanza f; ~t riluttante

rely [ri'lai]: ~(up)on v/i contare su

remain [ri'mein] v/i rimanere; ~der resto m

remand [ri'maːnd] v/t rimandare in carcere

remark [ri'maːk] s osservazione f; v/t, v/i osservare; ~able notevole

remedy ['remidi] s rimedio m; v/t rimediare

rememb|er [ri'membǝ] v/t ricordarsi di; ~rance ricordo m

remind [ri'maind] v/t ricordare

reminiscence [,remi'nisnt] reminiscenza f

remiss [ri'mis] negligente

remit [ri'mit] v/t rimettere; ~tance rimessa f

remnant ['remnǝnt] resto m; scampolo m

remodel ['riː'mɔdl] v/t rimodellare

remonstrate ['remǝnstreit] v/i protestare

remorse [ri'mɔːs] rimorso m; ~less spietato

remote [ri'mout] remoto, lontano

remov|al [ri'muːvǝl] trasloco m; ~e v/t togliere; v/i sgomberare

remunerate [ri'mjuːnǝreit] v/t rimunerare

renaissance [rǝ'neisǝns] rinascimento m

render ['rendǝ] v/t rendere; fare

renew [ri'njuː] v/t rinnovare; ~al rinnovamento m

renounce [ri'nauns] v/t rinunciare a

renown [ri'naun] fama f; ~ed famoso

rent [rent] s affitto m; v/t affittare

reopen ['riː'oupǝn] v/t riaprire; ~ing riapertura f

repair [ri'pɛǝ] v/t riparare

reparation [repǝ'reiʃǝn] riparazione f

repay [riː'pei] v/t, irr rimborsare; restituire

repeat [ri'piːt] v/t ripetere

repel [ri'pel] v/t respingere; ~lent ripellente

repent [ri'pent] v/t pentirsi di; ~ance pentimento m; ~ant pentito

repetition [repi'tiʃən] ripetizione *f*

replace [ri'pleis] *v/t* sostituire; **~ment** sostituzione *f*

replenish [ri'pleniʃ] *v/t* riempire di nuovo

reply [ri'plai] *s* risposta *f*; *v/i* rispondere

report [ri'pɔːt] *s* rapporto *m*; resoconto *m*; *v/t* riferire; denunziare; **~er** giornalista *m*, *f*

repose [ri'pouz] *s* riposo *m*; *v/i* riposare

reprehend [,repri'hend] *v/t* riprendere

represent [,repri'zent] *v/t* rappresentare; **~ation** rappresentazione *f*; **~ative** *a* rappresentativo; *s* rappresentante *m*

repress [ri'pres] *v/t* reprimere; **~ion** repressione *f*

reprieve [ri'priːv] *s* sospensione *f*; *v/t* sospendere

reprimand ['reprimɑːnd] *s* rimprovero *m*; *v/t* rimproverare

reprint ['riː'print] *s* ristampa *f*; *v/t* ristampare

reprisal [ri'praizəl] rappresaglia *f*

reproach [ri'proutʃ] *s* rimprovero *m*; *v/t* rimproverare

reproduc|e [ri:prə'djuːs] *v/t* riprodurre; *v/i* riprodursi; **~tion** [-'dʌkʃən] riproduzione *f*

repro|of [ri'pruːf] rimprovero *m*; **~ve** [ri'pruːv] *v/t* rimproverare

reptile ['reptail] rettile *m*

republic [ri'pʌblik] repubblica *f*; **~an** *a*, *s* repubblicano (*m*)

repudiate [ri'pjuːdieit] *v/t* ripudiare

repugnan|ce [ri'pʌgnəns] ripugnanza *f*; **~t** ripugnante

repuls|e [ri'pʌls] *v/t* respingere; **~ion** ripugnanza *f*; **~ive** ripugnante

reput|able ['repjutəbl] rispettabile; **~ation** riputazione *f*; **~e** [ri'pjuːt] *s* fama *f*

request [ri'kwest] *s* richiesta *f*; domanda *f*; **by ~, on ~** a richiesta; *v/t* richiedere

requir|e [ri'kwaiə] *v/t* avere bisogno di; **~ement** necessità *f*; requisiti *m/pl*; **~site** ['rekwizit] *a* necessario; *s* requisito m

rescue ['reskjuː] *v/t* salvare; *s* salvamento *m*

research [ri'səːtʃ] *s* ricerca *f*; **~ work** ricerche *f/pl*; **~ worker** ricercatore *m*

resembl|ance [ri'zembləns] rassomiglianza *f*; **~e** *v/t* rassomigliare

resent [ri'zent] *v/t* risentirsi di; **~ful** risentito; **~ment** risentimento *m*

reserv|ation [rezə'veiʃən] riserva *f*; posto *m* prenotato; **~e** [ri'zəːv] *s* riserva *f*; *v/t* riservare; prenotare

reservoir ['rezəvwɑː] serbatoio *m*

reside [ri'zaid] *v/i* risiedere; **~nce** ['rezidəns] residenza

f; **~nce permit** permesso m
di soggiorno; **~nt** a residen-
te; s abitante m
residue ['rezidju:] residuo m
resign [ri'zain] v/t dimetter-
si; **~ation** [rezig'neiʃən] di-
missioni f/pl
resin ['rezin] resina f
resist [ri'zist] v/t, v/i resistere; **~ance** resistenza f; **~ant**
resistente
resolut|e ['rezəlu:t] risoluto;
deciso; **~ion** risoluzione f;
risolutezza f
resolve [ri'zɔlv] v/t risolvere; decidere; v/i decidersi
resonan|ce ['reznəns] risonan-
za f; **~t** risonante
resort [ri'zɔ:t] s ricorso m;
espediente m; luogo m di
villeggiatura; **~ to** v/i ricorrere a
resound [ri'zaund] v/i risuonare
resource [ri'sɔ:s] risorsa f;
~ful pieno di risorse
respect [ris'pekt] s rispetto
m; **in every ~** sotto tutti i
punti di vista; v/t rispet-
tare; **~able** rispettabile;
~ful rispettoso; **yours
~fully** con la più profonda
stima; **~ive** rispettivo; **~s** pl
ossequi m/pl
respirat|ion [respi'reiʃən]
respirazione f; **~e** [ris'paiə]
v/t, v/i respirare
respite ['respait] respiro m;
tregua f
resplendent [ris'plendənt]
risplendente
respon|d [ris'pɔnd] v/t ri-

spondere; **~se** risposta f; re-
sponso m; **~sibility** [ris-
'pɔnsi'biliti] responsabilità
f; **~sible** responsabile
rest [rest] s riposo m;
resto m; v/t appoggiare; v/i
riposarsi
restaurant ['restərən,
'restərənt] ristorante m;
trattoria f
rest|ful riposante; **~less** agi-
tato
restor|ation [restə'reiʃən]
restauro m; restaurazione f;
~e [ris'tɔ:] v/t restaurare;
restituire
restrain [ris'trein] v/t trattenere; frenare; **~t** freno m;
controllo m
restrict [ris'trikt] v/t restringere; limitare; **~ion** restri-
zione f
result [ri'zʌlt] s risultato m;
v/i risultare
resume [ri'zju:m] v/t riprendere
resurrection [rezə'rekʃən]
risurrezione f
retail ['ri:teil] s vendita f a
dettaglio; [ri:'teil] v/t vendere a dettaglio; **~er** venditore m a dettaglio
retain [ri'tein] v/t ritenere;
trattenere
retaliate [ri'tælieit] v/i rendere
retard [ri'ta:d] v/t ritardare
retention [ri'tenʃən] riteni-
mento m
reticent ['retisənt] reticente
retir|e [ri'taiə] v/i ritirare;
andare in pensione; andare

a riposo; **~ed** in pensione; a riposo; **~ement** riposo *m*

retort [ri'tɔːt] *s* risposta *f*; *v/t* rispondere

retrace [ri'treis] *v/t* rintracciare

retract [ri'trækt] *v/t* ritrarre

retreat [ri'triːt] *s* ritiro *m*; ritirata *f*; *v/i* ritirarsi

retribution [retri'bjuːʃən] retribuzione *f*

return [ri'təːn] *s* ritorno *m*; **by ~ of post** a giro di posta; *v/t* restituire; rimandare; *v/i* (ri)tornare; **~ ticket** biglietto *m* di andata e ritorno

reunion [ˌriː'juːnjən] riunione *f*; **~te** [ˈriːjuːˈnait] *v/t* riunire; *v/i* riunirsi

reveal [ri'viːl] *v/t* rivelare

revel [revl] *s* baldoria *f*; *v/i* far baldoria

revelation [ˌrevi'leiʃən] rivelazione *f*; **R~s** apocalisse *f*

revenge [ri'vendʒ] *s* vendetta *f*; *v/t* vendicare; **~ful** vendicativo

revenue ['revinjuː] entrata *f*; reddito *m*

revere [ri'viə] *v/t* riverire; venerare; **~nce** ['revərəns] riverenza *f*; **~nd** reverendo

reverse [ri'vəːs] *s* rovescio *m*; contrario *m*; *v/t* capovolgere; *a* contrario; opposto; **~gear** retromarcia *f*; **~ible** rivoltabile

revert [ri'vəːt] *v/i* ritornare

review [ri'vjuː] *s* rivista *f*; recensione *f*; *v/t* passare in rivista; recensire; **~er** critico *m*

revise [ri'vaiz] *v/t* rivedere; correggere; **~ion** [ˌ~'viʒən] revisione *f*, correzione *f*

revival [ri'vaivəl] risveglio *m*; rinascita *f*; **~e** *v/t* far rivivere; ridare vita; *v/i* riprendere vita; riprendere i sensi

revoke [ri'vouk] *v/t* revocare

revolt [ri'voult] *s* rivolta *f*; *v/i* ribellarsi

revolution [revə'luːʃən] rivoluzione *f*; **~ary** *a*, *s* rivoluzionario (*m*); **~ize** *v/t* rivoluzionare

revolve [ri'vɔlv] *v/i* girare; **~r** rivoltella *f*

reward [ri'wɔːd] *s* ricompensa *f*; *v/t* ricompensare

rheumatic [ruː'mætik] reumatico; **~ism** ['ruːmətizəm] reumatismo *m*

rhubarb ['ruːbɑːb] rabarbaro *m*

rhyme [raim] *s* rima *f*; *v/i* rimare

rhythm ['riðəm] ritmo *m*; **~ic, ~ical** ritmico

rib [rib] costola *f*; stecca *f* (*dell'ombrello*)

ribbon ['ribən] nastro *m*

rice [rais] riso *m*

rich [ritʃ] ricco; **~es** [ˌ~iz] *pl*, **~ness** ricchezza *f*

rickets ['rikits] *pl* rachitismo *m*; **~y** rachitico

rid [rid] *v/t*, *v/i* liberare; open; **get ~ of** liberarsi di

riddle ['ridl] indovinello *m*; enigma *m*

ride [raid] *s* cavalcata *f*; passeggiata *f* (*in bicicletta, in* macchina); v/i, irr cavalca-re; andare in bicicletta; an-dare in macchina; **~er** cava-liere m

ridge [ridʒ] cresta f

ridicul|e ['ridikju:l] s ridi-colo m; v/t mettere in ridi-colo; **~ous** [~'dikjuləs] ridi-colo

riding ['raidiŋ] equitazione f

rifle ['raifl] fucile m

rift [rift] spaccatura f; fig dissenso m

right [rait] s destra f; bene m; giusto m; a destro; diretto; corretto; **all ~** va bene; **~ angle** angolo m retto; **be ~** avere ragione; **put ~, set ~** mettere in ordine; **on the ~,** **to the ~** a destra; **~eous** retto; giusto; **~ of way** pre-cedenza f

rigid ['ridʒid] rigido

rig|orous ['rigərəs] rigoroso; **~o(u)r** rigore m

rim [rim] bordo m

rind [raind] buccia f

ring [riŋ] s cerchio m; anello m; recinto m; arena f (pu-gilato); pista f (corse); suo-nata f (campanello); v/t suo-nare (campanello); **~ up** te-lefonare

ringlet ['riŋlit] ricciolo m

rink [riŋk] pista f (di patti-naggio)

rinse [rins] v/t sciacquare

riot ['raiət] s tumulto m; v/i tumultuare

rip [rip] s strappo m; v/t strappare

ripe [raip] maturo; **~n** v/t,

v/i maturare; **~ness** matu-rità f

ripple ['ripl] s increspatura f; v/i incresparsi

rise [raiz] s salita f; aumento m; origine f; v/i salire; sor-gere; alzarsi

risk [risk] s rischio m; v/t rischiare

rit|e [rait] rito m; **funeral** **~es** m/pl riti m/pl funebri

rival ['raivəl] a rivale; s riva-le m; concorrente m; v/t concorrere con; **~ry** rivalità f; concorrenza f

river ['rivə] fiume m

road [roud] strada f; via f; **~ map** carta f stradale; **~ sign** cartello m stradale

roam [roum] v/i vagare

roar [rɔ:] s ruggito m; v/i ruggire

roast [roust] a, s arrosto m; v/t arrostire

rob [rɔb] v/t derubare; **~ber** ladro m; **~bery** furto m

robe [roub] toga f; tunica f

robin ['rɔbin] pettirosso m

robot ['roubɔt] robot m

robust [rou'bʌst] robusto; vigoroso

rock [rɔk] roccia f; v/t cul-lare; dondolare; v/i dondo-larsi; **~er** sedia f a dondolo

rocket ['rɔkit] razzo m

rocking-chair sedia f a don-dolo

rocky ['rɔki] roccioso

rod [rɔd] bacchetta f; verga f; canna f (da pesca)

roe [rou] cerva f

6*

rogu|e [roug] furfante *m*;
~**ish** birichino

role, rôle [roul] parte *f*; ruolo *m*

roll [roul] *s* rotolo *m*; panino
m; *v/t* rotolare; avvolgere;
v/i rotolarsi; ~**er** rullo *m*;
cilindro *m*; ~**er-skates** *pl*
pattini *m/pl* a rotelle

Roman ['roumən] *a, s* romano (*m*)

romance [rou'mæns] romanzo *m* cavalleresco; *mus*
romanza *f*

Romanesque [,roumə'nesk]
di stile romano

romantic [rou'mæntik] ro-
mantico

roof [ru:f] tetto *m*

rook [ru:k] cornacchia *f*

room [rum] stanza *f*; camera
f; posto *m*; ~**mate** compa-
gno(a) *m(f)* di stanza; ~**y**
spazioso

roost [ru:st] pertica *f*; ~**er**
gallo *m*

root [ru:t] radice *f*; origine
m; ~ **out** *v/t* sradicare

rope [roup] corda *f*

rosary ['rouzəri] rosario *m*

ros|e [rouz] rosa *f*; ~**e-bush**
rosaio *m*; ~**emary** rosmarino *m*; ~**y** roseo

rot [rɔt] *s* putrefazione *f*;
marciume *m*; decadenza *f*;
v/i imputridire; marcire;
decadere

rota|ry ['routəri] rotatorio *f*;
~**tion** [rou'teiʃən] rotazione
f

rotten ['rɔtn] putrido; marcio

rouge [ru:ʒ] rossetto *m*

rough [rʌf] ruvido; rozzo;
agitato (*del mare*)

round [raund] *a* tondo; rotondo; *s* tondo *m*; giro *m*;
cerchio *m*; *prp* intorno a;
adv intorno; in giro; **all the
year** ~ tutto l'anno; *v/t* arrotondare; girare; ~ **off** *v/t*
completare

rouse [rauz] *v/t* destare; svegliare

route [ru:t] itinerario *m*;
percorso *m*

routine [ru:'ti:n] abitudini
f/pl fisse; pratica *f*

rove [rouv] *v/i* vagabondare

row [rou] *s* fila *f*; passeggiata
f in barca (*a remi*); *v/t* remare

row [rau] chiasso *m*

royal ['rɔiəl] reale

rub [rʌb] *v/t* strofinare

rubber ['rʌbə] cauccìù *m*;
gomma *f*; ~**boots** *pl* stivali
m/pl di gomma

rubbish ['rʌbiʃ] rifiuti *m/pl*;
fam sciocchezze *f/pl*

rubble ['rʌbl] rottami *m/pl*
di mattoni o di sassi

ruby ['ru:bi] rubino *m*

rucksack ['ruksæk] sacco *m*
da montagna

rudder ['rʌdə] timone *m*

ruddy ['rʌdi] rubicondo

rude [ru:d] scortese; sgarbato

ruffian ['rʌfjən] malfattore
m

ruffle ['rʌfl] increspatura *f*;
v/t increspare

rug [rʌg] coperta *f*; tappe-

tino *m*; **~ged** ruvido; aspro
ruin ['ru:in] *s* rovina *f*; *v/t* rovinare
rul|e [ru:l] *s* regola *f*; regolamento *m*; **as a ~e** generalmente; *v/t* governare; regolare; **~er** governatore *m*; riga *f* (*per tracciare linee*)
rum [rʌm] rum *m*
rumble ['rʌmbl] *v/i* rumoreggiare
ruminante ['ru:minənt] ruminante *m/pl*
rummage ['rʌmidʒ] *v/t*, *v/i* frugare
rumo(u)r ['ru:mə] voce *f*; **it is ~ed** si dice
run [rʌn] *s* corsa *f*; serie *f*; **in the long ~** alla lunga; *v/t*, *irr* far correre; gestire; *v/i* correre; scorrere; essere in visione (*di un film*); **~**

across incontrare; **~ away** fuggire; **~ into** investire; **~ out of** essere a corto di; **~ over** investire; **~ning** corridore *m*
runway ['rʌnwei] pista *f*
rupture ['rʌptʃə] rottura *f*; ernia *f*
rural ['ruərəl] rurale
rush [rʌʃ] *s bot* giunco *m*; precipizio *m*; afflusso *m*; *v/t* precipitare; *v/i* precipitarsi; **~ hours** *pl* ore *f/pl* di punta
Russia ['rʌʃə] Russia *f*; **~n** *a*, *s* russo (*m*)
rust [rʌst] *s* ruggine *f*; *v/i* arrugginirsi
rustic ['rʌstik] rustico
rustle ['rʌsl] *s* fruscio *m*; *v/i* frusciare
rusty ['rʌsti] arrugginito

S

Sabbath ['sæbəθ] giorno *m* di riposo
sable ['seibl] zibellino *m*
sabotage ['sæbətɑ:ʒ] sabotaggio *m*
sack [sæk] sacco *m*; saccheggio *m*; **give the ~** licenziare; *v/t* saccheggiare
sacrament ['sækrəmənt] sacramento *m*
sacred ['seikrid] sacro
sacrifice ['sækrifais] *s* sacrificio *m*; *v/t* sacrificare
sacrilege ['sækrilidʒ] sacrilegio *m*
sad [sæd] triste; **~den** *v/t*

intristire
saddle ['sædl] sella *f*
sadness ['sædnis] tristezza *f*
safe [seif] *a* sicuro; salvo; *s* cassaforte *f*; **~ and sound** sano e salvo; **~guard** *s* salvaguardia *f*; *v/t* salvaguardare; **~ty** sicurezza *f*; salvezza *f*; **~ty-belt** cintura *f* di sicurezza; **~ty-pin** spillo *m* di sicurezza; **~ty-valve** valvola *f* di sicurezza
sag [sæg] *v/i* pendere; piegarsi; cadere
sagacious [sə'geiʃəs] sagace
said [sed] detto

sail [seil] *s* vela *f*; passeggiata *f* in barca *(a vela)*; *v/t* navigare; **~ing-boat** barca *f* a vela; **~or** marinaio *m*

saint [seint] *s* santo(a) *m* (*f*); *a* santo; San *(davanti nomi maschili che non iniziano con st, o z, o vocale)*; **All ♀'s Day** Tutti i Santi

sake [seik]: **for the ~ of peace** per amor di pace; per motivi di pace; **for God's ~** per l'amor di Dio

salad ['sæləd] insalata *f*; **~bowl** insalatiera *f*

salary ['sæləri] stipendio *m*

sale [seil] vendita *f*; **on ~** in vendita; **~sman** venditore *m*; commesso *m (di negozio)*

saliva [sə'laivə] saliva *f*

sallow ['sæləu] olivastro

salmon ['sæmən] salmone *m*

salon ['sælɔn] salone *m*

saloon [sə'luːn] sala *f* grande; *Am* birreria *f*

salt [sɔːlt] sale *m*; *v/t* salare; **~y** salato

salute [sə'luːt] *s* saluto *m*; *v/t* salutare

salvation [sæl'veiʃən] redenzione *f*; ♀ **Army** Esercito *m* della Salvezza

salve [sɑːv] unguento *m*

same [seim] stesso; medesimo

sample ['sɑːmpl] *s* campione *m*; *v/t* provare; **~book** campionario *m*

sanatorium [sænə'tɔːriəm] sanatorio *m*

sanctify ['sæŋktifai] *v/t* santificare

sanction ['sæŋkʃən] *s* sanzione *f*; *v/t* autorizzare

sanctuary ['sæŋktjuəri] santuario *m*

sand [sænd] sabbia *f*

sandpaper carta *f* vetrata

sandal ['sændl] sandalo *m*

sandwich ['sænwidʒ] panino *m* ripieno; tartina *f*

sandy ['sændi] sabbioso

sane [sein] sano

sanguinary ['sæŋgwinəri] sanguinario

sanita|ry ['sænitəri] sanitario; igienico; **~ry napkin;** **~ry towel** assorbente *m* igienico; **~tion** igiene *f*

sanity ['sæniti] sanità *f*

Santa Claus [sæntə'klɔːz] babbo *m* Natale

sap [sæp] *s* linfa *f*; *v/t* minare

sapphire ['sæfaiə] zaffiro *m*

sarcas|m ['sɑːkæzəm] sarcasmo *m*; **~tic** [sɑː'kæstik] sarcastico

sardine [sɑː'diːn] sardina *f*

Sardinia Sardegna *f*; **~n** *a, s* sardo (*m*)

Satan ['seitən] Satano *m*

satchel ['sætʃəl] cartella *f*

satellite ['sætəlait] satellite *m*

satir|e ['sætaiə] satira *f*; **~ical** [sə'tirikəl] satirico

satisfaction [sætis'fækʃən] soddisfazione *f*; **~actory** soddisfacente; **~y** [-'fai] *v/t* soddisfare

Saturday ['sætədi] sabato *m*

sauc|e [sɔːs] salsa *f*; **~epan** casseruola *f*; **~er** piattino *m*; **~y** impertinente

167   **scoff**

saunter ['sɔːntə] v/i andare piano piano

sausage ['sɔsidʒ] salsiccia f

savage ['sævidʒ] a, s selvaggio (m)

sav|e [seiv] prp salvo; eccetto; v/t salvare; economizzare; risparmiare; **~ings** pl risparmi m/pl; **~ings-bank** cassa f di risparmio

savio(u)r ['seiviə] salvatore m; redentore m

savo(u)r ['seivə] s gusto m, sapore m; v/t sapere di; **~y** a saporito

saw [sɔː] s sega f; v/t, irr segare; **~dust** segatura f

Saxon ['sæksn] a, s sassone (m, f)

say [sei] v/t, v/i, irr dire; **they ~** dicono; **I ~!** davvero!; **that is to ~** cioè; **~ing** detto m

scab [skæb] crosta f

scaffold ['skæfəld] patibolo m; **~ing** impalcatura f

scald [skɔːld] s scottatura f; v/t scottare

scale [skeil] s scala f; scaglia f (della pelle); v/t scalare; **~s** pl bilancia f

scalp [skælp] cuoio m capelluto

scandal ['skændl] scandalo m; **~ous** scandaloso

Scandinavian [skændi'neivjən] a, s scandinavo (m)

scant [skænt], **~y** scarso

scapegoat ['skeitgout] capro m espiatorio

scar [skɑː] cicatrice f

scarc|e [skeəs] difficile a tro-

vare; **~ely** appena; **~ely ever** quasi mai; **~ity** carestia f

scare [skeə] s spavento m; v/t spaventare; **~crow** spauracchio m

scarf [skɑːf], pl **~s** [skɑːfs], **scarves** [~vz] sciarpa f

scarlet ['skɑːlit] scarlatto; **~ fever** scarlattina f

scatter ['skætə] v/t, v/i spargere; sparpagliare

scene [siːn] scena f; scenata f; **~ry** scenario m; panorama m; paesaggio m

scent [sent] s profumo m; v/t profumare

sceptic ['skeptik] s, a scettico (m); **~al** scettico

schedule ['ʃedjuːl], Am ['skedʒuːl] s lista f; programma m; Am orario m; v/t schedare

scheme [skiːm] s piano m; progetto m; sistema m; v/i intrigare

schola|r ['skɔlə] studioso m; **~rship** borsa f di studio

school [skuːl] scuola f; **~ing** istruzione f; **~master** maestro m; insegnante m; **~mate** compagno (a) m (f) di scuola; **~teacher** maestro(a) m (f); professore m; professoressa f

scien|ce ['saiəns] scienza f; **~tific** scientifico; **~tist** scienziato m

scissors ['sizəz] pl forbici f/pl

scoff [skɔf]: **~ at** v/t deridere

scold [skould] v/t rimproverare

scoop [sku:p] s cucchiaia f; ramaiuolo m; v/t travasare

scope [skoup] libertà f d'azione; campo m (d'attività)

scorch [skɔːtʃ] v/t bruciare

score [skɔː] s ventina f; punteggio m; spartito m; v/t segnare

scorn [skɔːn] s disprezzo m; v/t disprezzare; **~ful** sprezzante

Scot [skɔt] s scozzese m, f

Scotch [skɔtʃ], **Scottish** a, s scozzese (m, f)

Scotch|man, **~woman**, **Scotsman**, **Scotswoman** scozzese m, f

scoundrel ['skaundrəl] mascalzone m

scout ['skaut] esploratore m

scowl [skaul] v/i guardare male

scramble ['skræmbl] s precipizio m; v/i precipitarsi; **~d eggs** uova f/pl strapazzate

scrap [skræp] s pezzetto m; rottame m; litigio m; v/t scartare; v/i litigare

scrape [skreip] v/t raschiare

scratch [skrætʃ] s graffio m; v/t graffiare

scream [skri:m] s strillo m; urlo m; v/i strillare; urlare

screech [skri:tʃ] s strillo m (acuto); v/i strillare

screen [skri:n] s paravento m; schermo m (cinematografico); v/t riparare; proteggere

screw [skru:] s vite f; v/t avvitare; **~driver** giravite m

scribble ['skribl] s scarabocchio m; v/t scarabocchiare

script [skript] scrittura f; copione m (di un film); **~ure** scrittura f; **the Holy ~ures** pl la Sacra Scrittura

scrub [skrʌb] v/t strofinare

scrup|le ['skru:pl] scrupolo m; **~ulous** ['~pjuləs] scrupoloso

scrutinize ['skru:tinaiz] v/t scrutinare

sculpt|or ['skʌlptə] scultore m; **~ure** scultura f

scum [skʌm] schiuma f; feccia f

scurvy ['skə:vi] scorbuto m

scythe [saið] s falce f; v/t falciare

sea [si:] mare m; **at ~** sul mare; **~gull** gabbiano m

seal [si:l] s zool foca f; sigillo m; v/t sigillare

sea level livello m del mare

sealing-wax ceralacca f

seam [si:m] s cucitura f; giacimento m

seaport porto m di mare

search [sə:tʃ] s ricerca f; v/i cercare; **~light** riflettore m

seasick: be ~ avere il mal di mare; **~ness** mal m di mare

seaside costa f; lido m

season ['si:zn] s stagione f; v/t condire; **~able** di stagione; **~ing** condimento m; **~ticket** biglietto m d'abbonamento m

seat [si:t] posto m (a sedere); panchina f; sede f; fondello

m (*del calzone*); v/r **~ o.s.**
sedersi; **~belt** cintura f di
sicurezza

seaweed alga f

seclu|ded [si'klu:did] appartato; **~sion** solitudine f; ritiro m

second ['sekənd] a secondo;
~-class di seconda classe; s.
secondo m; v/t appoggiare;
assecondare; **~ary** secondario; **~ary school** scuola m
media; **~ floor** Am primo
piano; **~rate** di qualità minore

secre|cy ['si:krisi] segretezza
f; **~t** a, s secreto (m)

secretary ['sekrətri] segretario m

secret|e [si'kri:t] v/t med secernere; **~ion** secrezione f

sect [sekt] setta f

sect|ion ['sekʃən] sezione f;
~or ['sektə] settore m

secular ['sekjulə] secolare

secur|e [si'kjuə] a sicuro; v/t
assicurare; **~ity** sicurezza f

sedative ['sedətiv] a, s sedativo (m)

sediment ['sedimənt] sedimento m

seduc|e [si'dju:s] v/t sedurre; **~tion** [~'dʌkʃən] seduzione f

see [si:] v/t, irr vedere; **~ off**
accompagnare; **~ to** provvedere a

seed [si:d] seme m

seek [si:k] v/t, irr cercare

seem [si:m] v/i sembrare

seep [si:p] v/i trasudare

seesaw ['si:sɔ:] altalena f

segregate ['segrigeit] v/t segregare

seismograph ['saizməgra:f]
sismografo m

seize [si:z] v/t afferrare;
~ure presa f; med attacco m

seldom ['seldəm] raramente

select [si'lekt] a scelto; v/t
scegliere; **~ion** selezione f

self [self], pl **selves** [~vz] a
stesso; s se stesso; **~-command** padronanza f di se
stesso; **~-confidence** fiducia f in se stesso; **~-contained** riservato; **~ish** egoista; **~-made man** uomo m
fatto da sé; **~-possessed** padrone m di se stesso; **~-reliant** conscio del proprio
valore; **~-sacrificing** che
sacrifica se stesso; **~-service** autoservizio m; **~-timer** phot autoscatto m

sell [sel] v/t, irr vendere; v/i
vendersi; **~er** venditore m;
~ing vendita f

semblance ['sembləns] apparenza f

semester [si'mestə] semestre m

semicolon ['semi'koulən]
punto e virgola

senat|e ['senit] senato m; **~or**
senatore m

send [send] v/t, irr mandare;
spedire; **~ back** rimandare

senior ['si:njə] maggiore di
età; più anziano

sensation [sen'seiʃən] sensazione f; **~al** sensazionale

sens|e [sens] v/t accorgersi
di; s. senso m; buon senso

m; significato *m*; **~eless** senza significato; assurdo; **~ible** sensato; **~itive** sensibile; **~ual** sensuale; **~uality** sensualità *f*

sentence ['sentəns] *s* sentenza *f*; frase *f*; *v/t* condannare

sentiment ['sentimənt] sentimento *m*; **~al** [~'mentl] sentimentale

sentry ['sentri] sentinella *f*

separat|e ['sepərit] *a* separato; ['sepəreit] *v/t* separare; *v/i* separarsi; **~ion** [,sepə'reiʃən] separazione *f*

September [səp'tembə] settembre *m*

septic ['septik] settico

sequel|e ['si:kwəl] seguito *m*; **~nce** successione *f*; serie *f*

serenade [,seri'neid] serenata *f*

serene [si'ri:n] sereno

sergeant ['sa:dʒənt] sergente *m*

serial ['siəriəl] romanzo *m* a puntate

series ['siəri:z] *pl* serie *f*

serious ['siəriəs] serio; grave

sermon [sə:mən] predica *f*

serpent ['sə:pənt] serpente *m*; **~ine** serpentino

serum ['siərəm] siero *m*

serv|ant ['sə:vənt] domestico(a) *m* (*f*); **~e** *v/t*, *v/i* servire; **~ice** servizio *m*

serviette [,sə:vi'et] tovagliolo *m*

servile ['sə:vail] servile

session ['seʃən] sessione *f*

set [set] . partita *f*; serie *f*; servizio *m*; **hair ~** messa *f* in

piega; *v/t*, *irr* disporre; mettere; regolare; fissare; **~ aside** mettere da parte; **~ on fire** incendiare; **~ up** stabilire; mettere su; *v/i* tramontare (*del sole*); solidificarsi; **~back** contrattempo *m*

sett|er compositore *m*; **~ing** ambiente *m*; messa *f* in scena

settle ['setl] *v/t* sistemare; accomodare; stabilire; *comm* saldare; pagare; *v/i* sistemarsi; accomodarsi; **~ment** sistemazione *f*; colonia *f*; *comm* saldo *m*

sever ['sevə] *v/t* separare; *v/i* separarsi

several ['sevrəl] vari; diversi

sever|e [si'viə] severo; **~ity** severità *f*

sew [sou] *v/t*, *irr* cucire

sew|age ['sju(:)idʒ] acque *f/pl* luride; **~er** fogna *f*

sewing ['souin] cucito *m*; **~ machine** macchina *f* da cucire

sex [seks] sesso *m*

sexton ['sekstən] sacrestano *m*

sexual ['seksjuəl] sessuale

shabby ['ʃæbi] logoro; malandato

shad|e [ʃeid] *s.* ombra *f*; paralume *m*; sfumatura *f*; *v/t* dare ombra; **~ow** ['ʃædou] ombra *f*

shaft [ʃɑ:ft] asta *f*; raggio *m* (*di luce*); pozzo *m* (*di miniera*)

shake [ʃeik] *s.* scossa *f*; *v/t*

scuotere; agitare; ~ hands with stringere la mano a; *v/i* tremare

shall [ʃæl] *v/d* dovere; *or: future tense of verb*

shallow [ˈʃælou] poco profondo; *fig* superficiale

sham [ʃæm] *a* finto; falso; *s* finzione *f*

shame [ʃeim] vergogna *f*; **what a ~!** che peccato!; **~ful** vergognoso; **~less** svergognato

shampoo [ʃæmˈpuː] shampoo *m*

shank [ʃæŋk] gamba *f*; stinco *m*; *mech* asta *f*

shape [ʃeip] *s* forma *f*; *v/t* formare; modellare; **~less** informe; **~ly** ben fatto

share [ʃɛə] *s* parte *f*; porzione *f*; *comm* azione *f*; *v/t* (con)dividere; **~holder** azionista *m, f*

shark [ʃɑːk] pescecane *m*

sharp [ʃɑːp] *a* acuto; affilato; vivace; penetrante; piccante; *s mus* diesis *m*; *adv* in punto; **four o'clock ~** alle quattro in punto; **~en** *v/t* affilare; aguzzare; **~ener** temperalapis *m*

shatter [ˈʃætə] *v/t* frantumare; *v/i* andare in frantumi; frantumarsi

shave [ʃeiv] *v/t, i*, *irr* far la barba

shawl [ʃɔːl] scialle *m*

she [ʃiː] lei, ella, essa; *(in nomi composti)* femmina; **~cat** gatta *f*; **~goat** capra *f*

sheaf [ʃiːf], *pl* **sheaves** [~vz]

fascio *m*

shear [ʃiə] *v/t*, *irr* tosare

sheath [ʃiːθ] astuccio *m*; guaino *m*

shed [ʃed] *s* capanna *f*; *v/t* togliersi

sheep [ʃiːp], *pl* ~ pecora *f*; **~dog** cane *m* pastore; **~ish** vergognoso

sheer [ʃiə] puro; fine

sheet [ʃiːt] lenzuolo *m*; foglio *m* (*di carta*); lastra *f*

shelf [ʃelf], *pl* **shelves** [~vz] scaffale *m*; ripiano *m*

shell [ʃel] conchiglia *f*; guscio *m* (*dell'uovo*); proiettile *m*

shelter [ˈʃeltə] rifugio *m*; asilo *m*; riparo *m*; *v/t* riparare; *v/i* ripararsi; rifugiarsi

shepherd [ˈʃepəd] pastore *m*

shield [ʃiːld] *s* scudo *m*; protezione *f*; *v/t* proteggere

shift [ʃift] *s* cambiamento *m*; turno *m*; *v/t* cambiare; spostare

shilling [ˈʃiliŋ] scellino *m*

shin(-bone) [ˈʃin(-)] *anat* stinco *m*

shine [ʃain] *s* lustro *m*; splendore *m*; *v/i*, *irr* brillare; splendere

shingle [ˈʃiŋgl] assicella *f*

shingles [ˈʃiŋglz] *pl* fuoco *m* di Sant'Antonio; erpete *m*

ship [ʃip] *s* nave *f*; *v/t* spedire; **~load** carico *m*; **~ment** spedizione *f*; **~owner** armatore *m*; **~ping agent** spedizioniere *m* marittimo; **~ping company** compagnia *f* di navigazione; **~wreck** naufragio *m*; **~yard** cantiere *m* navale

shire ['ʃaiə] contea *f*

shirk [ʃəːk] *v/t, v/i* evitare; sottrarsi *a*

shirt [ʃəːt] camicia *f*

shiver ['ʃivə] *s* brivido *m*; *v/i* rabbrividire

shock [ʃɔk] *s* cozzo *m*; colpo *m*; *v/t* scandalizzare; **~ing** scandaloso

shoe [ʃuː] *s* scarpa *f*; ferro *m* (*da cavallo*); *v/t* calzare; ferrare; **~lace** laccio *m*; **~maker** calzolaio *m*; **~shop** calzoleria *f*

shoot [ʃuːt] *bot* germoglio *m*; tiro *m*; *v/t, v/i, irr* fucilare; *v/i* germogliare; sparare; andare a caccia; **~ing** caccia *f*

shop [ʃɔp] *s* negozio *m*; **~assistant** commesso *m*; **~keeper** negoziante *m*; **~ping** compra *f*; **~window** vetrina *f*

shore [ʃɔː] riva *f*; spiaggia *f*

short [ʃɔːt] corto; breve; basso (*di statura*); **cut ~** interrompere; abbreviare; **run ~** essere a corto di; **~age** scarsezza *f*; **~circuit** corto circuito *m*; **~coming** difetto *m*; **~cut** scorciatoia *f*; **~en** *v/t* accorciare; abbreviare; **~hand** stenografia *f*; **~ly** tra poco; **~s** *pl* pantaloni *m/pl* corti; **~sighted** miope; poco accorto; **~term** a breve scadenza

shot [ʃɔt] sparo *m*; tiro *m*

shoulder ['ʃouldə] spalla *f*;

~blade scapola *f*; **~strap** bretella *f*

shout [ʃaut] *s* grido *m*; *v/t* gridare

shove [ʃʌv] *s* spinta *f*; *v/t* spingere

shovel ['ʃʌvl] pala *f*

show [ʃou] *s* mostra *f*; esposizione *f*; spettacolo *m*; rivista *f*; ostentazione *f*; *v/t, irr* mostrare

shower ['ʃauə] acquazzone *m*; **~bath** doccia *f*

shred [ʃred] *s* pezzetto *m*; *v/t* tagliuzzare

shrew [ʃruː] biscetica *f*; **~d** perspicace

shriek [ʃriːk] *s* strillo *m*; *v/t* strillare

shrill [ʃril] stridulo

shrimp [ʃrimp] gamberetto *m*

shrine [ʃrain] santuario *m*

shrink [ʃriŋk] *v/i, irr* restringersi

Shrove Tuesday ['ʃrouv-'tjuːzdi] martedì *m* grasso

shrub [ʃrʌb] arbusto *m*; cespuglio *m*

shrug [ʃrʌg] *s* alzata *f* di spalle; *v/t* stringersi nelle spalle

shudder ['ʃʌdə] *s* brivido *m*; *v/i* rabbrividire

shuffle ['ʃʌfl] *v/t* mescolare (*carte*); *v/i* strascicarsi

shut [ʃʌt] *v/t, irr* chiudere; *v/i* chiudersi; **~ up!** sta zitto!; **~ter** serranda *f*; saracinesca *f*; *phot* otturatore *m*

shy [ʃai] timido; **~ness** timidezza f

sick [sik] malato; **~ of** stanco di; **be ~** essere malato, vomitare; **~en** v/i ammalare; ammalarsi

side [said] lato m; parte f; fianco m; **~ by ~** fianco a fianco; **take ~s with, ~ with** prendere la parte di; **~board** credenza f; **~dish** frammesso m; **~walk** Am marciapiede m; **~ways** di lato

siege [si:dʒ] assedio m

sieve [siv] staccio m; vaglio m

sift [sift] v/t stacciare; crivellare

sigh [sai] s sospiro m; v/i sospirare

sight [sait] vista f; spettacolo m; **by ~** di vista; **at first ~** a prima vista; **~seeing** visita f della città

sign [sain] s segno m; v/t firmare; far segno a

signal ['signl] s segnale m; v/t segnalare; fare segnali

signature ['signitʃə] firma f

significance [sig'nifikəns] significato m; **~icant** [~] a significativo; **~y** ['signifai] v/t significare

silence ['sailəns] s silenzio m; v/t far tacere; **~t** silenzioso

silk [silk] seta f; **~worm** baco m da seta

sill [sil] davanzale m

silly ['sili] sciocco

silver ['silvə] argento m; **~ wedding** nozze f/pl d'argento; **~y** argentino

similar ['similə] simile; **~ity** [~'læriti] somiglianza f

simple ['simpl] semplice; **~ify** [~'fai] v/t semplificare

simulate ['simjuleit] v/t simulare

simultaneous [siməl'teinjəs] simultaneo

sin [sin] s peccato m; v/i peccare

since [sins] adv da allora; conj da che; da quando; prp da; fino da

sincer|e [sin'siə] sincero; **~ity** [~'seriti] sincerità f

sinew ['sinju:] nervo m

sing [siŋ] v/t, v/i cantare

singe [sindʒ] v/t bruciare

singer ['siŋə] cantante m, f

single ['siŋgl] solo; unico; singolo; **~-handed** senza aiuto

singular ['siŋgjulə] singolare

sinister ['sinistə] sinistro

sink [siŋk] s acquaio m; v/t, v/t segnalare; fare segnali v/t, irr immergere; affondare

sinner ['sinə] peccatore m, peccatrice f

sip [sip] sorso m

sir [sə:] signore m

sirloin ['sə:lɔin] lombo m

sister ['sistə] sorella f; suora f; **~-in-law** cognata f

sit [sit] v/i, irr essere seduto; **~ down** sedersi

site [sait] posto m; sito m

sitting ['sitiŋ] a seduto; s seduta f; udienza f; **~-room** salotto m

situat|ed ['sitjueitid] situato; **~ion** situazione f; posi-

zione *f*; posto *m*; impiego *m*
size [saiz] grandezza *f*; misura *f*
skat|e [skeit] *s* pattino *m*; *v/i* pattinare; **~ing-rink** pista *f* da pattinaggio
skeleton ['skelitn] scheletro *m*
skeptic [skeptik] *Am for* **sceptic**
sketch [sketʃ] *s* schizzo *m*; abbozzo *m*; *v/t* schizzare; abozzare
ski [ski] *s* sci *m*; *v/i* sciare
skid [skid] *v/i* sbandare
skier ['skiːə] sciatore *m*
skil|ful ['skilful] abile; destro; **~l** abilità *f*; **~led** pratico; esperto; **~led worker** operaio *m* specializzato
skim [skim] *v/t* scremare; sfiorare
skin [skin] *s* pelle *f*; *v/t* pelare
skip [skip] *v/i* saltare
skirmish ['skəːmiʃ] *s* scaramuccia *f*; *v/i* scaramucciare
skirt [skəːt] *s* gonna *f*; sottana *f*; *v/t* costeggiare
skittles ['skitlz] *sg* birillo *m*
skull [skʌl] cranio *m*; teschio *m*
skunk [skʌŋk] moffetta *f*
sky [skai] cielo *m*; **~scraper** grattacielo *m*
slab [slæb] lastra *f*
slack [slæk] *a* allentato; inattivo; **~en** *v/i* allentarsi; **~s** *pl* pantaloni *m/pl* lunghi (*da donna*); calzoni *m/pl*
slam [slæm] *v/t* sbattere
slander ['slaːndə] *s* calun-

nia *f*; *v/t* calunniare
slang [slæŋ] gergo *m*
slant [slaːnt] *s* pendio *m*; punto *m* di vista; *v/i* inclinarsi
slap [slæp] *s* schiaffo *m*; *v/t* schiaffeggiare
slash [slæʃ] *s* sqarcio *m*; *v/t* tagliare
slate [sleit] tegola *f*; lavagnetta *f*
slaughter ['slɔːtə] *s* macello *m*; massacro *m*; *v/t* macellare; massacrare; **~house** mattatoio *m*
Slav [slaːv, slæv] *a*, *s* slavo (*m*)
slave [sleiv] *s* schiavo(a) *m* (*f*); *v/i* lavorare come un negro; **~ry** schiavitù *f*
slay [slei] *v/t, irr* ammazzare
sled(ge) [sled(ʒ)] slitta *f*
sleek [sliːk] *a* liscio; *v/t* lisciare
sleep [sliːp] *s* sonno *m*; *v/t, v/i* dormire; **~er** cuccetta *f*; **~ing-bag** sacco *m* a pelo; **~ing-pill** sonnifero *m*; **~less** insonne; **~walker** sonnambulo(a) *m* (*f*); **~y** assonnato
sleet [sliːt] nevischio *m*
sleeve [sliːv] manica *f*
sleigh [slei] slitta *f*
slender ['slendə] snello
slice [slais] *s* fetta *f*; *v/t* affettare
slide [slaid] *v/i, irr* scivolare; **~ rule** regolo *m* calcolatore
slight [slait] leggero
slim [slim] *a* sottile; magro; *v/i* dimagrire

slim|e [slaim] melma f; **~y** melmoso

sling [sliŋ] s fionda f; v/t, irr lanciare; scagliare

slip [slip] s svista f; federa f; sottoveste f; v/i scivolare; sbagliare; **~per** pantofola f; **~pery** scivoloso

slit [slit] s fessura f; v/t, irr tagliare

slogan ['slougən] parola f d'ordine; motto m

slope [sloup] s pendenza f; v/i inclinarsi

sloppy ['slɔpi] trasandato; fradicio

slot [slɔt] buco m

sloth [slouθ] pigrizia f

slot-machine distributore m automatico

slovenly ['slʌvnli] trasandato; trasurato

slow [slou] lento; **~ down** v/t, v/i rallentare; **~ly** lentamente; adagio; piano; **~ motion** rallentatore m

sluice [slu:s] chiusa f

slums [slʌmz] quartiere m povero; bassofondo m

slush [slʌʃ] fanghiglia f

slut [slʌt] puttana f

sly [slai] astuto; furbo

smack [smæk] s pacca f; battello m; v/i schiaffeggiare

small [smɔ:l] piccolo; **~hours** pl ore f/pl piccole; **~pox** vaiolo m

smart [smɑ:t] s elegante; sveglio; s bruciore m; v/i bruciare

smash [smæʃ] s crollo m;

scontro m; v/t frantumare; v/i frantumarsi; **~ing** (gergo) bellissimo

smear [smiə] v/t macchiare

smell [smel] s odore m; **nasty~** puzzo m; v/t sentire l'odore; v/i odorare

smelt [smelt] v/t fondere

smile [smail] s sorriso m; v/i sorridere

smith [smiθ] fabbro m

smock [smɔk] camiciotto m; camice m

smok|e [smouk] s fumo m; v/t fumare; affumicare; v/i emettere fumo; **~ing-compartment** (s)compartimento m per fumatori; **no ~ing** proibito fumare

smooth [smu:ð] a liscio; v/t lisciare

smother ['smʌðə] v/t soffocare

smo(u)lder ['smouldə] v/i bruciare senza flamma; fig covare

smudg|e [smʌdʒ] s macchia f; v/t macchiare

smug [smʌg] soddisfatto di sè

smuggl|e ['smʌgl] v/t far passare di contrabbando; v/i fare il contrabbando; **~er** contrabbandiere m; **~ing** contrabbando m

smut [smʌt] s macchia f; **~ty** macchiato; fig osceno

snack [snæk] spuntino m

snail [sneil] lumaca f; **at a ~'s pace** a passo di tartaruga

snake [sneik] serpente m; serpe f

snap [snæp] s rumore m secco; v/t rompere con rumore secco; fig rispondere male; **~fastener** bottone m a molla; **~shot** phot istantanea f

snare [snɛə] s rappola f

snarl [snɑ:l] s ringhio m; v/i ringhiare

snatch [snætʃ] v/t afferrare; strappare

sneak [sni:k] v/i fare la spia

sneer [snɪə] s ghigno m; v/i sogghignare; **~ at** disprezzare

sneeze [sni:z] s starnuto m; v/i starnutire

sniff [snif] v/t annusare

snivel [ˈsnivl] v/i piagnucolare

snore [snɔ:] v/i russare

snout [snaut] muso m; grugno m

snow [snou] s neve f; v/i nevicare; **~drop** bucaneve m; **~fall** nevicata f; **~flake** fiocco m di neve; **~storm** tormenta f di neve

snuff [snʌf] tabacco m da naso

snug [snʌg] comodo; **~gle** v/i rannicchiarsi

so [sou] adv, pron così; in questo modo; **~ far** fino a questo momento; fino a questo punto; **~ long** tanto tempo; arrivederci!; **~ much** tanto; **I think ~** credo di sì; **Mr. ~ and ~** Signor Tal dei Tali

soak [souk] v/t bagnare; inzuppare

soap [soup] s sapone m; v/t insaponare

soar [sɔ:] v/i volare

sob [sɔb] s singhiozzo m; v/i singhiozzare

sober [ˈsoubə] non ubriaco; sobrio; serio

soccer [ˈsɔkə] Am calcio m

socia|ble [ˈsouʃəbl] socievole; **~l** sociale; **~l insurance** assicurazione f sociale; **~lism** socialismo m; **~list** a, s socialista (m, f)

society [səˈsaiəti] società f

sock [sɔk] calzino m

socket [ˈsɔkit] orbita f

soda soda f; **~water** seltz m

sofa [ˈsoufə] sofà m

soft [sɔft] morbido; molle; dolce; **~ drink** bibita f non alcoolica; **~ water** acqua f dolce; **~en** v/t ammorbidire; v/i intenerirsi

soil [sɔil] s terreno m; suolo m; v/t sporcare

sojourn [ˈsɔdʒə:n] s soggiorno m; v/i soggiornare

soldier [ˈsouldʒə] soldato m; militare m

sole [soul] s pianta f del piede; suola f (della scarpa); sogliola f; v/t risuolare

solemn [ˈsɔləm] solenne; grave

solicit [səˈlisit] v/t sollecitare; importunare; **~or** avvocato m

solid [ˈsɔlid] solido; **~ify** [səˈlidifai] v/t solidificare

solit|ary [ˈsɔlitəri] solitario; **~ude** [ˈ~tju:d] solitudine f

solo ['soulou] assolo; **~ist** solista m, f

solu|ble ['soljubl] solubile; **~tion** [sə'lu:ʃən] soluzione f

solve [sɔlv] v/t risolvere; **~nt** solvente

some [sʌm, səm] a un po' di; qualche; alquanto; alcuni; pron qualcuno; alcuni; **~body, ~one** qualcuno; **~body else** qualcun altro; **~how** qualche modo; **~what** piuttosto; **~where** in qualche parte

somersault ['sʌməsɔːlt] capriola f; salto m mortale

son [sʌn] figlio m; **~in-law** genero m

song [sɔŋ] canzone f; canto m

soon [su:n] presto; tra un po'; **as ~ as** appena che; **as ~ as possible** il più presto possible; **~er or later** presto o tardi

soothe [su:ð] v/t calmare

soporific [ˌsɔpə'rifik] a, soporifico (m)

sorcer|er ['sɔːsərə] strega f; mago m; **~y** stregoneria f

sordid ['sɔːdid] sordido m

sore [sɔː] a dolente; **my foot is ~** mi fa male il piede

sorrow ['sɔrou] dolore m

sorry ['sɔri] dispiacente; dispiaciuto; **be ~** dispiacersi

sort [sɔːt] s genere m; specie f; v/t scegliere; classificare

soul [soul] anima f; **All ~s' Day** Tutti i Santi

sound [saund] a solido; profondo; logico; v/t suonare;

med ascoltare; v/i suonare; **~proof** con isolamento acustico

soup [su:p] minestra f; brodo m; zuppa f

sour ['sauə] acerbo; acido

source [sɔːs] fonte f; origine m

south [sauθ] s sud m; a meridionale; **~ern** meridionale; **~east** sud-est m

souvenir ['su:vəniə] ricordo m

sovereign ['sɔvrin] a, s sovrano

sow' [sau] scrofa f

sow² [sou] v/t, irr seminare; spargere; **~ing-machine** seminatrice f

spac|e [speis] spazio m; **~ious** spazioso

spade [speid] vanga f; **~s** pl (a carte) picche f/pl

Spain [spein] Spagna f

span [spæn] palmo m (della mano); periodo m (di tempi); v/t abbracciare

spangle ['spæŋgl] lustrino m

Spaniard ['spænjəd] spagnolo(a) m (f)

spaniel ['spænjəl] spagnolo m

Spanish ['spæniʃ] spagnolo

spank [spæŋk] v/t sculacciare

spanner ['spænə] chiave f inglese

spare [spɛə] a di ricambio; di riserva; disponibile; **~e parts** pl parti f/pl di ricambio; **~e time** tempo m libero; v/t risparmiare; **~ing** economo

spark [spaːk] s scintilla f; **~ingplug** candela f d'accensione; **~le** v/i scintillare

sparrow ['spærou] passero m

sparse [spaːs] sparso

spasm ['spæzəm] spasmo m; **~odic** [~'mɔdik] spasmodico

spatter ['spætə] s spruzzo m; v/t spruzzare

speak [spiːk] v/i, irr parlare; **~er** oratore m

spear [spiə] lancia f

special ['speʃəl] speciale; particolare; **~ity** [~i'æliti] specialità f; **~ize** v/i specializzarsi; **~ly** specialmente, soprattutto

species ['spiːʃiːz] pl specie f

specific [spi'sific] specifico

specimen ['spesimin] campione m; esemplare m

spectacle ['spektəkl] spettacolo m; **~cles** pl occhiali m/pl; **~cular** [spek'tækjulə] spettacolare; **~tor** [spek'teitə] spettatore m

speculate ['spekjuleit] v/i, v/i speculare; **~ion** speculazione f

speech [spiːtʃ] discorso m; parlare m

speed [spiːd] velocità f; **at full ~** a tutta velocità f, v/t, irr sfrecciare; **~ up** accelerare; **~ometer** tachimetro m; **~y** veloce

spell [spel] s incanto m; fascino m; v/t, v/i, irr scri-

vere; **~ing** ortografia f

spend [spend] v/t, irr spendere (danaro); passare (tempo)

sperm [spəːm] sperma m

spher|e [sfiə] sfera f; **~ical** ['sferikl] sferico

spic|e [spais] spezie f/pl; **~y** saporoso

spider ['spaidə] ragno m; **~'s web** ragnatela f

spike [spaik] chiodo m

spill [spil] v/t, irr rovesciare; v/i rovesciarsi

spin [spin] v/t, irr girare

spinach ['spinidʒ] spinaci m/pl

spindle ['spindl] fuso m

spine [spain] spina f dorsale

spinster ['spinstə] zittella f

spiral ['spaiərəl] spirale f

spirit ['spirit] spirito m; **~s** alcool m; **high ~s** allegria f; **low ~s** abbattimento m; **~ed** vivace; **~ual** ['~tjuəl] spirituale

spit [spit] s spiedo m; saliva f; v/t, v/i sputare

spite [spait] dispetto m; **in ~ of** malgrado; **~ful** dispettoso

spittle ['spitl] saliva f

splash [splæʃ] s schizzo m; v/t schizzare

spleen [spliːn] bile f

splend|id ['splendid] splendido; **~o(u)r** splendore m

splint [splint] med stecca f; **~er** s scheggia f; v/t scheggiare

split [split] rottura f; spaccatura f; v/t, irr spaccare

spoil [spɔil] s bottino m; v/t, irr guastare; v/i guastarsi; **~t child** bambino m viziato

spoke [spouk] s raggio m

spokesman portavoce m

sponge [spʌndʒ] s spugna f; v/t sbafare

sponsor ['spɔnsə] garante m

spontaneous [spɔn'teinjəs] spontaneo

spook [spu:k] spettro m

spool [spu:l] bobina f

spoon [spu:n] cucchiaio m; **~ful** cucchiaiata f

sport [spɔ:t] sport m; **~sman**, **~swoman** sportivo(a) m (f)

spot [spɔt] luogo m; posto m; macchia f; v/t macchiare; fam vedere; individuare

spout [spaut] becco m

sprain [sprein] s storta f; v/t storcere

sprat [spræt] sardinetta f

sprawl [sprɔ:l] v/i sdraiarsi

spray [sprei] s spruzzo m; v/t spruzzare

spread [spred] s distesa f; v/t, irr stendere; v/i stendersi

sprig [sprig] rametto m

spring [spriŋ] s primavera f; fonte f (di acqua); mech molla f; salto m; v/i, irr balzare; nascere; derivare; **~board** trampolino m

sprinkle ['spriŋkl] v/t spruzzare

sprint [sprint] s corsa f; v/i correre a tutta velocità; **~er** velocista m, f

sprout [spraut] germoglio

m; **Brussels ~s** cavolini m/pl di Brusselle

spy [spai] s spia f; v/t, v/i spiare

squad [skwɔd] squadra f

squalid ['skwɔlid] squallido

squander ['skwɔndə] v/t scialacquare

square [skwɛə] a quadrato; s piazza f; quadrato m; v/t quadrare; elevare al quadrato; saldare (i conti)

squash [skwɔʃ] s spremuta f; v/t spremere; schiacciare

squat [skwɔt] v/i accucciarsi

squeak [skwi:k] s cigolio m; v/i cigolare

sqeamish ['skwi:miʃ] schizzinoso

squeeze [skwi:z] v/t spremere; strizzare

squint [skwint] s strabismo m; v/i essere strabico

squirm [skwə:m] v/i contorcersi

squirrel ['skwirəl] scoiattolo m

squirt [skwə:t] s schizzetto m; v/t schizzare

stab [stæb] s pugnalata f; v/t pugnalare

stability [stə'biliti] stabilità f; **~ilize** ['steibilaiz] v/t stabilizzare

stable¹ [steibl] stabile

stable² [steibl] stalla f; scuderia f

stack [stæk] s pagliaio m; mucchio m; v/t ammucchiare

stadium ['steidjəm] stadio m

staff [stɑ:f] bastone *m*; asta *f*; personale *m*

stag [stæg] cervo *m*

stage [steidʒ] *s* palcoscenico *m*; *v/t* mettere in scena

stagger ['stægə] *v/i* barcollare

stagnate ['stægneit] *v/i* stagnare

stain [stein] *s* macchia *f*; *v/t* macchiare; *v/i* macchiarsi; **~ed glass** vetro *m* colorato; **~less** immacolato; **~less steel** acciaio *m* inossidabile

stair [stɛə] gradino *m*; scalino *m*; **~s** *pl* scale *f/pl*

stake [steik] *s* palo *m*; rogo *m*; **be at ~** essere in giuoco; *v/t* rischiare; scommettere

stale [steil] raffermo; stantio

stalk [stɔ:k] *s* bot stelo *m*; passo *m* maestoso; *v/i* andare maestosamente; *v/t* inseguire

stall [stɔ:l] bancherella *f*; edicola *f*; poltrona *f* (di teatro)

stallion ['stæljən] stallone *m*

stalwart ['stɔ:lwət] robusto

stamina ['stæminə] vigore *m*

stammer ['stæmə] *s* balbuzie *f*; *v/i* balbettare

stamp [stæmp] *s* francobollo *m*; timbro *m*; impronta *f*; *v/t* affrancare; timbrare; *v/i* pestare i piedi

stand [stænd] *s* banco *m*; edicola *f*; sostegno *m*; piedistallo *m*; posizione *f*; *v/t*, *v/i* appoggiare; resistere a;

sopportare; *v/i* stare in piedi; **~ up** alzarsi in piedi; **~ up against** ribellarsi contro; **~ for** rappresentare; **~ out** resistere

standard ['stændəd] stendardo *m*; livello *m*

standing ['stændiŋ] riputazione *f*

standpoint punto *m* di vista; **~still: be at a ~still** essere fermo

star [stɑ:] stella *f*

starboard ['stɑ:bəd] lato *m* destro (della nave)

starch [stɑ:t] *s* amido *m*; *v/t* inamidire

stare [stɛə] *s* sguardo *m* fisso; *v/i* fissare; guardare fisso

stark [stɑ:k] rigido; vero e proprio; **~ naked** nudo del tutto

starling ['stɑ:liŋ] stornello *m*

start [stɑ:t] *s* principio *m*; soprassalto *m*; partenza *f*; *v/t* iniziare; *v/i* trasalire; partire

startle ['stɑ:tl] *v/t* far trasalire; allarmare; **~ling** allarmante

starvation [stɑ:'veiʃən] fame *f*; **~e** *v/i* morire di fame; *v/t* far morire di fame

state [steit] stato *m*; condizione *f*; *v/t* dichiarare; affermare; **2 Department** *Am* ministero *m* degli esteri; **~ly** imponente; **~ment** dichiarazione *f*; affermazione *f*; **~sman** uomo *m* di Stato

static ['stætik] statico

station ['steiʃən] stazione *f*; **~ary** stazionario; **~er** cartolaio *m*; **~master** capo *m* stazione

statistics [stə'tistiks] *sg* statistica *f*; *pl* statastiche *f/pl*

steal [sti:l] *v/t, v/r* rubare

steam [sti:m] vapore *m*; **~boat** piroscafo *m*

steel [sti:l] acciaio *m*

steep [sti:p] erto; ripodo

steeple [sti:pl] campanile *m*

stem [stem] *s bot* stelo *m*; stirpe *f*; *gram* radicale *f*

stench [stentʃ] puzzo *m*; fetore *m*

stencil ['stensl] stampino *m*

step [step] *s* passo *m*; scalino *m*; **~ in** entrare; **~brother** fratellastro *m*; **~father** patrigno *m*; **~mother** matrigna *f*

sterile ['sterail] sterile; **~ize** ['ilaiz] *v/t* sterilizzare

sterling ['stə:liŋ] *a* genuino; *s* sterlina *f*

stern [stə:n] *a* severo; *s* poppa *f*

stew [stju:] *s* stufato *m*; *v/t* cuocere a fuoco lento

steward [stjuəd] amministratore *m*; cameriere *m* (*sulla nave*); **~ess** cameriera *f*; stewardess *f*

stick [stik] *s* bastone *m*; *v/t, v/i, irr* incollare; affiggere; ficcare; *v/i* aderire; **~er** etichetta *f*; **~y** attaccaticcio

stiff [stif] duro; difficile; rigido; **~en** *v/t* irrigidire; *v/i* irrigidirsi

stifle ['staifl] *v/t* soffocare

still [stil] *a* immobile; calmo; silenzioso; *adv* ancora; tuttavia; *s* calma *f*; quiete *f*; *v/t* calmare; **~born** nato morto; **~ness** quiete *f*

stimulant ['stimjulənt] *a, s* stimolante; **~ate** *v/t* stimolare; **~us** stimolo *m*

sting [stiŋ] *s* puntura *f*; *v/t* pungere

stingy ['stindʒi] tirchio

stink [stiŋk] *s* puzzo *m*; *v/i, irr* puzzare

stipulate ['stipjuleit] *v/t* stipolare

stir [stə:] *s* agitazione *f*; movimento *m*; *v/t* agitare; girare; *v/i* muoversi

stirrup ['stirəp] staffa *f*

stitch [stitʃ] *s* punto *m*; *v/t* cucire

stock [stɔk] *s* bestiame *m*; stirpe *f*; merce *f* in magazzino; *v/t* tenere in magazzino; **~breeder** allevatore *m* di bestiame; **~broker** agente *m* di cambio; **~ exchange** borsa *f*; **~holder** azionista *m*

stocking ['stɔkiŋ] calza *f*

stock-taking inventario *m*

stocky ['stɔki] tozzo

stoic ['stouik] stoico

stomach ['stʌmək] stomaco *m*; *v/t* mandare giù; tollerare

stone [stoun] *s* pietra *f*; sasso *m*; *med* calcolo *m*; nocciolo *m*; *v/t* lapidare; **~y** pietroso

stool [stu:l] sgabello *m*

stoop [stu:p] *v/i* curvarsi

stop [stɔp] *s* fermata *f*; *v/t*

fermare; *v/i* fermarsi;
~page arresto *m*; **~over**
fermata *f* intermedia; **~per**
tappo *m*; **~ping** sosta *f*

stor|age ['stɔːridʒ] magazzinaggio *m*; **~e** [stɔː] *s* grande magazzino *m*; provvista *f*; *v/t* immagazzinare; accumulare; **~e-house** magazzino *m*

storey ['stɔːri] piano *m*

stork [stɔːk] cicogna *f*

storm [stɔːm] tempesta *f*; temporale *m*; **~y** tempestoso

story ['stɔːri] storia *f*; racconto *m*

stout [staut] forte; robusto; solido

stove [stouv] stufa *f*; fornello *m*

stow [stou] *v/t* stivare; **~away** passeggero *m* clandestino

straggle ['strægl] *v/i* dispersi

straight [streit] diritto; retto; **~en** *v/t* raddrizzare; **~forward** franco

strain [strein] *s* tensione *f*; *v/i* sforzarsi; **~er** colino *m*

strait [streit] stretto *m*; **in ~s** in difficoltà; **~jacket** camicia *f* di forza

strand [strænd] riva *f*

strange [streindʒ] strano; **~r** sconosciuto *m*

strangle ['strængl] *v/t* strangolare

strap [stræp] cinghia *f*

strateg|ic, ~ical [strəˈtiːdʒik] strategico; **~y** ['strætidʒi]

strategia *f*

straw [strɔː] paglia *f*; **~berry** fragola *f*

stray [strei] smarrito; randagio

streak [striːk] *s* striscia *f*; *v/t* striare; **~y** striato

stream [striːm] *s* corrente *f*; flume *m*; *v/i* scorrere; **~lined** aerodinamico

street [striːt] strada *f*; **~car** *Am* tram *m*

strength [streŋθ] forza *f*; **~en** *v/t* rinforzare

strenuous ['strenjuəs] strenuo

stress [stres] *s* tensione *f*; enfasi *f*; *v/t* mettere l'accento su; mettere in rilievo

stretch [stretʃ] *s* distesa *f*; *v/t* stendere; *v/i* stendersi; allargarsi; **~er** barella *f*

strew [strjuː] *v/t, irr* cospargere

stricken ['strikən] colpito

strict [strikt] severo

stride [[straid] *s* passo *m* grande; *v/i, irr* andare a passi grandi

strife [straif] lotta *f*

strike [straik] *s* sciopero *m*; *v/t* colpire; suonare (*orologio*); **be on ~** fare sciopero; *v/i, irr* scioperare; **~breaker** crumiro *m*; **~r** scioperante *m*

string [striŋ] *s* corda *f*; spago *m*; *v/t, irr* infilare

strip [strip] *s* striscia *f*; *v/t* spogliare; *v/i* spgliarsi

stripe [straip] striscia *f*; riga *f*; **~d** a strisce; a righe

strive [straiv] v/i, irr sforzarsi
stroke [strouk] colpo m; attacco m; **~ of luck** colpo di
fortuna
stroll [stroul] passeggiata f
strong [strɔŋ] forte; robusto
structure ['strʌktʃə] struttura f
struggle ['strʌgl] s lotta f; v/i
lottare
stub [stʌb] mozzicone m
stubble ['stʌbl] stoppia f
stubborn ['stʌbən] testardo
stud [stʌd] bottone m della
camicia
student ['stju:dənt] studente m; studentessa f; **~io**
['stju:diou] s studio m;
~ious studioso f; **~y** ['stʌdi] s
studio m; v/t studiare
stuff [stʌf] s materia f; materiale m; tessuto m; v/t im-
bottire; **~ and nonsense**
sciocchezze f/pl; **~ing** imbottitura f
stumble ['stʌmbl] v/i incep-
pare
stump [stʌmp] moncone m
stun [stʌn] stordire
stupefy ['stju:pifai] v/t stupefare
stupid ['stju:pid] stupido;
~ity stupidità f
sturdy ['stə:di] robusto
stutter ['stʌtə] v/i balbettare
sty¹ [stai] porcile m
sty² [stai] orzaiolo m
style [stail] stile m
subconscious ['sʌb'kɔnʃəs]
a subcosciente; **~ness** sub-
coscienza f

subdue [səb'dju:] v/t soggiogare
subject ['sʌbdʒikt] a soggetto; **~ to** soggetto a; s soggetto m; argomento m; suddito
m; v/t sottomettere; esporre; **~ion** soggezione f
subjunctive [səb'dʒʌŋktiv]
a, s congiuntivo (m)
sublime [sə'blaim] sublime
sunmarine ['sʌbməri:n]
sommergibile m
submerge [səb'mə:dʒ] v/t
sommergere
submis|sion [səb'miʃən]
sottomissione f; **~ssive** remissivo; **~t** v/t sottomettere
subscri|be [səb'skraib] v/i
abbonarsi; **~ber** abbonato
m; **~ption** [səb'skripʃən]
abbonamento m
subsequent ['sʌbsikwənt]
successivo
subsid|e [səb'said] v/i abbas-
sare; decrescere; tacere; **~y**
['sʌbsidi] sussidio m
substan|ce ['sʌbstəns] so-
stanza f; **~tial** [səb'stænʃəl]
sostanziale
substitute ['sʌbstitju:t] s
sostituto m; supplente m; v/t
sostituire; supplire
subtle ['sʌtl] sottile; fine
subtract [səb'trækt] sovver-
sivo
subway ['sʌbwei] ferrovia
f sotterranea; metropoli-
tana f
succ|eed [sək'si:d] v/i riusci-
re a; succedere; **~ess** [sək-
'ses] successo m; **~essful**
riuscito; **~essive** successi-

vo; **~essor** successore *m*

such [sʌtʃ] *a*, *pron* tale

suck [sʌk] *v/t* succhiare

sudden ['sʌdn] improvviso

suds [sʌdz] *pl* schiuma *f*

sue [sjuː] *v/t* citare

suède [sweid] camoscio *m*

suet ['sjuit] lardo

suffer ['sʌfə] *v/t*, *v/i* soffrire; **~er** vittima *f*; **~ing** sofferenza *f*

suffic|e [sə'fais] *v/i* bastare; **~iency** [sə'fiʃənsi] sufficienza *f*; **~ient** sufficiente

suffocate ['sʌfəkeit] *v/t* soffocare; *v/i* soffocarsi

sugar ['ʃugə] *s* zucchero *m*; *v/t* zuccherare

suggest [sə'dʒest] *v/t* suggerire; **~ion** suggestione *f*; **~ive** suggestivo

suicide ['sjuisaid] (*person*) suicida *n*, *f*; (*act*) suicidio *m*

suit [sjuːt] *s* vestito *m*; *jur* causa *f*; *v/t* stare bene a; andare bene a; convenire a; **~able** adotto; comodo; **~case** valigia *f*

suite [swiːt] serie *f*; appartamenti *m/pl*

sulk [sʌlk] *v/i* tenere il broncio; **~y** imbronciato

sullen ['sʌlən] cupo; imbronciato

sulphur ['sʌlfə] zolfo *m*

sum [sʌm] *s* somma *f*; *v/t* sommare; **~ up** riassumere

summar|ize ['sʌmərais] *v/t* riassumere; **~y** sommario *m*

summer ['sʌmə] estate *f*

summit ['sʌmit] cima *f*

summon ['sʌmən] *v/t* citare; convocare; chiamare; **~s** ['~z], *pl* **~s(es)** ['~ziz] citazione *f*; chiamata *f*

sun [sʌn] sole *m*; **~bathe** *v/i* prendere il sole; **~beam** raggio *m* di sole; **~burnt** bruciato dal sole; abbronzatura *f*

Sunday ['sʌndi] domenica *f*

sundries ['sʌndriz] *pl* generi *m/pl* diversi

sun|rise alba *f*; sorgere *m* del sole; **~set** tramonto *m*; **~shine** sole *m*; **~stroke** insolazione *f*

superb [sju(ː)'pəːb] splendido

super|ficial [sjuːpə'fiʃəl] superficiale; **~fluous** [~'pəːfluəs] superfluo; **~highway** *Am* autostrada *f*

superintend *v/t* sovrintendere a; **~ent** sovrintendente *m*

supernatural sovrannaturale

superstition [sjuːpə'stiʃən] superstizione *f*

supervis|e ['sjuːpəvaiz] *v/t* sorvegliare; **~or** sorvegliante *m*

supper ['sʌpə] cena *f*

supplement ['sʌplimənt] supplemento *m*

suppl|ier [sə'plaiə] fornitore *m*; **~y** *s* provvista *f*; *v/t* fornire

support [sə'pɔːt] *s* appoggio *m*; *v/t* sostenere; appoggiare

suppos|e [sə'pouz] *v/t* sup-

swine

porre; **~ition** [ˌsʌpə-ˈziʃən] supposizione f

suppress [səˈpres] v/t sopprimere

suprem|acy [sjuˈpreməsi] supremazia f; **~e** [~ˈpriːm] supremo

sure [[uə] sicuro; **make ~ of** assicurarsi di; **~ty** garante m

surf [səːf] frangenti m/pl

surface [ˈsəːfis] superficie f

surg|eon [ˈsəːdʒən] chirurgo m; **~ery** chirurgia f; ambulatorio m; **~ical** chirurgico

surly [ˈsəːli] scontroso

surmise [ˈsəːmaiz] v/t congetturare

surmount [səːˈmaunt] v/t sormontare

surname [ˈsəːneim] cognome m

surpass [səːˈpɑːs] v/t sorpassare; superare

surplus [ˈsəːpləs] s sovrappiù m; a in sovrappiù

surprise [səˈpraiz] s sorpresa f; v/t sorprendere

surrender [səˈrendə] s resa f; v/t abbandonare; v/i arrendersi

surround [səˈraund] v/t circondare; **~ings** pl dintorni m/pl

survey [ˈsəːvei] s esame m; [səːˈvei] v/t esaminare; **~or** [səːˈveiə] geometra m

surviv|al [səˈvaivəl] sopravvivenza f; **~e** v/t, v/i sopravvivere

susceptible [səˈseptəbl] suscettibile

suspect [[ˈsʌspekt] a sospet-

to; [səsˈpekt] v/t sospettare

suspend [səsˈpend] v/t sospendere; **~der** f giarrettiera f; **~sion** sospensione f

suspicio|n [səsˈpiʃən] sospetto m; **~us** sospettoso

sustain [səsˈtein] v/t sostenere

swallow [ˈswɔlou] v/t inghiottire; s orn rondinella f

swamp [swɔmp] palude f; **~y** paludoso

swan [swɔn] cigno m

swarm [swɔːm] s sciame m; v/i sciamare

swarthy [ˈswɔːði] di carnagione scura

sway [swei] v/i oscillare

swear [swɛə] v/t, v/i, irr bestemmiare; giurare; **~-word** bestemmia f

sweat [swet] s sudore m; v/i, irr sudare

Swed|e [swiːd] svedese m, f; **~en** Svezia f; **~ish** svedese

sweep [swiːp] v/t, irr spazzare; v/i distendersi

sweet [swiːt] a dolce; s caramella f; **~heart** innamorato(a) m (f); tesoro

swell [swel] a elegante; v/t, irr gonfiare; v/i gonfiarsi; **~ing** gonfiore m

swerve [swəːv] v/i deviare

swift [swift] rapido; veloce; **~ness** rapidità f; velocità f

swim [swim] v/i, irr nuotare; **~ming** nuoto m; **~ming pool** piscina f

swindle [ˈswindl] s truffa f; v/t truffare; **~r** truffatore m

swine [swain], pl **~** maiale m

swing [swiŋ] s altalena f; oscillazione f; v/t, v/i, irr dondolare

swirl [swə:l] v/i trubinare

Swiss [swis] a, s svizzero (m)

switch [switʃ] s interruttore m; v/t cambiare; ~ **on** accendere la luce; ~ **off** spegnere la luce; **~board** quadro m

Switzerland ['switsələnd] Svizzera f

swollen ['swoulən] gonfio m

sword [sɔ:d] spada f

syllable ['siləbl] sillaba f

symbol ['simbəl] simbolo m; **~ic(al)** [~'bɔlik(əl)] simbolico

sympathetic [ˌsimpə'θetik] comprensivo; **~y** ['simpəθi] comprensione f

symphony ['simfəni] sinfonia f

symptom ['simptəm] sintomo m

synonym ['sinənim] sinonimo m

syntax ['sintæks] sintassi f

synthesis ['sinθisis], pl **~ses** ['~si:z] sintesi f; **~tic** [~'θetik] sintetico

syringe ['sirindʒ] siringa f

syrup ['sirəp] sciroppo m

system ['sistim] sistema m; metodo m; **~atic** [ˌsistə'mætik] sistematico

T

tab [tæb] etichetta f

table ['teibl] s tavola f; **~cloth** tovaglia f; **~spoon** cucchiaio m

tablet ['tæblit] pasticca f; **sleeping ~** sonnifero m

tacit ['tæsit] tacito; **~urn** taciturno

tack [tæk] puntina f

tact [tækt] tatto m; **~ful** discreto; di tatto; **~ics** pl tattica f; **~less** indiscreto; senza tatto

tadpole ['tædpoul] girino m

tag [tæg] cartellino m

tail [teil] coda f

tailor ['teilə] sarto m

taint [teint] traccia f; v/t guastare

take [teik] v/t, irr prendere;

portare; ~ **advantage of** approfittare di; **~ charge of** incaricarsi di; **~off** togliere; (aeroplane) decollare; ~ **place** aver luogo; ~ **up** raccogliere; intraprendere

tale [teil] racconto m; **fairy-~** favola f

talent ['tælənt] talento m; **~ed** dotato

talk [tɔ:k] s conversazione f; discorso m; v/i parlare; discorrere; **~ative** loquace

tall [tɔ:l] alto; grande

tallow ['tælou] sega f

tame [teim] a addomesticato; v/t addomesticare; **~r** domatore m

tamper ['tæmpə]: ~ **with** v/i modificare

tan [tæn] s concia f; abbronzatura f; v/t conciare; abbronzare

tangerine [ˌtændʒəˈriːn] mandarino m

tangle [ˈtæŋgl] s imbroglio m; v/t imbrogliare

tank [tæŋk] serbatoio m

tanner [ˈtænə] conciatore m

tantalize [ˈtæntəlaiz] v/t tormentare

tantamount [ˈtæntəmaunt] equivalente

tap [tæp] s rubinetto m; chiave f; colpetto m; v/t battere

tape [teip] nastro m; **recorder** registratore m

tapestry [ˈtæpistri] arazzi m/pl; tappezzeria f

tapeworm [teip] tenia f

tar [tɑː] catrame m

target [ˈtɑːgit] bersaglio m; obiettivo m

tariff [ˈtærif] tariffa f

tart [tɑːt] a acido; s torta f

task [tɑːsk] compito m

taste [teip] s gusto m; sapore m; v/t assaggiare; v/i avere il gusto di; sapere di; **ful** di buon gusto; **less** senza gusto; **y** saporito

tattle [ˈtætl] v/i ciarlare

tattoo [təˈtuː] tatuaggio m

tax [tæks] s tassa f; imposta f; v/t tassare; **free** esente da imposte

taxi [ˈtæksi] tassi m; **driver** tassista m

tax|payer contribuente m; **return** dichiarazione f delle imposte

tea [tiː] tè m

teach [tiːtʃ] v/t, irr insegnare; **er** insegnante m; **ing** insegnamento m

team [tiːm] squadra f; **work** lavoro m collettivo

teapot teiera f

tear [tɛə] s strappo m; v/t, irr strappare

tear [tiə] lacrima f; **ful** lacrimoso

tea-room sala f da tè

tease [tiːz] v/t prendere in giro; cardare (lana)

teat [tiːt] tettarella f

techn|ical [ˈteknikəl] tecnico; **ician** [ˌˈniʃən] tecnico m; **ique** [ˌˈniːk] tecnica f

tedious [ˈtiːdjəs] noioso

teen|ager [ˈtiːnˌeidʒə] adolescente m, f; **s** pl dai 13 ai 19 anni

teeth [tiːθ] pl of tooth

teetotal(l)er [tiːˈtoutlə] astemio m (completo)

telegra|m [ˈteligræm] telegramma m; **ph** telegrafo m; **phic** [ˌˈgræfik] telegrafico; **phy** [tiˈlegrəfi] telegrafia f

telephone [ˈtelifoun] s telefono m; v/t, v/i telefonare; **call** telefonata f; **exchange** centrale m telefonica

tele|printer [ˈteliprintə] telescrivente m; **type (writer)** telescrivente f

televis|e [ˈtelivaiz] v/t trasmettere per televisione; **ion** televisione f; **ion set** apparecchio m televisio

tell 188

tell [tel] v/t, v/i, irr dire; raccontare

temper ['tempə] s umore m; indole m; collera f; tempera f (metalli); **lose one's ~** perdere la pazienza; v/t temperare (metalli); **~ament** temperamento m; **~ance** temperanza f; astinenza f (completa); **~ate** temperato; **~ature** temperatura f; febbre f

tempest ['tempist] tempesta f; **~uous** [~'pestjuəs] tempio m

temporal ['tempərəl] temporale; **~ary** temporaneo

tempt [tempt] v/t tentare; **~ation** tentazione f; **~ing** allettante

tenant ['tenənt] inquilino m

tend [tend] v/i tendere; **~ency** tendenza f

tender ['ˈtəndə] tenero; **~ness** tenerezza f

tendon ['tendən] tendine f

tennis ['tenis] tennis m; **~ court** campo m da tennis

tensle ['tens] a teso; s gram tempo m; **~ion** tensione f

tent [tent] tenda f

tepid ['tepid] tiepido

term [tə:m] s termine m; periodo m; limite m; trimestre m; **~s** pl condizioni f/pl; **be on good ~s with** essere in buoni rapporti con; **come to ~s** venire a un accordo

terminal ['tə:minl] terminale

terminus ['tə:minəs] capoli-

nea m; termine m

terrible ['terəbl] terrible; spaventoso

terrific [tə'rifik] tremendo; **~y** ['terifai] v/t spaventare

territory ['teritəri] territorio m

terror ['terə] terrore m; **~ism** terrorismo m; **~ist** terrorista m, f; **~ize** v/t terrorizzare

test [test] s prova f; v/t provare

testament ['testəmənt] testamento m

testify ['testifai] v/t testimoniare

testimonial [testi'mounjəl] a testimoniale; s certificato m; **~y** ['~məni] testimonianza f

text [tekst] testo m

textile ['tekstail] a tessile; s tessuto m

texture ['tekstʃə] tessitura f

than [ðæn, ðən] di; che; **more ~ ten** più di dieci; **more ~ once** più di una volta

thank [θæŋk] v/t ringraziare; **~ful** grato; **~s** pl grazie f/pl

that [ðæt, ðət], pl those [ðouz] a pron quello, quella; pron rel, pl that che, il quale, la quale; conj che

thatch [ðætʃ] tetto m di paglia

thaw [θɔ:] s disgelo m; v/i disgelare

the [ðə, ði] il, lo, la; pl i, gli, le

theatre, Am ~er [ˈθiətə] teatro *m*; **~rical** [θi'ætrikəl] teatrale

theft [θeft] furto *m*

their [ðeə], *pl adj poss* il loro, la loro, i loro, le loro; **~s** *pron poss* il loro, la loro, i loro, le loro

them [ðem, ðəm] *pl* li, le, loro

theme [θi:m] tema *m*

themselves [ðəm'selvz] sè stessi, sè stesse

then [ðen] allora; poi; quindi; dunque

theological [θiə'lɔdʒikəl] teologico; **~y** teologia *f*

theoretic(al) [θiə'retik(əl] teorico; **~y** ['~ri] teoria *f*

therapeutic(al) [ˌθerə'pju:tik(əl] terapeutico; **~s** *pl* terapeutica *f*

therapy ['θerəpi] terapia *f*

there [ðeə] lì; là; **~ is** c'è; **~ are** ci sono; **~ was** c'era; **~fore** quindi

thermo|meter [θə'mɔmitə] termometro *m*; **~s flask** termos *m*

these [ði:z] *pl of* **this**

thesis ['θi:sis], *pl* **~es** ['~i:z] tesi *f*

they [ðei] *pl* essi, esse, loro

thick [θik] spesso; denso; folto; fitto

thief [θi:f], *pl* **thieves** [~vz] ladro *m*

thigh [θai] coscia *f*

thimble ['θimbl] ditale *m*

thin [θin] magro; fine; sottile

thing [θiŋ] cosa *f*

think [θiŋk] *v/t, v/i, irr* pen-

sare; **~er** pensatore *m*

thirst [θə:st] sete *f*; **~y** assetato

this [ðis], *pl* **these** [ði:z] *a, pron* questo, questa

thistle ['θisl] cardo *m*

thorax ['θɔ:ræks] torace *m*

thorn [θɔ:n] spina *f*

thorough ['θʌrə] completo; approfondito; perfetto; minuzioso; **~fare** arteria *f (di grande traffico)*; strada *f* principale

those [ðouz] *pl of* **that**

though [ðou] sebbene, benché

thought [θɔ:t] pensiero *m*; **~ful** pensieroso; **~less** sconsiderato

thousand ['θauzənd] mille

thrash [θræʃ] *v/t* battere; bastonare

thread [θred] *s* filo *m*; *v/t* infilare

threat [θret] *s* minaccia *f*; **~en** *v/t* minacciare

three [θri:] tre; **~fold** triplice

threshold ['θreʃhould] soglia *f*

thrift [θrift] economia *f*; frugalità *f*; **~y** economo; frugale

thrill [θril] *s* brivido *m*; *v/i* rabbrividire; **~er** romanzo *m* giallo; **~ing** emozionante

thrive [θraiv] *v/i, irr* prosperare

throat [θrout] gola *f*

throb [θrɔb] *v/i* palpitare

throne [θroun] trono *m*

throng [θrɔŋ] *s* folla *f*; *v/t* affollare

throttle ['θrɔtl] s valvola f; v/t strangolare

through [θru:] a diretto; prp attraverso; **~out** prp in tutto; adv dappertutto; **go ~, pass ~** attraversare; **~ train** diretto m

throw [θrou] s lancio m; v/t, irr lanciare; gettare; buttare

thrust [θrʌst] s spinta f; v/t, irr cacciare

thud [θʌd] tonfo m

thumb [θʌm] pollice m

thump [θʌmp] s botta f; v/t dare pugni a

thunder ['θʌndə] s tuono m; v/i tuonare; **~bolt** fulmine m; **~storm** temporale m

Thursday ['θə:zdi] giovedì m

thus [ðʌs] così; in questo modo

thwart [θwɔ:t] v/t frustrare

thy [ðai] eccl, poet tuo

thyroid gland ['θaiərɔid] tiroide f

tick [tik] fare tic-tac

ticket ['tikit] biglietto m; etichetta f; **~ office** biglietteria f

tickle ['tikl] v/t solleticare

tidy ['taidi] a ordinato; v/t mettere in ordine

tie [tai] s cravatta f; v/t legare

tier [tiə] fila f

tiger ['taigə] tigre f

tight [tait] stretto; **~en** v/t stringere; v/i stringersi

tile [tail] mattonella f; piastrella f

till¹ [til] prp fino a; conj finché

till² [til] v/t lavorare; coltivare

till³ cassetto m

tilt [tilt] s inclinazione f; v/t inclinare; v/i inclinarsi

timber ['timbə] legname m

time [taim] s tempo m; volta f; ora; **have a good ~** divertirsi; **what ~ is it?** che ore sono?; v/t cronometrare; **~less** eterno; **~ly** opportuno; **on ~** in orario; in tempo; **~table** orario m

timid ['timid] timido; **~orous** timoroso

tin [tin] stagno m; latta f; scatola f

tinge [tindʒ] v/t sfumare; s sfumatura f

tin|ned in scatola; **~-opener** apriscatole m

tint [tint] tinta f

tiny ['taini] minuscolo

tip [tip] s punta f; mancia f; v/t dare la mancia

tipsy ['tipsi] brillo

tiptoe ['tiptou] v/i andare in punta dei piedi

tire¹ ['taiə] v/t stancare; **~ed** stanco; **~esome** noioso.

tire² ['taiə] pneumàtico m

tissue ['tiʃu:] tessuto m; **~ paper** carta f velina

titbit ['titbit] boccone m delicato

title ['taitl] titolo m

to [tu:, tu, tə] prp a; verso; **it is five minutes ~ ten** sono le dieci meno cinque; **~ and fro** avanti e indietro; **have ~** dovere

toad [toud] rospo m

toast [toust] s pane m abbrustolito; **brindisi** m; v/t abbrustolire; **fare un brindisi a**; v/i brindare

tobacco [tə'bækou] tabacco m; **~nist** tabaccaio m

today [tə'dei] oggi

toe [tou] dito m del piede

together [tə'geðə] insieme

toil [tɔil] s fatica f; v/i affaticare

toilet ['tɔilit] toeletta f; gabinetto; **~paper** carta f igienica

token ['toukən] segno m

tolera|ble ['tɔlərəbl] tollerabile; **~nce** tolleranza f; **~nt** tollerante

tomato [tə'mɑːtou, Am tə'meitou], pl **~es** pomodoro m

tomb [tuːm] tomba f; **~stone** lapide f sepolcrale

tomcat ['tɔmˈkæt] gatto m

tomorrow [tə'mɔrou] domani; **~ night** domani sera; **the day after ~** dopodomani

ton [tʌn] tonnellata f

tone [toun] tono m

tongs [tɔŋz] pl mollette f/pl

tongue [tʌŋ] lingua f

tonic ['tɔnik] tonico m

tonsil ['tɔnsl] tonsilla f; **~litis** [ˌsiˈlaitis] tonsillite f

too [tuː] troppo; **~ much** troppo

tool [tuːl] arnese m; strumento m

tooth [tuːθ], pl **teeth** [tiːθ] dente m; **~ache** mal m di denti; **~brush** spazzolino m da denti; **~less** senza denti; **~paste** dentifricio m

top [tɔp] s cima f; **at the ~ of** in testa; **from ~ to bottom** da capo in fondo; **~ hat** cilindro m

topic ['tɔpik] argomento m; **~al** del giorno

topsy-turvy ['tɔpsi'təːvi] sottosopra

torch [tɔːtʃ] torcia f; lampadina f elettrica

torment ['tɔːment] s tormento m; v/t tormentare

torrent ['tɔrənt] torrente m

tortoise ['tɔːtəs] tartaruga f

torture ['tɔːtʃə] s tortura f; v/t torturare

toss [tɔs] v/t buttare in aria; buttare; v/i agitarsi

total ['toutl] a, s totale (m)

totalitarian [ˌtoutæliˈtɛəriən] totalitario

totter ['tɔtə] v/i traballare

touch [tʌtʃ] s tocco m; tatto m; v/t toccare; commuovere; **get in ~ with** mettersi in contatto con; **~ing** commuovente; v/t muoversi; **~y** permaloso; suscettibile

tough [tʌf] difficile; resistente; duro; tenace

tour [tuə] s giro m; viaggio m; v/t viaggiare; **~ist** turista m, f; **~ist agency**, **~ist office** agenzia f (di) viaggi

tournament ['tuənəmənt] torneo m; concorso m

tow [tou] v/t rimorchiare

toward(s) [tə'wɔːd(z)] verso

towel ['tauəl] asciugamano m

tower ['tauə] torre f

town [taun] città *f*; ~ **hall** municipio *m*

tow-rope cavo *m* da rimorchio

toy [tɔi] giocattolo *m*

trace [treis] *s* traccia *f*; *v/t* rintracciare

track [træk] pista *f*; sentiero *m*; binario *m*; ~**-and-field events** *pl* atletica *f* leggera

tract|ion [ˈtrækʃən] trazione *f*; ~**or** trattrice *f*

trade [treid] *s* commercio *m*; mestiere *m*; occupazione *f*; *v/t* trattare; ~**mark** marca *f* di fabbrica; ~ **union** sindacato *m*

tradition [trəˈdiʃən] tradizione *f*; ~**al** tradizionale

traffic [ˈtræfik] *s* traffico *m*; *v/t* trafficare; commerciare; ~**light(s** *pl*) semaforo *m*; ~ **regulations** *pl* regolamento *m* stradale; ~ **sign** segnale *m* stradale

trag|edy [ˈtrædʒidi] tragedia *f*; ~**ic(al)** tragico

trail [treil] *s* traccia *f*; scia *f*; *v/t* trascinare; *v/i* trascinarsi; ~**er** rimorchio *m*; (*cinema*) presentazione *f*

train [trein] *s* treno *m*; seguito *m*; serie *f*; *v/t* ammaestrare; allenare; ~**er** allenatore *m*; ~**ing** allenamento *m*

trait [trei, *Am* treit] caratteristica *f*

traitor [ˈtreitə] traditore *m*

tram [træm] tram *m*

tramp [træmp] *s* vagabondo *m*; *v/i* calpestare; vagabondare

trample [ˈtræmple] *v/t* calpestare

trance [trɑːns] catalessi *f*; estasi *f*

tranquil [ˈtræŋkwil] tranquillo; ~**(l)ity** tranquillità *f*; ~**(l)ize** *v/t* tranquillizzare

transact [trænˈzækt] *v/t* trattare; ~**ion** transazione *f*

transcend [trænˈsend] *v/i* trascendere

transcri|be [trænsˈkraib] *v/t* trascrivere; ~**ption** trascrizione *f*

transfer [ˈtrænsfəː] *s* trasferimento *m*; [trænsˈfəː] *v/t* trasferire

transform [trænsˈfɔːm] *v/t* trasformare; ~**ation** trasformazione *f*

transfusion [trænsˈfjuːʒən] trasfusione *f*

transgress [trænsˈgres] *v/t* tragredier; ~**ion** trasgressione *f*

transient [ˈtrænziənt] transitorio; passeggero

transit [ˈtrænsit] transito *m*; ~**ion** [~ˈsiʒən] trasnsizione *f*; ~**ory** [ˈtrænsitəri] transitorio

translat|e [trænsˈleit] *v/t* tradurre; ~**ion** traduzione *f*; ~**or** traduttore *m*, traduttrice *f*

transmi|ssion [trænzˈmiʃən] trasmissione *f*; ~**t** *v/t* trasmettere; ~**tter** trasmettitore *m*

transparent [trænsˈpɛərənt] trasparente

transpire [trænsˈpaiə] *v/i*

traspirare

transport ['trænspɔːt] s trasporto m; [træns'pɔːt] v/t trasportare; **~ation** trasporto m

trap [træp] s trappola f; v/t prendere in trappola

trapeze [trə'piːz] trapezio m

trash [træʃ] robaccia f; sciocchezze f/pl

travel ['trævl] v/i viaggiare; s viaggiare m; **~ agency** agenzia f viaggi; **~(l)er** viaggiatore m; **~(l)er's cheque** (Am check) assegno m turistico; taveller cheque m

tray [trei] vassoio m

treacherous ['tretʃərəs] traditore

tread [tred] v/i, irr camminare; calpestare; passare

treason ['triːzn] tradimento m

treasur|e ['treʒə] s tesoro m; v/t tenere caro; **~er** tesoriere m; **~y** tesoreria f; **Ꝣy-Department** Am Ministero m del Tesoro

treat [triːt] v/t trattare; **~ise** ['~iz] trattato m; **~y** trattato m

treble ['trebl] a triplo; v/t triplicare; v/i triplicarsi

tree [triː] albero m

trefoil ['treˌfɔil] trifoglio m

tremble ['trembl] v/i tremare

tremendous [tri'mendəs] enorme; tremendo

tremor ['tremə] tremore m; fremito m

trench [trentʃ] trincea f

trend tendenza f

trespass ['trespəs] s trasgressione f; v/i trasgredire; **~er** trasgressore m

trial ['traiəl] prova f; processo m; **on ~** in prova

triangle ['traiæŋgl] triangolo m

tribe [traib] tribù f

tribunal [trai'bjuːnl] tribunale m

tributary ['tribjutəri] affluente m

trick [trik] s trucco m; v/t ingannare

trickle ['trikl] v/i gocciolare

trifle ['traifl] nonnulla m

trigger ['trigə] grilletto m

trim [trim] a ordinato; v/t tagliare; guarnire; **~mings** pl guarnizioni f/pl

trinket ['triŋkit] gioiello m

trip [trip] s gita f; v/i inciampare

tripe [traip] trippa f

triple ['tripl] s triplo m; v/t triplicare; **~ts** ['~its] pl fratelli m/pl trigemini

triumph ['traiəmf] s trionfo m; v/i trionfare

trivial ['triviəl] banale; trascurabile

troll(e)y ['trɔli] carrello m; carretto m; **~bus** filobus m

trombone [trɔm'boun] tromba f; trombone m

troop [truːp] truppa f; banda f

trophy ['troufi] trofeo m

tropic|al ['trɔpik(ə)l] tropicale; **~s** pl paesi m/pl tropicali

trot [trɔt] s trotto m; v/i trottare

trouble [trʌbl] s disturbo m; seccatura f; guaio m; v/t disturbare; seccare; **~d** preoccupato; **~some** fastidioso; seccante

trough [trɔf] trogolo m

trousers ['trauzəz] pl pantaloni m/pl

trout [traut] trotta f

truant ['tru(:)ənt]: **play ~**: marinare la scuola; far forca

truce [tru:s] tregua f

truck [trʌk] carro m; autocarro m

trudge [trʌdʒ] v/i camminare faticosamente

true [tru:] vero; **~ly** veramente; **yours ~ly** con profonda stima

trumpet ['trʌmpit] tromba f

truncheon ['trʌntʃən] bastone m

trunk [trʌŋk] tronco m; baule m; **~call** chiamata f interurbana

trust [trʌst] s fiducia f; v/t fidarsi di; **~ee** [~'ti:] fiduciario m; **~ful** fiducioso

truth [tru:θ], pl **~s** [~ðz] verità f

try [trai] s prova f; tentativo m; v/t, v/i provare; tentare; **~ing** duro; difficile

tub [tʌb] tino m tinozza f

tube [tju:b] tubo m; fam metropolitana f

tuberculosis [tju(:)bə:kju'lousis] tubercolosi f

tuck [tʌk] piega f

Tuesday ['tju:zdi] martedì m

tuft [tʌft] ciuffo m

tug [tʌg] v/t tirare

tulip ['tju:lip] tulipano m

tumble ['tʌmbl] v/i cadere; **~r** bicchiere m

tummy ['tʌmi] fam pancina f

tumo(u)r ['tju:mə] tumore m

tumult ['tju:mʌlt] tumulto m; **~uous** [~'mʌltjuəs] tumultuoso

tun [tʌn] tonnellata f; botte f

tuna ['tu:nə], pl **~(s)** tonno m

tune [tju:n] s motivo m; v/i armonizzare; **out of ~** scordato

tunnel ['tʌnl] galleria f

turban ['tə:bən] turbante m

Turk [tə:k] turco(a) m (f)

turkey ['tə:ki] tacchino m

Turk|ey ['tə:ki] Turchia f; **~ish** a, s turco (m)

turmoil ['tə:mɔil] tumulto m

turn [tə:n] s turno m; volta f; giro m; cambio m; **it is your ~** tocca a te; v/t voltare; girare; cambiare; **~ off** spegnere; **~ on** accendere; **~ out** produrre; **~ over** girare; **~ up** comparire; **~ing** svolta f; curva f

turnip ['tə:nip] rapa f

turnover giro m d'affari

turpentine ['tə:pəntain] acqua f ragia

turquoise ['tə:kwɔ:z] turchese

turtle ['tə:tl] tartaruga f

tusk [tʌsk] zanna f
tweezers ['twiːzəz] pl pinzette f/pl
twice [twais] due volte
twilight ['twailait] crepuscolo m
twin [twin] a, s gemello (m)
twine [twain] s spago m; v/t attorcigliare
twinkle ['twiŋkl] s scintillio m; v/i scintillare
twirl [twəːl] v/t girare
twist [twist] v/t torcere
twitter ['twitə] v/i cinguettare
two [tuː] due; **~fold** doppio;

~way traffic traffico m contrario
type [taip] s tipo m; v/t scrivere a macchina; **~writer** macchina f da scrivere
typhoid (fever) ['taifɔid] febbre f tifoidea
typhus ['taifəs] tifo m
typical ['tipikəl] tipico
typist ['taipist] dattilografo(a) m (f)
tyrann|ical [ti'rænikəl] tirannico; **~ize** ['tirənaiz] v/t tiranneggiare; **~y** tirannia f
tyrant ['taiərənt] tiranno m
tyre ['taiə] pneumàtico m

U

udder ['ʌdə] mammella f
ugly ['ʌgli] brutto
ulcer ['ʌlsə] ulcera f
ulterior [ʌl'tiəriə] ulteriore
ultimate ['ʌltimit] ultimo
umbrella [ʌm'brelə] ombrello m
umpire ['ʌmpaiə] s arbitro m; v/t fare da arbitro
unabated [ˌʌnə'beitid] non diminuito
un|able [ʌn'eibl] incapace; **~acceptable** inaccettabile; **~accountable** inspiegabile; **~accustomed** non abituato; insolito; **~affected** naturale; semplice; **~afraid** senza paura
unanimous [juː(ˈ)ˈnæniməs] unanime
un|approachable inaccessibile; **~armed** disarmato;

~asked non richiesto; **~assuming** modesto
un|available non disponibile; **~avoidable** inevitabile; **~aware** inconsapevole
un|balanced non equilibrato; **~bearable** insopportabile; **~becoming** sconveniente; **~believer** miscredente m
unbend v/t raddrizzare; **~ing** inflessibile
un|bias(s)ed imparziale; **~bind** v/t sciogliere; slegare; **~broken** intatto; **~button** v/t sbottonare
un|cared (for) trascurato; **~ceasing** incessante; **~certain** incerto; **~changeable** immutevole; **~checked** incontrollato
uncle ['ʌŋkl] zio m

un|comfortable scomodo; ~common raro; ~completed incompleto; ~compromising intransigente; ~conditional incondizionale; ~confirmed non confermato

unconscious inconsapevole; senza conoscenza; inconscio; ~ness incoscienza f

un|controllable incontrollabile; ~conventional spregiudicato

un|couth [ʌn'kuːθ] sgraziato; ~cover v/t scoprire

unction ['ʌŋkʃən] unzione f

un|cultivated incolto; ~damaged intatto; ~deniable innegabile

under ['ʌndə] sotto; inferiore; ~ age minorenne; ~ way in corso

under|clothing biancheria f personale; ~done [ˌʌndə'dʌn] poco cotto; ~estimate v/t sottovalutare; ~go v/t subire

underground [ˌʌndə'graund] a sotterraneo; ['ʌndə~] s metropolitana f

under|line v/t sottolineare; ~mine v/t minare; ~neath sotto; ~paid mal pagato; ~pass sottopassaggio m; ~rate v/t sottovalutare

undersecretary sottosegretario m

under|signed sottoscritto; ~stand v/t, v/i, irr capire; ~standing a comprensivo; s comprensione f

under|take v/t, irr intraprendere; ~er imprenditore m di pompe funebri; ~ing impresa f

under|value v/t sottovalutare; ~wear biancheria f personale; ~wood sottobosco m

underworld inferno m; malavita f

un|deserved immeritato; ~desirable non desiderabile; ~developed sottosviluppato

un|disputed incontestato; ~disturbed indisturbato

undo [ʌn'duː] v/t, irr disfare; ~dress v/t spogliare; v/i spogliarsi

unemploy|ed disoccupato; ~ment disoccupazione f

unequal disuguale; ~(l)ed ineguagliato

un|erring infallibile; ~even disuguale; ~expected inaspettato; ~failing immancabile; ~fair ingiusto; ~faithful infedele; ~familiar non familiare; ~fasten v/t sciogliere; slacciare; ~favo(u)rable sfavorevole; ~finished incompiuto; ~fit inabile; ~fold v/t aprire; spiegare; ~foreseen imprevisto

unfortunate sfortunato; ~ly sfortunatamente

un|founded infondato; ~friendly non cordiale; ~furnished non ammobiliato; ~generous poco generoso; ~graceful senza grazia; sgraziato; **~gracious** sgarbato; **~grateful** ingrato; **~guarded** non sorvegliato; non attento

un|happy infelice; **~harmed** illeso; **~healthy** non sano; malsano; **~heard (of)** inaudito

unhinge [ʌn'hindʒ] v/t scardinare; sconvolgere

unification [ju:nifi'keiʃən] unificazione f

uniform ['ju:nifɔ:m] a uniforme; s uniforme m; divisa f

unify ['ju:nifai] v/t unificare

un|imaginable inimmaginabile; **~important** non importante; insignificante

uninhabit|able inabitabile; **~ed** inabitato

uninjured illeso

unintelligent non intelligente; **~ible** inintelligibile

un|intentional non intenzionale; **~interested** non interessato; disinteressato; **~interrupted** ininterrotto; **~invited** non invitato

union ['ju:njən] unione f; **~ist** sindacalista m, f

unique [ju:'ni:k] unico

unit ['ju:nit] unità f; **~e** [~'nait] v/t unire; unificare; v/i unirsi; **~ed Nations** Nazioni f/pl Unite; **~ed States** Stati m/pl Uniti; **~y** unità f

univers|al [ju:ni'və:səl] universale; **~e** ['∧:niˈvə:s] universo m; **~ity** [~'və:siti] università f

un|just ingiusto; **~kind** cat-

tivo; **~known** sconosciuto; **~lace** v/t slacciare; **~lawful** illecito; illegale

unless [ən'les] a meno che

unlike diverso; **~ly** improbabile

un|limited illimitati; **~load** v/t scaricare; **~lock** v/t aprire (con la chiave); **~lucky** sfortunato; **~mannerly** maleducato; **~married** nubile (di donna); celibe (di uomo); non sposato

unmask v/t smascherare

un|mistakable inconfondibile; chiaro; **~natural** non naturale; **~necessary** non necessario; inutile; **~noticed, ~observed** inosservato; **~official** non ufficiale; **~opposed** incontrastato

unpack [ʌn'pæk] v/t disfare le valige

un|paid non pagato; **~paralleled** unico; senza pari; **~pardonable** imperdonabile; **~pleasant** spiacevole; **~popular** impopolare; **~practical** non pratico; **~precedented** senza precedenti; **~prejudiced** imparziale; **~prepared** impreparato; **~profitable** senza profitto; **~provided** sprovvisto; **~published** inedito; non pubblicato; **~punished** impunito; **~qualified** incompetente; **~questionable** incontestabile; **~quiet** inquieto; agitato

un|reasonable irragionevole; ~**refined** non raffinato; ~**reliable** che non dà affidamento; ~**reserved** non riservato; senza riserve; ~**resisting** senza resistenza; che non oppone resistenza; ~**restrained** illimitato; sfrenato; ~**ripe** non maturo; immaturo; ~**rival(l)ed** impareggiabile; ~**ruly** non turbolento

un|safe non sicuro; pericoloso; ~**said** non detto; ~**satisfactory** non soddisfacente; ~**screw** v/t svitare; ~**scrupulous** senza scrupoli; ~**seen** non visto; invisibile; ~**selfish** altruista; ~**shrinkable** irrestringibile; ~**skilled** inesperto; ~**solved** insoluto; non risolto; ~**sound** non solido; cattivo; ~**speakable** indicibile; ~**spoilt** non guastato; (of a child) non viziato; ~**stable** instabile; ~**successful** non riuscito; senza successo; ~**suitable** inadatto; ~**thinkable** impensabile; ~**tidy** disordinato; ~**tie** v/t slegare; disfare

until [ən'til] prp fino a; conj finché ... non

un|timely inopportuno; ~**tiring** instancabile; ~**touched** non toccato; ~**tried** non provato; ~**troubled** tranquillo; non turbato; ~**true** falso

un|used non usato; ~**varying** invariabile; ~**veil** v/t svelare; togliere il velo a;

~**warranted** ingiustificato; ~**well** indisposto; ~**willing** maldisposto

up [ʌp] prp su, per; ~ **and down** su e giù; ~ **to date** moderno; aggiornato; ~ **to now** fino ad ora; **what's** ~? che c'è?

up|bringing educazione f; ~**hill** in salita; difficile; arduo; ~**hold** v/t, irr sostenere

up|holsterer [ʌp'houlstərə] tappezziere m; ~**keep** mantenimento m

upon [ə'pɔn] su, sopra

upper ['ʌpə] superiore

up|right diritto; in piedi; fig onesto; ~**roar** clamore m; chiasso m; ~**root** v/t sradicare

upset v/t, irr rovesciare; turbare; sconvolgere

upside down sottosopra

up|stairs sopra; al piano di sopra; ~**wards** in alto

uranium [ju'reinjəm] uranio m

urban ['ɔːbən] urbano

urchin ['ɔːtʃin] monello m

urge [ɔːdʒ] v/t spingere; s spinta f; ~**nt** urgente

urin|ate ['juərineit] v/i orinare; ~**e** orina f

urn [ɔːn] urna f

us [ʌs, əs] noi; ci

usage ['juːzidʒ] uso m

use [juːs] s uso m; impiego m; [juːz] v/t usare; adoperare; impiegare; **it is no** ~ non serve; **what is the** ~ **of**? a che cosa serve?; ~ **up** consumare; **~d to** abituato a; **get ~d to** abituarsi a

usher ['ʌʃə] usciere m; **~ette** [~'ret] maschera f

usual ['juːʒuəl] abituale; usuale; solito

utensil [juː'tensl] utensile m

uterus ['juːtərəs] utero m

utility [juː'tiliti] utilità f; **~ze** v/t utilizzare

utmost ['ʌtmoust] estremo; massimo

utter ['ʌtə] a completo; assoluto; v/t proferire

V

vaca|ncy ['veikənsi] posto m vacante; **~nt** ['~] vuoto; libero; **~te** [və'keit] v/t liberare; **~tion** vacanza f

vaccin|ate ['væksineit] v/t vaccinare; **~ation** vaccinazione f; **~e** ['~iːn] vaccino m

vacuum ['vækjuəm] vuoto m; **~ cleaner** aspirapolvere m

vagabond ['vægəbond] a, s vagabondo (m)

vague [veig] vago

vain [vein] vanitoso; vano; **in ~** invano

valerian [və'liəriən] valeriana f

valet ['vælit] cameriere m

valid ['vælid] valido; **~ity** [və'liditi] validità f

valu|able ['væljuəbl] prezioso; di valore; **~ables** pl oggetti m/pl di valore; **~e** s valore m; v/t valutare; tenersi; **~eless** senza valore

valve [vælv] valvola f

vampire ['væmpaiə] vampiro m

van [væn] camioncino m; furgoncino m

vanish ['væniʃ] v/i sparire

vanity ['væniti] vanità f

vapor|ize ['veipəraiz] v/t vaporizzare; **~ous** vaporoso

vapo(u)r ['veipə] vapore m

varia|ble ['vɛəriəbl] variabile; **~nt** variante f; **~tion** variazione f

varicose vein ['værikous] varice f; vena f varicosa

var|ied ['vɛərid] svariato; **~iety** [və'raiəti] varietà f; **~ious** ['vɛəriəs] vario; diverso

varnish ['vɑːniʃ] s vernice f; v/t verniciare

vary ['vɛəri] v/t, v/i variare

vase [vɑːz, Am veis, veiz] vaso m

vast [vɑːst] vasto; enorme

vat [væt] tino m

Vatican ['vætikən] Vaticano m

vault [vɔːlt] volta f; salto m

veal [viːl] carne f di vitello

vegeta|bles ['vedʒitəblz] pl verdure f/pl; **~rian** [~vedʒi-'tɛəriən] vegetariano m; **~tion** [~'teiʃən] vegetazione f

vehement ['viːəmənt] veemente

vehicle ['viːikl] veicolo m

veil [veil] s velo m; v/t velare

vein [vein] vena *f*

velocity [vi'lɔsiti] velocità *f*

velvet ['velvit] velluto *m*

venal ['vi:nl] venale

vend [vend] *v/t* vendere; **~ing machine** distributore *m* automatico

venera|ble ['venərəbl] venerabile; **~te** *v/i* venerare

venereal [vi'niəriəl] venereo

Venetian [vi'ni:ʃən] *a, s* veneziano (*m*); **~ blinds** *pl* tende *f/pl* alla veneziana

vengeance ['vendʒəns] vendetta *f*

venom ['venəm] veleno *m*; **~ous** velenoso

vent [vent] *v/t* dare sfogo a; **~ilate** ['ventileit] *v/t* ventilare; **~ilator** ventilatore *m*

ventriloquist [ven'trilɔkwist] ventriloquo *m*

venture ['ventʃə] *s* ventura *f*, rischio *m*; *v/t* rischiare; *v/i* arrischiarsi

veranda(h) [və'rændə] terrazza *f* coperta

verb [və:b] verbo *m*

verdict ['və:dikt] verdetto *m*

verge [və:dʒ] bordo *m*

verify ['verifai] *v/t* verificare

versatility [,və:sə'tiliti] versatilità *f*

vers|e [və:s] verso *m*; **~ed** versato; **~ion** versione *f*

vertebra [və:tibrə], *pl* **~e** ['~i:] vertebra *f*

vertical ['və:tikəl] verticale

vertiginous [və:'tidʒinəs] vertiginoso

very ['veri] molto *f*; **the ~**

best l'ottimo *m*; (*selfsame*) stesso

vest [vest] maglia *f* (*di lana o di cotone*)

vestry ['vestri] sagrestia *f*

vessel ['vesl] recipiente *m*; nave *f*

vet [vet] *fam for* **veterinary**

veteran ['vetərən] veterano *m*

veterinary (**surgeon**) ['vetərinəri] *s* veterinario *m*

veto ['vi:tou], *pl* **~es** veto *m*; *v/t* vietare

vex [veks] *v/t* far arrabbiare; dispiacere

vibra|te [vai'breit] *v/t, v/i* vibrare; **~ion** vibrazione *f*

vice [vais] vizio *m*

vice- (*prefix*) vice-; **~-president** vicepresidente *m*

vicinity [vi'siniti] vicinanza *f*

vicious ['viʃəs] vizioso; cattivo

victim ['viktim] vittima *f*

victor ['viktə] vincitore *m*; **~ious** [vik'tɔ:riəs] vittorioso; **~y** ['viktəri] vittoria *f*

view [vju:] *s* veduta *f*; panorama *m*; **in ~ of** in vista di; *v/t* considerare; **~point** punto *m* di vista

vigil ['vidʒil] vigilia *f*; veglia *f*; **~ant** vigilante

vigo|rous ['vigərəs] vigoroso; **~(u)r** vigore *m*

vile [vail] vile

village ['vilidʒ] paese *m*

villain ['vilən] mascalzone *m*

vindicate ['vindikeit] *v/t* rivendicare

vindictive [vin'diktiv] vendicativo

vine [vain] *bot* vite *f*; **~gar**
['viniga] aceto *m*; **~yard**
['vinjad] vigneto *m*

vintage ['vintidʒ] vendem-
mia *f*

viol|ate ['vaialeit] *v/t* violare;
~ation violazione *f*; con-
travvenzione *f*; **~ence** vio-
lenza *f*; **~ent** violento

violet ['vaialit] *s* mammola *f*;
a viola

violin [vaia'lin] violino *m*

viper ['vaipa] vipera *f*

virgin ['vɔ:dʒin] vergine *f*;
~ity [~'dʒiniti] verginità *f*

virile ['virail] virile; **~ity**
[~'riliti] virilità *f*

virtu|al ['vɔ:tʃual] virtuale;
~e virtù *f*

virus ['vaiaras] virus *m*

visa ['vi:za] visto *m*

visib|ility [vizi'biliti] visibi-
lità *f*; **~le** visibile

vision ['viʒan] visione *f*;
~ary visionario

visit ['vizit] *s* visita *f*; *v/t*
visitare; **~or** visitatore *m*

vital ['vaitl] vitale; **~ity** [~
'tæliti] vitalità *f*

vitamin ['vitamin] vitamina
f

vivaci|ous [vi'veiʃas] vivace;
~ty [~'væsiti] vivacità *f*

vivid ['vivid] vivo; vivace

vocabulary [vou'kæbjulari]
vocabolario *m*

vocation [vou'keiʃan] vocazione *f*

vogue [voug] voga *f*; moda *f*;
in ~ di moda

voice [vɔis] *s* voce *f*; *v/t*
esprimere

void [vɔid] nullo; privo

volcano [vɔl'keinou] vulca-
no *m*

volley ['vɔli] scarica *f*

volt [voult] volt *m*; **~age** voltaggio *m*

voluble ['vɔljubl] volubile

volum|e ['vɔljum] volume
m; **~inous** [və'lju:minəs]
voluminoso

volunt|ary ['vɔləntəri] vo-
lontario; **~eer** [~'tiə] vo-
lontario *m*

voluptuous [və'lʌptʃuəs]
voluttuoso

vomit ['vɔmit] *v/t*, *v/i* vomitare

voracious [və'reiʃəs] vorace

vot|e [vout] *s* voto *m*; *v/t*, *v/i*
votare; **~er** votante *m*, *f*;
~ing votazione *f*

vouch [vautʃ] *v/t* attestare; **~
for** rispondere di; **~er** buono *m*

vow [vau] *s* voto *m*; *v/t* far
voto di; giurare

vowel ['vauəl] vocale *f*

voyage ['vɔiidʒ] *s* viaggio *m*
(*per mare*); *v/i* viaggiare (*per
mare*); navigare

vulgar ['vʌlgə] volgare; **~ity**
[~'gæriti] volgarità *f*

vulnerable ['vʌlnərəbl] vul-
nerabile

vulture ['vʌltʃə] avvoltoio *m*

W

wad [wɔd] batuffolo *m*; **~ding** ovatta *f*

wade [weid] *v/t* passare a guado

wag [wæg] *v/t* scodinzolare

wage [weidʒ] paga *f*

wail [weil] *s* lamento *m*; *v/t* lamentarsi

waist [weist] *anat* vita *f*; **~coat** panciotto *m*; **~line** vita *f*

wait [weit] *s* attesa *f*; *v/i* aspettare; servire (*a tavola*); **~er** cameriere *m*; **~ress** cameriera *f*

wake [weik] scia *f*; *v/t*, irr svegliare; *v/i* svegliarsi; **~n** *v/t* svegliare; *v/i* svegliarsi

walk [wɔːk] *s* passeggiata *f*; **go for a ~**, **take a ~** fare una passeggiata; *v/i* camminare; **~ing-stick** bastone *m* da passeggio

wall [wɔːl] muro *m*; parete *f*

wallet ['wɔlit] portafoglio *m*

walnut ['wɔːlnʌt] noce *f*

waltz [wɔːls] valzer *m*

wan [wɔn] pallido

wander ['wɔndə] *v/i* vagare; divagare

wane [wein] *v/i* declinare; calare (*della luna*)

want [wɔnt] *s* mancanza *f*; deficienza *f*; *v/t* volere; mancare di; *v/i* mancare

war [wɔːd] guerra *f*; **make ~** far la guerra

ward [wɔːd] corsia *f* (*in ospedale*); collegio *m* elettorale; pupillo *m*; **~en** custode *m*;

~er carceriere *m*; **~robe** guardaroba *m*; armadio *m*

ware|house magazzino *m*; **~s** *pl* merce *f*

warm [wɔːm] *a* caldo; *v/t* riscaldare; **~th** calore *m*

warn [wɔːn] *v/t* ammonire; avvertire; **~ing** ammonimento *m*; avvertimento *m*; avviso *m*

warrant ['wɔrənt] *s* mandato *m*; *v/t* autorizzare

warrior ['wɔriə] guerriero *m*

wart [wɔːt] verruca *f*

wash [wɔʃ] *f/t* lavare; *v/i* lavarsi; **~basin**, *Am* **~-bowl** lavabo *m*; lavandino *m*; **~er**, **~ing-machine** lavatrice *f*; **~ing** bucato *m*

wasp [wɔsp] vespa *f*

waste [weist] *s* spreco *m*; *v/t* sprecare; **~-paper-basket** cestino *m* della carta straccia

watch [wɔtʃ] *s* guardia *f*; orologio *m*; **be on the ~** stare attento; *v/t* osservare; sorvegliare; guardare; **~ful** vigilante; **~man** guardiano *m*

water ['wɔːtə] *s* acqua *f*; *v/t* inaffiare; **~colo(u)r** acquerella *f*; **~fall** cascata *f*; **~proof** *a, s* impermeabile (*m*); **~y** acquoso

watt [wɔt] *elec* watt *m*

wave [weiv] *s* onda *f*; *v/t* agitare; *v/i* agitarsi

waver ['weivə] *v/i* vacillare

wax [wæks] cera *f*; ceralacca *f*

way [wei] cammino *m*; via *f*; strada *f*; modo *m*; maniera *f*; **by the ~** a proposito; **by ~ of** via; **on the ~** strada facendo; per via; **give ~** cedere; **~ back** ritorno *m*; **~ of life** tenore *m* di vita; **~ out** uscita *f*; **~ward** [ˈ~wəd] capriccioso; ostinato

we [wiː] noi

weak [wiːk] debole; **~en** *v/t* indebolire; *v/i* indebolirsi; **~minded** imbecille; deficiente; **~ness** debolezza *f*

wealth [welθ] ricchezza *f*; **~y** ricco

wean [wiːn] *v/t* svezzare

weapon [ˈwepən] arma *f*

wear [wɛə] *s* uso *m*; **~ and tear** logorio *m*; *v/t*, *irr* portare; indossare; **~ out** *v/t* consumare; *v/i* consumarsi

weary [ˈwiəri] *a* stanco; *v/t* stancare

weasel [ˈwiːzl] donnola *f*

weather [ˈweðə] tempo *m*; **~forecast** bollettino *m* meteorologico

weav|e [wiːv] *v/t*, *irr* tessere; **~er** tessitore *m*; **~ing** tessitura *f*

web [web] tela *f*; trama *f*

wedding [ˈwediŋ] nozze *f/pl*; matrimonio *m*

wedge [wedʒ] cuneo *m*

Wednesday [ˈwenzdi] mercoledì *m*

weed [wiːd] erbaccia *f*

week [wiːk] settimana *f*; **today ~** oggi a otto; **~day**

giorno *m* feriale; **~end** fine *f* settimana; **~ly** *a*, *s* settimanale (*m*)

weep [wiːp] *v/t*, *v/i*, *irr* piangere; **~ing** pianto *m*; lagrime *f/pl*

weigh [wei] *v/t*, *v/i* pesare; **~t** peso *m*; **~t-lifting** sollevamento *m* pesi; **~ty** pesante

weird [wiəd] misterioso; strano

welcome [ˈwelkəm] *a* benvenuto; gradito; *s* accoglienza *f*; *v/t* accogliere; **(you are) ~!** prego, non c'è di che

welfare [ˈwelfɛə] benessere *m*; **~ state** stato *m* assistenziale

well[1] [wel] pozzo *m*

well[2] [wel] *a* in buona salute; *adv* bene; *s* pianto *m*; **I am ~**, **I feel ~** sto bene; **very ~** molto bene; **~-known** ben conosciuto; noto; **~ then!** ebbene!; **~-off**, **~-to-do** benestante

Welsh [welʃ] *a*, *s* gallese (*m*); **the ~** *pl* i gallesi *m/pl*

west [west] *s* occidentale; *s* occidente *m*; ovest *m*; **~ern** occidentale

wet [wet] *a* bagnato; *v/t*, *irr* bagnare

whale [weil] balena *f*

whar|f [wɔːf], *pl* **~fs** or **~ves** banchina *f*

what [wɔt] *pron* quello che; *interj* che!; *a rel e interr* che, quale; *pron interr* che sa; **~ever** *a* qualunque; *pron* qualunque cosa

wheat [wi:t] frumento *m*; grano *m*

wheel [wi:l] ruota *f*; volante *m* (*dell'automobile*)

when [wen] quando; **~ever** ogni volta

where [weə] dove; **~as** mentre; **~ver** dovunque

whether ['weðə] se

which [witʃ] *pron rel* che; il quale, la quale, i quali, le quali; *a interr* quale

while [wail] mentre

whim [wim] capriccio *m*

whimper ['wimpə] *v/i* piagnucolare

whine [wain] *v/i* (*del cane*) uggiolare; piagnucolare

whip [wip] *s* frusta *f*; *v/t* frustare

whirl [wə:l] *s* turbine *m*; *v/t* turbinare

whisk [wisk] *v/t* frullare

whiskers ['wiskəz] *pl* basette *f/pl*; baffi *m/pl* (*di gatto*)

whisper ['wispə] *s* bisbiglio *m*; mormorio *m*; *v/t* bisbigliare; mormorare

whistle ['wisl] *s* fischio *m*; *v/t*, *v/i* fischiare

white [wait] bianco; **~ collar worker** impiegato *m*; **~n** *v/t* imbiancare; **~wash** intonaco *m*

Whitsuntide [,wit'sʌntaid] Pentecoste *f/pl*

whizz [wiz] *v/i* sibilare

who [hu:] *pron rel* che; il quale, la quale, i quali, le quali; *pron interr* chi; **~dun(n)it** [hu:'dʌnit] gial-

lo *m*; **~ever** chiunque

whole [houl] *a* tutto; intero; intatto; totale; *s* insieme *m*; tutto *m*; totale *m*; **~sale** *comm* all'ingrosso; *fig* generale; **~some** sano; salutare

whom [hu:m] *pron rel* che; il quale, la quale, i quali, le quali; *pron interr* chi

whooping-cough ['hu:piŋ-] tosse *f* canina; pertosse *f*

whore [hɔ:] puttana *f*

whose [hu:z] *a rel* il cui, la cui, i cui, le cui; *a e pron interr* di chi

why [wai] *adv interr* perché; *interj* come!

wicked ['wikid] malvagio; cattivo

wide [waid] largo; esteso; vasto; **~n** *v/t* allargare; *v/i* allargarsi; **~spread** diffuso

widow ['widou] vedova *f*; **~er** vedovo *m*

width [widθ] larghezza *f*

wife [waif], *pl* **wives** [~vz] moglie *f*

wig [wig] parrucca *f*

wild [waild] selvaggio; selvatico

wilful ['wilful] testardo

will [wil] volontà *f*; testamento *m*; **~ing** disposto

willow ['wilou] salice *m*

wilt [wilt] *v/i* appassire; languire

win [win] *s* vittoria *f*; *v/t*, *irr* vincere; guadagnare; *v/i* vincere

wind¹ [wind] vento *m*

wind² [waind] *v/t*, *irr* avvolgere; **~ up** caricare (*l'orologio*); concludere; *v/i* serpeggiare; **~ing stairs** scala *f* a chiocciola

window ['windou] finestra *f*; **~sill** davanzale *m*

wind|pipe trachea *f*; **~screen**, *Am* **~shield** parabrezza *m*; **~screen-wiper** tergicristallo *m*; **~y** ventoso

wine [wain] vino *m*

wing [wiŋ] ala *f*

winner ['winə] vincitore *m*

winter ['wintə] s inverno *m*; *a* d'inverno; invernale; *v/i* svernare; passare l'inverno

wipe [waip] *v/t* pulire; asciugare

wir|e ['waiə] s filo *m* (*metallico*); telegramma *m*; *v/t* mettere i fili; telegrafare; **~eless** radio *f*; **~eless set** apparecchio *m* radio; **~y** robusto

wis|dom ['wizdəm] saggezza *f*; giudizio *m*; **~dom-tooth** dente *m* del giudizio; **~e** [waiz] saggio; giudizioso

wish [wiʃ] s desiderio *m*; augurio *m*; *v/t*, *v/i* desiderare; augurare

wistful ['wistful] desideroso; pensoso

wit [wit] spirito *m*

witch [witʃ] strega *f*; **~craft** stregoneria *f*

with [wið] con; insieme a

withdraw [wið'drɔː] *v/t*, *irr* ritirare; *v/i* ritirarsi

wither ['wiðə] *v/i* appassire; inaridirsi

withhold [wið'hould] *v/t*, *irr* negare; trattenere

with|in [wið'in] dentro; entro; **~out** prp senza; **do ~out** fare a meno di; *adv* fuori

withstand [wið'stænd] *v/t* resistere a

witness ['witnis] s testimone *m*, *f*; testimonianza *f*; *v/t* assistere a; testimoniare

witty ['witi] spiritoso

wives [waivz] *pl of* **wife**

wizard ['wizəd] stregone *m*; mago *m*

wolf [wulf], *pl* **wolves** [~vz] lupo *m*

woman ['wumən], *pl* **women** ['wimin] donna *f*

womb [wuːm] utero *m*

women ['wimin] *pl of* **woman**

wonder ['wʌndə] s meraviglia *f*; *v/t* meravigliarsi; domandarsi; **~ful** meraviglioso

woo [wuː] *v/t* corteggiare; far la corte a

wood [wud] bosco *m*; legno *m*; **~en** di legno

wool [wul] lana *f*; **~(l)en** di lana; **~ly** di lana; lanoso

word [wəːd] parola *f*; **~y** verboso

work [wəːk] s lavoro *m*; opera *f*; *v/t* lavorare; *v/i* lavorare; funzionare; **get (set) to ~** mettersi al lavoro; **~day** giorno *m* feriale; **~er** operaio *m*; **~less** senza lavoro; **~man** operaio *m*; **~ of art** opera *f* d'arte; **~s** *pl* officina *f*; **~s council** consiglio *m* di fabbrica; **~shop** laboratorio *m*; officina *f*

world [wɔːld] mondo *m*; **~ly** mondano; terreno; **~ war** guerra *f* mondiale; **~wide** mondiale

worm [wɔːm] verme *m*; baco *m*

worry ['wʌri] *s* preoccupazione *f*; *v/t* preoccupare; *v/i* preoccuparsi

worse [wɔːs] *a* peggiore; *adv* peggio

worship ['wɔːʃip] *s* culto *m*; adorazione *f*; *v/t* adorare

worst [wɔːst] *a* il peggiore; *adv* il peggio

worsted ['wustid] pettinato *m* di lana

worth [wɔːθ] *s* valore *m*; merito *m*; *a* del valore di; **be ~** valere; **~less** senza valore; **be ~while** valere la pena, convenire; **~y** degno

wound [wuːnd] *s* ferita *f*; *v/t* ferire

wrangle ['ræŋgl] *s* litigio *m*; *v/i* litigare

wrap [ræp] *v/t* avvolgere; **~per** fascia *f* (*per giornale*); copertina *f* (*di libro, staccabile*); **~ping** involucro *m*

wrath [rɔːθ] collera *f*; ira *f*

wreath [riːθ], *pl* **~s** [~ðz] ghirlanda *f*; corona *f*

wreck [rek] *s* naufragio *m*; rovina *f*; *v/t* distruggere; rovinare; *v/i* naufragare

wren [ren] scricciolo *m*

wrench [rentʃ] *v/t* strappare

wrest [rest] *v/t* strappare

wrestle ['resl] *v/t* lottare; **~ing** lotta *f* libera

wretch [retʃ] *s* disgraziato *m*; sciagurato *m*; **~ed** ['~id] bruttissimo; misero malissimo

wriggle ['rigl] *v/i* contorcersi; dimenarsi

wring [riŋ] *v/t*, *irr* torcere; strizzare; strappare

wrinkle ['riŋkl] ruga *f*

wrist [rist] polso *m*; **~-watch** orologio *m* da polso

writ [rit] mandato *m*

write [rait] *v/t*, *v/i*, *irr* scrivere; **~r** scrittore *m*

writhe [raið] *v/i* contorcersi

writing ['raitiŋ] scrittura *f*; scritto *m*; **in ~** per iscritto; **~-desk** scrivania; **~-paper** carta *f* da scrivere

wrong [rɔŋ] *s* sbagliato; ingiusto; **be ~** sbagliarsi, avere torto; *s* torto *m*; ingiustizia *f*; *v/t* fare un torto a; **be ~** aver torto

wrought [rɔːt] battuto (*di ferro*); lavorato; **~ up** nervoso

zoology

X, Y

Xmas [ˈkrisməs] *cf* **Christmas**

X-ray [ˈeksˈrei] *v/t* fare una radiografia; *s* raggio *m* X

xylophone [ˈzailəfoun] silofono *m*

yacht [jɔt] panfilo *m*

yard [jɑːd] (*misura*) iarda *f*; cortile *m*

yarn [jɑːn] filo *m*

yawn [jɔːn] *s* sbadiglio *m*; *v/i* sbadigliare

year [jəː] anno *m*; **~ly** annuale

yearn [jəːn] *v/i* bramare

yeast [jiːst] lievito *m*

yell [jel] *s* grido *m*; *v/t*, *v/i* gridare

yellow [ˈjelou] giallo

yes [jes] sì

yesterday [ˈjestədi] ieri; **the day before ~** ieri l'altro

yet [jet] ancora; tuttavia

yield [jiːld] *v/t* rendere; cedere; *v/i* acconsentire; cedere

yoke [jouk] *s* giogo *m*

yolk [jouk] tuorlo *m*

yonder [ˈjɔndə] laggiù

you [juː] tu; te; voi; Lei; la; lo; Loro

young [jʌŋ] giovane; **~ster** giovane *m*

your [juə] tuo; tua; tuoi; tue; vostro(a, i, e); Suo(a, i, e); Loro

yours [jɔːz] (il) tuo, (la) tua, (i) tuoi, (le) tue; (il) vostro, (la) vostra, (i) vostri, (le) vostre; (il) Suo, (la) Sua, (i) Suoi, (le) Sue; (il) Loro, (la) Loro, (i) Loro, (le) Loro

your|self [jɔːˈself], *pl* **~selves** [~ˈselvz] te stesso(a); Lei stesso(a)

youth [juːθ], *pl* **~s** [~ðz] gioventù *f*; **~ful** giovanile; **~ hostel** albergo *m* per la gioventù

Yugoslav [ˈjuːgouˈslɑːv] *a*, *s* iugoslavo (*m*); **~ia** Jugoslavia *f*

Z

zeal [ziːl] zelo *m*; **~ous** [ˈzeləs] zelante

zebra [ˈziːbrə] zebra *f*; **~crossing** passaggio *m* pedonale

zero [ˈziərou] zero *m*

zest [zest] gusto *m*; entusiasmo *m*

zinc [ziŋk] zinco *m*

zip|code [zip-] *Am* numero *m* di codice postale; **~fastener**, **~per** chiusura *f* lampo

zone [zoun] zona *f*

zoo [zuː] giardino *m* zoologico

zoology [zouˈɔlədʒi] zoologia *f*

A

a *prp* to, at, in; **a Roma** in (to) Rome; **a casa** (at) home; **alle quattro** at four o'clock; *dativo* **l'ho dato ~ lui** I gave it to him

ab|ate *m* abbot; **~adessa** *f* abbess

abbacchio *m* lamb

abbaglio *m* error

abbaiare *v/i* bark

abbaino *m* attic; skylight

abbaio *m* barking

abbandon|are *v/t* abandon; desert; **~ato dai medici** given up by the physicians; **~o** *m* abandonment; desertion

abbass|amento *m* lowering; humiliation; **~are** *v/t* lower; reduce; humble; **~o** down; below

abbastanza enough; quite

abbatt|ere *v/t* knock down; fell; *aer* shoot down; *fig* depress; **~ersi** *v/r* despair

abbazia *f* abbey

abbell|imento *m* embellishment; **~ire** *v/t* embellish

abbiamo we have

abbigliamento *m* clothes *pl*

abboccare *v/t* bite; fill to the brim

abbon|amento *m* subscription; **biglietto** *m* d'**~amen-**
to season ticket; **~arsi (a)** *v/r* subscribe to; **~ato** *m* subscriber

abbond|ante abundant; plentiful; **~anza** *f* abundance

abbonire *v/t* appease

abbord|aggio *m naut* boarding a ship; **~are** *v/t* approach; *naut* land; **~o** *m* approach; boarding

abbottonare *v/t* button

abbozz|are *v/t* sketch; outline; **~o** *m* sketch; draft

abbracci|amento, **~o** *m* embrace; hug(ging); **~are** *v/t* embrace

abbrevi|amento *m* abbreviation; **~are** *v/t* abbreviate; **~azione** *f* abbreviation

abbronz|are *v/t* bronze, tan, burn; **~arsi** *v/r* become sunburnt

abbrustolire *v/t* toast; (*coffee*) roast

abbuiare *v/t* darken; obscure

abdicare *v/i* abdicate

abete *m* fir-tree

abietto abject

abiezione *f* abjection

àbile clever; skilful; capable

abilità *f* ability, skill; cleverness

abisso m abyss; chasm

abit|ante m, f inhabitant; dweller; resident; **~are** v/i dwell; reside; live; **~azione** f dwelling, residence

àbito m dress, gown; suit; **~ da lutto** mourning clothes; **~ da sera** evening dress; **~ da spiaggia** beach-wear

abitu|ale habitual; customary; **~are** v/t accustom; **~arsi** v/r become used (**a** to)

abitùdine f habit

abnegazione f abnegation; self-denial

aboli|re v/t abolish; **~zione** f abolition

abominare v/t abominate, detest

aborrire v/t abhor; loathe

abort|ire v/i miscarry; abort; **~o** m miscarriage; abortion

abrogare v/t abrogate

àbside f apse

abus|are (di) v/i abuse (of); **~ivo** abusive; **~o** m abuse

accad|èmia f academy; **2èmia di Belle Arti** school of Fine Arts; **~èmico** adj academic; m academician

accad|ere v/i happen; take place; **~uto** m event

accampamento m encampment, camping place

accanimento m tenacity

accanto beside; alongside; **~a** beside; next to

accaparrare v/t hoard (up); corner

accappatoio m bathrobe

accarezzare v/t caress

accatt|are v/t beg for alms; **~onaggio** m begging

accel|erare v/t accelerate; **~erato** m rail ordinary train; **~eratore** m aut gas pedal; Am accelerator

accèndere v/t light; radio switch on; **~** open (account); fig kindle

accendisigaro m (cigarette-) lighter

accenn|are v/t, v/i point out; hint; **~o** m hint

accensione f aut ignition

accent|o m accent; **~uare** v/t accentuate; stress

accerchiare v/t encircle; surround

accert|amento m ascertainment; **~are** v/t ascertain

acceso alight

access|ìbile accessible; **~o** m access; med fit

accessorio adj accessory; m accessory

accetta f hatchet

accett|àbile acceptable; **~are** v/t accept; approve

acchiapp|amosche m flycatcher; **~are** v/t catch

acciabattare v/t botch

acciai|erìa f steel-works pl; **~o** m steel

acciden|tale accidental; **~te** m accident; casualty; med apoplectic stroke

accingersi v/r set about

acciò, acciocché so that

acciottol|are v/t gravel; **~ato** m pavement

acciuffare v/t grasp

acciuga f anchovy

acclamare v/t acclaim, cheer; **~azione** f acclamation

acclimare, acclimatare v/t acclimatise

acclùdere v/t enclose; **~usa** f enclosure; **~uso** enclosed

accoglienza f reception

accògliere v/t receive

accomodamento m arrangement; adjustment

accomodare v/t adjust; repair; **~arsi** v/r take a seat; make o.s. comfortable; **si accòmodi!** sit down, please

accompagnamento m accompaniment; **~are** v/t accompany; **~arsi** v/r match

acconciare v/t arrange; Am fix; **~atura** f hair-do

acconsentire v/i agree (**a** on)

accontentare v/t content

acconto m instalment; account

accorciare v/t shorten; curtail

accordare v/t grant; mus tune; **~are** m agreement; **èssere d'~o** agree

accòrgersi v/r be aware (**di** of)

accórrere v/i run up

accortezza f shrewdness; **~o** shrewd; prudent

accostamento m approach; **~are** v/t approach; (door) leave ajar; **~o** near (by)

accostumare v/t accustom

accozzaglia f huddle

accreditamento m credit (-ing); **~are** v/t (ac)credit

accréscere v/t, v/i increase

accudire (**a**) v/i attend to, take care of

accumulamento m accumulate; **~atore** m accumulator

accuratezza f accuracy

accurato accurate

accusa f accusation; **~are** v/t charge; **~are ricevuta** acknowledge receipt

acerbità f acerbity; **~o** sour

àcero m maple

acetlo m vinegar; **~oso** acetous

àcido adj sour; m acid

acme f acme

acne f acne

acqua f water; **~ potabile** drinking water; **~ santa** holy water; **~io** m sink; **~ragia** f turpentine; **~rio** m aquarium

acquata f shower; **~vite** f brandy

acquazzone m heavy shower; cloud-burst

acque f/pl mineral (or: medicinal) spring

acquerello m water-colour

acquietare v/t appease

acquistare v/t acquire; **~sto** m purchase

acre acrid

acrèdine f acridity

acrobata m, f acrobat

acuire v/t sharpen; stimulate

acùleo m prickle; sting

acume m insight

acùstic|a f acoustics pl; **~o** acoustic

acutezza f acuteness; shrewdness

acuto acute, keen; (*voice*) shrill; *mus* high note

ad = a (*before a vowel*)

adagio gently slowly; *mus* adagio

adattamento m adaptation

adatt|are v/t adapt; fit; **~arsi** v/r adapt oneself; suit; **~o** fit, suitable

addaziare v/t put duty on

addebitare v/t debit; **~ di** charge with

addèbito m debit; charge

addens|amento m thickening; **~arsi** v/r thicken; crowd

addentrarsi v/r penetrate

addestr|are v/t (*animal*) train, break in; **~amento** m training

addetto adj assigned; employed; m attaché; **~ al rifornimento** attendant

addietro behind; (*time*) ago

addio good-bye, farewell; m parting

addir|ittura even; and what is more; downright; **~izzare** v/t straighten

addizion|ale additional; **~are** v/t add; **~e** f addition

addobbare v/t decorate

addolc|imento m sweetening; soothing; **~ire** v/t sweeten; soften

addolorare v/t grieve, sadden

addome m abdomen

addomesticare v/t tame; domesticate

addorment|are v/t send to sleep; **~arsi** v/r fall asleep

addossare v/t burden; lay on; *fig* assume

addosso on, upon (one)

addottorarsi v/r graduate (*from a university*)

addurre v/t bring up; adduce

adegu|are v/t equalize; level; **~ato** adequate

ad|émpiere, ~empire v/t accomplish, fulfil, **~empimento** m fulfilment

adenite f adenitis

ader|ente adherent; **~ire** v/i adhere; join; support (*a party*)

adesso now; presently

adiacente adjacent

Àdige m Adige; **Alto ~** (*late*) Southern Tyrol

àdito m entrance; *fig* access

adolescen|te adj adolescent; m, f adolescent, youth; **~za** f adolescence; youth

adombrare v/i shade

adoper|àbile usable; **~are** v/t use

ador|are v/t adore; **~azione** f worship

adorn|amento m adornment; **~are** v/t adorn, trim

adottare v/t adopt

adozione f adoption

adrenalina f adrenalin

Adriàtico m Adriatic

adul|are v/t flatter; **~atore** m flatterer; **~terio** m adultery

adulto *adj* adult; *m* adult; grown-up

adun|anza *f* meeting; **~are** *v/t* assemble

aerazione *f* aeration

aère|o airy; **ferrovia** *f* **~a** elevated railway; **flotta** *f* **~a** airfleet; **posta** *f* **~a** air mail

aerodinàmico streamlined

aeròdromo *m* aerodrome

aero|nàutica *f* aeronautics *pl*; aviation; **~nave** *f* airship; **~plano** *m* airplane; **~porto** *m* airport

aeròstato *m* aer balloon

afa *f* sultriness

aff|àbile kind; **~abilità** *f* affability

affaccendarsi *v/r* busy oneself

affamare *v/t* starve out

affann|are *v/t* trouble; **~ato** panting; **~o** *m* trouble; shortness of breath; **~oso** gasping; anxious

affar|e *m* business; matter; **ministro** *m* **degli ~i èsteri** minister of foreign affairs

affascinare *v/t* charm; fascinate

affaticare *v/t* fatigue

affatto absolutely; perfectly; **niente ~** not at all

affatturare *v/t* bewitch; adulterate

afferm|are *v/t* affirm; state; **~ativo** affirmative; **~azione** *f* affirmation; statement

afferr|are *v/t* seize; grasp; **~arsi (a)** *v/r* cling to

affett|ato affected; sliced (meat); **~o** *m* affection;

love; **~uoso** affectionate

affezion|are affectionate; fond (of); **~e** *f* affection

affibbiare *v/t* buckle

affid|amento *m* reliance; **~are** *v/t* entrust; **~arsi** *v/r* rely (**a** upon)

affiggere *v/t* affix; stick

affilare *v/t* whet; sharpen

affili|are *v/t* affiliate; **~ato** *m* member

affinché in order that

affine akin, kindred

affinità *f* affinity

affisso *m* bill, poster

affitt|àbile rentable; **~are** *v/t* let; rent; lease; **~o** *m* rent; lease; **dare in ~o** let, lease

affl|iggere *v/t* afflict; **~izione** *f* affliction

afflu|ente *adj* affluent; *m* affluent, tributary; **~enza** *f* concourse; **~ire** *v/i* flow; flock

afflusso *m* rush; flow

affogare *v/t* suffocate; drown; *v/i* be drowned

affoll|amento *m* crowd; **~are** *v/t* crowd, throng

affondare *v/t* sink; *v/i* sink, go down

affrancare *v/t* enfranchise; set free; stamp (*letter*)

affresco *m* fresco

affrettar|e *v/t* hasten; **~si** *v/r* hurry

affrontare *v/t:* **~ qu.** face s.o.

affronto *m* insult

affum|are, ~icare *v/t* smoke, fumigate

afoso sultry

Àfrica f Africa

africano s/m, adj African

àgave f agave

agenda f note-book

agente m agent; broker; ~ **di cambio** stockbroker; ~ **di polizia, di pùbblica sicurezza** policeman; ~ **investigativo** detective

agenzìa f agency; ~ **(di) viaggi** travel agency; ~ **d'informazioni** inquiry office

agevolare v/t facilitate

agévole easy

agevolezza f facility

agganciare v/t hook; fasten

aggettivo m adjective

agghiacciare v/t freeze

aggio m premium

aggiornare v/t adjourn; v/i poet dawn

aggirare v/t encircle; fig deceive; cheat

aggiùngere v/t add

aggiun|ta f addition; **~tare** v/t join; **~to** m assistant

aggiustare v/t adjust; mend

aggranchirsi v/r get benumbed

aggrappar|e v/t grapple; **~si** v/r cling (to)

aggravare v/t aggravate; make worse

aggregare v/t aggregate

aggressi|one f aggression; **~vo** aggressive

aggrinzire v/t wrinkle; shrivel

aggruppare v/t group; assemble

agguato m ambush; **stare in ~** lie in wait

aghett|are v/t lace up; **~o** m lace

aghifòglia f conifer

aghiforme needle-shaped

agiatezza f comfort; wealth

agiato well off

àgile nimble, agile

agilità f agility

agio m comfort; leisure

agire v/i act; do

agit|are v/t agitate; shake; **~ato** agitated; troubled

àglio m garlic

agnello m lamb

ago m needle; tongue (balance)

agonìa f agony; anguish

agosto m (month) August

agr|àrio s/m, adj agrarian; **~icoltura** f agriculture; farming

agrifòglio m holly

agrodolce bitter-sweet

agrumi m/pl citrus fruits pl

aguzz|are v/t sharpen; **~o** sharp

ahi! ahimè! alas!

Aia f: l'**~** the Hague

airone m heron

aiuola f flower-bed

aiut|ante m assistant; mil adjutant; **~are** qu v/t help s.o.; **~o** m help; aid

aizzare v/t instigate

ala f wing

alabastro m alabaster

alacrità f alacrity; zeal

alb|a f dawn; **~eggiare** v/i dawn

alberg|are v/t lodge; harbour; **~atore** m innkeeper

albergo m hotel; **~ per la giovento** youth hostel

àlbero m tree; naut mast; aut shaft

albicocc|a f apricot; **~o** m apricot-tree

albume m white of egg; albumen

alce m elk

àlcole m alcohol

alcòli|ci m/pl alcoholic drinks pl; **~co** alcoholic

àlcool m alcohol

alcun|o anybody; somebody; **~i** a few

alfabètico alphabetical

alfabeto m alphabet

alga f sea-weed

algebra f algebra

àlias alias

àlibi m alibi

alieno alien, strange

aliment|are v/t feed; **gèneri** m/pl **~ari** food; foodstuffs pl; **~azione f di rete** lightmains connection; **~o** m food; **~i** m/pl alimony

àlito m breath; gentle breeze

allacciare v/t lace

allarg|amento m enlargement; **~are** v/t enlarge; widen

allarmare v/t alarm; worry

allarme m alarm, alert; fright; **corda** f **(segnale** m**) d'~** communication cord (emergency signal)

allatt|amento m nursing; breast-feeding; **~are** v/t nurse

alle|anza f alliance; **~ato** adj allied; m ally

alleg|are v/t enclose; allege; **~ato** adj enclosed; m enclosure

alleggerire v/t relieve

allegr|ia f mirth; cheerfulness; **~o** merry, cheerful

allen|amento m training; **~are** v/t coach; train; **~atore** m trainer

allent|are v/t loosen; relent; slacken; **~atura** f med hernia

allergia f allergy

allettare v/t allure

allevare v/t breed; rear

allietare v/t cheer; amuse

allievo m pupil; scholar

alligatore m alligator

alline|amento m alignment; **~are** v/t range; line up

allòdola f lark

allogg|iare v/t lodge; v/i live, stay; **~o** m lodging

allontan|are v/t remove; **~arsi** v/r go away

allora then; **d'~ in poi** from that time on

allorché when; whenever

alloro m laurel

allucin|are v/t hallucinate; dazzle; **~azione** f hallucination

allùdere v/i allude (**a** to), hint (at)

all|ume m alum; **~umina** f alumina; **~uminio** m aluminium

allung|amento m prolongation; **~are** v/t lengthen,

prolong

allusione f allusion, hint

alluvione f flood, inundation

almeno at least

alpaca m alpaca

alpestre mountainous

Alpi: le ~ f/pl the Alps pl

alpi|nismo m mountain-climbing; **~nista** m, f mountain-climber; **~no** adj Alpine; m mil mountain-soldier

alquant|o somewhat; rather; **~i** several

alt! halt!

altalena f seesaw; swing

altare m altar

alterare v/t alter; forge; irritate

alter|ezza f pride; **~igia** f haughtiness

altern|are v/t alternate; **~ativo** alternative; **~o** alternate

altero proud; haughty

altezza f height; title: Highness

altipiano m plateau

altitudine f altitude, height

alto high; tall; loud; **dall'~** from above; **in** ~ upstairs; **l' Alta Italia** f Northern Italy

altoparlante m loud speaker

altopiano m plateau

altrettanto as much; equally

altrimenti otherwise

altro other; ~ **che!** rather!; **l'~ anno** last year; **ieri l'~** the day before yesterday;

senz'~ certainly; **l'un l'~** each other

altrove elsewhere

altrui of others

altura f height

alunno m pupil

alveare m beehive

alz|are v/t raise; lift; **~arsi** v/r rise, get up

amàbile amiable

amabilità f amiability; kindness

amaca f hammock

amante m, f lover; f mistress

amare v/t love; like

amar|eggiare v/t embitter; **~ezza** f bitterness; **~o** bitter

ambasciat|a f embassy; **~ore** m ambassador

ambedue both

ambiente m surroundings pl; environment

ambiguità f ambiguity

ambiguo equivocal

ambizi|one f ambition; **~oso** ambitious

ambul|ante travelling; **venditore** m **~ante** pedlar; **~anza** f ambulance; field hospital; **~atorio** adj ambulatory; m dispensary

amen|ità f amenity; **~o** pleasant

Amèrica f America

americano s/m, adj American

ami|ca f lady-friend; **~chévole** friendly; **~cizia** f friendship; **~co** m friend

àmido m starch

amìgdala f tonsil

ammaccatura f bruise

ammaestrare v/t train

ammal|are v/i, **-arsi** v/r fall ill; **-ato** adj sick; m patient

ammarare v/i land on water

ammassare v/t pile up; hoard

ammazzare v/t kill; (animals) slaughter

ammenda f fine

amméttere v/t admit; receive

amministr|are v/t manage; administer; **-azione** f administration; management

ammiràbile admirable

ammiraglio m admiral

ammir|are v/t admire; **-azione** f admiration; **-évole** admirable

ammis|sibile admissible; **-sione** f admission

ammobili|amento m furnishing; **-are** v/t furnish

ammogliare v/t give a wife to (marry)

ammoll|are v/t soak; soften

ammon|imento m warning; admonition; **-ire** v/t warn; admonish

ammont|are v/t heap; pile; v/i amount (a to); **-icchiare** v/t heap up

ammort|amento m amortization; **-izzare** v/t amortize; **-izzatore** m (d'urto) shock-absorber

ammost|are v/t press (grapes); **-atoio** m wine-press

ammucchiare v/t pile up

ammuffire v/i grow mouldy

ammutinamento m mutiny

ammutolire v/i become dumb

amnesìa f amnesia

amnist|ìa f amnesty; **-iare** v/t grant amnesty

amo m fish-hook; fig bait

amorale amoral

amor|e m love; **-eggiare** v/i flirt; **-évole** loving

amorfo shapeless

amor|ino m paint amoretto; **-oso** loving; amorous

amperaggio m amperage

ampi|ezza f breadth; **-o** ample; wide; spacious

ampli|are, -ficare v/t amplify; increase; **-ficatore** m radio: amplifier

ampolla f cruet; **-e** f/pl oil and vinegar cruet; **-iera** f cruet-stand

ampolloso bombastic

amput|are v/t amputate; **-azione** f amputation

anacoreta m hermit

anàgrafe f registrar's office

analfabe|ta s/m, f, adj illiterate; **-tismo** m illiteracy

analgèsico s/m, adj med anodyne

anàlisi f analysis

analitico analytic(al)

ananasso m pineapple

anarchìa f anarchy

anàrchico adj anarchic(al); m anarchist

anatomìa f anatomy

ànatra f duck

anca f haunch; hip

anche also, too

anchilosi f anchylosis

ancona f altar-piece

ancora still; more; **non ~** not yet

àncora f anchor; **salpare l'~** weigh anchor

andamento m progress; **~ante** current; *mus* andante

andare v/i go; walk; ride; **~ a cavallo** ride on horse-back; **~ in bicicletta** ride a bicycle; **~ in giro** walk about; **~ in treno** go by train; **come va?** how are you?

andàrsene v/r go away

andata: **sémplice** ~ f single ticket; **biglietto** m **di ~ e ritorno** return ticket

andato gone; **~iamo** we go; let us go!

àndito m corridor; passage

androne m lobby

anèddoto m anecdote

anelare v/i pant

anello m ring; **~ matrimoniale** wedding-ring

anemìa f anaemia; **~èmico** anaemic

anestesìa f anesthesia

aneto m dill

anfiteatro m amphitheatre

ànfora f amphora; jar

angèlico angelic

àngelo m angel

angherìa f vexation

angina f med angina

angiporto m blind alley

angolare angular

àngolo m angle; corner

angoloso angular

angòscia f anguish; **~osciare** v/t grieve; vex; **~oscioso** grievous

anguilla f eel; **~aia** f eel-pond

anguria f water-melon

angustia f narrowness; *fig* misery, trouble

ànice m anise

ànima f soul

animale adj animal; m animal; beast; **~are** v/t animate, enliven; **~arsi** v/r take courage; **strada f ~ata** lively street

ànimo m mind; spirit; courage; **fare ~** give courage

animosità f animosity; **~oso** courageous; bold

ànitra f duck

annacquare v/t dilute (wine); *fig* water down

annaffiare v/t water; **~fiatoio** m watering-can

annali m/pl annals *pl*

annata f year; crop

annebbiare v/t blur; dim

annegare v/t drown; v/i get drowned

annerire v/t blacken

annessione f annexation; **~o** m annex

annèttere v/t annex

annichilare v/t annihilate

annidare v/t, **~arsi** v/r nestle

anniversario m anniversary

anno m year; **capo** m **d'~** New Year's Day; **buon anno!** happy New Year!; **quanti anni hai?**

how old are you?

annodare v/t knot; tie

annoi|are v/t annoy; weary; **~ato** annoyed; bored

annoso old

annotare v/t note; annotate

annottare v/i grow dark

annu|ale adj yearly; m anniversary; **~ario** m yearbook; directory

annull|are v/t annul; cancel; **~amento** m annulment; cancellation

annun|ciare, ~ziare v/t announce; **~ziatore** m, **~ziatrice** f radio: announcer; **~cio, ~zio** m announcement; advertisement

ànnuo annual

annusare v/t smell; sniff (animals)

annuvolare v/t cloud; fig make gloomy

anòfele f anopheles; gnat

anònimo anonymous; **società** f **~a** joint-stock company

anormale abnormal

ansa f handle; fig pretext; ♀ (the) Hanse

ansare v/i pant

ansia f, **ansietà** f anxiety; eagerness

ansioso anxious; eager

ant. = antimeridiano

antagonismo m antagonism

antàrctico antarctic

ante... before ...

ante|cedente previous; **~cèdere** v/i precede; **~cessore** m predecessor; **~**

guerra m pre-war period; **~nato** m ancestor; **~porre** v/t place before, prefer; **~riore** anterior; (time) former, previous

antenna f antenna; aerial

anti... anti..., counter...

anti|càmera f antechamber; **~chità** f antiquity; ancient times pl; **~co** ancient; old; ♀co **Testamento** Old Testament

anticip|ato in advance; **~azione** f advance

anticipo m advanced payment; **in ~** beforehand

anticongelante m antifreeze

antìdoto m antidote

antifurto m safety-lock

antìlope f antelope

antimeridiano before noon

anti|pasto m hors-d'œuvre; appetizer; **~patìa** f antipathy; dislike; **~pàtico** disagreeable

antiqua|to antiquated; **~ria** f antiquarianism

antisèttico s/m, adj antiseptic

antrace m med anthrax

antracite f anthracite

antro m cave; den

antropòfago m cannibal

anulare adj annular; m ringfinger

anzi rather; on the contrary

anzian|ità f seniority; **~o** adj aged; m senior

anzidetto above-mentioned

anzitutto first of all

apatìa f apathy

apàtico apathetic; indifferent

ape f bee

aperitivo m appetizer

aper|to adj open; m open space; **~tura** f opening

ap|iaio m beekeeper; **~iario** m beehouse; apiary

àpige m apex

apòlide adj stageless; m stateless person

apopl|essia f apoplexy; **~èttico** adj apoplectic; **colpo** f **~èttico** apoplectic fit

apostòlico apostolic

apòstolo m apostle

appacchettare v/t pack together

appaiamento m coupling

appaltare v/t contract

appannare v/i tarnish; dim

apparato m apparatus

apparecchi|are v/t prepare; lay (table); **~o** m device; set; **~o radio** wireless set; **~o a reazione** jet

appar|ente apparent; **~enza** f (outward) appearance

appariamo we appear

appar|ire v/i appear; look; **~isco** I appear; **~isce** he appears

apparso appeared

appart|amento m flat, apartment; **~enenza** f belonging; **~enere** v/i belong; pertain

appassion|arsi v/r be fond (di of); be sorry (di for); **~ato** passionate

appassire v/i fade, wither

appell|arsi v/r appeal (a to);

~o m roll-call; appeal

appena scarcely; hardly; just; **~ che** as soon as

appèndere v/t hang up

appen|dice f appendix; **~dicite** f appendicitis

Appennino m Apennines pl

appetito m appetite; **~so** appetizing

appianare v/t level; smooth

appiattire v/t flatten

appiccare v/t hang up; (fire) kindle; (quarrel) start

appiccic|are v/t paste; stick; fig palm off on s.o.; **~arsi** v/r stick, adhere

appiè at the foot (of)

appieno fully

appigionare v/t let, rent

appigli|arsi v/r take hold (a of); **~iglio** m pretext

appiombo perpendicularly

applaud|ire v/t, v/i applaud; cheer; **~so** m applause

applic|àbile applicable; **~are** v/t apply; (law) enforce; **~arsi** v/r devote o.s.; **~azione** f application; fig diligence

appoggi|are v/t support; **~arsi** v/r lean; fig **~arsi** (a qu) depend (on s.o.); **~o** m support; fig aid; backing

apportare v/t bring; fetch

apporto m contribution

appòsito special

apposizione f apposition

apposta on purpose

appost|amento m ambush; **~are** v/t lie in wait for

ap|prèndere v/t learn; hear;

arem

~prendista m, f apprentice;
~prendistato m apprentice
ship
apprens|ione f apprehen-
sion; **~sivo** timid, fearful
appresso near by
appretto m dressing, finish
apprezz|àbile appreciable;
~amento m appreciation;
~are v/t appreciate; value
appr|odare v/i land; **~odo** m
landing-place
approfittare v/i profit (**di**
by)
approfondire v/t deepen;
fig investigate carefully
approntare v/t make ready
appropri|are v/t adjust;
~arsi v/r (**di**) appropriate
(s.th.); **~ato** appropriate
approssimativo approximate
approv|are v/t approve;
~azione f approval; appro-
bation
approvvigionare v/t supply
appunt|amento m appoint-
ment; date; **~are** v/t sharp-
pen; write down; stick; **~o**
m note; adv just, precisely;
per l'~o exactly
appurare v/t ascertain
aprile m April
aprire v/t open; unlock
apriscàtole f tinopener
àquila f eagle
àrabo adj Arabic; m Arab
aràchide f peanut
aragosta f lobster
aràldica f heraldry
aran|ceto m orange-grove;

~cia f orange; **~ciata** f or-
angeade; **~cio** m orangetree
ar|are v/t plough; **~atro** m
plough
arazzo m arras; piece of tapestry
arbitr|aggio m arbitration;
~ario arbitrary; **~io** m will;
libero ~io free will
àrbitro m arbiter; judge;
referee
arbusto m shrub
arca f ark; **~ santa** ark of the
covenant
arcàico archaic
arcàngelo m archangel
arcata f arcade; mus bowing
arche|ologìa f archaeology;
~òlogo m archaeologist
archetto m fret-saw; mus
bow
archi|pèndolo m plummet;
~tetto m architect; **~tettu-
ra** f architecture
arch|iviare v/t file; **~ivio** m
archives; file
arcipèlago m archipelago
arci|prete m archpriest;
dean; **~vescovado** m arch-
bishopric; **~véscovo** m
archbishop
arc|o m bow; **~obaleno** m
rainbow; **~uata** bent, curved
ardente burning; ardent;
fiery
àrdere v/t, v/i burn
ard|ire v/i dare; **~ito** bold
ardore m ardour
àrea f area
àrem m harem

aren|a f sand; arena; **~arsi** v/r get stranded; **~oso** sandy

argent|are v/t silver; **~iere** m silversmith

argent|eo silvery; **~o** m silver; **~o vivo** mercury

Argentin|a f Argentine; **&o** m Argentine

argil|la f clay; **~loso** clayey

àrgine m dike; embankment

argoment|are v/i argue; infer; deduce; **~azione** f argumentation, reasoning; **~o** m subject; topic; argument

arg|uto keen, witty; **~ùzia** f shrewdness; witticism

aria f air; mus tune; **all'~ aperta** in the open air; **~ compressa** compressed air

àrido dry, arid

arieggiare v/t look like; air

aringa f herring

arioso airy

àrista f roast loin of pork

aristocr|àtico adj aristocratic; m aristocrat; **~azìa** f aristocracy

aritmètica f arithmetic

Arlecchino m Harlequin

arm|a f weapon; **~a da fuoco** firearm; **~i** pl **nucleari** nuclear weapons

armadio m wardrobe

arm|amento m armament; **~are** v/t arm; **~ata** f army; fleet; **~e** f weapon; (coat of) arms pl; **~i** pl troops pl; **piazza** f **d'~i** drill ground; **~erìa** f arsenal; **~istizio** m armistice

armonia f harmony; **~ònica** f **da bocca** harmonica; **~onioso** harmonious

armoraccio m horse-radish

arnese m tool

àrnica f arnica

arnione m kidney

arom|a m aroma; flavour; fragrance; **~àtico** aromatic; **~atizzare** v/t flavour

arpa f harp

arrab|biarsi v/r get angry; **~biato** enraged; rabid(dog)

arraffare v/t snatch, seize

arrampica|rsi v/r climb; creep; clamber **~tore** m climber

arred|are v/t furnish; equip; **~o** m outfit; **~i** pl **sacri** holy vessels and clothes

arrenare v/i strand

ar|rendersi v/r surrender

arrest|are v/t stop; arrest; **~arsi** v/r stop; **~o** m stop; arrest

arretrato adj backward; m arrears pl

arricchire v/t enrich

arricciare v/t curl; frown; wrinkle

arridere v/i smile

arrivare v/i arrive

arrivederci!, arrivederla! good-bye

arrivista m, f social climber

arrivo m arrival

arrog|ante arrogant; **~anza** f arrogance; **~arsi** v/r arrogate

arrolamento = **arruolamento**

arross|are v/t redden; **~ire**

v/i blush

arr|ostire *v/t* roast; grill; **~osto** *adj* roasted; *m* roast

arrot|are *v/t* whet; grind; **~ino** *m* knife-grinder; **~ola-re** *v/t* roll up

arrotondare *v/t* make round

arrotolare *v/t* roll up; coil

arruffare *v/t* ruffle; entangle

arrugginirsi *v/r* rust, become rusty

arruola|mento *m* enlistment; **~re** *v/t* enlist; enroll

arruvidere *v/t* roughen

arsenale *m* arsenal; *naut* shipyard

arsiccio scorched; dry

arte *f* art; skill; craft; **~fatto** artificial; adulterated

artéfice *m* craftsman

artèria *f* artery

arteriosclerosi *f* arteriosclerosis

àrtico Arctic

articol|are *adj*, *v/t* articulate; **~ato** articulate; jointed; **~azione** *f* articulation; joint

articolo *m* article; ~ **di fondo** editorial; ~ **di prima necessità** commodity

artif|iciale (**~iziale**) artificial; **fuochi** *m/pl* **~iciali** fireworks *pl*

artigiano *m* artisan; craftsman

artiglier|e *m* gunner; **~ìa** *f* artillery; **pezzo** *m* **d'~ìa** ordnance piece

artiglio *m* claw

artista *m, f* artist

artìstico artistic

arto *m* limb

artrite *f* arthritis

arzillo vigorous; sparkling (*wine*); spry

ascella *f* arm-pit

ascendente upward

ascen|sione *f* ascent; climbing; *eccl* Ascension; **~sore** *m* lift

ascesso *m* abscess

ascia *f* axe

asciuga|capelli *m* hairdryer; **~amano** *m* towel; **carta** *f* **~ante** blotting-paper; **~are** *v/t* dry; wipe

asciutto dry

ascolt|are *v/t* listen (to); **~o** *m* listening; **dare ~o** give ear (to)

ascrivere *v/t* ascribe; register

ascrizione *f* registration

Asia *f* Asia; ~ **Minore** Asia Minor

asiàtico Asiatic

asilo *m* asylum; refuge; ~ **infantile** kindergarten

asinaio *m* ass-driver

àsino *m* ass; donkey

asma *f* asthma; ~ **del fieno** hay fever

aspàrago *m* asparagus

aspèrgere *v/t* sprinkle; strew

asper|sione *f* (be)sprinkling; **~sorio** *m* holy-water sprinkler

aspett|are *v/t* wait (for); expect; **~o** *m* aspect; look; **sala** *f* **d'~o** waiting-room

aspir|ante *m* applicant, candidate; **~apòlvere** *m* vacuum cleaner; **~are** *v/t* inhale; *v/i:* **~are a qc** aim at s.th.

aspirina *f* aspirin

aspr|ezza *f* harshness; **~o** rough, harsh; sharp

assaggiare *v/t* taste; assay

assai very much; very

assalire *v/t* attack; assault

assalto *m* assault; *mil* attack

assass|inare *v/t* murder; assassinate; **~inio** *m* murder; **~ino** *adj* murderous; *m* assassin

asse *f* board; *m* axis; axle

assedi|are *v/t* besiege; **~o** *m* siege

assegn|amento *m* allotment; allowance; **~are** *v/t* assign; **~azione** *f* assignment; **~o** *m*: **~o bancario** cheque; **contro ~o** cash on delivery

assemblea *f* assembly; meeting

assembrare *v/t* assemble

assennato sensible

assente absent

assent|imento *m* assent; **~ire** *v/i* assent

assenza *f* absence

assenzio *m* absinth

asserire *v/t* assert

assessore *m* alderman; **~ municipale** town councillor

assetato thirsty; *fig* eager

assetto *m* order; arrangement

assicur|are *v/t* assure; fasten; insure; **~arsi** *v/r* se-

cure; make sure; **~ata** *f* money-letter; **~azione** *f* assurance; insurance; **~azione di responsabilità civile** third party insurance; **~azione sulla vita** life assurance

assiderare *v/t* chill

assiduità *f* assiduity

assiduo assiduous; regular

assieme together

assiepare *v/t* hedge

assillo *m* gadfly

assioma *m* axiom

assise *f* Court of Assizes

assist|ente *adj* assisting; *m, f* assistant; **~enza** *f* assistance; attendance; **~enza sociale** social work

assistere *v/t* assist, help

asso *m* ace

associ|are *v/t* associate; unite; affiliate; **~ato** *m* associate; partner; **~azione** *f* association

assoggettare *v/t* subject

assolare *v/t* expose to the sun

assoldare *v/t* enlist

assol|utamente *adv* absolutely; **~uto** absolute; unrestricted; **~uzione** *f* acquittal; *eccl* absolution

assòlvere *v/t* acquit; relieve; *(task)* perform

assomigli|anza *f* resemblance; **~are** *v/t* resemble; *v/t* compare; **~arsi** *v/r* look like

assorbire *v/t* absorb

assord|amento *m* deafening; **~are** *v/t* deafen; **~ire**

v/i become deaf

assort|imento *m* assortment; choice; **~ire** *v/t* assort

assottigliare *v/t* thin

assue|fare *v/t* accustom (a to); **~fazione** *f* habit

assùmere *v/t* assume; appoint s.o.

Assun|ta *f* Holy Virgin; Assumption Day; **~to** *m* task; **~zione** *f* Assumption

assurdo absurd

asta *f* rod; staff; *mil* spear; *writing*: stroke; *compasses*: leg; (**~ pùbblica**) auction

astèmio *adj* abstemious; *m* total abstainer

astenersi *v/r* **da** abstain from

asterisco *m* asterisk

àstero *m* aster

astin|ente abstinent; **~enza** *f* abstinence

asti|o *m* grudge; envy; **~osità** *f* spitefulness; **~oso** spiteful

astore *m* goshawk

astrale astral

astr|arre *v/t* abstract; **~atto** abstract; absent-minded

astringente astringent

astringere *v/t* compel; *med* render costive

astr|o *m* star; **~ologìa** *f* astrology; **~onave** *f* spaceship; **~onomìa** *f* astronomy; **~ònomo** *m* astronomer

astruso abstruse

astuccio *m* case; sheath

astu|to astute; cunning; **~ùzia** *f* slyness; trick

atlant|e *m geog* atlas; **ocèano** *m* **2ico** Atlantic Ocean

atlet|a *m, f* athlete; **~ica** *f* athletics *pl*

atmosfera *f* atmosphere

atollo *m* atoll

atòmic|o atomic; **bomba** *f* **~a** atomic bomb

àtomo *m* atom

atrio *m* entrance-hall; porch

atroce atrocious; dreadful

attacc|àbile assailable; **~abrighe** *m* quarrelsome person; **~apanni** *m* coathanger; **~are** *v/t* attach; fasten; stick; sew on; (*speech*) begin; *mil* assail

attacco *m* assault; *med* attack; *elec* connection; *ski*: binding

atteggi|amento *m* attitude; **~arsi** *v/r* assume an attitude

attèndere *v/t* expect; *v/i* look after

attendìbile reliable

attenersi *v/r* **a qc** conform to, stick to s.th.

attent|are *v/i* attempt *acc*; **~are alla propria vita** attempt one's own life; **~arsi** *v/r* dare; **~ato** *m* attempt; **~o** attentive

attenuare *v/t* attenuate; extenuate

attenzione *f* attention; carefulness

atterr|aggio *m aer* landing; descent; **~are** *v/t* knock down; *v/i* land

attesa *f* waiting; **in ~ di** while waiting for

attest|are *v/t* certify; **~ato** *m*

certificate; attestation
atticciato stout
attiguo adjoining
attillato tight fitting
àttimo *m* instant, moment
attin|ente pertaining; **~enza**
f relation; connection
attìngere *v/t* draw; attain
attirar|e *v/t* attract; allure;
~e l'attenzione draw atten-
tion (**su** to); **~si** *v/r* **qc** draw
s.th. upon oneself
attitùdine *f* attitude
attività *f* activity; **~ivo** *adj*
active; busy; *m gram* active
attizzare *v/t* stir
atto *adj* apt; *m* action; deed;
thea act; **~i** *m/pl* legal pro-
ceedings *pl*
attònito astonished
attorcigliare *v/t* twist
attore *m* actor
attorniare *v/t* surround
attorno about; around
attr|arre *v/t* attract; **~attiva**
f attraction; charm; **~attivo**
m attractive
attraversare *v/t* cross
attraverso across; through
attrazione *f* attraction
attrezz|are *v/t* equip; *naut*
rig; **~o** *m* tool; **~i** *pl* tools *pl*;
rigging
attribuire *v/t* ascribe
attributo *m* attribute
attrice *f* actress
attrupparsi *v/r* troop
attu|ale present; **~alità** *f*
reality; *f/pl* current news *pl*;
~are *v/t* carry out; realize;
~ario *m* registrar
aud|ace bold; **~acia** *f* dar-

ing; boldness
auditorio *m* auditory; audi-
torium
augur|are *v/t* wish; **~io** *m*
wish
augusto august
àula *f* hall; classroom
aument|are *v/t* increase;
(*price*) raise; **~o** *m* increase;
rise
àureo golden
aurèola *f* halo
aurora *f* dawn
ausili|are auxiliary; **verbo**
m **~are** auxiliary verb; **~o** *m*
aid
auspicato: bene (male) ~
well (ill) promising
àuspice *m* protector
auster|ità *f* austerity; **~o**
austere; severe
Australia *f* Australia
Austria *f* Austria
austriaco *m, adj* Austrian
autentic|are *v/t* certify; **~ità**
f authenticity
autèntico authentic; genuine
autista *m, f* driver; chauffeur
auto *f* car
auto... self ...; **~biografia** *f*
autobiography; **~bus** *m*
bus; **~carro** *m* motor-lorry;
~crazia *f* autocracy; **~gra-
fare** *v/t* autograph; **~linea** *f*
busline
autòma *m* automaton
automàtico automatic
auto|mezzo *m* motor-vehi-
cle; **~mòbile** *f* automobile;
car; **~mobilismo** *m* motor-

ing; **∼mobilista** m, f motor-
ist; **∼motrice** f diesel train
autonomìa f autonomy
autoparcheggio m parking
area
autopsìa f autopsy; post-
mortem
autor|e m author; **∼évole**
authoritative; reliable
autorimessa f garage
autor|ità f authority; in-
fluence; pl authorities pl;
∼itario authoritarian; **∼iz-
zare** v/t authorize; entitle
auto|scafo m motor-boat;
∼strada f motor-road;
highway; **∼treno** m lorry;
truck; **∼veìcolo** m motor-
vehicle
autunnale autumnal
autunno m autumn; fall
av = avanti
ava f grandmother
avallare v/t guarantee
avam|braccio m forearm;
∼posto m mil outpost
avana brown, beige
avanguardia f vanguard
avannotto m young fish; fig
greenhorn
avanti before; forward; **∼
che** sooner than; **∼!** come
in! forward!; **andare ∼** precede; be fast (watch)
avantieri the day before
yesterday
avanz|amento m advance-
ment; promotion; **∼are** v/i
proceed; be fast; v/t pro-
mote; **∼o** m remnant; surplus; **∼i** pl remains pl
avarìa f damage; average;

∼iato damaged; **∼izia** f
avarice
avaro adj avaricious; m miser
Ave Marìa, avemmarìa f
Hail Mary
avemmo we got
avena f oats pl
aver|e v/t have; get; obtain;
m property; **∼i** m/pl posses-
sions
aveste pl, **∼i** sg you got
avete you have (pl)
avéva he had; **∼amo** we had
avévano they had
avevate you had
avev|li you had (sg); **∼o** I had
avia|tore m aviator; **∼zione** f
aviation
avidità f greediness
àvido greedy; eager
avio|getto m jet plane; **∼lì-
nea** f airline; **∼rimessa** f
hangar; **∼trasportato** air-
borne
avo m grandfather
avorio m ivory
avr|à he will have; **∼ai** you
will have (sg); **∼anno** they
will have; **∼emo** we shall
have; **∼ete** you will have
(pl); **∼ò** I shall have
avvallamento m depression
avvampare v/i blaze up
avvantaggi|are v/t im-
prove; **∼arsi** v/r: **∼arsi di
qc** draw advantage from,
profit by s.th.
avvedersi v/r (di) notice,
perceive (s. th.)
avvelenare v/t poison
avven|ente lovely; **∼enza** f

prettiness
avven|imento m event; **~ire**
v/i occur; **ale** future
avvent|are v/t hurl; **~arsi**
v/r rush (upon); **~ato** rash;
reckless; **~izio** adventitious
avvento m advent
avvent|ore m customer;
~ura f adventure; **~urare**
v/t venture; risk; **~uriere** m
adventurer; **~uroso** adven-
turous; enterprising
avverarsi v/r prove true
avverbi|ale adverbial; **~o** m
adverb
avver|sario m adversary;
~sione f aversion; **~sità** f
adversity; **~so** adverse; un-
favourable
avvert|enza f note; warn-
ing; foreword; **~imento** m
warning; **~ire** v/t warn; inform
avvezzare v/t accustom
avvi|are v/t start; introduce;
~arsi v/r set out; **~atore** m
starter
avvicinare v/t approach
avvil|imento m dejection;

~ire v/t debase; (price) depreciate; **~irsi** v/r degrade
oneself
avviluppare v/t wrap up;
entangle
avvis|are v/t inform; warn;
~o m notice; advice; announcement; warning; **a
mio ~o** in my opinion
avvitare v/t screw (up)
avvocato m lawyer; barrister; solicitor
avvolgere v/ wind; wrap
(up)
avvoltare v/t roll up
azalea f azalea
azienda f business; firm;
consiglio m d'**~** managing
board
azion|e f action; share; **~ista**
m, f shareholder
azoto m nitrogen; azote
azzard|are v/t risk; **~arsi** v/r
venture; **~o** m hazard; risk;
gioco m d'**~o** game of
chance
azzoppire v/i become lame
azzurro blue; **~ chiaro**
lightblue; **~ cupo** dark-blue

B

babbo m dad, daddy, pa
babbuino m baboon
babordo m larboard
bac|aio m silk-grower; **~ato**
worm-eaten
bacca f berry
baccal|à, ~aro m codfish
bacc|anale m noisy revel;
orgy; **~ano** m uproar

bacchetta f rod; wand; (con-
ductor's) baton
Bacco m Bacchus; **per ~!** by
Jove!
bachicul|tore m silk-worm
breeder; **~tura** f silk-worm
breeding
baciamano m hand-kissing
baciare v/t kiss

bacillo m bacillus

bacino m basin

bacio m kiss

baco m **da seta** silk-worm

badare v/i mind; pay attention (**a** to); look out

ba|dessa f abbess; **~dìa** f abbey

baffi m/pl moustaches pl

bagagliaio m luggage-van

bagaglio m luggage

bagliore m gleam

bagn|aiuola f, **~aiuolo** m bath-attendant; **~ante** m, f bather; **~are** v/t wet; moisten; sprinkle; **~ato** wet; **~ino** m bath-attendant; lifeguard

bagno m bath; **~ all'aperto** open air bath; **~ di sole** sunbathing; **~ di vapore** the Turkish baths pl; **~lo** m wet pack

baia f geog bay

baionetta f bayonet

balbettare v/i stammer

Balcani m/pl Balkan

balcone m balcony

balena f whale

balen|are v/i lighten; fig flash; **~io** m continual lightning; **~o** m lightning

balìa f power

bàlia f nurse

balla f bale

ball|are v/t, v/i dance; **~ata** f ballad; **~erina** f ballet-girl; orn wagtail; **~erino** m dancer; **~o** m dance; ball; thea ballet

balneario bathing; **stabilimento** m **~** bathing estab-

lishment

balsàmico balmy

bàlsamo m balm

Bàltico m (**mare ~**) Baltic (Sea)

baluardo m bulwark

balz|are v/i spring; jump; leap (heart); **~o** m leap; bound

bambin|a little girl; **~aia** f nurse-maid; **~o** m little boy

bàmbola f doll

bambù m bamboo

banalità f banality; platitude

banan|a f banana; **~o** m banana-tree

banc|a f bank; **casa** f **~aria** banking house; **~ario** pertaining to banks; **~arotta** f bankruptcy

banch|ettare v/i feast; **~etto** m banquet

banchiere m banker

banchina f pier

banco m bank; table; bench; counter; **~ del lotto** lottery office; **~giro** m com clearing; **~nota** f banknote

banda f band; gang

bandiera f flag; banner

band|ire v/t banish; **~ito** m bandit; outlaw; **~o** m banishment; exile

bar m bar

bara f bier; coffin

baracca f barrack; shack

barba f beard; **~ a punta** pointed beard; **fare la ~ a qu** shave s.o.

barbabiètola f beetroot

bàrbaro adj barbarous; m

barbarian

barbiere m barber

barca f boat

barca|iuola m boatman; **~rola** f barcarolle

barella f stretcher

barile m barrel

barista m barman; f barmaid

baritono m,adj baritone

barlume m glimmer, gleam

barocco m, adj baroque

baròmetro m barometer

baron|e m baron; **~essa** f baroness

barr|a f bar; rod; **~icare** v/t barricade; **~iera** f barrier

basare v/t base, ground

basco adj Basque; m Basque; beret

base f base; basis; foundation

bassa f plain

bassetta f whisker

bass|ezza f lowness; fig meanness; **~o** low; mean; **a ~a voce** in a low voice; **~o** m (mus) bass; **~ofondo** m slum; **~opiano** m lowland; **~orilievo** m bas-relief

bassoventre m abdomen

basta adv enough; f tuck; hem

bastaio m saddler

bastardo adj illegitimate; m bastard; mongrel

bastare v/i suffice; be enough

bastimento m ship; vessel

bastione m rampart

baston|are v/t cane; beat; **~ata** f blow; **~e** m stick; cane

batista f batiste; cambric

battaglia f battle

battaglione m battalion

battell|iere m boatman; **~o** m boat; **~o a remi** rowboat; **~o pneumático** rubber boat

battente m (door) leaf; (window) shutter; knocker

bàtt|ere v/t, v/i beat; strike; knock; **~ere le mani** clap hands; **~ersela** run away

batteria f battery; **~a secco** dry battery

batt|ésimo m christening; **~tezzando** m child to be christened; **~tezzare** v/t christen

battibecco m squabble

batticuore m palpitation

battist|a m,f baptist; **~ero** m baptistry

battitoio m door-knocker

battuta f beat; mus bar

baule m trunk

bavarese m,f, adj Bavarian

bàvero m collar

Baviera f Bavaria

bazàr m bazaar

bazzotto softboiled (egg)

be' = **bene** well

beat|itùdine f beatitude; blissfulness; **~o** happy; blessed

bébé m baby

beccaccia f orn woodcock

becc|are v/t peck; **~atoio** m trough

becchime m birdsfood

becco m beak; burner; **~a gas** gasburner

befana f old woman who

brings presents on Twelfth Night

beffa f mockery; **farsi ~ di qu** make a fool of s.o.

beff|ardo adj mocking; m mocker; **~arsi** v/r **di qu** laugh at s.o.

belare v/i bleat

belga m, f, adj Belgian

Belgio m Belgium

belletto m make-up

bellezza f beauty; **salone di ~** beauty parlour

bèllico, bellicoso bellicose; warlike

bellino pretty; nice

bello adj beautiful; m beauty; **bell'e fatto** it is done

beltà f beauty

belva f wild beast

belvedere m belvedere (= beautiful view)

benchè although

bend|a f bandage; blindfold; headband; **~aggi** m/pl dressing material (for wounds); **~are** v/t bandage; blindfold

bene adv well; m good

benedetto blessed

bene|dicite m grace (before meals); **~dire** v/t bless; **~dizione** f blessing

beneducato well bred

bene|fattore m benefactor; **~ficenza** f beneficence; **~ficio** m benefit; (del corpo) relief of the bowels

benèfico beneficent

benemèrito well deserving

benèssere m well-being; comfort

bene|stante well-to-do; **~volenza** f benevolence

benèvolo benevolent; kindly

beni m/pl goods, estate

ben|igno benign; kind; **~ino** fairly well; **~inteso** provided (that); **~one** very well; **~portante** healthy

bensì conj but; adv certainly; really

benvenuto adj welcome; m welcome; **dare il ~ a qu** welcome s.o.

benzina f petrol; gasoline; **serbatoio** m **di ~** gasoline-tank

bere v/t drink

berlina f salon-car

berlinese adj Berlinese; m, f Berliner

Berlino m Berlin

Berna f Bern

berr|etta f cap; **~ettaio** m cap-maker; **~etto** m cap

bersagliere m bersagliere; sharp-shooter

bersaglio m target

bestemmi|a f curse; blasphemy; **~are** v/t, v/i swear; curse; **~atore** m swearer

besti|a f beast; **~ale** beastly; brutal; **~ame** m cattle; livestock

béttola f tavern; pub

betulla f birch

bevanda f drink; beverage

bev|erino m trough (bird-cage); **~ibile** drinkable; **~itore** m drinker; **~uta** f draught

bezzi|care v/t peck; *fig* tease
biada f fodder; oats pl
biancastro whitish
bian|cheria f linen; **~cherìa da dosso** body-linen; **~chetto** m whitewash; cosmetic; **~chire** v/t bleach
bianco white; **lasciare in ~** leave blank; **girata f in ~** blank endorsement
biancospino m whitethorn
biasim|àbile blamable; **~are** v/t blame; reprove
biàsimo m blame
Bibbia f Bible
bìbita f drink
bìblico biblical
bibliografìa f bibliography
bibliotèca f library
bicarbonato m (**di soda**) (sodium) bicarbonate
bicchiere m (drinking-)glass
bicicletta f bicycle
bidello m janitor; usher
bidone m can; tank
bieco sullen; grim
biennio m two-year period
biforc|arsi v/r branch off; **~azione** f bifurcation
biga f two-horsed chariot
bigamìa f bigamy
bigio grey
bigliett|ario, ~inaio m booking-clerk; ticket-collector; conductor; **~erìa** f ticket-office
biglietto m ticket; note; **~ aèreo** air ticket; **~ d'andata e ritorno** return ticket; **~ circolare** tourist ticket; **~ di vìsita** (visiting-) card; **~ di banca** banknote; **~ di**

prenotazione reserved seat ticket; **~ d'ingresso** platform ticket; **~ di volo** flying-ticket
bigodini mpl haircurlers
bikini m bikini
bilan|cia f scales pl; balance; **~ciare** v/t weigh; balance; **~cio** m budget; balance
bile f bile; gall
biliardo m billiards pl
bìlico m equilibrium
bilingue bilingual
bimb|a f, ~o m small child
bimensile twice a month
bimotore m two-engined plane
binario m railway-track
binòccolo m binoculars pl; **~ da teatro** opera-glasses
biografìa f biography
biògrafo m biographer
biologìa f biology
biond|ino fair-haired; **~o** fair; blond
biplano m biplane
birbone m rogue; rascal
birichino m little rogue; urchin
birillo m skittle
birr|a f beer; **~erìa** f beer-house; brewery
birro m police-spy
bis! once more! encore; **chièdere un ~** call for an encore
bisbètico peevish
bisbigli|are v/t, v/i whisper; **~o** m whisper
bisc|a f gambling-house; **~aiuolo** m gambler; **~azziere** m gambling-house

keeper

biscott|erìa *f* biscuit-shop; **~o** *m* biscuit; cookie

bisestile: anno *m* ~ leap-year

bislungo oblong

bisnipote *m*, *f* great-grand-child

bisognare *v/i* be necessary; **mi bisogna(no)** I need; **bisogna** (*with infinitive*) it is necessary; one ought (to)

bisogno *m* want; need; **al** ~ in case of need; **avere ~ di qc** need s.th.; **~so** needy

bisonte *m* bison

bistecca *f* beefsteak

bivio *m* cross-road

bizza *f* anger; wrath

bizz|arro odd; queer; **a ~effe** plentifully

blando bland; soft

blatta *f* cockroach

bleso lisping

blindato armoured; **carro ~** *m* tank

blocc|are *v/t* block (up); **~o** *m* block; blockade

blu blue; **~astro** bluish

blusa *f* blouse

bobina *f* coil; bobbin

bocca *f* mouth; muzzle; **a ~ aperta** open-mouthed

boccetta *f* phial

bocchino *m* mouth-piece; cigar-holder; small mouth

bocci|a *f* decanter; bowl (*game*); *bot* bud; **~are** *v/t* reject; **èssere bocciato** flunk (*exams*)

bocc|oncino *m* choice morsel; **~one** *m* mouthful; **~oni**

lying on one's face

boia *m* hangman

boicott|aggio *m* boycotting; **~are** *v/t* boycott

boliviano *m*, *adj* Bolivian

boll|are *v/t* stamp; *fig* brand; **carta f ~ata** stamped paper

bollente boiling; hot

bollettino *m* bulletin

boll|icina *f* small bubble; **~ire** *v/t*, *v/i* boil; *fig* seethe

bollo *m* stamp

bollore *m* boiling (-point)

bomba *f* bomb; ~ **all'idrògeno** hydrogen bomb, H-bomb; ~ **atòmica** atom bomb

bombard|amento *m* bombardment; **~iere** *m* bomber

bòmbice *m* silkworm

bomboletta nebulizzante *f* aerosol bomb

bonànima *f* late; **mio padre** ~ my late father

bonario good-natured

bonificare *v/t* reclaim; refund

bonomìa *f* kindness

bonsenso *m* common sense

bontà *f* goodness

bora *f* north-east wind

borbottare *v/t*, *v/i* grumble; mutter

borchia *f* metal-work

bordello *m* brothel

bordo *m* border; edge; **a ~ di** aboard, on board (of) *fig* **di alto ~** of high rank

bòreo *m* north wind

bor|gata *f* hamlet; **~ghese** *adj* bourgeois; **in ~ghese** in civilian clothes; *m* middle class person; **~ghesia** *f* bourgeoisie; middle class

borgo *m* village

bòrico *m* boric (acid)

borraccia *f* water-bottle

bors|a *f* purse; briefcase; *com* stock-exchange; **~a di studio** scholarship; **~aiuolo** *m* pickpocket; **~etta** *f* purse; handbag

bos|caiuolo *m* wood-cutter; **~co** *m* wood; **~coso** woody

bòssolo *m* box-wood; dicebox; cartridge-case

botànica *f* botany

bott|a *f* blow; **~aio** *m* cooper; **~e** *f* barrel

bottega *f* shop

botteghino *m* box-office

bottiglia *f* bottle

bottiglieria *f* wine-shop

bottone *m* button; *bot* bud; **~automàtico** press-stud

bovino bovine

bozz|a *f* sketch; **~e** *f/pl* printer's proof (sheets)

bòzzolo *m* cocoon

bracci|aletto *m* bracelet; **~ata** *f* armful; **~o** *m* arm

braciere *m* brazier

bram|a *f* ardent desire; **~are** *v/t* long (for); **~oso** covetous; eager

branchia *f* gill

branda *f* camp bed

brano *m* passage; excerpt

Brasile *m* Brazil

brasiliano *m*, *adj* Brazilian

bravo clever; brave

bretelle *f/pl* braces *pl*

brev|e short; **~etto** *m* patent;

~ità *f* brevity

brezza *f* breeze

bricco *m* kettle

brìciola *f* crumb; bit

brig|antaggio *m* brigandage; **~ante** *m* brigand

briglia *f* bridle

brill|ante *adj* brilliant; shining; *m* diamond; **~are** *v/i* shine; glitter

brina *f* white frost

brindare *v/i* toast

brìndisi *m* toast

britànnico British

brìvido *m* shiver; chill

brizzolato spotted; slightly grey (*hair*)

brocca *f* jug; pitcher

brodo *m* broth; bouillon; **~ristretto** consommé

bromuro *m* bromide

bronchi *m/pl* bronchi; **~chite** *f* bronchitis

brontol|are *v/i* grumble; **~one** *m* grumbler

bronz|are *v/t* bronze; **~o** *m* bronze

bruciare *v/t* burn

bruciore di stòmaco *m* heartburn

bruco *m* caterpillar

brulicare *v/i* swarm

brunire *v/t* polish; brown

bruno brown

brusco sharp; harsh

brut|alità *f* brutality; **~o** brute

brutt|ezza *f* ugliness; **~o** ugly

buc|a *f* **delle lèttere** letterbox; **~are** *v/t* pierce

bucato *m* washing; **dare in ~**

send to the wash
buccia f skin; peel
buco m hole
budello m bowel; **~a** f/pl
bowels pl
budino m pudding
bue m ox; m/pl buoi
bùfalo m buffalo
bufera f storm
buffè m buffet; refreshment
room
buffo funny; **~one** m buffoon; fool
bugìa f lie
bugiardo adj lying; m liar
bugno m bee-hive
buio dark
Bulgarìa f Bulgaria
bùlgaro m, adj Bulgarian
bulletta f tack; small nail;

~ino m bulletin
bùngalow m bungalow
buongustaio m gourmet
buono adj good; m bill;
coupon; **~ mercato** m
cheapness
burattino m puppet
burla f trick; joke; **~arsi** v/r
di qu make fun of s.o.;
~esco comical
burocràtico bureaucratic
burrasca f tempest; storm
burro m butter
burrone m ravine
bussare v/i knock
bùssola f compass
busta f envelope
busto m bust; corset
buttare v/t throw; cast; **~**
via throw away

C

c. = **corrente, centèsimo,**
centìmetro
cabina f cabin; **~ telefònica**
telephone booth
cablogramma m cablegram
cacao m cocoa
caccia f hunting; **~a-**
mosche m fly-flap; **~are**
v/t, v/i hunt; chase; pursue;
~atore m hunter; **~avite** m
screw-driver
cacio m cheese
cacto, cactus m cactus
cadàvere m corpse; **stella** f
~ente shooting star; **~enza** f
cadence; mus cadenza; **~ere**
v/i fall; **~uta** f fall; downfall
caffè m coffee; coffee-

house; **~ettiera** f coffee-
pot; percolator; **~cina** f caffeine
cagionare v/t cause
cagna f bitch; **~olino** m
little dog; puppy
cala f cove; bay
Calàbria f Calabria
calabrone m bumblebee;
hornet
calamaio m inkstand; **~aro**
m cuttlefish; **~ità** f calamity; **~ita** f magnet; **~ago** m
~itato magnetic needle
calapranzi m service-lift
calare v/i go down (prices);
fall; ebb; v/t let down;
strike (sails)
calca f crowd; throng

calcagno m heel

calce f lime

calciatore m football player

calcin|a f mortar; **~oso** limy

calcio m kick; chem calcium; **gioco m del ~** game of football

calco m tracing; cast

calcolare v/t calculate; estimate

càlcolo m calculation; **~ biliare** gallstone

cald|aia f boiler; kettle; **~eggiare** v/t favour; **~o** adj warm; m warmth; heat; **ho ~o** I feel hot

caleidoscopio m kaleidoscope

calendario m calender

càlice m chalice; cup

calle m path; road; (water-streets in Venice)

calligrafia f penmanship; handwriting

callo m callus; corn

callotta f small cap

calm|a f calm; tranquillity; **~o** calm; quiet; **~are** v/t calm; soothe

cal|ore m heat; warmth; **~orifero** m heating apparatus; radiator

caloria f calorie

caloscia f overshoe

calpest|are v/t trample (on); **~io** m trampling

calunni|a f calumny; **~are** v/t slander

Calvario m Calvary

calvo bald(headed)

calz|a f stocking; **far la ~a** knit; **~atoio** m shoe-horn;

~atura f footwear; **~erotto** m, **~ino** m sock; **~olaio** m shoemaker; **~oleria** f bootmaker's shop; **~oni** m/pl trousers pl

cambi|ale f bill of exchange; **~amento** m change; **~are** v/t, v/i change; alter

cambiavalute m money-changer

cambio m change; exchange; rate of exchange; mech change-gear; **in ~ di** instead of; **~ automàtico dei dischi** automatic record changer; **~ di velocità** aut change of gear; gearbox

càmera f room; **~da letto** bedroom; **~ d'aria** airchamber; inner tube

camer|ata m comrade; **~iera** f house-maid; waitress; **~iere** m waiter; **~ino** m dressing-room; lavatory

camiceria f shirt-shop

camicia f shirt; chemise; **~ spottiva** sport-shirt

camino m chimney

cammello m camel

cammin|are v/i walk; **~ata** f walk; **~o** m road; way

camomilla f camomile

camoscio m chamois; shammy leather

campagna f country; campaign

campan|a f bell; **~accio** m cow-bell; **~ello** m small bell; **~ile** m bell-tower

camp|eggiare v/i camp; **~eggio** m camping (place);

log-wood; **~estre** rural

campionari|o m sample-book; **fiera** f **~a** sample fair

campio|nato m championship; **~ne** m sample; champion

campo m field; camp; *fig* ground; **~ di concentramento** concentration camp; **~ sportivo** sportsfield; **~ di tennis** tennis court

camposanto m cemetery, churchyard

Cana|da m Canada; **2dese** m, f, adj Canadian

canal|e m canal; channel; pipe; **~izzazione** f canalization

cànapa f hemp

cànapo m cable; rope

Canarie f/pl Canary Islands

canarino m canary

cancell|are v/t efface; wipe out; erase; **~eria** f chancery; **oggetti di ~eria** stationary; **~iere** m recorder; *pol* chancellor; **~o** m gate

cancro m med cancer

candel|a f candle; **~a d'accensione** sparking-plug; **~abro** m chandelier; **~iere** m candlestick

candid|ato m candidate; nominee; **~atura** f candidacy

candidezza f whiteness; *fig* innocence

càndido white; candid

candire v/t candy

cane m dog

canestro m basket

cànfora f camphor

cangiamento m change

can|ile m (dog) kennel; **tosse** f **~ina** whooping-cough

canizie f white hair

cann|a f reed; cane; *(gun)* barrel; **~ella** f pipe; spout; cinnamon; **~ello** m small tube; **~occhiale** m telescope; **~one** m gun; cannon

cannuccia di paglia f straw (for drinking)

canònico m canon

canoro melodious

canottiere m rower; oarsman

canotto m **pneumàtico** rubber-boat; **~ smontàbile** folding boat

cant|àbile suited for singing; **~ante** m, f singer; **~are** v/t, v/i sing; chant; crow *(cock)*; cackle *(hen)*; **~erellare** v/t hum; **~erino** m singing bird

càntico m hymn

cantiere m shipyard

cantin|a f cellar; **~iere** m butler; wine-shop keeper

canto m song; chant; corner; side; **~ popolare** folksong; **dal ~ mio** for my part

cantoniera f corner cupboard

cantoniere m road-mender; *rail* line-keeper

cantore m singer; chorister

cantuccio m corner; nook

canz|onaccia f vulgar song; **~onare** v/t ridicule; **~one** f song; **~oniere** m song-book

caos m chaos

capac|e capable; able; **~ità** f ability; capacity

capanna f hut; cabin

capell|o m hair; **~uto** hairy

capezzale m bolster; pillow

cap|igliatura f hair; **~illare** capillary

capire v/t understand

capit|ale adj principal; chief; f capital (town); m capital (money); **~alismo** m capitalism; **~alista** m capitalist

capitano m captain; leader

capitare v/i arrive (by chance); happen

capitolo m chapter

capo m head; leader; chief; geog cape; **~ d'anno** New Year's Day; **~ di bestiame** head of cattle; **da ~** once more; **in ~ alla strada** at the end of the street; **~banda** m bandmaster; outlaw chief; **~cameriere** m headwaiter

capocchia f head (of pin, nail)

capo|còmico m head comedian; **~ comitiva** m travel manager; **~danno** m New Year's Day; **~fàbbrica** m foreman; **~giro** m dizziness; **~lavoro** m masterpiece; **~linea** m terminus; **~mastro** m master-builder; **~mùsica** m bandmaster; **~pòpolo** m popular leader; demagogue

capo|rale m mil corporal; **~stazione** m station-master; **~treno** m conductor; **~vòlgere** v/t overturn; capsize

cappa f mantle; **~ del camino** chimney mantle

cappella f chapel

cappell|aio m hatter; **~eria** f hatter's shop; **~iera** f hatbox; **~ino** m small hat

cappello m hat; **~ di paglia** straw hat; **~ duro** bowler; **méttersi il ~** put on one's hat; **tògliersi il ~** take off one's hat

càppero m caper

cappio m knot; loop

cappone m capon

cappotta f aut top

capp|otto m overcoat; **insalata ~uccia** butter lettuce; **~uccino** m capuchin; coffee with a little milk; **~uccio** m hood; cowl

capr|a f goat; **~aio** m goatherd; **~etto** m kid; **~iccio** m caprice; whim; **~iccioso** capricious; **~o** m he-goat

càpsula f capsule; percussion cap

carabina f carbine

carabiniere m carabineer (Italian gendarme)

caraffa decanter

caramell|o m, **~a** f caramel, candy

carato m carat

caràttere m character; disposition; type

carbon|aia f charcoal-pit; **~aio** m charcoal-burner; **~ato** m carbonate; **~e** m coal; **àcido ~ carbònico** carbon dioxide

carburante m gas; fuel

carburatore m carburettor

carburo m carbide

carcer|are v/t imprison;
~ato m prisoner

càrcere m prison; jail

carceriere m jailer

carciofo m artichoke

cardellino m goldfinch

cardìaco med cardiac

cardinale m cardinal; **nùmero** ~ cardinal number;
punto ~ cardinal point

cardine m hinge

cardite f carditis

cardo m thistle

caren|a f naut bottom; **~ag-
gio** m careenage

carestìa f dearth; famine

carezz|a f caress; **~are** v/t
caress

cariato carious; decayed
(tooth)

càrica f office; charge

caric|are v/t load; (watch)
wind up; elec charge; **~arsi**
v/r overburden oneself; **~a-
tura** f caricature

càrico adj loaded; full; m
load; cargo; burden

carie f med caries; decay

carino nice; dear

cariola f wheelbarrow

carità f charity; love; **per** ~!
for heaven's sake!

caritatévole charitable

carlinga n cockpit

carminio n carmine

carnagione f complexion

carn|e f meat; **~e salata**
corned beef; **~éfice** m exec-
utioner; **~evale** m carnival;

~oso fleshy

caro dear; expensive

carosello m merry-go-
round

carota f carrot

carovana f caravan

carpa f carp

carpentiere m carpenter

carponi on all fours

carr|aia f cart-road; **~ata** f
cartload; **~eggiata** f wheel-
track; **~eggio** m cartage;
freight; **~etta** f cart; **~etto** m
hand-cart; **~iera** f career;
~iola f wheel-barrow

carro m car; truck; van;
wagon; ~ **armato** tank; ~
fùnebre hearse

carr|ozza f carriage; coach;
~ozza letti sleeping-car;
~ozza ristorante diner;
~ozzella f perambulator;
cab; **~ozzerìa** f car body;
~ozzino m side-car

carruba f carob

carrùcola f pulley

carta f paper; ~ **carbone**
carbon paper; ~ **da lèttere**
notepaper; ~ **da parati**
wall-paper; ~ **d'identità**
identity card; ~ **igiènica**
toilet paper; ~ **intestata**
letterhead; ~ **geogràfica**
map; ~ **lùcida** tracing
paper; ~ **moneta** paper
money; ~ **stradale** street
map; ~ **sugante** blotting
paper

cartapècora f parchment

cart|ella f satchel; portfolio;
briefcase; **~ellino** m ticket;
label; **~ello** m bill; placard;

~iera f paper-mill
cartilagine f cartilage
cartina f med dose; **~occio** m paper-bag; **~olaio** m stationer; **~oleria** f stationary; **~olina** f card; **~olina illustrata** picture postcard; **~olina con risposta pagata** reply postcard; **~one** m cardboard; **~oni** m/pl **animati** animated cartoons pl
cartuccia f cartridge
casa f house; **~ di salute** nursing home; **a ~ mia** at (my) home; **~ di campagna** country house; **fatto in ~** homemade; **~le** m hamlet; **~linga** f housewife; **~lingo** homely; **cucina** f **~linga** plain cooking
cascata f (water)fall
cascina f dairy-farm
casco m helmet
casella f **postale** post-office box; **~ante** m linesman; **~ario** m filling-cabinet; **~o** gatekeeper's house
caserma f barracks pl
casetta f **per il fine settimana** weekend house
casino m casino
caso m case; **per ~** by chance; **a ~** at random; **~che** if
casolare m (isolated) cottage; **~otto** m cabin; box
càspita! by Jove!
cassa f case; box; chest; **~a da morto** coffin; **~a di risparmio** savings bank; **~a toràcica** thorax; **~aforte** f safe; **~apanca** f chest

cassare v/t cancel; revoke
casseruola f saucepan
cassetta f box; case; **~etta postale** letter-box; **~etto** m drawer; **~ettone** m chest of drawers
cassiere m cashier, teller
castagna f chestnut; **~eto** m chestnut grove; **~o** adj brown; auburn; m chestnut-tree
castello m castle; mech tower; (watch) train; **~ in aria** castle in Spain; **~ di prua** forecastle
castigare v/t punish; chastise; **~o** m punishment
castità f chastity; **~o** chaste
castoro m beaver
castrare v/t castrate, geld; **~one** m gelding
casuale casual; accidental
casùpola f hut
catacomba f catacomb
catàlogo m catalogue
cataplasma m poultice
catapulta f catapult
catarifrangente m reflector stud; cat's eye
catarro m catarrh; cold
catasta f pile; heap; **~o** m register of landed property
catàstrofe f catastrophe
catechismo m catechism
categoria f category; class
catena f chain; **~ccio** m bolt
cateratta f sluice; waterfall; med cataract
catètere m catheter
catinella f basin; **piove a ~e** it rains in torrents
catramare v/t tar; **~e** m tar

càttedra f desk; chair

cattedrale f cathedral

cattiv|eria f wickedness; **~o** bad; naughty; **mare ~o** rough sea

catt|olicismo m catholicism; **~òlico** m, f, adj catholic

cattura f capture; arrest

cau(c)ciù m india-rubber

causa f cause; (law)suit; **far ~** take legal action; **a ~ di** on account of

caus|ale f cuase; motive; **~are** v/t cause; bring about

cautela f caution

cauto cautious

cauzione f bail; security

cav abbr for cavaliere

cava f quarry; pit; **~fango** m dredger

cavalc|are v/t ride; v/i ride on horseback; **~ata** f ride; **~atore** m rider

cavalci|one (**~oni**) astride

cavaliere m horseman; knight

cavall|a f mare; **~etta** f grasshopper; **~etto** m trestle; paint easel

cavallo m horse; **~ da corsa** race-horse; **~ da sella** saddle-horse; **andare a ~** ride on horseback

cavallo-vapore m horsepower

cavare v/t dig; (tooth) extract

cava|stivali m boot-jack; **~tappi** m cork-screw

caverna f cave

cavezza f halter

cavia f guinea-pig

caviale m caviar

caviglia f plug; ankle

cav|ità f cavity; hole; **~o** adj holow; m cable

cavolfiore m cauliflower

càvolo m cabbage; **~ rapa** m kohlrabi; **~ cappuccio** white cabbage

cazzuola f trowel

C/c = **conto corrente**

cece m chick-pea

cecità f blindness

Cecoslov|acchìa f Czecho-Slovakia; **2acco** m, adj Czecho-Slovak

cèdere v/t cede; give up; v/i yield; give in

ced|évole yielding; **~ibile** transferable

cèdola f coupon

cedro m cedar

ceffo m snout; muzzle

celare v/t conceal

celebèrrimo cf cèlebre

celebr|are v/t celebrate; praise; **~azione** f celebration

cèlebre famous; celebrated

celebrità f celebrity

cèlere rapid; quick

celerità f rapidity; speed

celeste heavenly; sky-blue

celia f jest; joke; **~re** v/i joke

celibato m celibacy

cèlibe adj single; unmarried; m bachelor

cell|a f cell; **~òfane** m cellophane

cèllula f cell

celluloìde f celluloid

cèltico Celtic

cement|are v/t cement; *fig* strenghten; **~o** m cement; **~o armato** reinforced concrete

cen|a f supper; **~àcolo** m supper-room; *paint* Last-Supper; **~are** v/i dine; sup

cencio m rag; **cappello** m a ~ soft hat

cénere f ash; **le Céneri** Ash-Wednesday

cenno m sign; **fare** ~ wave; nod

cens|o m wealth; income; **~uare** v/t tax; asses; **~ura** f censure

cent|enario adj centenarian; m centenary; **~èsimo** adj hundredth; m hundredth part; centime; **~igrado** m centigrade; **~ìmetro** m centimetre; **~inaio** m hundred

centr|ale adj central; f head-office; **~alino telefònico** telephone exchange; **~o** m centre

ceppo m stump; block

cera f wax; (boot-)polish; look; **avere buona (cattiva)** ~ look well (ill); **~lacca** f sealing-wax

ceràmica f ceramics pl; **~ta** f oil-cloth

cerc|a f search; quest; **~are** v/t look for; seek; v/i try

cerchi|a f circle; sphere; **~are** v/t hoop; **~atura** f hooping; **~one** m rim; tyre; **~one di ricambio** spare-tyre

cereali m/pl cereals pl

cerebrale cerebral

cèreo waxen; very pale

cereria f wax-factory; wax-chandler's shop

cerimònia f ceremony; formality

cerimoni|ale ceremonial; **~oso** ceremonious

cer|inaio m match-seller; **~ino** m (wax-)match; **~o** m (church-)candle; **~otto** m plaster; *fig* bore

cert|ezza f certainty; **~ificare** v/t certify; confirm; **~ificato** m certificate; **~o** certain; sure

cerùleo sky-blue

cervello m brain; *fig* brains

cervice f cervix

cervo m stag; deer

cespuglio m bush; thicket

cess|are v/t, v/i cease; **~ione** f cession; transfer

cesso m water-closet

cest|aio m basket-maker; **~ino** m small basket; waste-basket; **~o** m hamper; basket; tuft

ceto m order; rank; ~ **medio** middle class

cetra f zither

cetriolo m cucumber

che who, which; what; that; **ciò** ~ that which ...; *conj* that; *(after comparative)* than; **ma** ~! not at all!; **~bell'idea!** what a good idea!

checché whatever

cherubino m cherub

chet|are v/t calm; **~o** quiet

chi who; whom; **di** ~? whose?; **a** ~? to whom?

chiàcchier|a f chat; gossip;

far due ~e have a chat
chiacchier|are v/i chatter;
~ata f chat
chiam|are v/t call; name; tel
ring up; **~arsi** v/r be called;
~ata f **telefònica** phone-
call
Chianti m Tuscan wine
chiappamosche m fly-trap
chiar|ezza f clearness; **~ifi-
care** v/t clarify; **~ire** v/t
make clear; **~o** clear;
bright; evident; m light; **~o
di luna** moonlight; **~o
d'uovo** white of an egg;
~oscuro m light and shade;
~oveggenza f clairvoyance
chiasso m noise; **fare ~** fig
make a sensation
chiatta f barge
chiave f key (mus); **~e inglese** monkey-wrench; aut
~etta f **d'accensione** ignition key; **~istello** m bolt
chiazzato spotted; stained
chicco m (coffee-)bean;
grain; hailstone
chièdere v/t ask (**di** for);
request
chiesa f church
chilo m kilo; **fare il ~** rest a
while after dinner; **~gram-
ma** m kilogram(me)
chilòmetro m kilometre
chilowatt m kilowatt
chìmic|a f chemistry; **~o** adj
chemical; m chemist
chimono m Kimono
chin|a f slope; v/t bend;
bow; **~arsi** v/r stoop; fig
submit; **~o** bent
chincaglie f/pl knick-knacks

pl
chinino m quinine
chiocci|a f brooding-hen;
~are v/i cluck
chiòcciola f snail; **scala** f **a ~**
winding staircase
chiodo m nail; spike
chioma f mane
chiosco m kiosk; stall
chiostro m cloister; convent
chirurg|ia f surgery; **~o** m
surgeon
chissà who knows; perhaps
chitarra f guitar
chiùdere v/t close; shut
(up); **~ a chiave** lock
chiunque whoever
chius|a f conclusion; bar-
rier; lock (of canal); **~ura** f
closing (down); **~ura lampo** zipper
ci pron pers us; adv here,
there; to it; at it; **~ penso** I
think about it
C.ia = Compagnìa
ciab|atta f slipper; **~attino**
m cobbler
cialda f waffle
ciambella f doughnut
ciano m cornflower
ciao hallo, hi; so long!
ciarl|a f idle talk; v/i
gossip; **~atano** m charlatan;
mountebank
ciarpa f scarf
ciascuno each (one); everybody
cib|o m food; nourishment
(also fig); **~i** m/pl **vegeta-
riani** a vegetarian diet
cicala f cicada
cicatrice f scar

cicca f cigar-butt; cigarette-end

cicerone m guide

cicl|ismo m cycling; **.ista** m, f cyclist; **.o** m cycle; **.one** m cyclone

cicogna f stork

cicoria f chicory

cieco adj blind; m blind man; **vicolo** m ~ blind alley

cielo m sky; heaven

cifra f figure; **~ d'affari** turnover

ciglio m eyelash

cigno m swan

cigolìo m creaking

ciliegi|a f cherry; **.o** m cherry-tree

cilin|drata f cylinder displacement; **.dro** m cylinder; roller; top-hat

cima f top; summit; **da ~ a fondo** from top to bottom

cimentoso adj perilous; risky

cimice f (bed)bug; drawing-pin

ciminiera f smoke-stack; funnel

cimitero m cemetery

Cina f China

cine abbr for **cinema**

cinegiornale m news reel

cinema m, **cinematògrafo** m cinema; movies

cinèreo ash-coloured

cinese m, f, adj Chinese

cingere v/t gird; encircle

cinghi|a f strap; belt; **.ale** m wild boar

cinguettare v/i chirp

cinico adj cynical; m cynic

cinqu|anta fifty; **.antena-**

rio m fiftieth anniversary

cintura f belt; girdle; **~ di salvataggio** life belt; **~ di sicurezza** safety belt

ciò this; that; it; **a ~ for** this purpose

ciocco m log

cioccol|ata f chocolate; **.a-tino** m chocolate drop

cioè, **~ a dire** that is to say; namely

ciottolo m cobbled pathway

ciòttolo m pebble

cipoll|a f onion; **.ina** f young onion; chive

cipress|eto m cypress grove; **.o** m cypress

cipria f face-powder

circa about; **.o** m circus

circolare v/i circulate; adj circular; **viaggio** m ~ round trip; **biglietto** m ~ return ticket; **(lèttera) ~** f circular (letter)

circolazione f circulation; traffic

circolo m circle; club; group

circondare v/t surround, encompass

circonvallazione f circumvallation; **linea** f **di ~** roundabout tramway

circostanza f circumstance; occasion

circ|uire v/t surround; **.uito** m circuit; **corto .uito** f short circuit

cistifèllea f gall-bladder

citare v/t quote; cite; summon

città f town; city; **~ giardino**

garden city; **~ universitaria** campus; **~ vecchia** old (part of a) city

cittadin|anza f citizenship; **~o** adj civic; m citizen

ciuffo m tuft; forelock

ciurm|are v/t cheat

civett|a f owl; **~are** v/i flirt

civic|o adj civic; civilian; m civilian; **guardia** f **~a** municipal guard

civile adj civil; civilized; **guerra** f **~** civil war; **stato** m **~** registrar's office

civiltà f civilization; courtesy

clacson m horn

clam|ore m clamour; **~oroso** noisy

clandestino clandestine; secret

clarinetto m clarinet

classe f class; **prima ~** first class; **~ turistica** tourist class

clàssico adj classic(al); m classic

classificare v/t classify; grade

clàusola f clause

clava f club

clavicola f collar-bone

clem|ente mild; merciful; **~enza** f clemency

clero m clergy

cliente m, f client; customer; **~ abituale** regular customer; **~la** f clientele

clim|a m climate; **~àtico** climatic; **stazione** f **~àtica** climatic health-resort

clìnica f clinic

cloaca f sewer; drain

clòrico chloric

cloro m chlorine; **~si** f chlorosis

c. m. = corrente mese current month

coabitare v/i live together

co|aderente adherent together; **~adiuvare** v/t help

coagularsi v/r coagulate

coalizione f coalition

cobalto m cobalt

cobra m cobra

cocaina f cocaine

cocchiere m coachman; driver

cocci m/pl earthenware; **~nella** f ladybug

cocci|o potsherd; **~uto** obstinate

cocco m coco(nut); fam darling

coccodrillo m crocodile

cocolla f cowl

cocòmero m watermelon

coda f tail; train (dress); line; **piano** m **a ~** grand piano; **fare la ~** queue up; **~rdo** adj cowardly; m coward

codesto this, that

còdice m code; **~ stradale** highway code

coercitivo coercive; compulsive

coe|rede m co-heir; **~rente** coherent; consistent; **~sistenza** f coexistence; **~sivo** cohesive

coetàneo of the same age

còfano m casket; chest; aut hood

coffa f mar top

cògliere v/t gather; catch; seize (*opportunity*)

cognàc m cognac; brandy

cogn|ata f sister-in-law; **~ato** m brother-in-law

cògnito known

cognizione f knowledge

cognome m surname; family name

coincidenza f coincidence; *rail* connection

coincìdere v/i involve

cola f strainer; sieve

colà (over) there

coll|are v/t strain; cast (*metal*); v/i drip; **~ata** f cast; lava stream

colazione f breakfast; lunch; **far ~** have breakfast (lunch)

colei she; her

coler|a m cholera; **~ina** f British cholera

còlica f colic

colla f paste; glue

collabor|are v/i collaborate; **~atore** m collaborator

coll|ana f necklace; **~are** m collar; bands pl; **~asso** m collapse

colle m hill

collega m,f colleague

collegare v/t connect; unite

colleg|iale adj collegial; m college boy; **~o** m boarding-school; college; (professional) body

còllera f anger; **andare in ~** fly into a passion

collèrico choleric

collett|a f collection; **~are** v/t collect; **~ivo** collective; joint

colletto m collar

collezi|one f collection; **~ista** m, f collector

collimare v/i coincide; agree

collina f hill

collisione f collision

collo m neck; *com* parcel

colloc|amento m placement; **agenzia f di ~amento** to employment agency; **~are** v/t place; put

collòquio m conversation; talk

colloso sticky

colm|are v/t fill up; **~o** adj full up; m summit

colombo m dove

coloni|a f colony; settlement; **~le** colonial; **gèneri** m/pl **~li** groceries

colonn|a f column; pillar; **~ello** m colonel

color|are v/t colour; **~ato** coloured; **~e** m colour; **~ire** v/t colour; paint; **~itura** f colouring

coloro they; those

colossale colossal

colp|a f fault; guilt; **~évole** guilty; **~etto** m light blow; tap

colpire v/t strike; hit

colpo m blow; stroke; hit; shot; **~ d'aria** draught; **~ di mano** sudden attack; **~ di sole** sun-stroke; **~ di stato** coup d'état; **~so** guilty

colta f harvest

coltell|ata f stab; **~o** m knife;

~o a serramànico jack-knife

coltiv|are v/t till; grow; fig cultivate; **~azione** f agr farming

colto learned; educated; gathered

coltr|e f coverlet; pall; **~one** m quilt

coltura f cultura; farming

colui he; him

coma m coma

comand|amento m commandment; **~ante** m commander; **~are** v/t command; **~are qc** com order s.th.; **~o** m command; order; mech drive; control

comare f godmother

combàttere v/i fight; v/t fight against; **~attimento** m combat

combin|àbile combinable; **~are** v/t combine; **~azione** f agreement; chance

combustìbile adj combustible; m fuel

come how; as; like; **~ me** like me; **~ se** as if; **~ mai?** why (on earth)?

cometa f comet

còmico comic(al); **poeta m ~** comic writer

comignolo m chimney-top; ridge

cominciare v/t, v/i start; begin

comino m cumin

comit|ato m committee; board; **~iva** f party; company

commèdia f comedy

commedi|ante m, f comedian; **~ògrafo** m playwright

commemor|are v/t commemorate; **~ativo** memorial

commensale m table companion

comment|are v/t comment; **~atore** m commentator; **~o** m comment; commentary

commerci|ale commercial; **società** f **~ale** business concern; **~ante** adj trading; **~** dealer; business man; merchant; **~are** v/i trade; deal; **~o** m business; **~o èstero** foreign trade

commesso m clerk; employee; **~ viaggiatore** travelling salesman

commestibili m/pl foodstuffs pl

commèttere v/t (crime) commit; com order

commiss|ariato m di pùbblica sicurezza police station; **~ario** m commissary; **~ione** f order; errand; committee; **~ione** f **interna** works council

commisto mixed

committente m,f customer

comm|ovente moving; **~ozione** f commotion; **~uòvere** v/t move; touch; affect

commut|are v/t commute; **~azione** f commutation; elec switching

comò m chest of drawers

comod|are v/i suit; **~ino** m bedside table; **~ità** f com-

comodo

fort; convenience

còmodo comfortable; well off

compaesano m compatriot

compagna f female companion; **.ia** f company; **.o** m mate; cf partner

comparàbile comparable; **.are** v/t compare; **.azione** f comparison

compare m godfather

comparire v/i appear

compartecipare v/i share (in); **.ecipazione** f share; **.imento** m compartment; department; **.imento per (non) fumatori** (non) smoking compartment

compassione f pity; compassion (**di** with); **.onévole** pityful

compasso m compasses pl

compatibile compatible

compatriota m, f compatriot; m fellow-countryman

compatto compact

compendiare v/t summarize; **.o** m compendium; digest

compensàbile compensable; **.are** v/t compensate; **.o** m reward; compensation; **stanza di .o** clearing house

comperare cf comprare

competente competent; qualified; **.petenza** f competence; **.pètere** v/i compete

compiacente obliging; **.enza** f kindness; complacence; **.ere** v/t please; com-

ply (with)

compiàngere v/t lament; pity; **.to** bemoaned

compiere v/t accomplish; fulfil

compilare v/t compile

complimento m accomplishment; fulfilment; **.ire** cf **còmpiere**

compitare v/t spell; **.ezza** f politeness; **.o** accomplished

còmpito m task

compleanno m birthday

complementare complementary

complessione f constitution (health); **.ivo** total; **.o** m whole; complex

completare v/t complete; **.o** complete; entire; full (up)

complicare v/t complicate

còmplice adj accessory; m, f accomplice

complimentare v/t congratulate; compliment (s.o.); **.enti** m/pl: **fare .enti** stand on ceremony

complotto m plot

componimento m composition; essay; **.orre** v/t compose; arrange; **.orsi** v/r **di** consist of; **.ositore** m type-setter; composer

comportàbile tolerable; **.amento** m behaviour; **.are** v/t bear; tolerate; **.arsi** v/r behave

compositore m composer; **.izione** f composition

composta f compote; stewed fruit; **~ostiera** f dish for compote; **~osto** composed; settled

compr|a f purchase; **~are** v/t buy; **~atore** m buyer

comprèndere v/i comprehend; realize; include

comprens|ibile understandable; **~sione** f comprehension

compreso: tutto ~ everything included

compress|a f compress; tablet; **~ione** f compression

comprìmere v/t compress

comprométtere v/t compromise

comprov|àbile provable; **~are** v/t prove (by evidence)

compunto repentant

comput|àbile computable; **~are** v/t compute; reckon

còmputo m computation

comunale municipal; **consiglio ~** city council

comune common; usual; mutual; **in ~** in common

communic|are v/t communicate; inform; v/i eccl communicate; be in communication; **~azione** f communication; rail, tel connection

comunione f communion; eccl Communion

comun|ismo m communism; **~ista** m, f communist

comunità f community

comunque however; anyway

con with; by; to

cònca f tub; shell; **~vo** hollow

concèdere v/t grant; concede; allow

concentr|are v/t concentrate; **~arsi** v/r concentrate (attention); gather; **~azione** f concentration

concep|ibile conceivable; **~ire** v/t conceive

conceria f tannery

concèrnere v/t concern

concert|are v/t plan; concert; **~o** m concert

concessione f concession; grant

concetto m conception; idea

conchiglia f shell

conchiùdere cf conclude

conci|a f tan; tanning; **~atore** m tanner

concili|are v/t reconcile; **~arsi** v/r make up; reconcile; **~azione** f (re)conciliation; eccl **~o** m council

concime m compost; manure

conciso concise

concitare v/t agitate

concittadino m fellow-citizen

conclave m conclave

concl|ùdere v/t close; v/i draw the conclusion; **~usione** f conclusion; **~usivo** conclusive

concomitante concomitant

concord|anza f agreement; **~are** v/t, v/i agree (upon); **~ia** f harmony; agreement

concorr|ente m competitor; candidate; **~enza** f competition

concórrere v/i compete; contribute (**a** to)

concorso m concourse; competition; tournament

concreto concrete

concubina f concubine

concussione f extortion

condanna f condemnation; ~ **a morte** death sentence

condann|àbile condemnable; ~**are** v/t sentence (**a** to); condemn

condensare v/t condense; thicken

cond|imento m seasoning; ~**ire** v/t season

condisc|endente condescendent; indulgent; ~**éndere** v/i condescend; comply (with)

condiscépolo m schoolmate

condizion|ale m, adj conditional; ~**e** f condition; state; **a** ~**e che** on condition that

condoglianza f condolence

condolersi v/r: ~ **con qu** condole with s.o.

cond|otta f conduct; behaviour; auto: driving; **mèdico** m ~**otto** panel doctor

conducente m driver

cond|urre v/t guide; drive; ~**ursi** v/r behave; ~**uttore** m leader; rail conductor; manager

confeder|ale confederate; ~**arsi** v/r unite; confederate; ~**ato** m confederate; ally; ~**azione** f confederation

confer|enza f lecture; conference; ~**enziere** m lecturer; ~**ire** v/t confer; bestow

conferm|a f confirmation; ~**are** v/t confirm; **mi confermo ...** letter: I remain ...

confess|are v/t confess; admit; ~**arsi** v/r go to confession; ~**ione** f confession; ~**o** pleading guilty; ~**ore** m confessor

confett|are v/t candy; ~**eria** f confectionery; confectioner's shop; ~**i** m/pl candies pl; ~**ura** f sweetmeat

confezionare v/t manufacture; make

confid|are v/t confide; v/i confide (**in** in); ~**enza** f confidence; ~**enziale** confidential

confìggere v/t nail; fix (**in** memory)

configurare v/t shape; symbolize

confin|are v/t confine; v/i border (**con** on); ~**e** m border; boundary; ~**o polìtico** political confinement

confisc|a f confiscation; ~**are** v/t confiscate

conflitto m conflict

conflu|ente m confluent; ~**ire** v/i flow together

confóndere v/t confound; confuse: addle

conform|are v/t conform; ~**e** conforming; ~**e a** in conformity with; in accordance with

confort|àbile consolable; ~**are** v/t comfort; encourage; ~**o** m comfort; relief

confronto m comparison

conf|usione f confusion; **~uso** mixed up; confounded

conged|are v/t dismiss; give leave; **~o** m leave; farewell

congegno m device; contraption; gadget

congelarsi v/r congeal; freeze

congènito congenital

congestione f: **~ cerebrale** congestion of the brain

congetturare v/i conjecture; surmise

congi|ùngere v/t connect; **~giùngersi** v/r join; **~giuntivite** f conjunctivitis; **~giuntivo** m subjunctive; **~giunto** adj joint; m relative; **~giuntura** f juncture; conjuncture; anat joint; **~giunzione** f (con)junction

congiur|a f conspiracy; plot; **~are** v/i plot

congratul|arsi v/r: **~arsi con qu** congratulate s.o. (on); **~azione** f congratulation

congregarsi v/r congregate

congresso m congress; convention

congruente congruent

coniare v/t coin; fig invent

cònico conical

conifere f/pl conifers pl

coniglio m rabbit

conio m wedge; coinage

coniug|are v/t conjugate; **~azione** f conjugation

còniuge m husband; f wife; **còniugi** m/pl **X** Mr. and Mrs. **X**

conness|ione f connection;

~o related

connotato m feature

cono m cone

conosc|ente m,f acquaintance; **~enza** f knowledge; acquaintance

conóscere v/t know; be acquainted with

conoscitore m connoisseur

conqu|ista f conquest; **~istare** v/t conquer; **~istatore** m conqueror

consacr|are v/t consecrate; devote; **~azione** f consecration

consanguíneo adj akin; m kin(sman)

consapévole conscious; aware

conscio conscious; aware

consecutivo consecutive

consegn|a f delivery; consignment; **~a bagagli** cloak-room; **~are** v/t deliver; consign; hand over

consegu|ente following; **~enza** f consequence; **~ire** v/i result (**di** from)

consenso m consent

consentire v/i consent

conserv|a f preserve(s); **~are** v/t preserve; keep; **~atore** m, adj conservative; **~azione** f conservation; preservation

consider|àbile considerable; **~are** v/t consider; **~azione** f consideration; **~évole** considerable

consigli|are v/t advise; counsel; **~ere** m counsellor; adviser

consiglio *m* advice; council; board

consistenza *f* consistency; solidity

consìstere *v/i* consist (**in, di** in, of)

consocio *m* co-partner

consol|are *v/t* console; comfort; **~ato** *m* consulate; **~azione** *f* solace; comfort

cònsole *m* consul

consolidare *v/t* consolidate

consommé *m* broth

consonante *adj* conforming; *f gram* consonant

consorte *m,f* consort; mate

consorzio *m* syndicate; trust

constare *v/i:* **~ di** consist of

constatare *v/t* ascertain

consueto customary; habitual

consuetùdine *f* habit

consult|are *v/t* consult; **~azione** *f* consultation

consum|are *v/t* consume; *fig* wear out; **~o** *m* consumption; **imposte di ~o** excise tax

consunto consumed; worn out

contàbile *m* accountant; book-keeper

contabilità *f* book-keeping

contachilòmetri *m* speedometer

contad|ina *f* peasant-woman; **~ino** *adj* rustic; *m* farmer; peasant

contagioso contagious

contamin|are *v/t* contaminate; pollute; **~azione** *f* **dell'aria** air pollution

cont|ante *m* cash; **pagare in ~anti** pay in cash; **~are** *v/t, v/i* count; **~are su** *v/t* count on; rely on

contatto *m* contact; touch

conte *m* count; earl

cont|eggiare *v/t* compute; **~eggio** *m* reckoning; calculation

contempl|are *v/t* contemplate; **~azione** *f* contemplation

contemporàneo *adj* contemporaneous; *m* contemporary

contèndere *v/t* contest; *v/i* contend

conten|ere *v/t* contain; **~ersi** *v/r* restrain oneself

content|are *v/t* satisfy; **~arsi** *v/r* be content (**di** with)

contento satisfied (**di** with)

contenuto *m* contents *pl*

contesa *f* contest; strife

contessa *f* countess

contestare *v/t* contest

contesto *m* context

contiguo adjacent

contin|ente *adj* chaste; *m* continent; **~enza** *f* continence

continu|are *v/t* continue; **~azione** *f* continuation

continuo continuous; **di ~** continuously

conto *m* calculation; bill; account; **rèndere ~ di** account for; **rèndersi ~ di qc** realize s.th.; **in fin dei conti** ultimately; **~ corrente** current account

contòrcere *v/t* distort

contorno *m* contour; outline; *gast* (side-dish) vegetables *pl*

contorsione *f* contortion

contrabbando *m* smuggling

contrac|cambiare *v/t* return; reciprocate; **~cambio** *m* equivalent

contrada *f* region; road

contradd|ire *v/t* contradict; **~izione** *f* contradiction

contraf|fare *v/t* imitate; forge; **~farsi** *v/r* feign

contrap|peso *m* counterbalance; **~porre** *v/t* oppose

contrari|are *v/t* counteract; vex; **~età** *f* vexation; obstacle

contrario contrary; adverse; **èssere ~** be against; **al ~** on the contrary

contrar|re *v/t* contract; stipulate; **~si** *v/r* shrink

contr|astare *v/t* oppose; *v/i* be in contrast (with); **~asto** *m* contrast; opposition; **~attacco** *m* counter-attack

contratt|are *v/t* negotiate; bargain; **~o** *m* contract

contrav|veleno *m* antidote; **~venire** *v/i* infringe; **~venzione** *f* violation; fine

contrazione *f* contraction

contri|buente *m/f* taxpayer; **~buire** *v/i* contribute; **~buto** *m* contribution; **~buzione** *f* contribution; tax

contro against; versus; **~ assegno** COD

controll|are *v/t* control; check; **~o** *m* control; inspection; **~ore** *m* controller;

(ticket-) collector

contum|ace for defaulting; **~acia** *f* for default; quarantine

conturbare *v/t* disturb

contusione *f* contusion

convalesc|ente *m, f, adj* convalescent; **~enza** *f* convalescence

convalidare *v/t* validate; confirm

convegno *m* meeting

conven|évole, ~iente convenient; **~ienza** *f* convenience; **~ire** *v/i* meet; agree; suit; **~irsi** *v/r* be fit; be proper

convento *m* convent; monastery

convenzion|ale conventional; **~e** *f* convention

convèrgere *v/i* converge

convers|are *v/i* converse; talk; **~azione** *f* conversation; **~ione** *f* (*eccl, pol*) conversion

convert|ire *v/t* change; convert; **~irsi** be converted; **~ito** *m* convert

convesso convex

con|vincere *v/t* convince; **~vinzione** *f* conviction

conv|ito *m* banquet; feast; **~itto** *m* boarding-school

convivere *v/i* live together

convocare *v/t* convoke

convoglio *m* convoy; **~ fùnebre** funeral procession

convul|sione *f* convulsion; **~sivo** convulsive

cooper|are *v/i* cooperate; **~ativa** *f* cooperative society

coordin|are v/t coordinate; **~azione** f coordination

coperchio m lid; cover

copert|a f blanket; cover; naut deck; **~ina** f cover (of books); **~o** adj covered; fig masked; **~o** (table) cover; **~one** m tarpaulin; auto: tyre

copia f abundance; copy; specimen; **bella ~** fair copy; **~lèttere** m letter-book; copying-press

copi|are v/t copy; transcrible; **are qu** imitate s.o.; **lapis** m **~ativo** copying pencil; **~one** m scenario

copioso copious

coppa f cup; trophy

coppia f couple

copri|fuoco m curfew; **~re** v/t cover; **~tetto** m tile-layer

copulare v/t copulate; join

coraggio m courage; **~so** brave

corale m choral; **società** f ~ choral society

corall|aio m coral-dealer; **banco** m **~ifero** coral reef; **~o** m coral

corano m Koran

corazza f cuirass

corbell|aio m basket-maker; **~o** m basket

cord|a f rope; cord; string; chord; **~a vocale** vocal chord; **~aio** m rope-maker; **~ame** m cordage; naut rigging; **~ellina** f small cord; string

cordial|e hearty; **~ità** f cordiality

cordonare v/t surround; girdle

cordone m cordon; braid

Corea f Korea

coreografia f choreography

coriandoli m/pl confetti

coricarsi v/r lie down; go to bed; set (sun)

corista m, f chorus-singer; m tuning-fork

cornamusa f bagpipe

cornatura f antlers pl

còrnea f anat cornea

corn|eggiare v/t butt; **~etta** f cornet; bugle; aut hooter

cornice f frame; **~tta f per diapositive** slide frame

corniciare v/t frame

corno m horn; bump (head); corn (foot); **~ da scarpe** shoe-horn

coro m chorus

coron|a f crown; wreath; **~are** v/t crown; **~azione** f coronation

corp|etto m waistcoat; vest; **~o** m body; corps; **~orale** bodily; **~ulenza** f corpulence

corred|are v/t provide; equip (**di** with); **~o** m outfit; trousseau

corrègg|ere v/t correct; **~ersi** v/r amend

correlazione f coreelation

corrente adj running; flowing; f elec current; stream; fig trend; **~ alternata** alternating current; **~ continua** direct current; **~ d'aria** draught

córrere v/i run; flow; be

current (*money*); **~ in aiuto di qu** run to s.o.'s assistance; **~ pericolo** run a risk

corr|ettivo *adj* corrective; *m* corrective agent; **~etto** *f* correct; right; **~ezione** *f* correction

corridoio *m* corridor; passage; lobby

corr|iera *f* mail coach; **~iere** *m* courier; mail; **a volta ~iere** by return of mail

corris|pondente *m, f* correspondent; **~pondenza** *f* correspondence; **~póndere** *v/i* correspond; *v/t* allow; pay

corrivo rash; inconsiderate

corroborare *v/t* corroborate; strenghten

corródere *v/t* corrode

corrómpere *v/t* corrupt; bribe

corrugare *v/t* wrinkle; frown

corruttibile corruptible

corruzione *f* corruption

corsa *f* run; race; **cavallo m da ~** race-horse; **di ~** running

corsaro *m* corsair

corseggiare *v/t, v/i* privateer

corsetto *m* corset

corso *m* course; trend; *com* rate; **~ m, adj** Corsican

corte *f* court; **~ d'assise** court of assize; Court of General Sessions

corteccia *f* bark; crust

corteggi|amento *m* courtship; **~are** *v/t* court

cort|eggio *m*, **~èo** *m* procession; attendance; suite; **~eggio, ~èo fùnebre** funeral procession; **~ese** courteous; polite; **~esia** *f* politeness; **per ~esia** please; kindly

cortezza *f* shortness; **~ di mente** narrow-mindedness

corti|giano *m* courtier; flatterer; **~le** *m* courtyard

cortina *f* curtain

corto short; brief; *fig* short-witted; **tagliar ~** cut short; **tenersi ~** be brief

corvino jet-black

corvo *m* raven; crow

cosa *f* matter; thing; *(che)* **~?** what?; **qualche ~** something; **a che ~?** what for?; **di che ~?** of what?

coscetto *m* leg (*of lamb*)

coscia *f* thigh

coscien|te conscious; aware; **~za** *f* conscience; consciousness; **~zioso** scrupulous

coscri|tto *m* conscript; **~zione** *f* conscription; draft

così so; thus; **~ ~** not too bad

cosicché so that

cosiddetto so called

cosiffatto such

cosm|ètici *m/pl* cosmetics *pl*; **~òpoli** *f* metropolis

cospetto *m*: **al ~ di** in front of; facing

cosp|icuità *f* conspicuousness; **~ìcuo** prominent

cospir|are *v/i* conspire; **~a-zione** *f* plot

costa *f* rib; shore; coast

costà (over) there

costan|te constant; firm; **~za** f steadiness; firmness; perseverance

cost|are v/i cost; **~a molto** it's dear

costat|are v/t state; notice; **~azione** f statement

costeggiare v/t coast; skirt; naut sail along

costei she; her

costellazione f constellation

costern|are v/t dismay; **~ato** abashed; **~azione** f consternation

costì there

costiera f coast; shore

costip|ato constipated; having a cold; **~azione** f constipation

costit|uire v/t constitute; form; **~utore** m constitutor; **~uzione** f formation; pol constitution

costo m cost

còstola f rib

costoletta f cutlet; chop; **~ di maiale** pork chop

costoro those

costoso costly; dear; valuable

costringere v/t compel; force; constrain

costr|uire v/t build; **~uttivo** constructive; **~uttore** m constructor; **~uzione** f building; construction

costui he; him

costum|anza f custom; usage; **~ato** well-mannered

costum|e m usage; habit; costume; dress; **~e da ba-**

gno bathing suit; **cattivi (buoni) ~i** pl loose (good) morals pl

cote f whetstone

cotidiana daily

cotogna f quince

coton|e m cotton; **~erie** f/pl cotton goods pl; **~ificio** m cotton-mill

cotta f surplice; fig infatuation

còttimo m job-work; **lavorare a ~** work by the job

cov|a f brood; **~are** v/t brood; hatch; v/i smoulder (hatred)

cov|ile m couch; **~o** m den; lair

covone m sheaf

crampo m cramp

cranio m skull

cràpula f excess; debauch

crapulare v/i revel

cratère m crater

crauti m/pl **acidi** sauerkraut

cravatta f (neck-) tie

creanza f breeding; manners pl

creare v/t create; appoint

crea|to m universe; adj creating; **~tore** m creator; **~tura** f creature; **~zione** f creation

credente m eccl believer

credenz|a f pantry; sideboard; belief; com credit; **~iali** f/pl credentials; **~one** m credulous person

crédere v/t, v/i believe (**in** in); think

cred|ibile credible; **~ibilità** f credibility

crédito m credit; fig reputa-

tion; **méttere a ~** credit
cred|itore m creditor; **~o** m
faith; credo
crèdulo credulous
crema f cream; **~ caramella** custard; **~ da barba**
shaving cream; **~ solare**
suntan cream; **~ da scarpe**
shoe polish; **~ di gelato** ice-
cream; **~ per la pelle** skin
cream
crem|are v/t cremate; **~a-
toio** m, **~atorio** m crema-
tory; **~azione** f cremation
crèmisi m, adj crimson
cren(no) m horse-raddish
crepa f crack; fissure; **~cuo-
re** m heart-break
crep|are v/i crack; burst;
die; **~atura** f crack
crepit|are v/i crackle; **~io** m,
crèpito m crackling; rat-
tling
crepùscolo m twilight
crescendo mus growing
créscere v/i grow; increase
créscita f growth
crèsima f eccl confirmation
cresimare v/t confirm
cresp|a f wrinkle; crease; **~o**
adj crisp; m crape
cret|a f clay; **~àceo** clayey
cricche! bang!; **~iare** v/i
crack; **~io** m crackling
cricco m lifting-jack
criminale m, f, adj criminal
crimine m crime
criminoso criminal
crin|e m hair; **~iera** f mane;
~o m horsehair
cripta f crypt
crisi f crisis

cristall|ino crystalline; **~iz-
zare** v/t, v/i crystallize; **~o**
m crystal; (window-)pane
cristian|a f Christian; **~èsi-
mo** m Christianity; **~o** m,
adj Christian
Cristo m Christ
criterio m criterion; sense
crìtica f criticism; critique
criticare v/t criticize
crìtico adj critical; m critic
crivell|are v/t sift; riddle; **~o**
m sieve
croccante adj crisp; m almond cake
crocchett|a f meat-ball; cro-
quette; **~o** m small hook
crocchi|are v/t tap; v/i cluck
(hen)
croce f cross; **fare il segno
della ~** cross o.s.; **~fisso** m
crucifix; **~via** m cf **crocìc-
chio**
crocìata f crusade; **~iato** m
crusader; **~ìcchio** m cross-
road; rail junction; **~iera** f
cruise; **~ifìggere** v/t cruci-
fy; **~ifissione** f crucifixion;
~ifisso m crucifix
croll|are v/i collapse; v/t
shake; **~o** m breakdown;
crash
cromo m chrome
cromolitografìa f chromoli-
thography
cromosoma m chromoso-
me
cròn|aca f chronicle; re-
view; news; **~ico** adj chronic
cronista m, f reporter; **~o-
logìa** f chronology; **~òlogi-
co** chronological

---

crosciare v/i pelt; roar

crost|a f crust; med scab; **~ata** f pie

cruccc|iare v/t worry; vex; **~io** m worry; vexation; **~io-so** angry

cruciale crucial

cruciverba m cross-word; puzzle

crud|ele cruel; **~eltà** f cruelty

crudo crude; raw; harsh

crumiro m strike-breaker; scrab

cruna f eye of a needle

crusca f bran; freckles pl

cruscotto m instrument panel; dashboard

c. s. = come sopra as above

cùbico cubic

cubiforme cubiform

cubo adj cubic; m cube

cuccagna f, **paese m di ~** Utopia; fam Lubberland

cucchi|aino m tea-spoon; **~aio** m spoon; **~aione** m ladle

cuccia f dog's bed

cuccio m, **cùcciolo** m puppy

cucco m, **ù** cuckoo

cucin|a f kitchen; **libro m di ~a** cookery-book; **~are** v/i cook

cuc|ire v/t sew; **màcchina f da (per) ~ire** sewing machine; **~itrice** f seamstress; **~itura** f seam

cùculo m cuckoo

cuffia f cap; bonnet; thea prompter's box; radio: headphones

cugin|a f, **~o** m cousin

cui (to) whom; (to) which; **di ~** whose; **il ~ nome** whose name

culinaria f cookery

cull|a f cradle; **~are** v/t cradle

culminare v/i culminate

cùlmine m summit; top; climax

culo m posterior

culto m worship

cult|ore m cultivator; **~ura** f culture; refinement; **~ura-le** cultural

cumul|are v/t (ac)cumulate; **~azione** f accumulation

cùmulo m heap; pile

cùneo m wedge

cunetta f road-ditch; gutter

cunìcolo m underground passage

cuoc|a f, **~o** m cook

cuòcere v/t, v/i cook; bake; rost; fig vex

cuoi|aio m leather-seller; **~o** m leather

cuor|e m heart; **di (gran) ~e** (most) heartly; **stare a ~e** have a heart; **~i** m/pl playing-cards hearts

cupid|igia f, **~ità** f cupidity; greed

cùpido covetous; greedy

cupo dark; gloomy; sullen

cùpola f dome

cura f care; accuracy; med cure; treatment; **~ della bellezza** beauty culture; **~ del corpo** physical culture

cur|àbile curable; **~are** v/t take care of; med treat; **~ar-**

si v/r **di** qc mind s.th.
curia f court of justice
curios|ità f curiosity; **~o** curious; odd
curriculum m curriculum; **~ vitae** curriculum vitae
curv|a f curve; bend; v/t curve; **~arsi** bend; bow; **~o** bent; crooked

cuscinetto m **a sfere** ball bearing; **stato** m **~** buffer state
cuscino m cushion
custod|e m custodian; guardian; **~ia** f custody; case; **~ire** v/t guard; keep
cutàneo cutaneous
cute f skin

D

da from; at; to; by; since; at ...'s (house, shop); **vado dal mèdico** I am going to the doctor; **~ ieri** since yesterday; **tazza** f **~ té** tea-cup
dà he gives
dabbene upright
daccapo once more
dacché conj since
dad|o m die (pl dice); **giocare ai ~i** play at dice
dalia f dahlia
dama f lady; play draughts
damasco m damask
danese m, f, adj Danish
Danimarca f Denmark
dann|are v/t damn; **~azione** f damnation; fig plague; **~eggiare** v/t damage; harm; **~o** m damage; **~o della lamiera** bodywork damage; **~oso** harmful
dantesco Dantean
Danubio m Danube
danz|a f dance; **~are** v/t, v/i dance
dappertutto everywhere
dap|prima at first; **~princi-**

pio in the beginning
dardo m dart
dare v/t give; **~ il buon giorno** say good morning; **~ del tu** address familiarly (2nd pers sg); **darsi** v/r **a** qc devote o.s. to s.th.
dat|a f date; **~are** v/t, v/i date; **~o** adj given; **~o che** conj supposing that m datum (pl data); **~ore** m **di lavoro** employer
dàttero m date; date-tree
dattilograf|are v/t type (-write); **~ia** f typewriting
dattilògrafo m typist
dattiloscritto m type-script
davanti prep before; in front of; adv before; m front; fore part
davanzale m window-sill
davvero really; indeed
dazi|àbile dutiable; **~are** v/t lay duty on; **~o** m customs duty
d. C. = dopo Cristo after Christ
dea f goddess
debbo I must

debilitare v/t weaken
dèbito adj due; m debt; duty
debitore m debtor
débole weak; feeble
debolezza f weakness
decad|enza f decay; **~ere** v/i decay; decline
decano m dean
decapitare v/t decapitate
decennio m decade
decen|te decent; **~za** f decency
decesso m decease
decid|ere v/t, v/i, **~ersi** v/r decide; resolve; make up one's mind
decifrare v/t decipher; decode
decim|ale: sistema m **~ale** decimal system; **~are** v/t decimate
dècimo tenth
decina: una ~ about ten
decis|ione f decision; **~ivo** decisive; **~o** decided
declam|are v/t declaim; **~azione** f declamation
declin|are v/t, v/i decline; reject; **~azione** f declination; deviation; gram declension
declivio m slope
decoll|are v/i aer take off; **~o** m take off; departure
decomporre v/t decompose; dissolve
decor|are v/t decorate; **~azione** f decoration; badge of honour; **~o** m decorum; dignity
decrescenza f decrease
decréscere v/i decrease

decr|etare v/t decree; enact; **~eto** m decree
dèdica f dedication
dedicare v/t dedicate; devote; eccl consecrate
dèdito devoted; given (to)
dedizione f devotion; surrender
ded|urre v/t deduct; infer; **~uzione** f deduction
deferente deferential
defici|ente deficient; **~enza** f deficiency
dèficit m deficit
defin|ire v/t define; settle; **~itivo** conclusive; **~izione** f definition; settlement
deform|are v/t deform; disfigure; **~e** deformed; **~ità** f deformity
defraud|are v/t cheat; **~zione** f defrauding; deceit
defunto deceased
degener|are v/i degenerate; **~azione** f degeneration
degènere degenerate
degente bedridden
degli genitive pl m of the
degn|are v/t deem worthy; **~arsi** v/r deign; **~o** worthy; respectable
degradare v/t degrade
dei genitive pl m of the
deità f deity
del genitive sg m of the
delatore m spy; informer
deleg|are v/t delegate; **~ato** m delegate; deputy; **~azione** f delegation
delfino m dolphin
deliber|are v/t, v/i deliberate; resolve; **~ato** adj delib-

erate; decided; *m* resolution; **~azione** *f* deliberation

delic|atezza *f* delicacy; discretion; **~ato** delicate

delimitare *v/t* delimit

deline|amento *m* delineation; **~are** *v/t* sketch; outline

delinquen|te *m* delinquent; **~za** *f* delinquency

delìrio *m* delirium

delitto *m* crime

delizi|a *f* delice; delight; **~oso** delightful; delicious

dell', della, delle, dello of the

del|ùdere *v/t* delude; disappoint; **~usione** *f* delusion

demanio *m* state property

demarcare *v/t* trace the boundaries of

demen|te insane; **~za** *f* insanity

demeritare *v/t* forfeit

democràtico *adj* democratic; *m* democrat

democrazia *f* democracy

demolire *v/t* demolish; tear down

dèmone *m* demon; devil

demoralizzare *v/t* demoralize

denar|o *m* money; **~i** *pl* **contanti** ready cash

denomin|are *v/t* name; **~atore** *m* denominator; **~azione** *f* denomination

denot|are *v/t* denote; **~azione** *f* signification

dens|ità *f* density; **~o** dense; thick

dent|ario: nervo *m* **~ario** dental nerve; **~e** *m* tooth; *mech* cog; **~e artificiale** artificial tooth; **~e cariate** dental caries; **mal** *m* **di denti** toothache; **radice** *f* **del ~** root of a tooth; **strappare un ~** have a tooth extracted; **~iera** *f* set of artificial teeth; toothed gearing; **acqua** *f* **~ifricia** mouth water; **~ifricio, pasta** *f* **~ifricia** *m* tooth paste; **~ista** *m, f* dentist

dentro *prep* in; within; inside

denudare *v/t* strip; divest

denunci|a *f*, **denunzi|a** *f* denunciation; information; **~are** *v/t* denounce; report; **~are il rèddito** declare one's income; **~atore** *m* denunciator

deodorante *m* deodorant

deperire *v/i* perish; decay

depil|are *v/t* depilate; **~atorio** *m, adj* depilatory

deplor|are *v/t* deplore; **~èvole** deplorable

deporre *v/t* lay (down); put (down); depose; depone

deportare *v/t* deport

depositare *v/t* deposit

depòsito *m* deposit; warehouse; depot; **~ bagagli** cloak-room; luggage-office

deposizione *f* deposition; *eccl* Descent from the Cross

depressione *f* depression, dejection

deprezzamento *m* depreciation

deprìmere *v/t* depress

depurare *v/t* purify; cleanse
deputato *m* deputy
deragli|amento *m* derailment; **~are** *v/i* run off the rails
deridere *v/t* deride; laugh at
deriv|are *v/t, v/i* derive; **~azione** *f* derivation; *tel* extension
dermatologìa *f* dermatology
derogare *v/i* derogate; disregard
derubare *v/t* rob
descrìvere *v/t* describe; **~izione** *f* description
deserto *adj* uninhabited; desolate; *m* desert
desideràbile *adj* desirable; **~are** *v/t* desire; want; **~io** *m* desire; wish
designare *v/t* designate; nominate
desinare *v/i* have lunch; *m* lunch
desinenza *f* ending
desistere *v/i* desist
desol|are *v/t* desolate; distress; **~ato** *adj* desolate; distressed
dest|are *v/t* awaken; stir; **~arsi** *v/r* wake up
destin|are *v/t* destine; **~atario** *m* addressee; **~azione** *f* destination; **~o** *m* destiny
destitu|ìre *v/t* remove; **~zione** *f* dismissal
desto awake; *fig* alert
destra *f* right (hand), side); **a ~** on the right; **tenere la ~** keep to the right; *pol* conservative party; *naut* starboard

destrezza *f* dexterity; skill
destro right; clever
detergente *m, adj* detergent
deteriorare *v/t* deteriorate
determin|are *v/t* determine; **~arsi** *v/r* resolve (upon); **~ativo** determinative; **~azione** *f* determination
detestare *v/t* detest; loathe
detonazione *f* detonation
detr|arre *v/t* deduct; **~azione** *f* deduction; slander
detronizzare *v/t* dethrone; depose
dettagli|ante *m, f* retail dealer; **~ato** detailed; **~o** *m* detail; particular; **véndere al ~o** sell by retail
dettare *v/t* dictate
detto *adj* said; *m* saying
devastare *v/t* devastate
deve he must
devi|amento *m* rail derailment; **~are** *v/i* deviate; depart; **~azione** *f* deviation
devo I must
devot|ìssimo very truly (yours); **~o** devout; *eccl* pious
devozione *f* devotion; piety **di** of; from; **~ buon 'ora** early; **~ ferro** of iron; **io sono ~ Roma** I am from Rome; **~ giorno** by day; **soffrire ~** suffer from; **~ chi è questo libro?** whose book is this?; *comp* than
dì *m* day
diab|ete *m* diabetes; **~ètico** diabetic

diabòlico diabolic(al)

diàcono *m* deacon

diàfano transparent

diaframma *m* diaphragm

diàgnosi *f* diagnosis

diagnosticare *v/t* diagnose

diagonale diagonal

dialetto *m* dialect

dialogare *v/i* converse

diàlogo *m* dialogue

diamante *m* diamond

diàmetro *m* diameter

diàmine! the deuce!; the dickens!

diari|a *f* daily allowance; **~o** *m* diary

diarrea *f* diarrhoea

diàspora *f* diaspora

diàvolo *m* devil

dibàtt|ere *v/t* debate; argue; **~ersi** *v/r* struggle

dibattimento *m* debate; legal bearing

dibàttito *m* argument

diboscare *v/t* deforest

dice he says

dicembre *m* December

diceria *f* gossip; rumour

dichiar|are *v/t* state; declare; **~are ricevuta di** acknowledge receipt of; **~azione** *f* statement; **~azione doganale** customs declaration

diciamo we say

dico I say

didàttico didactic

diecina *f* about ten

dieta *f* diet; assembly

dietètica *f* dietetics *pl*

dietro after; behind; back

difèndere *v/t* defend

difensivo defensive

difesa *f* defence; protection; **legìttima ~** self-defence

difett|ivo defective; **~o** *m* defect; lack; **~o di qc** defect in s.th.; **~oso** imperfect

diffamare *v/t* defame; malign

differen|te different; **~za** *f* difference; **~ziare** *v/t* differentiate

differire *v/t* put off; *v/i* differ

difficile difficult

difficoltà *f* difficulty

diffid|a *f* warning; **~are** *v/t* warn; **~are** *v/i* **di qu** mistrust s.o.; **~enza** *f* suspicion

diffónd|ere *v/t* diffuse; spread; **~ersi** *v/r* expatiate

diffusione *f* spreading; *radio:* broadcasting; **~uso** widespread; diffuse

difterite *f med* diphteria

diga *f* dike; dam

dige|ribile digestible; **~rire** *v/t* digest; **~stione** *f* digestion; **~stivo** digestive; **disturbo** *m* **~stivo** digestive trouble

digiun|are *v/i* fast; **~o** fasting; hungry

dignit|à *f* dignity; **~oso** dignified

digrad|amento *m* descent by degree; **~are** *v/i* diminish; slope (down); *paint* shade off

digrassare *v/t* scour; skim

dilagare *v/i* inundate; spread

dilat|àbile dilatable; **~are**

v/t expand; **~azione** *f* dilatation

dilett|ante *m, f* amateur; **~are** *v/t* amuse; delight; **~arsi** *v/r* take delight (**di** in); enjoy; **~évole** pleasant

dilig|ente diligent; **~enza** *f* diligence; stage-coach

diluvi|are *v/i* rain in torrents; **~o** *m* deluge

dimagr|are, **~ire** *v/i* grow thin

dimenare *v/t* toss; shake

dimensione *f* dimension; size

dimentic|àggine *f* forgetfulness; **~anza** *f* inadvertence; **~are** *v/t* forget

dimétter|e *v/t* dismiss; remove; **~si** *v/r* resign; quit

dimezzare *v/t* halve

dimin|uire *v/t* diminish; (*prices*) reduce; **~utivo** *m, adj* diminutive

dimission|are *v/i* resign; **~e** *f* dismissal

dimor|a *f* residence; dwelling; **~ante** living; **~are** *v/i* reside; live

dimostr|are *v/t* demonstrate; show; **~ativo** demonstrative; **~azione** *f* evidence; demonstration

dinàmica *f* dynamics

dinamite *f* dynamite

dìnamo *f* dynamo

dinanzi *prep* in front of; *adv* before; in front; *m* frontpart

dinastìa *f* dynasty

dindo *m* turkey-cock

diniego *m* denial

dinosàuro *m* dinosaur

dintorn|o *prep* around; *adv* round about; *m* outline; **~i** *pl* surroundings *pl*

Dio *m* God; Lord; **gli dei** the gods; **grazie a ~!** thank God!; **per amor di ~** for God's sake

dipanare *v/t* wind off

dipart|imento *m* department; **~ire** *v/t* divide; **~irsi** *v/r* leave; **~ita** *f* departure

dipend|ente *adj* depending; *m* dependent; subordinate; **~enza** *f* dependence; dependency

dipèndere *v/i* (**da**) depend (upon)

dipingere *v/t* paint; *fig* depict

diploma *m* diploma

diplomàtico *adj* diplomatic; *m* diplomat

diplomazìa *f* diplomacy

dire *v/t* say; tell; **vale a ~** that is (to say); **voler ~** mean; **dico sul serio** I am talking in earnest

dir|ettìssimo *m* express train; **~etto** direct; straight; **treno ~etto** fast train; **~ettore** *m* director; manager; editor; principal; **~ettore d'orchestra** conductor; **~ettrice** *f* directress; headmistress; **~ezione** *f* dorection; management; **~ìgere** *v/t* direct; manage; aim; steem; **~ìgersi** *v/r* direct one's steps; **~igìbile** *adj* dirigible; *m* airship

dirimpetto (**a**) opposite;

facing

dir|itta f right (hand); **~itti** m/pl **d'autore** copyright; **~itto** adj straight; right; m right; law; **a ~ittura** downright; sheer

dirottamente excessively

dirup|ato steep; **~o** m precipice

disabitato uninhabited

disabituare v/t disaccustom

disaccordo m disagreement; discord

disadatto unfit (for)

disaffezionare v/t estrange

disagévole uneasy

disagi|ato uncomfortable; **~o** m discomfort

disappetenza f lack of appetite

disapprov|are v/t disapprove; **~azione** f disapproval

disarm|are v/t disarm; **~o** m disarmament

disar|monìa f disharmony; **~mònico** disharmonious

disastro m disaster; debacle; **~so** disastrous

disatten|to inattentive; **~zione** f inattention

disavanzo m deficit

disavvantaggi|are v/t place at a disadvantage; **~o** m disadvantage

disavventura f mishap

disborso m disbursement

discàrico m unloading

discendenza f descendance

discéndere v/i descend

discépolo m disciple; pupil

discèrnere v/t discern

discesa f descent; fall; **strada** f **in ~** downhill road

disciògliere v/t melt; dissolve

disciplina f discipline

disc|o m disk; discus; record; **~o microsolco** long-playing record; **~òbolo** m discus thrower

disconóscere v/t slight; repudiate

disc|ordanca f disagreement; **~ordia** f discord

disc|órrere v/i talk; chat; **~orso** m speech; talk

discost|are v/t remove; **~o** distant

discreto discreet; moderate; fair; **~ezione** f discretion

discrimin|are v/t discriminate; **~azione** f discrimination

discussione f discussion

discùtere v/t discuss; argue

disdegn|are v/t disdain; **~ato** angry

disdegno m contempt; scorn; **~so** scornful

disdetta f notice; fig misfortune

disd|ire v/t cancel; **~irsi** v/r contradict o.s.

disegn|are v/t draw; **~o** m drawing; design; fig intention; **~atore** m designer; draftsman

diseredare v/t disinherit

diser|tare v/t, v/i desert; **~tore** m deserter; **~zione** f disertion

dis|fare v/t undo; destroy; disassemble; **~fatta** f defeat

disfida f challenge

disgrazia f bad luck; accident; **per ~** unfortunately; **~to** adj wretched; unfortunate; m wretch

disgregare v/t disintegrate; dissolve

disgust|are v/t disgust; **~o** m disgust; **~oso** disgusting

disillusione f disappointment

disimparare v/t unlearn; forget

disinf|ettante m disinfectant; **~ettare** v/t disinfect; **~ezione** f disinfection

disinteressato disinterested

disinvolt|o free and easy; **~ura** f ease (of manners)

dismisura f excess

disobbedire = disubbidire

disoccupa|to out of work; unemployed; **~zione** f unemployment

disonest|à f dishonesty; **~o** dishonest

dison|orare v/t dishonour; **~ore** m disgrace; shame

disopra: al **~ di** above

disordinare v/t disorder; confuse

disórdine m disorder; litter

disotto under; beneath; **al ~ di** below

dispaccio m dispatch; telegram

disparere m dissension

dispari odd; uneven

disparire v/i disappear

disparte: in **~** aside; apart

dispendio m expense; **~so** costly

dispensa f distribution; exemption; pantry

dispensare v/t exempt

dispepsia f dyspepsia

disper|ar(si) v/i (v/r) di despair of; **~ato** desperate; **~azione** f despair

dis|pèrdere v/t disperse; break up; **~persione** f dispersion

dispetto m spite; vexation; **a ~ di** in spite of; despite; **~so** spiteful

dispiac|ente sorry; **~ere** v/i be sorry; mind; m regret; trouble; **mi ~e** I am sorry; **~évole** unpleasant

disponibile available

disp|orre v/t dispose (di of); arrange; **~osizione** f arrangement; disposition (a for); **méttere a ~osizione di qu.** place at s.o's disposal; **~osto** inclined (a to)

disprezz|are v/t despise; m contempt; scorn

disputa f dispute

disput|àbile questionable; **~are** v/i dispute; argue; **~arsi** v/r qc. contend for s.th.

dissenso m dissent

dissenteria f dysentery

disserrare v/t unlock

dissertazione f dissertation

disservizio m bad service

dissetare v/t quench one's thirst

dissid|ente adj dissenting; m dissident; **~io** m dissension

dissimile unlike

dissimul|are v/t dissemble; conceal; **~azione** f dissimulation

dissip|are v/t dissipate; squander; **~azione** f dissipation

dissociare v/t dissociate

dissol|ùbile dissoluble; **~uzione** f dissolution

dissolvente: **~** m **dello smalto** nail polish remover

dissòlvere v/t dissolve; decompose

dissomigli|ante unlike; **~anza** f unlikeness

disson|ante dissonant; **~anza** f dissonance; discord; **~are** v/i be out of tune

dissuadere v/t dissuade

distacc|amento m detaching; **~are** v/t detach; separate; **~o** m separation

dist|ante distant; far; **~anza** f distance; **~are** v/i be distant

distèndere v/t extend; stretch out

distensione f stretching; relaxation

distesa f extension

distillare v/t destill

distìnguere v/t distinguish

distinguìbile distinguishable

distint|a f list; note; **con ~i saluti** yours sincerely; **~o** distinct; distinguished

distinzione f distinction

distorsione f distortion

distr|arre v/t distract; divert; **~azione** f distraction

distretto m district; mili-

tare military district

distribu|ire v/t distribute; **~tore** m **automàtico** slot-machine; **~tore di benzina** petrol station; **~zione** f distribution; (mail) delivery

distr|ùggere v/t destroy; **~uzione** f destruction

disturb|are v/t disturb; **~o** m trouble; disturbance; **~i** m/pl **circolatori** circulatory disturbance

disubbid|iente disobedient; **~ienza** f disobedience; **~ire** v/i disobey

disugu|aglianza f inequality; **~ale** unequal

disumano inhuman

disunione f discord

dis|uso m disuse; **~ùtile** useless

dit|ale m thimble; finger-stall; **~o** m finger; **~o (del piede)** toe

ditta f firm; company

dittàfono m dictaphone

ditta|tore m dictator; **~tura** f dictatorship

diurno diurnal; daily

diva f famous singer; diva

divagare v/i ramble; digress

divano m divan; sofa

diven|ire v/i, **~tare** v/i become

di|vergenza f divergence; disagreement; **~vèrgere** v/i diverge; branch off

divers|ione f diversion; deviation; **~o** different

divert|ente amusing; **~imento** m amusement; hobby; recreation; **buon ~i-**

divertirsi

mento! have a good time!; **~irsi** v/r enjoy o.s.

divezz|are v/t wean; **~o** weaned

dividere v/t divide; separate

divieto m prohibition; **~ di parcheggio** no parking; **~ di sorpasso** no overtaking; **~ di sosta** no stopping

divin|are v/t foresee; foretell; **~ità** f divinity; **~o** divine; godlike

divis|a f motto; coat of arms; (hair) parting; uniform; **~e** f/pl foreign exchange; currency; **~ibile** divisible; **~ione** f division (mil); separation

divor|are v/t devour; eat up

divorzi|arsi v/r be divorced; **~o** m divorce

dizionario m dictionary

do I give

dobbiamo we must

doccia f shower

docente m, f teacher; lecturer

dòcile docile; submissive

docum|entare v/t document; **~entario** m documentary (film); **~entazione** f documentation; **~ento** m document; **~ento** m **personale** identification (paper); **~enti** m/pl **d'automobile** car documents

dodicèsimo twelfth

dogan|a f customs pl; costom-house; **soggetto a ~a** liable to duty; **controllo** m **~ale** customs examination; **guardia** f **~ale** cus-

toms agent; **~iere** m customs officer

dogli|a f pain; ache; **~anza** f complaint

dolc|e adj sweet; soft; mild; m sweetmeat; **~i** m/pl sweets pl

dolc|ezza f sweetness; mildness; **~ificare** v/t sweeten

doll|ente aching; grieved; **èssere ~ente** be sorry; **~ere** v/i ache; regret; **~ersi** v/r complain (**di** about)

dòllaro m dollar

Dolomiti f/pl Dolomites

dolor|e m pain; grief; sorrow; **~oso** painful; grievous

domanda f question; request; application

domandare v/t ask; demand; inquire; **~** a qu. ask s.o.; **~ di qu.** ask about s.o.; **~ un favore a qu.** ask a favour of s.o.; **~ perdono** beg pardon

domani tomorrow; **~ l'altro** day after tomorrow; **~ sera** tomorrow evening; **~ a otto** tomorrow week

domare v/t tame; subdue

domattina tomorrow morning

domènica f Sunday

do|mèstica f (house-)maid; **~mesticare** v/t tame; animale m **~mèstico** domestic animal

domicili|ato resident; **~o** m residence

domin|ante dominant; **~are** v/t dominate; **~io** m rule; dominion

don|are v/t give; present; **~atore** m donor; **~azione** f donation; gift

donde whence; from where

dondolare v/t, v/i rock; sway

dòndolo m pendulum

dondoloni, **(a ~)** idly

donna f woman; *(cardplaying)* queen; **~ di servizio** maid

dono m gift; present

donzella f maiden

dopo prep after; adv afterwards; **~domani** day after tomorrow; **~chè** since

dopo|guerra m post-war period; **~pranzo** m afternoon

doppi|are v/t double; film: dub; **~o** double; **~one** m duplicate

dor|are v/t gild; **~ato** gilt; golden

dòrico Doric; Dorian

dorm|iente sleeping; **~icchiare** v/i slumber; **~iglione** m sleepyhead; **~ire** v/i sleep; **~itorio** m dormitory

dors|ale: spina ~ f **~ale** backbone; spinal chord; **~o** m back

dos|are v/t dose; **~e** f dose

dosso m back

dot|are v/t endow; **~azione** f endowment; outfit; **~e** f dowry

dotto adj learned; m scholar

dottor|a f bluestocking; **~ grado** m **~ale** doctoral degree; **~e** (abbr dott.) m doctor; physician; **~essa** f

woman doctor

dottrina f doctrine; learning; eccl catechism

dove where

dover|e v/i ought to; have to; must; should; v/t owe; m duty; **~oso** dutiful

dovizi|a f abundance; **~oso** rich

dovunque wherever; anywhere

dovuto due; owing

dozzina f dozen

draga f dredge

drago, ~ne m dragon

dramm|a m drama; **~àtico** dramatic; **~aturgo** m playwright

drappeggiare v/t drape

dràstico drastic

drog|a f spice; drug; **~are** v/t spice; drug

droghe|ria f, m drug-store; chemist's shop; **~iere** m chemist

dubbio m doubt; **mèttere qc. in ~** doubt s.th.; **~so** doubtful; uncertain

dubit|àbile open to doubt; **~are** v/i doubt; distrust

duc|a m duke; **~hessa** f duchess

duce m (Fascist) leader

due two; **a ~ a ~** two by two; **tutt'e ~** both; **~ parole** a few words

duell|are v/i fight a duel; **~o** m duel

duetto m duet

duna f dune; down

dunque then; therefore; well

duomo *m* cathedral
duplic|are *v/t* double; duplicate; **~ato** *m* duplicate
dùplice twofold; double
duplo double
dur|ante during; **~are** *v/i*

last; hold out; **~ata** *f* duration; durability; **~ata di volo** flying time
durévole lasting
durezza *f* hardness; severity; **~o** hard; harsh; **~o d'orecchi** hard of hearing

E

e and; **e ... e ...** both
è he is; **(Lei) ~** *polite form* you are
èbano *m* ebony
ebbe he had
ebbene well then
èbbero they had
ebbi I had
ebr|àico Hebraic; Jewish; **~aismo** *m* Hebraism
ebre|a *f* Jewess; **~o** *m* Jew
ecc = **eccètera** et cetera
eccèdere *v/t* exceed; **~** *v/i* in qc. exaggerate s.th.
eccell|ente excellent; **~enza** *f* excellence; 2**enza** (*title*) Excellency
eccess|ivo excessive; **~o** *m* excess; intemperance
eccètera and so forth
eccett|o except(ing); **~o te** except you; **~uare** *v/t* except
eccez|ionale exceptional; **~ione** *f* exception; **per ~ione** exceptionally
eccit|ante *adj* exciting; *m* stimulant; **~are** *v/t* excite; stimulate; stir; **~azione** *f* excitement; excitation
ecclesiàstico *adj* clerical; *m* clergyman

ècco look here; here is (are); **~mi** here I am; **~lo** here he is; **èccoti il tuo libro** here you have your book
echeggiare *v/i* echo; resound
eco *f* echo
eco|nomìa *f* economics *pl*; economy; thrift; **fare ~nomìa** save; **~nomìa politica** economics; **~nòmico** economic(-al); thrifty; **~nomista** *m*, *f* economist; **~nomizzare** *v/t* economize; save
econòmo *m* treasurer; bursar
eczema *m* eczema
ed = **e** (*before vowels*)
èdera *f* ivy
edìcola *f* news-stand; kiosk
edificare *v/t* build (up)
edifi|cio *m*, **~zio** *m* building; edifice
edit|ore *m* editor; publisher; **casa** *f* **~rice** publishing house
editto *m* edict
editoriale editorial
edizione *f* edition
educ|are *v/t* bring up; educate; **~ato** well-bred; **~a-**

zione f education; training; manners

effervescente effervescent

effett|ivo real; actual; **~o** m effect; com **~o cambiario** bill of exchange; **fare un grande ~o** create a sensation; **mandare ad ~o, ~uare** v/t carry out

effic|ace effective; **~acia** f efficacy; effectiveness

effici|ente efficient; **~enza** f efficiency

effig|(i)e f effigy; image

effòndere v/t pour out

effusione f effusion; shedding

Egitto m Egypt

egiziano m, adj Egyptian

egli he

ego|ismo m selfishness; **~ista** m, f ego(t)ist; adj selfish

egregio distinguished; ♀ **signore!** Dear Sir!

eguagli|amento m equalization; **~anza** f equality; **~are** v/t make equal

eguale equal; alike

elabor|are v/t work out; **~atezza** f elaborateness

elasticità f elasticity

elàstico m, adj elastic

elefante m elephant

eleg|ante elegant; smart; **~anza** f elegance

elèggere v/t elect; appoint (**a** to)

element|are elementary; **scuola ~entare** elementary school; **~ento** m element; **~enti** pl principles pl

elemòsina f alms pl

elemosinare v/i beg for alms

elenco m list; catalogue; inventory; **~ degli indirizzi** address directory; **~ telefònico** telephone directory

elett|a f choice; selection; **~o** chosen; **~ore** m elector; **~rice** f electress

elettricista m electrician

elettricità f electricity

elèttrico electric(al)

elettr|izzare v/t electrify; **~izzazione** f electrization

elettro m amber; **~domèstici** m/pl electric household appliances; **~motrice** m railcar; **~tècnica** f electrical engineering; **~tècnico** m electrical engineer

elev|are v/t raise; lift; **~atezza** f loftiness; nobleness; **~ato** elevated; fig noble; **~azione** f elevation

elezione f election

èlica f screw; propeller

elicòttero m helicopter

elimin|are v/t eliminate; **~azione** f elimination; exclusion

ella she

elmo m helmet

elogi|are v/t praise; **~o** m praise; eulogy

eloqu|ente eloquent; **~enza** f eloquence

eman|are v/i emanate; **~azione** f emanation

emancip|are v/t emancipate; **~azione** f emancipazione

embargo m embargo
emblema m emblem; badge
embrione m embryo
emergenza f emergency
emèrgere v/i emerge
emèrito emeritus
eméttere v/t emit; give out
emicrania f headache
emigr|ante m,f emigrant; **~are** v/i emigrate; **~ato** m refugee; **~azione** f emigration
emin|ente eminent; **~enza** f eminence; **Sua ~enza** (title) His (Your) Eminence
emisfero m hemisphere
emiss|ario m emissary; **~ione** f emission; **banca f di ~ione** bank of issue
emoglobina f hemoglobin
emorragia f hemorrhage
emorròidi f/pl hemorrhoids pl
emostàtico styptic; staunching
emozione f emotion
émpiere, empire v/t fill (up)
empio impious; wicked
empírico empirical
emporio m trade-centre
emulare v/t emulate
encefalite f encephalitis
enciclopedia f encyclopaedia
endovenoso intravenous
energia f energy; **~ nucleare** nuclear energy
enèrgico energetic; vigorous
ènfasi f emphasis
enigma (enimma) m rid-

dle; **~àtico** enigmatic
enorme enormous; huge
ente m **per il turismo** tourist bureau; tourist office
entrambi both
entrare v/i enter; go in; fig meddle
entrata f entrance; admittance; income
entro within; in
entusi|asmare v/t enrapture; **~asmo** m enthusiasm; rapture; **~àstico** enthusiastic
enumer|are v/t enumerate; **~azione** f enumeration
èpic|a f epic; **~o** epic(al)
epidemia f epidemic
epidèmico epidemic(al)
epidèrmide f epidermis; skin
epìgrafe f inscription
epilessia f epilepsy
episcop|ale episcopal; **~ato** m episcopate
epìstola f letter; epistle
epitaffio m epitaph
època f epoch
eppure and yet; and still
equ|atore m equator
equi|àngelo equiangular; **~librare** v/t balance; equilibrate; **~librio** m equilibrium; balance; **~nozio** m equinox
equipaggi|amento m equipment; **~are** v/t equip; naut fit out; **~o** m crew
equità f equity
equivalente equivalent
equìvoco adj equivocal; m misunderstanding

equo equitable; fair

era[1] f era; age

era[2] he was; she was; it was

èrano they were

eravamo we were; **te** you were pl

erba f grass; herb; **accia** f weed; **e** f/pl herbs pl; vegetables pl; **ivéndolo** m greengrocer

erede m heir; f heiress; **ità** f inheritance; **itare** v/t inherit; **itario** hereditary

eremita m hermit; **itaggio** m hermitage

eresia f heresy

erètico sdj heretical; m heretic

erezione f erection

ergàstolo m penitentiary

eri you were (sg)

erigere v/t erect; found; **ersi** v/r pretend to be

ermellino m ermine

ermètico hermetic; airtight

ernia f hernia; **cinto** m **a-rio** truss

ero I was

eroe m hero; **oico** heroic(al); **oina** f heroine; **oismo** m heroism

érpice m harrow

errare v/i rove; err; **ore** m error; mistake

erta f steep ascent; **stare all'** be on one's guard

erto steep

erudito adj learned; m scholar; **izione** f learning

eruttare v/t eject (lava); v/i belch

eruzione f eruption (volca-

no); rash

esagerare v/t exaggerate; **azione** f exaggeration

esalare v/t, v/i exhale; **a-zione** f exhalation

esaltato exalted; exultant

esame m examination; **i-nare** v/t examine

esangue bloodless

esattezza f exactitude; **o** exact

esaudire v/t grant

esaurire v/t exhaust; wear out

esca f bait; fig allurement

esce he (she) goes out

esclamare v/i exclaim; **a-zione** f exclamation; cry; **punto d'azione** exclamation mark

esclùdere v/t exclude

esclusione f exclusion; **i-vamente** exclusively; **ivo** exclusive

esco I go out

escoriare v/t excoriate

escursione f excursion; trip

esecutore m executor; ~ **(testamentario)** executor (of a will)

esecuzione f execution; thea performance

eseguìbile executable; **ire** v/t execute; perform

esempio m example; **per ~** for instance

esemplare adj exemplary; m pattern; copy

esente exempt; immune; ~ **da dogana** duty-free

esèquie f/pl obsequies pl; funeral

eserc|ire v/t carry on; run; **~itare** v/t exercise; practise; **~itazione** f practise; drill

esèrcito m army

esercizio m exercise

esib|ire v/t exhibit; offer; **~zione** f exhibition; display

esig|ente exigent; **~enza** f exigence; need

esigere v/t require

esiguo scanty

esili|are v/t exile; **~o** m exile

esistenza f existence; life

esistere v/i exist

esitare v/i hesitate

èsito m issue; result

esòfago m oesophagus

esorbitante exorbitant

esortare v/t exhort

esoso odious

esòtico exotic

espàndere v/t expand

espans|ibile expansible; **~ione** f expansion; **~ivo** expansive; fig effusive

espatriare v/i emigrate

espediente m expedient; device

espèllere v/t expel; eject

esper|ienza f experience; **~imentare** v/t experience; try; **~imento** m experiment

esperto adj experienced; m expert

espi|are v/t expiate; atone for; **~atore** m expiator; **~zione** f expiation

espilazione f swindling

espir|are v/i breathe out; **~azione** expiration

esplicito explicit

esplòdere v/t shoot; v/i explode

esplor|are v/t explore; investigate; **~atore** m explorer; **~azione** f exploration

esplosi|one f explosion; fig outburst; **~vo** explosive

esponente m exponent

esporre v/t expose; display

esport|are v/t export; **~azione** f export(ation)

esposimetro m light-meter

esposizione f exposition; show

espress|ione f expression; **~ivo** expressive; **~o** adj explicit; m special delivery; express train; (**caffè**) **~o** express coffee; **per ~o** by express

esprimere v/t express; utter

espropri|are v/t expropriate; **~azione** f expropriation

espugnare v/t conquer

espulsione f expulsion

ess|a she; **~e** f/pl they

essènza f essence; gasoline; **~iale** adj essential; m main point

èssere v/i be; **~ di qu.** belong to s.o.; m being

essi m/pl they

esso he; it

est m east; **all'~ di** east of

èstasi f ecstasy; rapture

estasiarsi v/r be enraptured

estate m summer

estemporàneo unprepared

estènd|ere v/t extend; **~ersi** v/r stretch

esten|sione f extension; ~si-
vo extensive

estenuare v/t extenuate;
weaken

esteriore m, adj exterior

esterminare v/t extermi-
nate

esterno adj external; m outside

èster|o adj foreign; external;
ministro m degli (affari)
~i Foreign Secretary;
Secretary of the State; m
foreign country; all'~o
abroad

estètic|a f aesthetics; ~o
aesthetic(al)

èstimo m valuation

est|inguere v/t extinguish;
~inguersi v/r die (out)

estintore m fire-extinguish-
er

estivo estival; summer ...

estradizione f extraction

estràneo adj strange; m
stranger

estr|arre v/t extract; draw
(lots); ~atto m extract; abstract; ~atto di conto state-
ment of account

estr|emità f extremity; end;
~emo extreme

estroverso m extrovert

esuberante exuberant

èsule m exile

esultare v/i rejoice

età f age; ~ massima maximum age

ètere m ether

etern|ità f eternity; ~o eter-
nal; in ~o for ever

ètica f ethics

etichetta f label; etiquette

èttaro m hectare (2.47 acres)

ett|o m hectogram; ~òlitro m
hectolitre

Europ|a f Europe; 2eo m,
adj European

eucalitto m eucalyptus

eunuco m eunuch

eutanasia f euthanasia

E. V. = Eccellenza (Emi-
nenza) Vostra

evacu|are v/t evacuate; ~a-
zione f evacuation

evàdere v/t dispatch; v/i escape

evangelista m evangelist

evaporarsi v/r evaporate

evasione f evasion; escape

evento m event

eviden|te obvious; ~za f evi-
dence; clearness

evitare v/t avoid

evviva! hurrah! long live

extra extra

F

F = freddo (on water taps)
cold

fa he (she) does; 3 anni ~ 3
years ago

fàbbrica f factory

fabbric|ante m manufac-

turer; ~are v/t manufac-
ture; build; ~ato m make;
building; ~atore m manu-
facturer; ~azione f manu-
facture

fabbro m (blacks)smith; ~

ferraio locksmith
faccenda f business; matter
facchinaggio m rail porterage; fig drudgery
facchino m porter
faccia f face; appearance; **di ~** opposite; **~mo** we do; **~ta** f facade; front
faccio I do
fac|eto witty; **~ezia** f joke; witticism
fàcile easy; **~ a crèdere** credulous
facil|ità f facility; **~itare** v/t facilitate; **~itazione** f facility
facol|tà f faculty; authority; **~tativo** optional
facond|ia f eloquence; **~o** eloquent
fascimile m fasimile
faggio m beech(-tree)
fagiano m pheasant
fagi|olini m/pl French beans; **~uolo** m bean
fagotto m bundle; mus bassoon
falcat|o hooked; **luna** f **~a** sickle moon
falce f scythe; sickle
fal|ciare v/t mow; **~ciatore** m mower; **~ciatrice** f mowing-machine
falco m hawk; **~ne** m falcon
fald|a f fold; layer; (snow) flake; (hat) brim; geog slope; **~oso** in flakes
falegn|ame m carpenter; **~ameria** f carpentry
fall|ìbile fallible; **~imento** m bankruptcy; failure; **~ire** v/i fail; go bankrupt; **~ito**

unsuccessful; **~o** m fault
senza ~o without fail
fals|amonete m forger; **~are** v/t alter; forge; **~ariga** f sheet of ruled paper
falò m bonfire
falsific|are v/t adulterate; **~azione** f falsification
fals|ità f falsity; **~o** false; counterfeit
fama f fame; reputation
fame f hunger; **aver ~** be hungry
famigli|a f family; familiar; acquainted; **~arità** f familiarity
famoso famous
fanale m lamppost; lighthouse; auto: (head)light; **~e òttico** headlight flasher; **~e posteriore** m taillight; **~i** m/pl **d'arresto** stoplight
fanalino m **di posizione** auto: parking light; **~ stop** stop light
fanàtico adj fanatic(al); m fanatic
fanatizz|are v/t fanaticize
fanciull|a f girl; maiden; **~ezza** f childhood; **~o** m young boy
fanfara f fanfare
fang|o m dirt; mud; **~hi** m/pl mud-bath; **~oso** muddy
fant|asia f fancy; imagination; **di ~asia** fancy; **~asma** m phantom; ghost; **~asticare** v/i fancy; day-dream; **~asticheria** f daydream; **~àstico** fantastic
fante m mil infantryman; **~eria** f infantry; **~ino** m

jockey
fardello m burden
far|e v/t make; do; **~e a meno di** go without; **~e finta di** pretend to; **~e il mèdico** be a physician; **~e il pieno** refuel; **~si** v/r become; **sul ~si del giorno** at daybreak
farfalla f butterfly
farin|a f flour; **~ata** f porridge
faringite f pharyngitis
farinoso floury; mealy
farmac|**ia** f pharmacy; **~ista** m, f chemist; pharmacist
faro m light; lighthouse; **~ (abbagliante)** full (headlight) beam
farsa f farce
fascetta f corset
fasci|a f band; swaddle; **sotto ~a** under cover; **~are** v/t wrap; bandage; swaddle; **~atura** f surg dressing
fascicolo m issue; number (of a periodical)
fascinare v/t fascinate
fàscino m charm; fascination
fascio m bundle; **andare in ~** go to pieces
fascis|**mo** m fascism; **~ta** m, f, adj fascist
fase f phase; stage
fast|**idio** m annoyance; trouble; **dare ~idio a qu.** give trouble to s.o.; **~idioso** tiresome
fasto m pomp
fat|a f fairy; **~ale** fatal; **~alità** f fatality; **~are** v/t bewitch

fatic|a f labour; trouble; **~are** v/i toil; **~arsi** v/r exert s.o.; **~oso** fatiguing; hard
fato m fate; destiny
fatto adj done; m deed; fact; act(ion); **sul ~** in the very act; **di ~** in fact
fatt|**ore** m factor; creator; **~oria** f farm; homestead; **~orino** m messenger (boy); **~ura** f invoice; bill
fàtuo fatuous; silly
fausto happy; lucky
fautore m favourer
fàvola f fable
favol|**oso** fabulous
favore m favour; kindness; **per ~** please; **fare un ~** do a favour; **prezzo** m **di ~** special price
favor|**eggiare** v/t favour; **~évole** favourable; **~ire** v/t favour; **~ito** adj favoured; m favourite
fazzoletto m handkerchief; **~ da collo** neckerchief; **~ di carta** tissue handkerchief
febbraio m (abbr febb) February
febbr|e f fever; **~icitante** feverish; **~ile** febrile
fècola f starch
fecond|**ità** f fertility; **~o** fertile
fede f faith; belief; wedding-ring; **prestar ~** give credit (to); **~le** faithful; **~ltà** f faithfulness; allegiance
fèdera f pillow-case
feder|**ale** federal; **~ato** federate; **~azione** f federation
fégato m liver; fig courage

fel|ice happy; **~icità** f happiness

felicit|are v/t congratulate; **~azione** f congratulation

felpa f plush

feltro m felt

felza f gondola's cabin

fémmina f biol female

femmin|esco womanly; womanish; **~ile: scuola** f **~ile** school for girls

fèmore m thigh

fèndere v/t cleave; split

fenditura f cleft

fènico carbolic

fenicòttero m flamingo

fenòmeno m phenomenon

feri|a f holiday; **~e** f/pl vacation; **~ale: giorno** m **~ale** working day

fer|ire v/t wound; hurt; **~ita** f wound; **~ita di taglio** cut; **~ito** adj wounded; injured; m wounded person

ferma! stop!

fermaglio m clip; brooch; **~ dentario** brace

ferm|are v/t, v/i stop; arrest; fix (a on); **~arsi** v/r stop; halt; **~ata** f **a richiesta,** **~ata facoltativa** optional stop; **~ata obbligatoria** obligatory stop; **~ata obbligatoria** obligatory stop; so-journ; mus pause

ferment|are v/i ferment; **~azione** f fermentation

fermezza f firmness; steadiness

fermo firm; steady; still; **terra** f **~a** land; **per ~o** positively; **~o posta** poste restante

fer|oce wild; ferocious; **~o-cia** f ferocity

ferraio m blacksmith

ferr|ame m iron ware; **~are** v/t shoe; **~o** m iron; tool; horseshoe; **~o da stiro** flat-iron; **ai ~i** gast grilled; roasted

ferrovìa f railway; railroad; **~ sotterrànea** underground railway; tube

ferroviere m railway-man

fèrtile fertile

fertil|ità f fertility; **~izzare** v/t fertilize

fèrvere v/i be fervent

fèrvido fervid; ardent

fervore m fervour

fessura f fissure; crack

fest|a f holiday; feast; **buone ~e** f/pl happy holidays; **~a nazionale** public holiday; **~a religiosa** festive day

fest|eggiare v/t celebrate; **~ival** m festival; **~ivo, ~oso** festive; **giorno ~ivo** holiday

feto m foetus

fetta f slice

feudalismo m feudalism

fiaba f dairy tale

fiacc|are v/t break down; tire out; **~hezza** f lassitude

fiàccola f torch

fiamm|a f flame; blaze; naut pennant; **~eggiare** v/i flame; **~ifero** m match

fianc|are v/t support; **~o** m side; flank; **di ~o a** beside; abreast of

fiaschetterìa f wine-shop

fiasco m bottle; fig fiasco;

failure

fiat|are *v/i* breathe; **~o** *m* breath; **senza ~o** *fig* speechless; **tutto d'un ~o** all in one breath

fibbia *f* buckle

fibr|a *f* fibre; **~oso** fibrous

fico *m* fig(-tree)

fidanz|amento *m* betrothal; engagement; **~are** *v/t* betroth; **~arsi** *v/r* become engaged; **~ata** *f* fiancée; **~ato** *m* fiancé

fid|are *v/i* confide; trust; **~arsi** *v/r* **di qu.** rely upon s.o.; **~arsi di fare qc.** dare to do s.th.

fido *adj* faithful; *m* credit

fiducia *f* confidence; trust

fiele *m* gall; **vescica del ~** gall-bladder

fien|agione *f* hay-harvest; **~o** *m* hay

fiera *f* wild beast; fair; **~ campionaria** industrial exhibition

fier|ezza *f* fierceness; pride; **~o** fierce; proud

figgere *v/t* fix; stick

figli|a *f* daughter; **~astra** *f* step-daughter; **~astro** *m* step-son; **~occia** *f* god-daughter; **~occio** *m* god-son; **~uola** *f* daughter; **~uolo** *m* son

figura *f* figure; shape

figur|abile imaginable; **~are** *v/t* represent; **~arsi** *v/r* imagine; suppose; **~ato** figurative

fila *f* line; row; **fare la ~** queue up; **in ~ indiana** in

Indian file

filanda *f* spinning-mill

filàntropo *m* philantropist

filare *v/t* spin; *v/i* run

filatelìa *f* philately

filetto *m* fillet

film *m* film; **~ giallo** mystery movie; **~ a colori** coloured picture; **~ muto** silent film; **~ sonoro** sound-film; **girare un ~** shoot a film

filo *m* thread; yarn; **~ conduttore** lead-in-wire; **~ da cucire** sewing-cotton; **~ di ferro** iron (*or* steel) wire

filobus *m* trolley-bus

filòlogo *m* philologist

filoso stringy

filosofìa *f* philosophy

filòsofo *m* philosopher

filtr|are *v/t* filter; strain; **~o** *m* filter

filugello *m* silk-worm

filza *f* string; file

final|e final; *f* finality; purpose; **~mente** finally; at last

finanz|e *f/pl* finances; **~iare** *v/t* finance; **~iario** financial

finché until; as long as

fine *adj* fine; thin; *m* purpose; *f* end; **in ~** at last

finestr|a *f* window; **~ino** *m* small window

finezza *f* daintiness; politeness

fing|ere *v/t*, *v/i* pretend; simulate; **~ersi** *v/r* feign

finire *v/t* finish; end

fino *adj* fine; thin; *prep* until; **~ a** till; up to; as far

as; ~ **a quando?** how
long?; ~ **da** ever since; ~
dove? how far?

finocchio m fennel

finora up to now

fint|a f feint; ~o feigned;
false; pretended

fiocc|are v/i snow; ~o m
knot; (snow-)flake

fiocina f harpoon

fioco weak

fior|aio m florist; ~e m flower-
er; ~entino m Florentine;
~icultura f floriculture;
~ire v/i blossom; bloom; fig
flourish; ~itura f bloom

Firenze f Florence

firm|a f signature; ~are v/t
sign; ~atario m signer

fisarmònica f accordion

fischi|are v/i whistle; v/t
hoot down; ~erellare v/i,
v/t whistle softly; ~o m
whistle; hiss

fisco m exchequer

fisic|a f physics pl; ~o adj
physical; m physicist; anat
physique

fisioterapia f physiotherapy

fiss|aggio m fixing-bath;
~are v/t fix; determine;
~are qu. stare at s.o.; phot
fix

fisso fixed; firm; steady

fitt|a f stitch; ~e f/pl **al
fianco** stitches in the side;
~o adj thick; dense; m rent;
~izio fictitious

fiume m river; fig flow

fiutare v/t sniff; smell

flagell|are v/t scourge;
whip; ~o m scourge

flagrante flagrant; **in** ~ (be
caught) in the very act

flanella f flannel

flaut|ista m, f flutist; ~o m
flute

flemmàtico phlegmatic

fless|ibile flexible; ~ione f
flexion; ~uoso supple

flirtare v/i flirt

flòrido flourishing

floscio flabby

flotta f fleet; ~ **aèrea** air-
fleet

flùido fluid; fluent

fluire v/i flow

flusso m flux; naut flood-
tide; med discharge

flutt|o m wave; ~uare v/i
fluctuate; float

fluviale fluvial

fobia f phobia

foca f seal

focaccia f cake

foce f river-mouth

fochista m fireman

focol|aio m, ~are m fire-place

focoso fiery

fòdera f lining; cover

foderare v/t line

fòdero m sheath (sword)

fogli|a f leaf; ~a laminata
foil; ~ame m foliage; ~o m
sheet (paper)

folata f puff; ~ **di vento** gust
of wind

folclore m folklore

folgorare v/i flash

fólgore m thunderbolt

folla f crewd; throng

follare v/t press

foll|e adj mad; m madman;
~ia f madness

folto adj thick; m thickness

fomentare v/t foment; fig excite

fondaccio m dregs pl

fondament|ale fundamental; **~o** m foundation; ground; **le ~a** pl foundations pl

fond|are v/t found; establish; **~arsi** v/r rely on; **~tore** m founder; **~azione** f foundation

fóndere v/t, v/i melt; (ore) smelt

fond|erìa f foundry; **~itore** m caster

fondo adj deep; m bottom; background; com fund; naut **dar ~** come to anchor; **a ~** thoroughly

font|ana f fountain; **~e** f source

forare v/t pierce; drill

foratura f puncture

fòrbici f/pl scissors pl; **~ per le unghie** nail scissors

forbire v/t polish; clean

for|ca f (hay-)fork; **~cella** f (bicycle-)fork; **~chetta** f fork; **~cina** f hairpin

forense forensic

foresta f forest

forestiero adj foreign; m foreigner

forma f form; shape; mould

formaggio m cheese; **~ grattugiato** grated cheese

form|ale formal; **~alità** f formality; **~are** v/t form; **~ato** m shape; size; **~azione** f formation; **~ella** f block; briquette

formic|a f ant; **~aio** m ant-hill

formidàbile dreadful

fòrmula f formula

formul|are v/t formulate; **~ario** m formulary

forn|aio m baker; **~ello** m kitchen stove; **~ello a spìrito** spirit-stove

forn|ire v/t supply; **~irsi** v/r provide o.s. (di with); **~itore** m tradesman; **~itura** f supply; equipment

forno m oven

foro m hole; law-court; forum

forse perhaps

forte strong; hard; **parlare ~** speak aloud

fort|ezza f strenght; fortress; **~ificare** v/t strengthen; fortify; **~ificazione** f fortification

fortùito accidental

fortun|a f fortune; luck; **~tamente** fortunately; **~to** lucky

forùncolo m boil; furuncle

forz|a f strength; force; **le ~e** f/pl the (armed) forces; **~are** v/t force; compel

fòsforo m phosphorus

foss|a f pit; ditch; **~to** m ditch

fossetta f dimple

foste you were (pl)

fosti you were (sg)

fotocromìa f chromophotography

fotogènico photogenic

fotograf|are v/t photograph; **~ìa** f photography

fotògrafo m photographer

fototipìa f phototypy

fra among; between; within; **~ di noi** between ourselves; **~ poco** soon

fracasso m uproar

fradicezza f rottenness

fràdicio soaked; rotten

fràgile brittle; fragile

fràgola f strawberry

fragor|e m crashing noise; **~oso** noisy

fragr|ante fragrant; **~anza** f fragrance

fraintèndere v/t misunderstand

frammento m fragment

fran|a f landslide; **~are** v/i collapse

francare v/t stamp (letter)

francese adj French; m Frenchman

franch|ezza f frankness; **~i-gia** f free postage

Francia f France

franco adj free; outspoken; m franc; **~ svizzero** Swiss Franc; **~bollo** m stamp

frangenti m/pl breakers pl

fràngere v/t break; crush

frangetta f fringe

frant|oio m oil-press; **~u-mare** v/t shatter; smash; **~umi** m/pl splinters

frase f phrase; gram sentence

fràssino m ash-tree

frastornare v/t divert; interrupt

frastuono m noise

frate (abbr **fra**) m friar

fratell|anza f brotherhood; **~astro** m step-brother; **~o**

m brother

fratern|ità f fraternity; **~o** brotherly

frat|tanto meanwhile; nel **~tempo** m meantime; **frata d'un osso** fracture of a bone; **~ura** v/t fracture

fraudare v/t defraud

frazion|are v/t divide; split; **nùmero** m **~ario** fractional number; **~e** f fraction

freccia f arrow; **~ di direzione** auto: direction-indicator

fredd|arsi v/r become cold; **~o** adj cold; m cold; **aver ~o** be cold; **far ~o** be cold (weather); **~oloso** chilly

freg|agione f friction; **~are** v/t rub; fig cheat; **~arsene** not to care a rap

frèm|ere v/i quiver; **~ito** m shudder

frenare v/t restrain; v/i apply the brake

freno m bridle; restraint; mech brake; **~ a disco** disc brake; **~ a mano** handbrake; **~ a pedale** footbrake; **~ d'allarme** emergencybrake; **~ ad aria compressa** air brake; **~ contropedale** backpedalling brake

frequ|entare v/t frequent; **~ente** frequent; **~enza** f attendance

freschezza f freshness

fresco adj fresh; cool; m coolness

frett|a f haste; **in ~a e furia** in a hurry; **~oloso** hurried

friggere v/t fry

frigorifero m refrigerator

fringuello m (chaf)finch

fritt|ata f omelet; **~ella** f fritter; pancake; **~o** fried; **~ura** f fry

frivolo frivolous

frizione f friction; rubbing; *auto* clutch

frod|are v/t cheat; defraud; **~atore** m swindler; **~e** f fraud; **~o** m smuggling; **~olento** fraudulent

froge f/pl nostrils pl

froll|are v/t soften; **~o** tender

fronte f forehead; m (also mil) front; **di ~** opposite; in comparison (with)

front|iera f frontier; **~one** m pediment

frugare v/t search

frull|are v/t whisk; **~ino** m whisk

frum|ento m wheat; **~entone** m corn

frust|a f whip; **~are** v/t whip

frustrazione f frustration

frutt|a f fruit; **le ~a** f/pl dessert; **~a cotta** stewed fruit; **~are** v/t, v/i bear fruit; pay; **~eto** m orchard; **àlbero** m **~ifero** fruit-bearing tree; **~ivéndolo** m fruiterer; **~o** m fruit; **~i** m/pl fruits pl; **~i di mare** marine products; **~uoso** fruitful

fu he was

fucil|are v/t shoot; **~ata** f shot; **~e** m gun; rifle

fucin|a f smithy; forge; **~are** v/t forge

fuga f escape; flight

fugg|évole fleeting; fugitive; **~ire** v/i flee

fui I was

fulgente shining

fuliggine f soot

fuligginoso sooty

fulminare v/i lighten

fùlmine m lightning

fum|aiuolo m chimney-pot; **~are** v/t, v/i smoke; **~atore** m smoker; **scompartimento** m **per (non) ~atori** (non-) smoking-compartment

fumett|o m comic strip; **giornalino a ~i** comic book

fummo we were

fum|o m smoke; **~oso** smoky

fune f rope

fùnebre funeral; **carro** m **~** hearse; **messa** f **~** funeral mass

funerale m funeral

fungo m mushroom; fungus

funicolare f cable-railway

funivia f cable-railway

funzion|are v/i function; work; **~ario** m official

fuoc|o m fire; **~hi** m/pl **d'artificio** fireworks

fuori out(side); **~ di** out of; beyond; **di ~** from outside

fuoruscito m pol exile

furbo sly

furgoncino m utility van

furgone m van; freight-car

furi|a f fury; rage; hurry; **~bondo**, **~oso** furious

fùrono they were

furto m theft; robbery

fuscello m twig

fusibile m elec fuse
fusione f melting; cast; fig fusion

fuso m spindle
fusto m shaft; cask
futuro adj coming; m future

G

gabardine f gabardine
gabbia f cage; naut top-sail
gabbiano m sea-gull
gabella f tax; duty
gabinetto m cabinet; closet
gaggia f acacia
gagliardo vigorous
gai|ezza f gaiety; **~o** gay
galantuomo m gentleman
galeotto m galley-slave; convict
galera f galley; jail
galla f gall; **noce f di ~** oak-apple
galleggiare v/i float
galleria f gallery; tunnel; arcade
gàllico Gallic
gallin|a f hen; **~accio** m turkey-cock; **~aio** m vendor of cocks
gallo m cock
gallone m stripe; gallon
galoppare v/i gallop
galvànico galvanic
gamba f leg
gàmbero m crayfish
gambo m stalk; stem
gamma f gamut; range
gancio m hook
gànghero m hinge
gara f competition; match; race; **~ finale** the Cup Final
garage m garage
garan|te m guarantor; **~zìa** f guaranty

garb|are v/i please; suit; **~ato** polite; **~o** m politeness; grace
garbuglio m confusion
gareggiare v/i compete
gargar|ismo m gargle; **~izzare** v/i gargle
garòfano m carnation; **chiodi** m/pl **di ~** clove
garzone m shop-boy; apprentice
gas m gas; **~òmetro** m gasometer; **~osa** f sparkling drink
gastrite f gastritis
gastronomìa f gastronomy
gatt|a f (she-)cat; **~ino** m kitten; **~o** m (tom)cat; **~opardo** m leopard
gazza f magpie
gazzetta f newspaper
G. C. = Gesù Cristo
gel|are v/i, **~arsi** v/r freeze; be frozen; **~ata** f frost; **~atèria** f ice-cream parlour; **~atina** f gelatine; jelly
gelato adj frozen; m ice-cream; **~ di fràgola** strawberry ice-cream; **~ di frutta** sundae
gèlido icy
gel|o m frost; cold; **~one** m chilblain
gel|osìa f jealousy; Venetian blind; **~oso** jealous (**di** of)
gelso m mulberry(-tree);

∼mino m jasmin

gemell|o m, adj twin; **∼i** m/pl twins pl; (cuff-) links pl

gèm|ere v/i groan; moan; **∼ito** m moaning

gemma f gem

gener|ale general; **∼alità** f/pl personal data pl

gener|are v/t generate; **∼atore** m generator; **∼azione** f generation

gènere m gender; kind; sort; paint genre; **in ∼e** generally; **∼i** m/pl **alimentari** foodstuffs

gènero m son-in-law

gener|osità f generosity; **∼oso** generous

genetlìaco m birthday

gengiva f gum

geni|ale bright; ingenious; **∼o** m genius

genitivo m genitive

genitori m/pl parents

gennaio m January

Gènova f Genoa

gente f people; **c'è ∼** there is s.o.

gentil|e gentle; kind; **∼e (∼issima) signora!** (dear) madam!; **∼ezza** f kindness; **∼uomo** m nobleman

genuin|ità f genuineness; **∼o** genuine

genziana f gentian

geo|grafia f geography; **carta ∼gràfica** map

geometria f geometry

gerànio m geranium

ger|ente m manager; **∼enza** f management

gergo m slang

gerla f basket

Germània f Germany; **2ico** Germanic; German

germe m germ; **∼inare** v/i germinate; **∼ogliare** v/i sprout; **∼oglio** m sprout

gess|are v/t plaster; **∼ino** m plaster figure; **∼o** m chalk; plaster; sculpture: plaster cast

gest|ione f management; **∼ire** v/i gesticulate; manage; **∼o** m gesture

Gesù m Jesus

gesuita m Jesuit

gett|are v/t throw; **∼o** m throw; (steam-)jet; **∼one** m counter; token

gheriglio m (nut-)kernel

ghiacc|iaia f ice-box; **∼aio** m glacier; v/t freeze; **∼ata** f iced drink; **∼o** adj icecold; m ice

ghiaia f gravel

ghianda f acorn

ghign|are v/i grin; **∼ata** f sneer

ghindare v/t hoist

ghiott|o gluttonous; fig greedy; **∼oneria** f delicacy

ghirigoro m flourish frills

ghirlanda f garland

ghiro m dormouse

ghisa f cast-iron

già already; formerly

giacca f jacket; **∼ a maglia** cardigan; **∼ di pelle** leatherjacket

giacché since; as

giacchetta f jacket

giacere v/i lie (down)

giacinto m hyacinth

giada f jade

giaguaro m jaguar

gial|astro yellowish; **~o** yellow

giammai never

Giappone m Japan; **?se** m, f, adj Japanese

giardin|aggio m gardening; **~iera** f woman-gardener; flower-stand; **~iere** m gardener; **~o** m garden; **~o d'infanzia** kindergarten; **~o d'inverno** winter garden; **~i** m/pl **pùbblici** public parks

gigant|e m, adj giant; **~esco** gigantic

giglio m lily

gilè m waistcoat

gin m gin

ginecòlogo m gynaecologist

ginepr|a f juniper-berry; **~o** m juniper

ginestra f genista

ginn|asio m gymnasium; grammar school; **~àstica** f gymnastics pl

ginocchio m knee; **stare in ~** kneel; **~ni** kneeling

giocare v/t play; v/i gamble; **~ ai dadi** (play) dice; **~ alle carte, al biliardo** play cards, billiards; **~ d'azzardo** gamble; **~ di danaro** gamble for money

gioc|atore m player; **~àttolo** m toy

gioco m game; play

gioc|ondità f mirth; **~ondo** cheerful

giogo m yoke

gioia f joy

gioi|elliere m jeweller; **~ello** m jewel; **~elli** m/pl jewel(le)ry

giorn|alaio m newsagent; **~ale** m newspaper; diary; **~ale radio** newscast; **~aliero** daily; **~alista** m, f journalist

giornata f day's work; day's wages

giorno m day; **~ feriale** weekday; workday; **~ festivo** holiday; **sul far del ~** at daybreak; **al ~** daily; **buon ~!** good morning!; **l'altro ~** the other day; **di ~** by day

giostra f tournament; merry-go-round

gióvane adj young; m young man

giovan|etto m boy; **~ile** juvenile; **~otto** m young man

giovare v/i be of use

giovedì m Thursday

gioventù f youth

gioval|e jolly; **~ità** f joviality

giovinezza f youth

giràbile transferable

giradischi m record-player

giraffa f giraffe

gir|are v/t turn; v/i go about; **mi gira la testa** my head spins; **~ata** f turn; com endorsement

girell|a f revolving disk; **~are** v/i stroll about

giro m turn; tour; walk; **prendere in ~** make fun of; **~ turistico** sightseeing trip

gita f trip; excursion

gitante m, f excursionist

giù down; below; downstairs; **in ~** downstairs
giubb|a f jacket; coat; **~etto** m di salvataggio life-jacket
giubil|are v/i exult; v/t pension off; **~azione** f retirement
giùbilo m joy
giudic|are v/t judge; **~ato** m judgement
giùdice m judge
giudizio m judgement; opinion; common sense
giugno m June
giument|a f mare; **~o** m beast of burden
giunco m rush; reed
giùngere v/i reach; v/t join; **~ a qc.** arrive at s.th.
giunt|a f surplus; addition; **per ~a** in addition; **~are** v/t join; sew together; **~o** m joint
giuoco = gioco
giuramento m oath; **~ falso** perjury
giurare v/t, v/i swear
giur|ìdico juridical; legal; **~ista** m, f jurist
guista according to
giust|ezza f justness; **~ificare** v/t justify; **~ificazione** f justification; **~izia** f justice; **~o** adj right; lawful; m just man
gl' (before vowel) **= gli**
glaciale icy; **oceàno** m **~** polar sea
gladìolo m gladiolus
glàndola f gland; **~ salivale** salivary gland
glauco sea-green; **~ma** m

glaucoma
gli article m/pl the; pron pers him; it
glicerina f glycerin(e)
globale total
globo m globe; ball; earth; **~ oculare** eyeball; **~so** globose
gloria f glory
glori|are v/t praise; **~arsi** v/r pride o.s.; **~ficare** v/t glorify; **~oso** glorious
glossa f gloss
glòttide f anat glottis
glucòsio m glucose
glùtine m gluten; glue
glutinoso glutinous
gnoc|co m dumpling; fig simpleton; **~chi** m/pl small dumplings
gobb|a f hunch; **~uto** adj hunchbacked; m hunchback
goc|cia f drop; **~ce** f/pl **per il naso** nose drops
gòcciola f drop
gocciolare v/i drip
godere v/t enjoy
godimento m enjoyment; use (of)
goffo clumsy
gola f throat; gorge; **~ del camino** flue; **mal** m **di ~** sore throat
golf m golf; sweater
golfo m gulf; bay
goloso adj gluttonous; m glutton
gómena f cable; rope
gómito m elbow; fig bend; crank
gomìtolo m ball of a thread

gomm|a f gum; rubber; tire; **~a di scorta** spare tire; **~a lacca** shellac; **~apiuma** f foam rubber; **~a senza càmera d'aria** tubeless tire; **~ato** gummed; **~oso** gummy

góndola f gondola

gondoliere m gondolier

gonfi|are v/t inflate; swell; **~arsi** v/r swell; **~atura** f, **~ezza** f swelling; fig exaggeration; **~o** swollen; fig conceited

gonn|a f, **~ella** f skirt

gonorrea f gonorrhea

gonzo m simpleton

gorg|o m whirlpool; **~ogliare** v/i gurgle; purl

gorilla m gorilla

gòtico Gothic

gotta f gout

gotto m goblet

gottoso gouty

govern|ante f nurse; governess; **~are** v/t govern; naut steer; **~arsi** v/r control o.s.; **~ativo** governmental; **~atore** m governor; **~o** m government; administration; naut steering

gozzo m crop; med goitre

gracchi|a f crow; **~are** v/i croak

gracidare v/i croak

gràcile delicate

gradazione f gradation

grad|évole pleasant; **~evolezza** f pleasantness; **~imento** m approval

grad|ino m step; **~ire** v/t welcome; like; appreciate;

~ito agreeable; welcome

grado m degree; rank; **di buon ~** with pleasure; **èssere in ~ di** be able to; **di ~ in ~** step by step; **mio mal ~** against my will

graduazione f graduation

graffi|are v/t scratch; **~o** m scratch

grafite f graphite

gramaglia f mourning clothes pl

gramm|a m, **~o** m gram(me)

gramm|àtica f grammar; **~àtico** grammatical; **~òfono** m grammophone

gran = **grande**

gran|a f grain; **~aio** m barn; granary; **~ata** f broom; grenade; pomegranate; **~ato** m garnet

Gran Bretagna f Great Britain

granchio m crab; cramp; fig mistake; **~lino** m small crab; fig blunder

grand|e great; big; **gran tempo** m long time; **~ezza** f greatness

grandin|are v/i hail; **~ata** f hail-storm

gràndine f hail

grand|iosità f grandiosity; **~oso** grandiose

granduc|a m Grand Duke; **~ato** m Grand Duchy

gran|ello m grain; seed; **~so** seedy; **~o** m wheat; corn; grain

granocchia f frog

granturco m (Indian) corn; maize

grapp|a f brandy; clamp; **∼ino** m brandy

gràppolo m bunch; cluster

grass|ello m bit of fat; lime; **∼o** adj fat; leshy; m fat; grease

grassoccio plump

grat|a f grate; **∼ella** f grill; **∼iccio** m trellis work; **∼icola** f gridiron; **∼icolare** v/t grate

gratificare v/t gratify

gratis free; gratis

gratitùdine f gratitude

grato grateful; agreeable

grattacielo m skyscraper

gratt|are v/t scratch; scrape; **∼ino** m eraser; **∼u-gia** f grater

gratùito gratuitous; free

gravare v/t burden; weigh (on)

grave heavy; serious; **∼ezza** f heaviness; sadness

gràvida pregnant

grav|idanza f pregnancy; **∼ità** f gravity; **∼itazione** f gravitation; **∼oso** irksome

grazi|a f gracefulness; grace; **∼e** f/pl thanks pl; **∼e!** thank you!; **∼e tante** many thanks; **∼oso** gracious; lovely

Grec|ia f Greece; **∼o** m, adj Greek

gregge m herd; flock

greggi|o m raw; **materia** f ∼a raw material

gremb|iale (**∼iule**) m apron; **∼o** m lap; bosom

grem|ire v/t fill; **∼ito** crowded

greppia f crib; manger

gretto stingy; mean

grid|are v/i shout; scream; **∼io** m shouting; **∼o** m cry; scream

grifagno ravenous; wild

grifo m snout; **∼ne** m griffin

grigio grey

griglia f grate; grill

grignolino m Piedmontese claret

grill|are v/i simmer; **∼o** m cricket

grinfia f claw; talon

grinz|a f wrinkle; ripple; **∼o-so** wrinkled

grond|aia f gutter; **∼are** v/i drip; gush

gross|a f gross; **∼ezza** f size; bigness; **∼ista** m wholesaler; **∼o** big; thick; heavy; with child; **mare** m ∼o rough sea; **∼olano** coarse

grotta f grotto

groviera f Gruyere (cheese)

gru f crane (also mech); mech derrick

gruccia f crutch

grugn|ire v/i grunt; **∼o** m snout

gruma f tartar (of wine)

gruppo m group

grùzzolo m hoard; savings pl

guadagn|are v/t earn; win; **∼o** m earnings pl; gain

guadare v/t wade across

guai! woe!; **∼** m/pl troubles pl

guaio m mishap; trouble; moaning

gualcire v/t crumple

guanci|a f cheek; **∼ale** m

pillow

guanto *m* glove

guarda|barriere *m* gate-keeper; **~boschi** *m* forester; woodman; **~caccia** *m* gamekeeper; **~coste** *m* coast guard; **~freni** *m* brakesman

guard|are *v/t* look at; watch; guard; look after; **~arsi** *v/r* beware

guarda|roba *f* wardrobe; **~robiera** *f* cloak-room attendant

guardia *f* guard; watchman; *mil* sentry; policeman; **~no** *m* guardian; caretaker; **~forestale** forester; **~** ambulance station; **~ notturna** night watchman

guar|ibile curable; **~igione** *f* recovery; cure; **~ire** *v/i* recover; *v/t* cure

guarn|igione *f* garrison; **~ire** *v/t* adorn; equip

guastare *v/t* spoil

guasto *adj* spoiled; out of order; **orologio** *m* **~** broken

clock; **~** *m* **al motore** motor trouble; **~ al cambio** gearbox trouble

guazz|are *v/t* ford; *v/i* wallow; **~etto** *m* stew; ragout

guercio squint-eyed

guerr|a *f* war; **~eggiare** *v/i* wage war; **~iero** *adj* warlike; *m* warrior

gufo *m* owl

guglia *f* spire

guid|a *f* guide; guidebook; directory; guidance; **~a alpina** alpine guide; **~a di conversazione** phrasebook; **~a telefònica** telephone directory; **~àbile** amenable; **~are** *v/t* lead; guide; drive

guidoslitta *f* bobsled

guisa *f* manner; way; **di ~ che** so that

guizzare *v/i* flash

guscio *m* shell; pod

gust|are *v/t* taste; relish; **~o** *m* taste; **~osità** *f* tastiness; **~oso** tasty

H

ha he (she, it) has; **(Lei) ~** *forma di cortesia* you have; **hai** you have (*sg*); **hanno** they have

hangar *m* hanger; shed

hascisc *m* hashish

ho I have

hobby *m* hobby

hockey *m* hockey

hostess *f* stewardess

I

i *article m/pl* the

ìbrido hybrid

Iddìo *m* God

idea *f* idea; notion; **avere**

l'idea di fare qlc have the intention of doing s.th.

idèntico identical

ideologìa *f* ideology

idìllico idyllic; **~o** m idyll
idioma m idiom; **~àtico** idiomatic
idiota m, f idiot
idolatrare v/t idolatrize; **~atria** f idolatry
ìdolo m idol
idoneità f fitness
idòneo fit; qualified
idrante m hydrant
idràulico adj hydraulic; m plumber
idròfobo hydrophobic; **~geno** m hydrogen
idromotore m hydromotor; **~plano** m hydroplane; **~terapia** f hydrotherapy
ieri yesterday; **~ l'altro** day before yesterday; **~ mattina** yesterday morning
igiene f hygiene; hygienics pl
igiènico hygienic(al)
ignaro ignorant
ignavo lazy; sluggish
ignorante ignorant; **~anza** f ignorance; **~are** v/t ignore
ignoto unknown
il article m the
ilare cheerful
ilarità f hilarity
illécito illicit
illegale illegal
illegìbile illegible
illegìttimo illigitimate; unlawful
illimitato unlimited
illùdere v/t deceive
illuminare illuminant; gas m **~ante** illuminating gas; **~are** v/t illuminate; fig enlighten; **~azione** f illu-

mination
illusione f illusion; **~usorio** illusory
illustrare v/t illustrate; elucidate; make famous; **~azione** f illustration; **~e** illustrious; famous; (letter) **~e signore, illustrìssimo signore** Dear Sir
imballaggio m wrapping; **~are** v/t pack
imbalsamare v/t embalm; (animals) stuff
imbandierare v/t flag
imbarazzare v/t obstruct; embarrass; **~ato** embarrassed; **~o** m embarrassment; obstacle
imbarcadero m wharf; pier; **~are** v/t ship; **~arsi** v/r embark; **~azione** f boat; **~o** m embarkation; landingstage
imbarilare v/t barrel
imbastire v/t baste; tack; **~itura** f tacking
imbàttersi v/r: **~ in qu** run across s.o.
imbecille adj foolish; m imbecile
imbellettare v/t paint (the face); **~ire** v/t embellish
imbiancare v/t whiten; bleach; whitewash; v/i become white; **~hino** m whitewasher
imbitumare v/t tar
imboccare v/t feed; suggest; enter; **~atura** f mouthpiece; mouth (river)
imborsare v/t pocket
imboscata f ambush

imbott|are v/t put in barrels; **~igliare** v/t bottle (up); **~ire** v/t pad; stuff; **~itura** f padding

imbrodare v/t soil

imbrogli|are v/t entangle; muddle (up); swindle; **~o** m tangle; swindle; **~one** m swindler

imbronci|are, **~re** v/i pout

imbrunire v/i grow dark

imbucare v/t post (letter)

imbuto m funnel

imit|àbile imitable; **~are** v/t imitate; **~azione** f imitation

immacolato immaculate

immagin|àbile imaginable; **~are** v/t, **~arsi** v/r imagine; fancy; **~azione** f imagination

immàgine f image

immancàbile unfailing

immane huge; ruthless

immatricol|are v/t matriculate; register; **~azione** f registration

immaturo immature; early (death)

immedi|ato immediate; **~tato** unpremeditated

immens|ità f immensity; **~o** immense; huge

immèrg|ere v/t immerse; soak; **~ersi** v/r plunge

immeritato undeserved

immigr|ante m, f, adj immigrant; **~are** v/i immigrate; **~azione** f immigration

immischiarsi v/r meddle; interfere

immissione f letting in; introduction

immòbile motionless; immovable

immoderato immoderate

immodest|ia f immodesty; **~o** immodest

immondizi|a f sweepings pl; **bidone** m **delle ~e** dustbin; garbage-box

immoral|e immoral; **~ità** f immorality

immort|ale immortal; **~alità** f immortality

immoto motionless

immune immune; free

immut|àbile unchangeable; **~ato** unaltered

impaccare v/t wrap up

impacci|are v/t hinder; embarrass; **~o** m impediment; embarrassment

impacco m packing; wet compress

impadronirsi v/r get hold (of)

impagàbile invaluable

impagliare v/t cover with straw

impalcatura f ceiling; scaffold(ing)

impallidire v/i turn pale

impannare v/t line with cloth

imparagonàbile incomparable

imparare v/t learn

impareggiàbile incomparable

ìmpari uneven; odd

imparità f imparity

imparziale impartial

impassìbile impassive

impastare v/t knead; paste

impaurire v/t frighten

impazien|te impatient; eager; **~tirsi** v/r get impatient; **~za** f impatience

impazzire v/i go mad; go crazy

impeccàbile faultless

imped|imento m hindrance; drawback; **~ire** v/t prevent; obstruct

impegn|arsi v/r engage o.s.; **~o** m engagement; commitment

impenetràbile impenetrable; fig inscrutable

impenn|are v/t cover with feathers; **~arsi** v/r rear

impens|àbile unthinkable; **~ato** unexpected; **~ierito** uneasy

imperativo m, adj imperative

impera|tore m emperor; **~trice** f empress

imperdonàbile unforgivable

imperf|etto adj imperfect; m imperfect (tense); **~ezione** f imperfection

imperiale adj imperial; m (car-)top

imperizia f lack of skill

impermeàbile adj impermeable; water-, air-tight; water-proof; m rain-coat

impermutàbile unchangeable

impero m empire; rule

impersonale impersonal

impertin|ente impertinent; **~enza** f impertinence

imperturbàbile imperturbable

impestare v/t infect

ìmpeto m vehemence

impetuoso vehement; violent

impiant|are v/t plant; found; **~ito** m floor; **~o** installation; plant; **~o d'accensione** ignition plant; **~o elèttrico** electric plant; **~o lavacristallo** (wind)-screen washer; **~o radio** wireless plant

impiccare v/t hang

impicciare v/t obstruct; embarrass

impiccinire v/t make smaller; v/i grow smaller

impìccio m hindrance

impieg|àbile employable; **~are** v/t employ; **~ato** employed; m employee; **~o** m employment

impietrire v/t, v/i petrify

impiombare v/t seal; (tooth) fill

implac|àbile unrelenting; **~abilità** f implacability; ruthlessness

implacidire v/t appease

implor|are v/t implore; **~azione** f imploration

impolver|are v/t cover with dust; **~arsi** v/r get dusty

impon|ente imposing; **~enza** f impressiveness

imp|orre v/t impose; **~orsi** v/r be overbearing

import|ante important; **~anza** f importance; **~are**

v/t import; *v/i* be necessary; **non importa** it does not matter; **~atore** *m* importer; **~azione** *f* import (-ation); **~o** *m* amount

importun|are *v/t* bother; **~o** importunate; annoying

imposs|íbile impossible; **~ibilità** *f* impossibility

impost|a *f* tax; duty; *(window)* shutter; **~are** *v/t* mail *(letter)*; state *(problem)*

impot|ente powerless; impotent; **~enza** *f* impotence

impoverire *v/t* impoverish

pratic|àbile impracticable; **~hirsi** *v/r* practise

imprec|are *v/i* curse; **~azione** *f* imprecation

impreciso inexact

impres|a *f* enterprise; **~ario** *m* contractor; manager

impression|àbile susceptible; **~are** *v/t* impress; **~e** *f* impression

prèstito *m* loan

imprevisto unforeseen

imprigionare *v/t* imprison

imprimere *v/t* impress; (im-)print

improb|àbile unlikely; **~abilità** *f* improbability

impront|a *f* impression; mark; **~a digitale** fingerprint; **~are** *v/t* mark; **~o** importunate

improprio unbecoming

improvvis|are *v/t* improvise; **~o** sudden; **all' ~o** all of a sudden

imprud|ente imprudent; rash; **~enza** *f* imprudence

impud|ente impudent; **~enza** *f* impudence

impugn|àbile impugnable; **~are** *v/t* seize; impugn

impuls|ivo impulsive; **~o** *m* impulse

impun|e, **~ito** unpunished

impunt|are *v/i* stumble; **~arsi** *v/r* be obstinate; **~ato** obstinate; **~ire** *v/t* quilt; **~uale** unpunctual; **~ualità** *f* unpunctuality; **~itura** *f* stitching

impuro impure

in in; to; **~ Italia** in (to) Italy; **~ italiano** in Italian; **andare ~ treno** go by train

in... *(prefix with often negative meaning)* un...

inàbile unable; unfit

inaccessìbile inaccessible

inaccettàbile unacceptable

inademp|íbile unrealizable; **~imento** *m* unfulfilment

inal|are *v/t* inhale; **~azione** *f* inhalation

inalterato unaltered

inamidare *v/t* starch

inammissìbile inadmissible

inappellàbile final

inappetenza *f* lack of appetite

inapprezzàbile invaluable

inappuntàbile irreproachable

inargentare *v/t* silver-plate

inaridire *v/t* dry up; wither

inarrivàbile unattainable

inaspettato unexpected

inattendìbile unreliable

inatt|ento unattentive; **~en-zione** f carelessness

inatteso unexpected

inatt|ività f inactivity; **~ivo** inactive

inatto unapt

inattuàbile impracticable

inaudito unheard of

inaugur|are v/t inaugurate; **~azione** f inauguration; opening

inavvert|enza f inadvertence; **~ito** unnoticed

incalcolàbile incalculable

incalorire v/t heat; warm

incalzare v/t pursue; fig urge

incanalare v/t canalize

incandescente incandescent

incant|are v/t charm; **~évole** enchanting; **~o** m charm; enchantment; auction; **véndere all'~o** sell by auction

incap|ace incapable (**di** of); **~acità** f incapacity

incarcerare v/t imprison

incaric|are v/t entrust (**di** with); charge; **~arsi v/r di qc** take s.th. upon o.s.

incàrico m task; charge

incarn|are v/t embody; **~a-tino** adj flesh-coloured; m fresh complexion

incart|are v/t wrap (in paper); **~o** m documents pl; **~occiare** v/t put in a paper-bag

incasellare v/t file

inc|assare v/t encase; (money) collect; **~asso** m

takings pl; collection

incastonare v/t set

incatenare v/t chain

incatramare v/t tar

incauto incautious

incav|are v/t hollow out; **~a-to** hollow

incendi|are v/t set fire to; **~ario** m incendiary; **~o** m fire; conflagration

incener|imento m incineration; **~ire** v/t incinerate

incens|are v/t incense; **~iere** m thurible; **~o** m incense

incerato m tarpaulin

inc|ertezza f uncertainty; **~erto** uncertain; insecure

incessante unceasing

incettatore m forestaller

inchiesta f inquiry

inchin|are v/t incline; **~arsi** v/r bow; **~o** m bow

inchiodare v/t nail

inchiostro m ink

inciamp|are v/i stumble; **~o** m obstacle

incid|entale incidental; **~ente** m incident; **~ente stradale** road accident

incìdere v/t incise; med lance; engrave; fig penetrate

incinta pregnant

incipriare v/t powder

incirca: all'~ approximately

incisione f incision; **~ in legno** wood-cut; **~ in rame** copperplate engraving

incisore m engraver

inciv|ile uncivilized; uncivil; **~ilire** v/t civilize

inclem|ente stern; severe;

~enza f severity
inclin|àbile inclinable; **~are**
v/t, v/i incline; **~ato** in-
clined; bent; **~azione** f in-
clination
incl|ùdere v/t include; en-
close; **~usa** f enclosure; **~u-
sivamente**, **~usive** inclu-
sively
incoerente inconsistent
incògnito unknown
incollare v/t glue; stick
incol|orarsi v/r (take on)
colour; **~ore** colourless
incolp|are v/t accuse; incul-
pate; **~azione** f accusation;
~évole innocent
incolto incultured; un-
cultivated
in|cómbere v/i be incum-
bent (on); **~combustìbile**
incombustible; **~combu-
sto** unburnt
incominciare v/t, v/i begin
(a with); start
incommutàbile unalter-
able
incomod|are v/t disturb;
~arsi v/r trouble o.s.; **non
si incòmodi!** don't trouble
(yourself)!
incòmodo uncomfortable
imcomparàbile matchless
incompatìbile incompat-
ible
incompetente incompetent
incompiuto unfinished
incomprensìbile incom-
prehensible
incon|cepìbile inconceiv-
able; **~ciliàbile** irreconcilable

inconfortàbile inconsolable
inconsapévole unaware
inconscio m, adj un-
conscious
inconseguenza f incon-
sequence
inconsiderato inconsiderate
inconsolàbile inconsolable
inconsueto unusual
incontent|àbile insatiable;
~abilità f insatiability
incontestato uncontested
incontrare v/t meet
incontro m encounter;
match; adv towards; **all'~**
on the contrary
inconveni|ente incon-
venient; **~enza** f incon-
venience
inconvincìbile inconvin-
cible
incoragg|iamento m en-
couragement; **~iare** v/t encourage; **~iarsi** v/r take
courage
incorniciare v/t frame
incoron|are v/t crown; **~a-
zione** f coronation
incorporare v/t incorporate
incorr|eggìbile incorri-
gible; **~ettezza** f incorrect-
ness; **~etto** incorrect; **~otto**
incorrupt; **~utìbile** incor-
ruptible
incosciente unconscious
incost|ante fickle; **~anza** f
inconstancy; **~ituzionale**
inconstitutional
incredìbile incredible
incrèdulo incredulous
incremento m increase

increspare v/t ripple; frown

incrociare v/t cross; **~atore** m naut cruiser; **~o** m crossing; cross-breeding

incrollàbile unshakeable

ìncubo m nightmare

incùdine f anvil

incuràbile incurable

incurvare v/t bend

indagare v/t investigate

indàgine f inquiry; research

indebitarsi v/r get into debt; **~ato** indebted

indebolire v/t weaken

indecente indecent; **~enza** f indecency

indecisione f indecision; **~iso** undecided

indefinito indefinite

indegnità f unworthiness; **~o** unworthy; worthless

indelicato indelicate; unscrupulous

indenne unharmed; **~ità** f indemnity; **~izzare** v/t indemnify; **~izzo** m indemnity

indescrivìbile indescribable

indeterminato vague; indetermined

India f India

indiano Indian

indicare v/t indicate; **~ativo** m, adj indicative; **~atore** m indicator; **~azione** f indication

ìndice m index; forefinger; mech hand

indicìbile unspeakable

indietreggiare v/i withdraw; **~o** back; behind;

all'~o backwards

indifferente indifferent; **~enza** f indifference

indìgeno adj indigenous; m native

indigente needy

indigerìbile indigestible; **~estione** f indigestion

indignazione f indignation

indipendente independent; **~enza** f independence

indire v/t announce

indiretto indirect; **~izzare** v/t address (a to); **~izzo** m address

indiscreto indiscreet; intrusive

indispensàbile indispensable

indisplettito vexed; **~osizione** f indisposition; **~osto** indisposed; unwell

indisputàbile indisputable

indistinto indistinct

indivia f endive

individuale individual; **~alità** f individuality

individuo m individual

indiviso undivided

indizio m sign; symptom

indòcile indocile

indocilità f indocility

indolcire v/t sweeten

indole f temper

indolente indolent; **~enza** f indolence

indomani m: **l'~** the next day

Indonesia f Indonesia

indorare v/t gild

indossare v/t put on; wear

indovinare v/t guess; **~ello**

m riddle

indubbio undoubted

indugi|are *v/i* delay; **~o** *m* delay

indulg|ente indulgent; **~enza** *f* indulgence

indurare *v/t* harden

ind|urre *v/t* induce; **~ursi** *v/r* decide

industr|ia *f* industry; manufacture; *fig* diligence; **~ia pesante** heavy industry; **~iale** *adj* industrial; manufacturing; *m* industrialist; **prodotti**, *m/pl* **~iali** manufactured goods

ineducato ill-bred

ineffàbile ineffable

ineffettuàbile unpracticable

inefficace inefficient

ineguale unequal; uneven

inerte inert

inerudito unlearned

ines|atto inaccurate; **~auribile** inexhaustible

ineseguibile inexecutable

inesoràbile unrelenting

inesp|erienza *f* inexperience; **~erto** unskilful

inesplicàbile inexplicable

inesprimìbile inexpressible

inetto inept; unqualified

inevitàbile inevitable

inezia *f* trifle

infallìbile infallible

infam|are *v/t* defame; **~e** disgraceful; vile; **~ia** *f* infamy

infant|icidio *m* childmurder; **~ile** childish

infanzia *f* childhood

infarto *m* infarct; **~ miocàrdico** myocardinal infarct

infaticàbile indefatigable

infatti in fact; really

infausto ill-omened

infecond|ità *f* barrenness; **~o** sterile

infedel|e *adj* unfaithful; *m* unbeliever; **~tà** *f* infidelity

infelice unhappy

inferior|e *adj* inferior; *m* subordinate; **~ità** *f* inferiority

inferm|eria *f* infirmary; sick-room; **~iere** *m* hospital attendant; **~ità** *f* infirmity; **~o** *adj* sick; *m* invalid

infern|ale infernal; **~o** *m* hell

inferriata *f* grating

infestare *v/t* infest

infett|are *v/t* infect; **~ivo** *adj* infectious; **malattia** *f* **~iva** infectious disease

infezione *f* infection

infiamm|àbile inflammable; **~are** *v/t* inflame; *fig* excite; **~azione** *f* inflammation; **~azione agli occhi** inflammation of the eyes

infido untrustworthy

infil|are *v/t* thread; (*beeds*) string; **~arsi** *v/r* qc put sth on

infiltrarsi *v/r* infiltrate; penetrate

infilzare *v/t* pierce

infimo lowest; basest

infin|e finally; **~ità** *f* infinity; **~ito** *adj* infinite; *m* infinitive

infiorare *v/t* adorn with flowers

infless|ibile inflexible; **~io-**
ne f inflection
influ|ente
~enza f influent(ial);
fluenza; **~ire** v/t influence; in-
influsso m influx
nfoc|are v/t make red-hot;
ato red-hot; burning
ondato unfounded
dere v/t infuse
n|arsi v/r inform o.s.;
e f information; **~e**

o m accident; **as-**
e f **contro gli ~i**
cu- urance
lat- strengthen
pata- n; fallen in
iera f break; in-

p; lather
without

i v/r
able old;
d

crivere
m installa-
n to office;
r upon office
urs pl; sign (-
ento m teach-
dj teaching; m, f
e v/t teach
ento m pursuit;
ursue
o adj rash; m fool;
sensible
bile inseparable
e v/t insert; put in;
f insertion; (news-

uss|are v/t, v/i
increase; **all'~o** wholes

ingessare v/t plaster
Inghilterra f England
inghiottire v/t swallow;
engulf
ingiallito yellowed
inginocchi|arsi v/r kneel
down; **~atoio** m kneeling-
stool; **~oni** adv on one's
knees
ingiù downwards; down
ingiuri|a f insult; outrage;
~are v/t insult
ingiust|izia f injustice; **~o**
unjust; unfair
inglese adj
Englishman English; m
inglorioso inglorious
ingoiare v/t swallow
ingo|mbrare
~mbro blocked v/t obstruct;
ingommare v/t gum; paste
ingordo greedy
ingorg|arsi v/r become
choked, blocked; **~o** m med
congestion
ingran|aggio m mech gear (-
ing); **ferrovia** f **ad ~aggio**
cog-wheel railway; be in gear
are v/i
grand|imento m en large-
ent; **~ire** v/t enlarge; v/i
ome larger
s|aggio
re v/t fatten; lubricat-
fat; **~o** m manure
dine f ungrateful
ungrateful
m ingredient
entrance; admit-
enflare;

inguantarsi

inguantarsi v/r put on gloves
inguaribile incurable
inguinale: ernia ~ inguinal hernia
inguine m anat groin
inibire v/t inhibit
iniettare v/t inject
iniezione f injection
inim|icare v/t estrange (from); **~icizia** f hostility
inimmaginàbile unconceivable
ininterrotto uninterrupted
iniqu|ità f iniquity; **~o** unjust
inizi|ale f initial; **~are** v/t initiate; start; **~ativa** f initiative
innaffi|are v/t sprinkle; **~atoio** m, **~atrice** f watering-cart; watering-can
innalzare v/t raise
innamorarsi di fall in love with ...
innanzi before; forward
innato inborn
innaturale unnatural
innegàbile undeniable
innestare v/t graft; aut ~ **la marcia** engage the gear
inno m hymn; ~ **nazionale** national anthem
innocente innocent; **~enza** f innocence
innòcuo innocuous
innov|are v/t innov at e; **~azione** f innovation
innumerévole innumer-able
inodoro odourless
inoltr|are v/t sen d ⇒ (letter)

forward; **~e** besides
inond|are v/t flood; **~azione** f inundation
inoperoso idle
inopportuno inopportune
inorridire v/t horrify; v/i be horrified
inospitale inhospitable
inosservato unobserved
inquadrare v/t frame; mil enroll
inquiet|are v/t worry; uneasy; **~ùdine** f a prehension
inquilino m lodger; ten
insal|are v/t salt; **~a** salad; **~ata di cetriol** cumber salad; **~ata di tuga** lettuce; **~ata di te** potato-salad; **~a** salad-bowl
insalubre unhealthy
insano insane
insaponare v/t so
insaputa: all'~ d the knowledge o
insaziàbile insa
inscrivere = is
insedi|amento tion; accessi **~arsi** v/r ente
insegna f col board); **~m** ing; **~nte** a teacher; **~**
insegu|im **~ire** v/t p
insens|at **~ibile** i
insepar
inser|i zion

paper) advertisement
insetticida m insecticide
insetto m insect
insidi|a f snare; **~are** v/t
ensnare; **~oso** insidious
insieme adv together; m
whole
insignificante trifling
insincero insincere
insinu|arsi v/r insinuate
o.s.; **~azione** f insinuation
insipido insipid; tasteless
insistente insistent
insistere v/i insist (**in, su** on)
insod(d)isfatto unsatisfied
insolazione f sunstroke
insolente insolente; pert
insòlito unusual
insolùbile insoluble
insomma in short; after all
insonn|e sleepless; **~ia** f in-
somnia
insopportàbile unbearable
insòrgere v/i rise (in revolt)
insostenibile untenable
install|are v/t instal;
~atore m plumber; **~azione** f
installation
instancàbile untiring
insù up(wards); above
insuccesso m failure
insudiciare v/t soil
insuffici|ente insufficient;
~enza f insufficiency
insulare insular
insulina f insulin
insult|are v/t insult; abuse;
~o m insult
insuperàbile insuperable;
~ato insurpassed
insurrezione f insurrection
intagliatore m carver;

engraver
intanto meanwhile; **~ che**
while
intarlato worm-eaten
intarsio m inlay-work
intascare v/t pocket
intatto intact; unimpaired
intavolare v/t (conversation)
start
intavolato m planking
integrare v/t integrate;
complete
intell|etto m intellect; **~et-
tuale** intellectual; **~igente**
intelligent; **~igenza** f intel-
ligence
intemperante intemperate
intèndere v/t hear; understand; mean; intend; **s'in-
tende!** of course!
intenso intense
inten|to intent (**a** on)
intenzione f intention
interamente wholly
inter|cèdere v/i intercede;
~cessione f intercession;
telèfono m **~comunale**
trunkline
interdetto prohibited
interd|ire v/t prohibit; **~ire
qu** for disable s.o.; **~izione** f
interdiction; for disqualifi-
cation
interess|amento m interest;
sympathy; **~ante** interest-
ing; **~are** v/t interest; concern; **~ato** com having a
share; **~e** m interest; concern; **~i** m/pl (money)
interest
interiezione f interjection
interiore adj interior; m in-

side

interlocutore m partner in a conversation

interm|ediario m mediator; **~edio** intermediate

intermezzo m interval

intermitt|ente intermittent; **febbre** f **~ente** intermittent fever; **~enza** f intermittence

internare v/t intern; med confine

internazionale international

interno adj internal; inner; m interior; inside

intero entire; whole; **latte** m **~** full-cream milk

interporsi v/r intervene

in|terpretare v/t interpret; **~tèrprete** m interpreter; thea actor

interpunzione f punctuation

interregno m interregnum

interrog|are v/t question; **punto** m **~ativo** question mark; **~atorio** m (cross-) examination; **~azione** f query

interr|ómpere v/t interrupt; **~uttore** m elec switch; **~uzione** f interruption; radio jamming

inter|secare v/t intersect; **~sezione** f intersection; **~vallo** m interval

interv|enire v/i intervene; interfere; **~ento** m intervention; interference

intervista f interview

intes|a f agreement; pol entente; **ben ~o** well understood

intest|are v/t head; com register (under a name); **~arsi** v/r be obstinate; **~azione** f heading; headline

intestino adj internal; m intestines pl; **~ cieco** appendix

intimare v/t intimate; enjoin

intimidire v/t intimidate

intimità f intimacy

ìntimo intimate; close

intimorire v/t; **~ qu** frighten s.o.

int|ìngere v/t dip (into); **~ìngolo** m ragout; **~into** adj soaked; m sauce

intirizzire v/t (be)numb

intitolare v/t entitle; name

intoller|àbile intolerable; **~ante** intolerant

intonacare v/t plaster

intònaco m plaster(ing)

intonare v/t intone; tune

intopp|are v/i come across; stumble (**in** over); **~o** m obstacle

intorbidare v/t make muddy

intormentirsi v/r get numb, cramped

intorno prp **~ a** (a)round; about; adv around; about

intossic|are v/t intoxicate; **~azione** f intoxication; **~azione alcoolica** alcoholic poisoning; **~azione alimentare** food poisoning

intra =**tra, fra**

intralciare v/t hinder;

entangle
intransitivo intransitive
intraprèndere v/t undertake; **~esa** f enterprise
intrattàbile unmanageable
intrattenere v/t entertain; **~ersi** v/r stop; (subject) dwell (**su** upon)
intrecciare v/t interlace; **~arsi** v/r be intertwined; **~o** m interlacing; plot
intrigante adj intriguing; **~are** v/t plot; **~o** m plot
intrìnseco intrinsic; intimate
intristire v/i fig pine away
introdurre v/t introduce; **~uzione** f introduction; preface; mus overture
intromèttersi v/r interfere
intruso m intruder
inturgidire v/i, **~si** v/r swell up
inumano inhuman
inumidire v/t moisten
inùtile useless
invàdere v/t invade
invalidare v/t invalidate; nullify; **~ità** f invalidity
invàlido adj invalid; void; m disabled soldier
invano in vain
invariàbile invariable
invasione f invasion
invecchiare v/t make old; v/i grow old
invece on the contrary; **~ di** instead of; **~ di lui** (**in sua vece**) in his place
invelenire v/t envenom
invendìbile unsaleable
inventare v/t invent; **~ario** m inventory; stock-taking
inventivo inventive; **~tore** m inventor; **~zione** f invention
invernale wintry
inverniciare v/t varnish; **~atore** m varnisher
inverno m winter; **d'~** in winter time
invero truly; really
inverosìmile unlikely
inversione f inversion; **~o** inverse
investigare v/t investigate; **~azione** f investigation
investimento m investment; rail collision; **~ire** v/t empower (**di** with); run over (car); (money) invest; **~irsi** v/r collide
invetriare v/t glaze; **~ata** f glass window
inviare v/t send; **~ato** m speciale correspondent
invidia f envy; **~àbile** enviable; **~are** v/t envy; **~oso** envious
invigorire v/t invigorate; **~irsi** v/r get strong
invilire v/t debase; (prices) lower
inviluppare v/t envelop; **~uppo** m bundle
invincìbile invincible
invìo m mailing; shipment
inviolàbile inviolable
invisìbile invisible
inviso disliked
invitare v/t invite; request
invito m invitation; **~a presentarsi** summons

invocare v/t invoke; implore

invogliare v/t raise a desire

involontario unintentional

involtare v/t wrap up; **~o** m covering; envelope

inzolfare v/t sulphurate

inzuccherare v/t sugar

inzuppare v/t soak; steep

io I

iòdico iodic; **~o** m iodine

ipnosi f hypnosis; **~tizzare** v/t hypnotize

ipocondria f spleen

ipocrisia f hypocrisy

ipòcrita m hypocrite

ipoteca f mortgage

ipòtesi f supposition

ippica f horse-racing

ippòdromo m hippodrome; racecourse

ira f anger; wrath

iracondia f rage; **~o** hot-tempered

irato angry

iride f iris; rainbow

iris f iris

Irlanda f Ireland; **2ese** Irish

ironia f irony; **~ònico** ironic(al)

irradiare v/t (ir)radiate; **~azione** f irradiation

irragionévole unreasonable

irrancidire v/i become rancid

irrazionale irrational

irreale unreal

irreconciliàbile irreconcilable

irrefrenàbile unrestrainable

irregolare irregular; **~arità** f irregularity

irreparàbile irreparable

irreprensibile irreproachable

irrequietezza f restlessness; **~quieto** restless

irresistibile irresistible

irresolutezza f irresolution

irresponsàbile irresponsible; **~abilità** f irresponsibility

irrevocàbile irrevocable

irrigare v/t irrigate; **~azione** f irrigation

irritàbile irritable; **~abilità** f irritability; **~are** v/t irritate

irruzione f irruption

irsuto shaggy; bristly

irto bristling; standing on end

ischio m hip-joint

iscrivere v/t inscribe; enroll; **~izione** f enrollment; registration

isola f isle

isolamento m isolation; **~ano** m islander; **~are** v/t isolate; **~arsi** v/r be secluded; **~ato** m block of houses

ispettore m inspector; **~ezionare** v/t inspect; **~ezione** f inspection

ispido shaggy

ispirare v/t inspire; instil; **~arsi** v/r be inspired (by); **~azione** f inspiration

Israele m Israel

issare v/t hoist

istantànea f snapshot;

~àneo instantaneous; **~e** *m* petitioner; instant, moment

istanza *f* petition

istèrico hysterical

istint|ivo instinctive; **~o** *m* instinct

istit|uire *v/t* establish; found; **~uto** *m* institute; **~uto di bellezza** beauty shop; **~utore** *m* tutor; **~uzione** *f* institution

istmo *m* isthmus

istru|ire *v/t* instruct; teach; **~ito** educated

istruttivo instructive

istruzione *f* instruction; teaching; **~ pùbblica** public education; **~ obbligatoria** compulsory school-attendance

Italia *f* Italy

italiano *m*, *adj* Italian

itinerario *m* itinerary

ito gone; **bell' e ~** done for

itterizia *f* jaundice

iuta *f* jute

ivi there

K

ketchup *m* ketchup

kg = chilogramma

km = chilòmetro

kWh = chilowattora

L

L = lire (italiane)

l = litro

l' (*before vowel*) **= lo, la**

la *article f/sg* the; *pron pers* (*accusative*) she; **♀ forma di cortesia** you; *m mus* la

là there; **di ~** from there; **al di ~** beyond

labbro *m* lip; **~ leporino** hare-lip

labor|atorio *m* laboratory; work-shop; **~ioso** hard-working; toilsome

lacca *f* laquer

laccetto *m* (boot)lace

laccio *m* string; *fig* trap; **~ per le scarpe** shoe-lace

lacerare *v/t* tear; rend

làcero torn; in rags

lacuna *f* gap; blank

lacustre lacustrine; **dimora** *f* **~** lake-dwelling

laddove (there) where; whilst

ladro *m* thief; burglar; **~ne** *m* highwayman

laggiù down there; yonder

lagn|anza *f* complaint; **~arsi** *v/r* complain (**di** of); **~o** *m* lament(ation)

lago *m* lake

làgrima *f* tear

laguna *f* lagoon

làico *adj* laic; *m* layman

laidezza *f* foulness

làido ugly; filthy

lament|are *v/t* lament; **~arsi** *v/r* complain (**di** of); **~o** *m* moaning; **~oso** plaintive

lametta *f*: **~ da barba**

razorblade
lamiera f plate; sheet
làmina f (metal) sheet
laminare v/t laminate
làmpada f lamp; ~ **ad arco**
arc lamp; ~ **a raggi ultra-
violetti** sunlight-lamp; ~
tascàbile torch; flash-light
lampad|ario m lustre; ~**ina**
f torch; electric bulb
lampeggiante m blinking
light
lamp|eggiare v/i lighten;
flash; ~**eggiatore** m traffic-
indicator; ~**ione** m street-
lamp
lampo m lightning; flash;
treno m ~ express-train
lampone m raspberry
lana f wool; ~**pura** pure
wool; ~ **di acciaio** steel
wool
lancetta f hand (of a watch)
lanci|a f lance; naut boat;
~**are** v/t throw; fling; ~**arsi**
v/r dash; rush; ~**o** m throw;
jump; ~**o del disco** discus-
throw; ~**o del giavellotto**
javelin-throw; ~**o della
palla di ferro** shot-put
landa f heath
laneria f woollens pl
languidezza f languidness
languido languid; weak
languire v/i languish; be
stagnant (trade)
lanoso woolly
lanterna f lantern; ~ **cieca**
dark lantern
lan|ùgine f down; fluff; ~**u-
to** woolly
làpide f tomb-stone; me-

morial tablet
lapilli m/pl volcanic ashes
lapis m pencil; ~ **làzzuli** m
lapis lazuli
lardo m lard; bacon
larghezza f width; breadth;
fig generosity
largire v/t give liberally
largo adj wide; broad; large;
m open space; **fare** ~ **make
room**
làrice m larch-tree
laring|e f larynx; ~**ite** f
laryngitis
larva f larva; mask; ghost
lasagn|a f big noodle; ~**e** f/pl
verdi green noodles
lasca f roach
lasciare v/t leave; desert; let
làscito m legacy
lassativo m laxative
lassù up there; there above
lastra f slab; plate;
(window-)pane
lastric|are v/t pave; ~**ato** m
pavement
làstrico m pavement; fig
misery
latente latent
laterale lateral; **porta** f ~
side door
latifondo m large estate
latino Latin
latit|ante at large; ~**ùdine** f
latitude; breadth
lato adj wide; m side
latore m bearer
latrare v/i bark
latrina f lavatory
latta f tin-plate; can
latt|aia f milkmaid; ~**ante** m
suckling; ~**e** m milk; ~**eria** f

milkshop; **~iera** *f* milk-jug;
~ivéndolo *m* milkman
lattoniere *m* plumber
lattuga *f* lettuce
làurea *f* academic degree;
doctorate
laur|eto *m* laurel grove; **~o** *m*
laurel
lava *f* lava
lavabiancheria *f* washing
machine
lav|àbile washable; **~abo** *m*
wash-stand; **~aggio** *m*
washing
lavagna *f* slate; blackboard
lav|amano *m* wash-stand;
~anda *f* lavender; **~andaia**
f laundress; **~anderia** *f*
laundry; **~anderia a secco**
dry-cleaning shop; **~andi-**
no *m* sink; **~are** *v/t* wash;
~atoio *m* wash-house
lavina *f* snow-slip
lavor|are *v/t, v/i* work; **~a-**
tore *m* worker; **~o** *m* work;
labour
Lazio *m* Latium
le *article f/pl* the; *pron pers*
(dative f/sg) her; *(accusative*
f/pl) they; **2** *forma di cortesia*
(to) you
leal|e loyal; **~tà** *f* loyalty
lebbra *f* leprosy
leccare *v/t* lick
~[c]|one *m* glutton; **~ornìa** *f*
~ ~ bit
~[l]|owed; lawful
~[l]|league; alloy
~ ~ boot-lace;

~[l]|alizzare *v/t*
~[l]|izzazione *f*

legalization
legame *m* bond; tie
leg|are *v/t* bequeath; tie; *fig*
join; **~ato** *m* legacy; **~atore**
m book-binder; **~azione** *f*
legation
legge *f* law; **studiar ~** study
(for) the law
leggend|a *f* legend
lèggere *v/t* read
legger|ezza *f* lightness;
frivolity; **~o** light; *fig*
thoughtless
leggiadr|ìa *f* grace(fulness);
~o charming
leggìbile legible
leggiero = leggero
leggio *m* reading-desk; *mus*
music-stand
legisl|atore *m* legislator; **~a-**
zione *f* legislation
legittim|are *v/t* legitimate;
(carta *f* **di) ~azione** *f*
identity card
legìttimo lawful; legitimate
legn|a *f/pl* fire-wood; **~aiuo-**
lo *m* carpenter; **~ame** *m* **da**
costruzione building-
timber
legno *m* wood
legume *m* vegetable
lei *pron pers* she; **2** *forma di*
cortesia you; **dare del 2**
address formally
lembo *m* edge; *(dress)* hem
len|imento *m* soothing; **~ire**
v/t soothe; **~itivo** soothing
lente *f* lens; **~e d'ingrandi-**
mento magnifying glass; **~i**
f/pl **di contatto** contact
lenses
lentezza *f* slowness

lenticchia

lenticchia f lentil
lentìggine f freckle
lento slow; tardy; loose
lenza f fishing-line; **~uola**
f/pl sheets; bedclothes;
~uolo m (bed-)sheet
leon|e m lion; **~essa** f lioness
leopardo m leopard
lepre f hare
lesso adj boiled; m boiled
meat
lesto quick; agile
letìzia f joy
lèttera f letter; **~ aèrea** air-
mail letter; **~ espresso**
special delivery letter; **~**
per l'estero foreign letter;
~ raccomandata regis-
tered letter
letter|ale literal; **~ario** liter-
ary; **~ato** adj learned; m
man of letters; **~atura** f
literature
lett|iera f bedstead; **~iga** f
litter; **~ino** m: **~ino da**
campeggio camp bed; cot
letto m bed; pp read; **~ da**
bambino cot; crib; **~ sup-**
plementare additional
bed
lettura f reading
leucemìa f leukaemia
leva f lever; **~ di marcia**
gear lever
levante m east
lev|are v/t take (off); raise;
~arsi v/r get up; (sun) rise;
take off (hat, dress); **~ata** f
collection (of letters); **~atri-**
ce f midwife
lezione f lesson; lecture
li pron pers them

lì there
lìbbra f pound
liber|ale liberal; **~alità** f
munificence; **~are** v/t liber-
ate
lìbero free
libertà f liberty; freedom
libr|aio m bookseller; **~erìa** f
library; book-shop; **~etto** m
booklet; mus libretto; **~etto**
di risparmio savings
book; **~o** m book
licenz|a f licence; leave;
degree; **esame m di ~a**
leaving certificate examination; **~iare** v/t dismiss;
graduate
liceo m grammar school
licitare v/t bid (at auction)
lido m beach
lieto glad; happy
lieve light; slight
lievitare v/t leaven; ferment
lièvito m barm; yeast
lilla m, adj lilac
lim|a f file; **~are** v/t file
limit|are v/t limit; **respon-**
sabilità f ~ata limited
liability; **~azione** f limita-
tion
lìmite m limit
limon|ata f lemonade; **~e** m
lemon(-tree)
limpidezza f limpidity
lìmpido limpid
lince f lynx
lindo neat; tidy; trim
lìnea f line; **~ dell'auto!**
bus line; **~ ferroviaria**
way line; **~ secon**
branch line
line|amenti m/pl f

~are adj linear; v/t delineate

linfa f lymph

lingua f language; tongue; **~ parlata** colloquial language; **~ scritta** literary language

lino m flax; linen

liquid|are v/t liquidate; settle; **~azione** f liquidation

liquido m, adj liquid; **~ per i freni idràulici** brake fluid

liquore m liquor

lira f lira; mus lyre

liric|a f lyrics pl; **~o** adj lyric(al); m lyric poet

lisca f (fish-)bone

lisciare v/t smooth

liscio smooth

lisciva f lye

lista f list; **~ dei prezzi** price-list; **~ dei cibi** bill of fare; menu; **~ dei vini** wine-list

lite f quarrel; law-suit

litig|are v/i quarrel; **~io** m quarrel

litografia f lithography

litro m litre

littorale f littoral

liuto m mus lute

livell|are v/t level; **~atrice** f bulldozer; **~o** m del mare sea-level; **~o d'olio** oil-level

lìvido livid

lo article m/sg the; pron pers (accusative) him; it

lòbulo m ear-lobe

loc|ale adj local; m place; room; **~ale da ballo** dance hall; **~alità** f locality; **~alità**

balneare watering-place; **~alità di confine** border town; **~anda** f inn; **~atario** m tenant; lodger

locomotiva f (locomotive-) engine

locomotore m electric locomotive

locusta f locust

lod|are v/t praise; **~e** f praise; **~évole** praiseworthy

lòdola f lark

loggia f loggia; open gallery

loggi|ato m covered gallery; **~one** m thea upper gallery

lògic|a f logic; **~o** logical

logorare v/t wear (out)

lomb|ata f loin-steak; undercut; **~o** m loin

lont|ananza f remoteness; **~ano** far; distant; **di (da) ~ano** from far

loquace talkative

lord|are v/t soil; dirt; **~o** dirty; com **peso** m **~o** gross weight

loro pron pers they; them; ♀ (to) you pl; pron poss their; theirs; ♀ your, yours

lott|a f struggle; wrestling; **~are** v/i fight; strive; **~atore** m wrestler

lotter|ia f lottery; **~o** m lot

lozione f: **~ da barba** aftershave lotion; **~ per capelli** hair-lotion; **~ per il viso** face-lotion

lubrific|ante m lubricant; **~are** v/t lubricate; grease; **~atore** m lubricator

lucchetto m padlock

luccicare v/i glitter

luccio m pike

lùcciola f fire-fly

luce f light; **~ di magnesio** flash; **~ di posizione** parking light; **~ente** shining

lucèrtola f lizard

lucherino m siskin

lucid|are v/t polish; **~ezza** f brightness

lùcido adj bright; shining; m brightness; **~ da scarpa** shoe-polish

lucignolo m wick

lucr|ativo profitable; **~o** m gain

luglio m July

lui he; him; **di ~** of his; **a ~** to him

lumaca f snail

lume m light; lamp; **~iera** f chandelier; **~inoso** luminous

luna f moon; fig bad mood; **~ di miele** honeymoon

lunedì m Monday

lung|hezza f length; **~i** far (off); **~o** long; along; **alla ~a** in the long run; **~omare** m seafront

luogo m place; spot; **avere ~** take place; **~ climatico** health-resort; **~ di nascita** birth-place; **in primo ~** in the first place; **in qualche ~** somewhere

lupo m wolf

lùppolo m hop

lusing|a f allurement; **~are** v/t flatter

luss|are v/t sprain; dislocate; **~azione** f dislocation

luss|o m luxury; **~uoso** luxurious

lustr|are v/t polish; **~ascarpe** m, **~astivali** m shoeblack; **~o** adj shining; m polish; lustrum

lutto m mourning

M

m abbr for mare; maschile; metro; minuto; monte

ma but; yet

maccheroni m/pl macaroni

macchia f spot; stain; thicket; **~are** v/t stain

màcchina f machine; engine; **~ fotogràfica** camera; **~ da scrivere** typewriter; **~-roulette** trailer

macchin|ale mechanical; **~are** v/t contrive; plot;

~ista m machinist; engineer

macedonia f fruit-salad

macell|aio m butcher; **~are** v/t slaughter; **~eria** f butcher's shop

macerare v/t macerate; (hemp) ret

macerie f/pl ruins pl; rubbish

màcero macerated; fig worn out

macilento emaciated

màcina f mill-stone

macin|are v/t grind; **~ino** m coffee-mill

màdido damp; wet

Madonna f Our Lady

madre f mother; **lingua ~** mother tongue; **~perla** f mother of pearl; **~vite** f female screw; screw-nut

madrina f godmother

maest|à f majesty; **~oso** majestic

maestr|a f (school-) mistress; **~o** adj main; m teacher; master; **~o di cappella** choir-master; **strada** f **~a** main street

maga f sorceress

magari! would to heaven!; even

magazzin|o m warehouse; store; **grandi ~i** m/pl storehouse; department store

maggio m May

maggiol|ata f May-song; **~ino** m cockchafer

maggioranza f majority

maggiore adj greater; larger; **il ~** the greatest; elder, eldest

maggior|enne of age; **~ità** f full age; majority

magia f magic

màgico magic(al)

magist|ero m skill; mastery; teaching; **~rale** masterly

magli|a f stitch; undervest; pullover; **fare la ~a** knit; **~eria** f hosiery; **~etta** f light vest

magnano m locksmith

magn|ete m magnet; **~ético** magnetic; **~etòfono** m tape

recorder

magnific|are v/t exalt; **~enza** f magnificence

magnìfico magnificent; splendid

magnolia f magnolia

mag|o m magician; **i tre re ~i** the Magi

magr|ezza f leanness; **~o** lean; thin; **giorno** m **di ~o** fast day

mai ever; **non ~** never; **~più** never more; **come ~?** how so?; **se ~** if ever

maiale m pig; pork

maionese f mayonnaise

maiùscola f capital letter

mal|afede f bad faith; **di ~affare** ill-famed; **~agévole** difficult

mal|ànimo m ill-will; **a ~apena** hardly

malaria f malaria; marshfever

mal|aticcio sickly; **~ato** adj sick (di of); m sick person; **~attìa** f illness; **~attìa contagiosa** contagion; **~attìe** f/pl **venèree** venereal diseases pl

malavita f underworld

mal|contento dissatisfied; **~destro** awkward

mal|e m evil; wrong; suffering; **~ di denti** tooth-ache; **~ di gola** sore throat; **avere ~ di mare** be seasick; **~ di testa** head-ache; adv badly; **capire ~** misunderstand; **di ~ e in peggio** from bad to worse

male|detto cursed; **~dire**

v/t curse

mal|educato ill-bred; **∼efìzio** *m* crime; evil spell; **∼erba** *f* (noxious) weed

mal|èssere *m* discomfort; **∼èvolo** malevolent; **∼fido** unreliable; **∼governo** *m* misgovernment; **∼grado** in spite of

maligno spiteful; malignant

malinc|onìa *f* melancholy; **∼ònico** melancholic

mal|inteso *adj* misunderstood; *m* misunderstanding; **∼izia** *f* malice; **∼izioso** malicious

mallèolo *m* ankle-bone

mallevadore *m* bail; guarantor

mal|sano unhealthy; **∼sicuro** unsafe; **∼tempo** *m* bad weather

malto *m* malt

maltrattare *v/t* illtreat

malumore *m* ill-humour

mal|vagio *m* wicked; *m* rascal; **∼versazione** *f* embezzlement; **∼volentieri** unwillingly

mamm|a *f* mother; ma(m)ma; **∼ella** *f* (*woman's*) breast; **∼elle** *f/pl* udder; **∼ìfero** *m* mammal

manata *f* handful

manc|a *f* left hand; **∼anza** *f* lack (**di** of); **∼are** *v/i* want; be lacking; **∼hévole** defective; faulty

mancia *f* tip

manc|ina *f* left hand; **a ∼ina** left; **∼ino** left-handed; **∼o** *m* deficiency; lack

mandare *v/t* send; **∼ a prèndere** send for; **∼ giù** swallow

mandarino *m* tangerine

mandato *m* order; mandate; **∼ bancario** *m* cheque

mandolino *m* mandolin

màndorl|a *f* almond; **∼o** *m* almond-tree

maneg|gévole handy; **∼giare** *v/t* handle; **∼gio** *m* handling; riding-ground

man|esco ready with one's hands; brutal; **∼ette** *f/pl* handcuffs *pl*

manganare *v/t* mangle

màngano *m* mangle

mang|iàbile eatable; **∼iare** *v/t*, *v/i* eat; corrode; consume; *m* food; **∼ime** *m* fodder

mànic|a *f* sleeve; **la Mànica** the (British) Channel; **∼o** *m* handle; shaft

manicomio *m* lunatic asylum

manicotto *m* muff

manicure *f* manicure

manier|a *f* manner; fashion; **di ∼a** che so that; **in nessuna ∼a** not at all; **∼e** *pl* manners *pl*

manieroso well-mannered

manifatt|ore *m* maker; workman; **∼ura** *f* manufacture; factory; **∼ure** *pl* manufactured goods *pl*

manifest|are *v/t* manifest; show; **∼arsi** *v/r* appear; **∼azione** *f* manifestation; **∼ino** *m* handbill; **∼o** *adj* clear; plain; *m* placard; poster

maniglia f handle

manipolare v/t manipulate; handle

mano f hand; **èssere di ~** lead; **cèdere la ~** give precedence; **man ~** gradually; **a ~ a ~** little by little; **~dòpera** f labour; man power

manòpola f gauntlet; knob

mano|scritto m manuscript; **~vella** f handle; crank

manovr|a f manoeuvre; **~are** v/t steer; work; **~atore** m (tram) driver

mans|uefare v/t appease; tame; **~ueto** meek

mant|ellina f cape; **~ello** m cloak; coat

mantenere v/t maintain; support (s.o.); keep

màntice m bellows pl; (car) hood

mantiglia f mantilla

manuale m handbook; adj: **lavoro** m **~** manual labour

manubrio m handle-bar

manzo m beef; **~ lesso** boiled beef; **arrosto** m **di ~** roastbeef

mappa f map

marasca f morello cherry

maraviglia = **meraviglia**

marca f mark; brand; **~ di fàbbrica** trade-mark

marcare v/t mark; score; stamp

marches|a f marchioness; **~e** m marquis

marchio m brand

marcia f march; pus; auto:

gear; **~a indietro** reverse (gear)

marci|apiede m side-walk; platform; **~are** v/i march; **~ata** f marching

marcio rotten; putrid

marco m (German) mark; **tre marchi** 3 marks

mare m sea; **bagno** m **di ~** sea-bath; **viaggio** m **per ~** sea voyage

marea f tide; **alta ~a** flood (-tide); **bassa ~a** ebb

mar|eggiata f rough sea; **~emoto** m sea-quake

maresciallo m marshal

màrgine m margin

marin|a f sea; coast; navy; paint sea-scape; **~aio, ~aro** m sailor

marionetta f puppet

marit|àbile marriageable; **~are** v/t marry (off)

marito m husband

maríttimo marine; maritime, sea ...; **commercio** m **~** maritime trade

marmellata f jam

marmo m marble

marmotta f marmot

marrone adj brown; m chestnut; gross mistake

marsina f dress-coat

martedì m Tuesday; **~ grasso** Shrove Tuesday

martell|are v/t hammer; **~o** m hammer; knocker

màrtire m martyr

martirio m martyrdom

màrtora f marten

marzapane m marzipan

marzo m March

mascalzone m scoundrel

mascell|a f: ~ **inferiore (superiore)** lower (upper) jaw; **dente ~ m .are** back-tooth

màschera f mask; usher; **antigas** gas ~ mask; **ballo** m **in ~** masked ball

mascherare v/t mask

maschile male; **scuola** f ~ boys' school

maschio adj male; m biol male

massa f mass; heap

massacr|are v/t slaughter; **~o** m massacre

mass|aggiatore m masseur; **~aggiatrice** f masseuse; **~aggio** m massage

mass|aia f housewife; **~eria** f farm

massiccio massive

màssima f maxim; rule

màssimo adj greatest; m maximum

masso m block; rock

masticare v/t chew

mastro m master; **libro** m ~ ledger

matemàtica f mathematics

materasso m mattress; ~ **pneumàtico** air-mattress

materi|a f matter; material; **~a prima** raw material; **~ale** m, adj material; **~ale di pronto soccorso** first-aid kit

matern|ità f maternity; **~o** motherly; maternal

matita f pencil; ~ **colorata** coloured pencil

matrice f matrix; womb

matrigna f step-mother

matrimoni|ale matrimonial; **letto** m **~ale** double bed; **~o** m marriage; matrimony

mattina f morning; **di ~ in** the morning; **questa ~** this morning; **domani ~** tomorrow morning

mattin|ata f morning; matinée; **~o** m morning; **di buon ~o** early

matto adj mad; m madman

matt|onaia f brick-yard; **~onato** m brick floor; **~one** m brick

mattutino m matins pl

matur|are v/i ripen; mature; **~ità** f ripeness; maturity; **~o** ripe; fig mature

mazza f (walking-)stick; club

mazzo m bunch; pack; ~ **di fiori** bunch of flowers; ~ **di chiavi** bunch of keys; ~ **di carte** pack of cards; **~lino** m small bunch

me m; (= **mi** before **lo, la, li, le, ne**) to me; **pòvero ~!** poor me!; **come ~** like myself; **di ~** of mine

meccànic|a f mechanics pl; **~o** adj mechanic(al); m mechanic(ian); **~o d'automòbile** car-mechanic

meccanism|o m mechanism

mecenate m Maecenas; patron

medaglia f medal

medèsim|o same; self; **il ~o, la ~a** the same

medi|a f average; mean;

mercantile

~iano *adj* median; *m foot-ball:* half-back; ~iante *m* by means of; ~iatore *m* mediator; *com* broker

medic|amento *m* remedy; ~are *v/t* dress (wound); ~astro *m* quack; ~azione *f* treatment; dressing; ~ina *f* medicine; erba *f* ~inale medicinal herb

mèdico *m* physician; doctor

medi|o middle; average; ~scuola *f* ~a secondary school; ~dito *m* ~o middle finger

mediocr|e mediocre; ~ità *f* mediocrity

medio|evale mediaeval; ~evo *m* Middle Ages

medit|are *v/t, v/i* mediate; ponder; ~azione *f* meditation

mediterràneo mediterranean; ~mare *m* ♋ = ♋ *m* Mediterranean (Sea)

medusa *f* jelly-fish; medusa

meglio *adj* better; ~! *or* tanto ~! so much the better!; *m* best

mela *f* apple

melagran|a *f* pomegranate; ~o *m* pomegranate-tree

melanconìa = malinconìa

melanzana *f* eggplant; *gast* aubergine

mellone *m* melon

melo *m* apple-tree

mel|odia melody; ~òdico melodious

membrana *f* membrane

membro *m anat* (*pl* le

membra) limb; *fig* (*pl* i membri) member

memor|àbile, ~ando memorable

mèmore mindful

memoria *f* memory; a ~ by heart

menadito: a ~ perfectly

menare *v/t* lead

mendace mendacious

mendic|ante *m, f* beggar; ~are *v/t, v/i* beg; ~o *m* beggar

mening|e *f* meninx; ~ite *f* meningites

meno less; fare a ~ di do without; renounce; per lo ~ at least

mensa *f* table; cafeteria; mess; sacra ~ Holy Communion

mensile monthly

mènsola *f* console

menta *f* peppermint

mentale mental; malattìa *f* ~ mental disorder

mente *f* mind; avere in ~ di have a mind to ...; venire in ~ come into s.o.'s mind

mentire *v/i* lie

mento *m* chin

mentre, nel ~ che while

menzion|are *v/t* mention; ~e *f* mention

menzogna *f* lie

meraviglia *f* wonder; astonishment; ~are *v/t* amaze; ~arsi *v/r* wonder; ~ato amazed; ~oso wonderful

mercant|e *m* merchant; dealer; ~ile mercantile;

commercial; **flotta** f ~**ile** merchant fleet

mercato m market; ~ **coperto** covered market; **a buon** ~ cheap; ~ **mondiale** world market

merc|e f merchandise; **treno** m ~**i** goods train

mercé f mercy

merc|ede f reward; salary; ~**erìa** f mercery; ~**iaio** m mercer; ~**iaiuolo** m pedlar; hawker

mercoledì m Wednesday

mercuri|ale adj mercurial; m market report; ~**o** m mercury

merenda f afternoon-tea

meridiana f sun-dial

meridionale adj Southern; **Italia** f ~ Southern Italy

meriggio m midday; noon

meringa f meringue

merino m merino (sheep)

meritare v/t deserve

mèrito m merit; **in** ~ **a** concerning

merlett|are v/t trim with lace; ~**o** m lace

merlo m battlement; blackbird

merluzzo m cod-fish

mesata f monthly pay

méscere v/t pour out; mix

meschino mean; paltry

méscita f bar; pub

mescolare v/t mix

mese m month

mess|a f eccl mass; ~**a in piega** setting (hair); ~**a in scena** thea staging; ~**a solenne** High Mass; ~**aggero**

m messenger; ~**aggio** m message; ~**ale** m missal

messe f harvest

Mèssico m Mexico

mestic|are v/t paint prime; ~**herìa** f oil and colour shop

mestiere m craft; profession

mest|izia f sadness; ~**o** sad

mestruazione f menstruation

meta f aim; goal

metà f half; **a** ~ half(way)

metàllico metallic

metall|o m metal; ~**urgìa** f metallurgy; ~**ùrgico** m metal worker

meteorològico: bollettino m ~ weather report

meticoloso meticulous

metòdic|a f methodics pl; ~**o** methodic(al)

mètodo m method

mètrica f metrics pl

metro m meter; ~ **quadrato** square meter; ~ **cubo** cubic meter

metròpoli f metropolis

metropolitana f metropolitan railway

méttere v/t put; place; lay; ~ **in fuga** put to flight; ~ **in scena** stage

mezz|alana f linsey-wolsey; ~**aluna** f crescent; gast chopping knife; ~**anino** m mezzanine

mezzanotte f midnight

mezzo adj half; **un** ~ **litro** half a litre; **un litro e** ~ **a** litre and a half; m half; middle; means; **per** ~ **di** by means of it; **in** ~ **a** among; **nel**

~ del in the middle of ...;
~busto *m* half-length portrait; **~cerchio** *m* half-circle; **~dì** *m*, **~giorno** *m* noon; *geog* south

mi me; to me; myself

miagolare *v/i* mew

mica: non ... ~ not at all

microbo *m* microbe

micro|càmera *f* miniature camera; **~film** *m* microfilm; **~motore** *m* small motorcycle; **~scopio** *m* microscope

midoll|a *f* crump; marrow; **~o** *m* **spinale** spinal cord

miei *m/pl* my; mine

miele *m* honey

mièter *v/t* mow

mietitore *m* mower; reaper

migliaio *m* thousand

miglio *m* mile

miglior|amento *m* improvement; **~are** *v/t, v/i* improve; **~arsi** get better; **~e** better; **il ~e** the best

mignolo *m* little finger; little toe

Milano *f* Milan

miliardo *m* milliard

miliare: pietra *f* **~** mile stone

mili|onario *m* millionaire; **~one** *m* million

militare *adj* military; *m* soldier

milite *m* militiaman

milizi|a *f* militia; army; **~e** *pl* troops *pl*

mille thousand

mill|enne millenary; **~ennio** *m* millennium; **~ìme-**

tro *m* millimetre

milza *f* spleen

mìmica *f* gestures *pl*; mimicry

mimosa *f* mimosa

mina *f* mine; **~ di ricambio** refill

minacci|a *f* menace; threat; **~are** *v/t* threaten; **~oso** threatening

min|are *v/t* (under)mine; **~atore** *m* miner

minchionare *v/t* ridicule

minerale *m* mineral; **acqua** *f* **~** mineral water

minestr|a *f* soup; **~a di verdura** vegetable-soup; **~ina** *f* clear soup; **~one** *m* thick vegetable soup

miniatura *f* miniature

miniera *f* mine; quarry

minigolf *m* mini-golf

minimo smallest; least

minist|eriale ministerial; **crisi** *f* **~eriale** cabinet crisis; **~ero** *m* ministry; office; department; **~ro** *m* minister; secretary of state

minor|anza *f* minority; **~e** minor; less(er); younger; **~enne** under age

minùscolo small (*letter*)

minuto *adj* minute; small; **al ~** detailled; **commercio** *m* **al ~** retail sale; *m* minute; **~ secondo** second

minuzi|a *f* trifle; **~oso** punctilious

mio my; *m* mine; **i miei** my family

miope short-sighted

miopìa *f* myopy

miosòtide

miosòtide f forget-me-not

mira f aim; **avere in ~** intend to

miràbile admirable

miràcolo m miracle

miracoloso miraculous

miraggio m mirage

mirare v/t look at; v/i aim (at)

mirino m phot view-finder

mirtillo m crown-berry

mirto m myrtle

misàntropo m misanthropist

miscela f mixture

mischi|a f fight; **~are** v/t mix; blend; **~arsi** v/r meddle; **~o** adj mixed; m mixture

miscredenza f unbelief

miscuglio m mixture; medley

miser|àbile miserable; wretched; **~évole** pitiful

miseria f misery

misericordi|a f compassion; **~oso** merciful

misero wretched

miss|ione f mission; **~iva** f message

mister|ioso mysterious; **~o** m mystery

mistic|a f mysticism; **~o** mystical

mistificare v/t hoax

misto mixed; **treno m ~** passenger- and goods-train

mistura f mixture

misur|a f measure; size; **su ~a** made to measure; **~are** v/t measure; **~ato** measured; moderate

mit|e mild; **~ezza** f gentleness

mitigare v/t alleviate

mitra f eccl mitre

mitragliatrice f machine-gun

mittente m sender

mòbile adj movable; m piece of furniture

mobiliare v/t furnish

moca m mocha

moda f fashion; **alla ~** in fashion; **di ~** fashionable; **fuor di ~** out of fashion

modell|are v/t mould; **~o** m model; pattern

moder|are v/t moderate; **~ato** moderate; **~azione** f moderation

mod|estia f modesty; **~esto** modest

modific|are v/t modify; **~azione** modification

modista f milliner

modo m manner; way; mus key; **ad ogni ~** at any rate

mòdulo m blank; form; **~ per telegrammi** telegraph form

mògano m mahagony

moglie f wife; **prènder ~** get married

mola f grindstone

molare v/t grind; **dente m ~** molar tooth

molest|are v/t molest; **~ia** f molestation; **~o** irksome

moll|a f spring; **~e** soft; **~eggiare** be springy; **~eggio** m springing; **~ezza** f softness; **~ificare** v/t soften

molo m pier; wharf

moltéplice multiple

molteplic|ità f multiplicity; **~are** v/t multiply; **~arsi** v/r increase

moltitùdine f multitude; crowd

molto much; very

moment|àneo momentary; **~o** m moment

mònaca f nun

monacale: àbito m **~** monk's frock

mònaco m monk

mon|arca m monarch; **~archia** f monarchy

monastero m monastery

monco maimed; fig incomplete

mond|are v/t clean; (fruit) peel

mondiale: fama f **~** worldwide renown

mondo m world; **l'altro ~** the other world

monello m urchin

moneta f coin; **carta ~** paper money

mongolfiera f air-balloon

monile m necklace

monitore m monitor

mon|òcolo m monocle; adj one-eyed; **~opolio** m monopoly; **~osìllabo** m monosyllable; **~òtono** monotonous

Monsignore m (Your) Lordship; (Your) Grace

mont|agna f mountain; **~agnoso** mountainous; **~anaro** m highlander; **~are** v/t mount; mech assemble;

~are a amount to

monte m mount(ain); fig heap; **~ di pietà** pawnbroker's shop

montone m ram

montuoso mountainous

monumento m monument

mora f mulberry; blackberry; negress; delay

moral|e adj moral; f morals pl; **~ità** f morality

morbidezza f softness

mòrbido soft; fig feeble

morbillo m measles pl

mordace biting

mòrdere v/t bite; sting; corrode

morfina f morphine

mor|ibondo dying; **~ire** v/i die

mormor|are v/i murmur; **~io** m murmur; muttering

moro adj black; m negro; mulberry-tree

moros|a f fam beloved; sweetheart; **~o** adj tardy; m lover

morsa f vice

mors|icare v/t bite; **~o** m bite; sting; (horse) bit

mortaio m mortar

mortal|e mortal; deadly; **~ità** f mortality

mort|e f death; **~ificare** v/t mortify; humiliate

morto adj dead; deceased; **stanco ~** dead tired; m dead man

mort|orio m burial; **annuncio** m **~uario** announcement of death

mosàico m mosaic

mosc|a f fly; **~aiuola** f flynet
mosc|atello m muscatel
(vine); **noce** f **~ata** nutmeg
moschea f mosque
moschetto m rifle
mossa f move(ment); **~ di
corpo** med stool
mostard|a f mustard; **~iera**
f mustard-pot
mosto m must
mostr|a f show; display;
dial-plate; **~are** v/t show;
~o m monster; **~uoso** monstruous
mota f mud; slime
motiv|are v/t motivate; **~azione** f motivation; **~o** m
motive; reason; **a ~o di**
because of
moto m motion; **~cicletta** f
motor-cycle; **~ciclista** m, f
motor-cyclist; **~leggera** f
moped; **~nave** f motor-ship; **~re** m motor; engine;
~re a due (quattro) tempi
two- (four-)cycle engine;
~re Diesel Diesel engine;
~re fuoribordo outboard
motor; **~retta** f scooter;
~scafo m motor-boat
motrice moving; **forza ~** f
driving power
motto m motto; device
mov|ente m motive; cause;
~ibile movable; **~imento** m
movement; traffic
mozz|icone m cigar stub; **~o**
m cabin-boy
muca f (milk-)cow
mucchio m heap; pile
muc|o m mucus; **~osa** f
mucous membrane

muff|are v/i grow mouldy;
~ato mouldy
mugghi|are v/i (bel)low;
moo; **~o** m (bel)lowing;
roar(ing)
mughetto m lily of the
valley
mugnaio m miller
mulin|ello m whirl; mech
windlass; **~o** m mill
mulo m mule
multa f fine
multi|colore many-coloured; **~forme** multiform;
~laterale multilateral
mùltiplo multiple
mùngere v/t milk; fig
squeeze
municipale municipal;
consiglio m **~** town-council; **palazzo** m **~** town-hall;
guardia f **~** policeman
municipio m municipality;
town hall
mun|ire v/t supply (**di**
with); **~izione** f (am)munition
muòvere v/t move; stir
mur|aglia f wall; **~atore** m
brick-layer; mason; **~atura**
f masonry; **~o** m wall
muschio m musk
musco m moss
muscolatura f muscles pl
mùscolo m muscle
museo m museum; **~ archeològico** archeological
museum; **~ dell'arte** arts
and crafts museum; **~ etnogràfico** museum of ethnology; **~ nazionale** national museum; **~ delle**

scienze naturali museum of (natural) science
museruola f muzzle
musetto m pretty face
mùsica f music; band; **~ da càmera** chamber music; **negozio di ~** music shop
musicale musical
musicista m, f, **mùsico** m musician
muso m snout; muzzle
mustacchi m/pl moustaches

pl
mutàbile changeable
mut|ande f/pl drawers pl, pants pl; **~andine** f/pl panties pl; **~andine da bagno** bathing-drawers pl
mutare v/t change; alter
mutil|are v/t mutilate; **~ato** m cripple
muto adj dumb; mute; m dumb person
mùtuo adj mutual; m loan

N

nàcchere f/pl castanets pl
nafta f naphta; petroleum
nailon m nylon
nano adj dwarfish; m dwarf
napoletano m, adj Neapolitan
Nàpoli f Naples
nappa f tassel
narciso m narcissus; daffodil
narc|osi f narcosis; **~òtico** m, adj narcotic; **~otizzare** v/t narcotize
narice f nostril
narr|are v/t tell; narrate; **~azione** f tale
nasale adj nasal; f nasal
nàsc|ere v/i be born; fig (a)rise; bot shoot (forth); **~ita** f birth
nasc|ondere v/t hide; conceal; **~ondiglio** m hiding-place
naso m nose
nassa f eel-pot
nastro m ribbon; **~ isolante** insulating tape; **~ magnè-**

tico recording tape
Natale m Christmas; **vigilia f di ~** Christmas Eve
nat|ale birth-place; natal; **città f ~ale** birth-place; **giorno m ~alizio** birthday
natante floating
nat|ività f nativity; **~ivo** native; **paese m ~ivo** birth-place
nato born
natura f nature; **~ morta** paint still life
natur|ale adj natural; m temper; constitution; **~lezza** f naturalness; **scienze f/pl ~ali** (natural) science; **~alità** f citizenship; **~alizzare** v/t pol naturalize
naufrag|are v/i be shipwrecked; **~io** m shipwreck
nàufrago m shipwrecked person
nàusea f sickness; disgust
nauseare v/t make sick
nàutica f nautical science

navale naval; **cantiere** m ~ dockyard

navata f nave

nave f ship; boat; ~ **mercantile** cargo-ship; freighter; ~ **passeggeri** passenger-steamer; liner

navicella f barge; aer gondola

navig|àbile navigable; ~**atore** m navigator; ~**azione** f navigation

navone m turnip

nazional|e national; **prodotto** m ~**e** home product; ~**ità** f nationality; ~**izzare** v/t nationalize

ne of it; its; of them; of that, etc from there

né: ~ ... ~ neither ... nor

neanche not even

nebbi|a f fog; mist; ~**oso** foggy

necess|ario adj necessary; m needful; ~**ità** f necessity; need

nefrite f nephritis

neg|are v/t deny; ~**ativo** negative; ~**azione** f negation

negletto neglected

negli: prep in with article gli

neglig|ente negligent; ~**enza** f negligence

negozi|ante m merchant; ~**are** v/t, v/i negotiate; carry on business; ~**azione** f negotiation

negozio m shop; **grande** ~ store; ~ **speciale** special shop; ~ **di artìcoli fotogràfici** camera shop; ~ **di**

artìcoli musicali music-shop; ~ **di calzature** shoe-shop; ~ **di gèneri alimentari** food shop; ~ **di oggetti d'arte** fine-art dealers

negr|a f negress; ~**o** adj black; m negro

neh? isn't it?

nei, nel, nella, nelle, nello prep in with article i, il, la, le, lo

nem|ica f enemy; hostile; m enemy; ~**ico** adj

nemmeno not even

neo m mole; ~**nato** m newborn infant

neppure not even

nero black; **vino** m ~ red wine; ~**fumo** m lampblack

nerv|ino nervine; ~**o** m nerve; ~**osità** f nervousness; ~**oso** nervous

nèspol|a f bot medlar; ~**o** m medlar-tree

nessuno no; no one; nobody

nett|apipe m pipe cleaner; ~**are** v/t clean(se); ~**ezza** f **pùbblica** street-cleaning

netto clean; **guadagno** m ~ net gain

neutr|ale neutral; ~**alità** f neutrality; ~**o** neutral; gram neuter

nev|e f snow; ~**icare** v/i snow; ~**icata** f snow-fall; ~**ischio** m sleet

nevr|algia f neuralgia; ~**àlgico** neuralgic; ~**osi** f neurosis; ~**òtico** neurotic

nicchia f niche

nich|el m nickel; ~**elare** v/t nickel(-plate)

nido *m* nest

niente *adj*, *adv* nothing; *m* nothing(ness); **non ho ~ da fare** I have nothing to do; **~ affato** not at all; **per ~** for nothing

nimbo *m* nimbus

ninn|a nanna *f* lullaby; **~are** *v/t* lull asleep

nìnnolo *m* toy; **~i** *pl* knick-knacks

nipote *m* nephew; *f* niece; *m*, *f* grandchild

nitidezza *f* neatness

nìtido neat; clear

nitr|ire *v/i* neigh; **~ito** *m* neigh(ing)

nitro *m* nitre; salpetre

no no; **se ~** if not; otherwise; **dire di ~** say no

nòbile *adj* noble; *m* nobleman

nobilità *f* nobility

nocca *f* knuckle

nòcciolo *m* (fruit-)stone; kernel

nocciuol|a *f* hazel-nut; **~o** *m* hazel-tree

noce *m* walnut-tree; walnut-wood; *f* walnut; **~ moscata** nutmeg; **~ del piede** ankle; **~lla** *f* wrist

nocivo harmful

nodo *m* knot; bow

noi we; us; **~ altri** we

noi|a *f* tedium; annoyance; **~oso** tedious; annoying

noleggi|are *v/t* hire; *naut* charter; **~o** *m* hire; freight; **~o automòbili** car rental

nolo *m* hire; freight; **prèndere a ~** hire; **dare a ~**

out on hire

nome *m* name; **~ (di battésimo)** Christian name; **~ di ragazza** maiden name

nòmina *f* appointment

nomin|are *v/t* appoint; mention; **~arsi** *v/r* be called

non not; **~ ancora** not yet; **già che** not that; **~ ti scordar di me** *m bot* forget-me-not

noncurante careless

nondimeno nevertheless

nonn|a *f* grandmother; **~o** *m* grandfather; **~i** *m/pl* grandparents; ancestors

nonostante notwithstanding; in spite of

nord *m* north; **mare** *m* **del ~** North Sea; **~èst** *m* north-east

nòrdico northern

nord-ovest *m* north-west

norma *f* rule; regulation; standard; **a ~ di** according to

normale normal

Norvegia *f* Norway

nossignore no, Sir

nostalgia *f* home-sickness **(di** for); nostalgia

nostrano domestic; **vino** *m* **~** home-grown wine

nostro our; ours

nostromo *f naut* boatswain

nota *f* note; bill; list; **~ bene** nota bene

notàbile noticeable

notaio *m* notary

not|are *v/t* note; notice; **~arile** notarial; **~évole** noteworthy; remarkable; **~ifi-**

care v/t notify; **~izia** f news; **~o** (well-)known; **far ~o** make known; **~orio** notorious

notte f night; **di ~** at night; **buona ~!** good night!

notturno nightly

novanta ninety; **~antenne** ninety years old; **~azione** f innovation

novella f news; (short) story

novembre m November

novità f novelty; innovation; news; **~iziato** m apprenticeship; **~izio** adj inexperienced; m beginner; eccl novice

nozione f notion

nozze f/pl wedding

nube f cloud; **~ifragio** m down-pour

nùbile marriageable (of girls only)

nuca f nape (of the neck)

nucleare nuclear; **centrale** f ~ nuclear power station; **energia** f ~ nuclear energy

nudare v/t bare; **~ità** f nudity; **~o** adj naked; m paint nude

nulla nothing; **per ~** not at all

nullo null; void

numerabile numerable; **~ale** m numeral; **~are** v/t number; count; **~atore** m numerator

nùmero m number; **fare il ~** tel dial; **~ di casa** street number; **~ telefònico** telephone number

numeroso numerous

nunzio m eccl nuncio

nuòcere v/i harm; hurt

nuora f daughter-in-law

nuotare v/i swim; **~atore** m swimmer; **non ~atore** non-swimmer; **~o** m swimming

nuova f news; **~o** adj new; **di ~** again; once more

nutrice f wet-nurse; **~imento** m nourishment; food; **~ire** v/t nourish; feed; **~itivo** nourishing

nùvola f cloud

nuvoloso cloudy

nuziale nuptial; **velo** m ~ bridal veil

nylon m nylon

O

o or; either; else; **~ ... ~** either ... or

o! oh!; **~ signore!** oh God!

òasi f oasis

obbediente, ~ienza, ~ire = ubbid...

obbligare v/t oblige; compel; **~are a letto** confine to one's bed; **~ato** obliged;

~atorio compulsory; **~azione** f obligation; com bond

òbbligo m obligation; duty

obelisco m obelisk

obeso obese

obiettare v/t object; **~ivo** adj objective; m aim; object-glass

obiezione f objection

oblazione f donation

obliquo oblique

oblungo oblong

òboe m oboe

oca f goose

occasion|ale occasional; **~e** f occasion

occhi|aia f eye-socket; **~ali** m/pl spectacles; **~ali da lettura** reading glasses pl; **~ali da sole** sun-glasses; **~alino** m monocle; **~ata** f glance; **~ello** m button-hole; **~o** m eye

occident|ale western; **~e** m west

occorr|ente adj necessary; m needful; **~enza** f need; occasion

occórrere v/i be necessary; happen

occult|are v/t hide; **~o** occult

occup|are v/t occupy; employ (s.o.); **~arsi** v/r busy o.s. (**di**, in with); **~ato** (seat) taken; occupied; **~azione** f occupation

océano m ocean

ocra f ochre

ocul|ista m oculist; **~istica** f ophthalmology

od = **o** (before vowels)

ode f he hears

odi|are v/t hate; **~ato** hated; **~o** m hatred; **~oso** hateful

odo I hear

odontoligia f dentistry

odor|are v/t, v/i smell; **~ato** m smell; scent; **~e** m smell; **~oso** odorous; scented

offèndere v/t offend; hurt

offerente m bidder; **maggior ~** highest bidder

offerta f offer; bid

offesa f offence

officina f: **~ concessionaria** authorized repairer; **~ di riparazioni** repair-shop

offrire v/t offer

offuscare v/t obscure

oftalmia f ophthalmia

ogget|tivo adj objective; m objective; **~o** m object; **~i** m/pl di valore valuables pl

oggi today; **d'~** today's; **~ a otto** today week; **~dì, ~giorno** nowadays

ogni each; every; **~ giorno** every day; **~ tanto** now and then; **~ sei giorni** every sixth day

Ognissanti m All Saints' Day; **²ognu** everybody

oh! oh!; **~ibò!** shame!

Olanda f Holland

olandese Dutch; **formaggio ~** Dutch cheese

ole|andro m oleander; **~ificio** m oil-mill

olezz|are v/i smell sweetly; **~o** m fragrance

oliera f oil-cruet

olio m oil; **~ per il cambio** transmission oil; **~ per il motore** motor oil; **~ d'oliva** olive oil; **~ di ricino** castor oil; **~ solare** sun-oil

oliv|a f olive; **~astro** olive-coloured; **~eto** m olive grove; **~o** m olive-tree

olmo m elm(-tree)

olocàusto m holocaust

oltracciò besides

oltraggiare v/t outrage

oltre beyond; besides; **~ché** besides; **~mondo** m the other world; **~passare** v/t overstep

omaggio m homage; **i miei ~i** my respects

ombr|a f shade; shadow; **~eggiare** v/t shade; **~ellaio** m umbrella-maker, -seller; **~ellino** m parasol; **~ello** m umbrella; **~ellone** m large parasol; **~oso** shady

òmero m shoulder

ométtere v/t omit

om|icida adj murderous; m, f murderer; **~icidio** m homicide; murder

omissione f omission

òmnibus m bus; **treno m ~** slow passenger-train

omosessuale m, adj homosexual

oncia f ounce

ond|a f wave; **~ata** f surge; **~ata di caldo** heat wave; **~ata di sangue** rush of blood

onde whence; from where; by which; in order to

ondeggiare v/i undulate; waver

ond|oso wavy; **~ulare** v/t wave

ònere m burden

oneroso burdensome

onest|à f honesty; **~o** honest

ònice m onyx

onnipoten|te almighty

onomàstico m name-day

onor|àbile honourable; **~a-**

bilità f honorability; **~an-do** venerable; **~anza** f honour; **~are** v/t honour

onorario m fee; **membro m ~** honorary member

onor|e m honour; **~évole** honourable; **~ificenza** f honour; title

onta f shame; **ad ~ di** in spite of

opaco opaque

òper|a f work; mus opera; **mano f d'~** labour

oper|aio m worker; **~are** v/t med operate; act; work; **~ativo** operative; **~atore** m operator; **~azione** f operation; com transaction; **~etta** f operetta; **~oso** active; industrious

opinione f opinion

oppio m opium

oppo|rre v/t oppose; **~orsi** v/r be opposed; **~ortuno** opportune; **~osizione** f opposition; **~osto** opposite; **all'~osto** on the contrary

oppr|essione f oppression; **~imere** v/t oppress

oppure or; or else

opulen|to opulent; **~za** f opulence

opùscolo m pamphlet

ora f hour; **~ estiva** summer time; **~ locale** local time; **~ di chiusura** closing time; **~ di partenza** time of departure; **~ d'ufficio** office-hour; **che ~ è?** what time is it?; adv now; at present; **di buon'~** early; **or ~** just now; **per ~** for the present; **d'~ in**

poi henceforth

òrafo *m* goldsmith

orale adj

oramai by this time

or|are *v/i* pray; **~azione** *f* oration; prayer

orario adj hourly; *m* time-table; **in ~** punctual(ly); **~ di volo** time-table

orat|ore *m* speaker; **~orio** *m* oratory

òrbita *f* orbit; socket

orchestra *f* orchestra

orchidèa *f* orchid

orcio *m* jar; pitcher

ordin|ale ordinal; **nùmero** *m* **~ale** ordinal number; **~amento** *m* arrangement; **~are** *v/t* arrange; direct; arrange; **~ario** ordinary; on the staff; **~atore** *m* organizer; **~azione** *f* order; eccl ordination

órdine *m* order; rank; *thea* tier; *eccl* holy orders *pl*; **~ del giorno** agenda; **fino a nuovo ~** until further orders

ordire *v/t* plot

orecchi|no *m* earring; **~o** *m* ear; **~oni** *m/pl* mumps

oréfice *m* goldsmith; jeweller

oreficerìa *f* jeweller's shop

òrfano *m*, adj orphant

orfanotrofio *m* orphanage

organaio *m* organ-builder

organico organic

organ|ino *m* barrel-organ; **~ismo** *m* organism; **~ista** *m*, *f* organist; **~izzare** *v/t* organize; **~izzazione** *f* organ-

ization

òrgano *m* organ

orgogli|o *m* pride; **~oso** proud; haughty

orient|ale adj Eastern; Oriental; *m* Oriental; **~amento** *m* orientation; **~amento professionale** vocational guidance; **~are** *v/t* orient(ate); **~arsi** *v/r* find one's way; **~e** *m* east; Orient

originale original

origine *f* origin

origliare *v/i* eavesdrop

orina *f* urine

orinale *m* chamber-pot

orizzont|ale horizontal; **~e** *m* horizon

orl|are *v/t* hem; **~atura** *f* hemming; **~o** *m* hem; border

orma *f* footstep; trace

ormone *m* hormone

orn|amento *m* ornament; **~are** *v/t* adorn

oro *m* gold; **d'~** golden

orolog|erìa *f* watchmaker's shop; **~iaio** *m* watchmaker; **~io** *m* clock; watch; **~io da polso** wrist-watch; **~io da tasca** pocket-watch

oròscopo *m* horoscope

orpello *m* tinsel (also fig)

orr|endo dreadful; **~ibile** horrible

òrrido horrid

orrore *m* horror

orso *m* bear

orsù! come on!

ortica *f* nettle

orticultura *f* horticulture

orto *m* kitchen-garden

ortodosso

orto|dosso orthodox; **~gra-fia** f orthography

ortolano m vegetable-gardener; greengrocer

ortopèdico orthopedic

orzaiuolo m sty(e) (on the eye)

orzo m barley; **~ perlato** pearl barley

osare v/t, v/i dare

oscur|are v/t darken; dim; **~ità** f darkness; **~o** dark

ospedale m hospital; **~ mili-tare** miltary hospital

ospit|ale hospitable; **~alità** f hospitality; **~are** v/t shelter (guests)

òspite m host; guest; visitor

ospizio m hospice; convent

ossatura f osseous frame

ossequi|o m homage; respect; **~i** m/pl regards pl; **~ioso** respectful

osservanza f: **con perfetta ~** most respectfully Yours

osserv|are v/t observe; **~a-tore** m observer; **~atorio** m observatory; **~azione** f observation

ossesso adj possessed; m madman

ossia or (rather); that is to say

ossidare v/t oxidize

ossigenare v/t peroxide (hair)

ossigeno m oxygen

osso m bone

ost|àcolo m obstacle

ostante: ciò non ~ nonetheless

oste m innkeeper; **~llo** m per

la gioventù youth hostel

ostensorio m monstrance

ost|eria f inn; pub; **~essa** f hostess; landlady

ostètrico adj obstetrical; m obstetrician

ostia f eccl Host; wafer

ostile hostile

ostilità f hostility

ostin|arsi v/r insist on; be obstinate; **~ato** obstinate

òstrica f oyster

ostric|aio, ~aro m oyster-bed; oyster-seller

ostr|uire v/t obstruct; **~u-zione** f obstruction

otite f otitis

otorinolaringoiatra m ear, nose and throat specialist

otre m goat-skin bottle

ott|anta eighty; **~antenne** eighty years old

ottavo eighth; m eighth; octavo

ottenere v/t obtain; get

òttic|a f optics; **~o** adj optic(al); m optician

òttimo very good; best

otto eight; **oggi a ~** today week

ottobre m October

ottone m brass

otturatore m phot shutter

ottuso blunt

ov|aio, ~aio m egg-seller; **~aiuolo** m egg-cup; **~ale** oval

ovatta f cotton-wool

ove where; whereas

ovest m west

ovile m sheepfold

ovunque wherever; everywhere

òvvio obvious
oziare v/i idle; lounge
ozi|o m idleness; **~oso** adj

idle; m idler
ozòn|ico ozonic; **~o** m ozone

P

pacchetto m small parcel
pacchia f food; good living
pacco m package; parcel
pace f peace; **darsi ~** calm o.s.
paciere m peace-maker
pacific|are v/t appease; **~ar-si** v/r **con qu.** get reconciled with s.o.; **~azione** f pacification
pacifico peaceful; **ocèano** m ♎ the Pacific
padella f frying-pan; anat knee-pan
padiglione m pavilion; tent; **~ dell'orecchio** outer ear
Pàdova f Padua
padr|e m father; **~ino** m godfather
padron|a f mistress; landlady; **~ale** belonging to the master; private; **~ato** m possesssion; **~e** m master; employer; owner; principal; **~e di casa** landlord
paes|aggio m landscape; **~ano** adj native; m countryman; **~e** m country; village; **~ista** m, f landscape painter
pag|a f pay; salary; wages pl; **~àbile** payable
pagaia f paddle
pagamento m payment; **~ anticipato** advance payment
pagan|èsimo m paganism;

~o adj pagan; m heathen
pagare v/t pay; **~ a rate** pay by instalments
paggio m page
pàgina f page
paginare v/t paginate
paglia f straw; **cappello** m **di ~** straw-hat; **~ d'acciaio** steel wool
paglino m straw-work
pagliuzza f straw
paio m pair
pala f shovel
palafitta f pile-dwelling
palan|ca f plank; board; fam coin; **~chino** m sedan-chair
palàncola f plank
palato m anat palate
palazzina f country mansion
palazzo m palace; **~ comunale** (also **municipale**) City Hall; **~ di giustizia** law-court; **~ reale** Royal Palace
palchetto m shelf; thea box
palco m scaffold; stand; thea box; **~scènico** m stage
pales|amento m revelation; **~are** v/t disclose; **~e** evident
palestra f gymnasium
paletta f shovel; palette
paletto m door-bolt
palio m race
palla f ball; bullet; **~ a**

mano hand-ball; **~ di neve** snowball; **~ dell'occhio** eyeball; **fare alla ~** play ball; **~canestro** *m* basket-ball; **~corda** *f* tennis; **~maglio** *m* cricket; **~nuoto** *m* water-ball; **~ta** *f* blow from a ball

palliativo *m* palliative

pallidezza *f* paleness

pàllido pale

pallina *f* small ball; **~o** *m* small shot

pall|oncino *m* child's balloon; Chinese lantern; **~one** *m* football

pallore *m* pallor

pallòttola *f* bullet

pallottoliere *m* (*child's*) counting-frame

palma *f* palm

palm|eto *m* palm-grove; **~zio** *m* palm-branch; **~o** *m* hand's breadth, span

palo *m* post; **~ del telègrafo** telegraph-pole

palombaro *m* diver

palp|àbile touchable; **~are** *v/t* touch

pàlpebra *f* eyelid

palpit|are *v/i* throb; pant; **~azione** *f*, **pàlpito** *m* throbbing

paltò *m* overcoat

palud|e *f* marsh; moor; **~oso** marshy

palustre marshy; **febbre** *f* **~** marsh fever

panca *f* bench

panchetto *m* (foot)stool

panci|a *f* belly; **~otto** *m* waistcoat; **~otto pneu-**

màtico life-jacket; **~uto** corpulent

pane *m* bread; **~ bianco** white bread; **~ bigio** grey bread; **~ nero** brown bread; **~ tostato** toast; **un ~** a bread-loaf; **~ di zùcchero** loaf of sugar; **fare il ~** bake bread

panett|erìa *f* bakery; **~iere** *m* baker

panfilo *m* yacht

panforte *m* ginger-bread

pànico *adj* panic; *m* (*also* **timor** *m* **~**) panic (terror); millet

pan|iera *f* basket; **~ieraio** *m* basket-maker; **~iere** *m* basket; **~ificare** *v/t* bake bread; **~ificio** *m* bakery

panino *m* roll; **~ imbottito** sandwich

panna *f* cream; *auto:* break-down; **~ montata** whipped cream; **essere in ~** have a break-down

pann|eggiare *v/t* drape; **~ello** *m* piece of cloth; panel; **~o** *m* cloth; **méttersi nei ~i di qu.** put o.s. in s.o.'s place; **~olino** *m* linen cloth

pannocchia *f* corn-cob

panorama *m* view

pantaloni *m/pl* trousers *pl*

pantòfola *f* slipper

pantomima *f* pantomime

paonazzo violet; purple

papà *m* dad; father

pap|a *m* pope; **~ale** papal; **~ato** *m* papacy

papàvero *m* poppy

pappa f pap
pappagallo m parrot
pappare v/t gulp down
pàprica f red pepper
para|brezza m windscreen; **~cadute** m parachute; **~cadutista** m,f parachutist; **~carro** m curbstone; **~cènere** m fender
paradiso m paradise
parafango m auto: mudguard; fender
parafùlmine m lightning-rod
paragon|àbile comparable; **~are** v/t compare; **~e** m comparison
paràlisi f paralysis; **~ progressiva** progressive paralysis
paralìtico paralytic
parallel|a f parallel; **~e** pl parallel bars; **~o** parallel
para|lume m lamp-shade; **~mosche** m fly-net; **~petto** m parapet
parare v/t adorn; protect (**da** against); avert
parasole m parasol
parassita m parasite
parata f parade
parato m ornament
paraurti m bumper
parcare v/t park
parcella f bill
parcheggiare v/t park
parcheggio m parking (-place); **divieto** m **di ~** no parking
parchìmetro m, **parcòmetro** parking meter
parco adj sparing; m park

parecch|io a good deal; **~i** m/pl, **~ie** f/pl several
pareggiare v/t level; com balance; **~ qu.** be equal to s.o.
pareggio m balance
parent|ado m kinship; **~e** adj related; m,f relative; **~ela** f relatives pl
parèntesi f parenthesis; f/pl brackets pl
parere v/i seem; **che Le pare?** what do you think?; m opinion; advice
parete f wall
pari equal; even; **un ~ tuo** the like of you
pariment|e, ~i likewise
parità f parity
parlament|are adj parliamentary; m parliamentarian; v/i parley; **~ario** m negotiator; **~o** m parliament
parl|antino gabby; **~are** v/t, v/i speak (**a qu.** to s.o.); **lingua ~ata** colloquial language; **~atore** m speaker; **~atorio** m parlour
parmigiano m Parmesan cheese
parol|a f word; **~e** f/pl incrociate crossword puzzle
parrocchi|a f parish; **chiesa** f **~ale** parish church
pàrroco m parson
parr|ucca f wig; **~ucchiera** f, **~ucchiere** m hairdresser; **~ucchiere per signore** ladie's hairdresser; **~ucchiere per uomo** men's hairdresser; barber
parsimonia f parsimony

parte f part (*also thea*); side; party; **a** ~ part; **da** ~ aside; **da mia** ~ on my behalf; **in** ~ partly; **lo saluti da** ~ **mia** give him my regards

particip|ante m, f participant; **~are** v/i partake (in); attend; v/t inform; **~azione** f participation; announcement

parteggiare v/i side (with)

partenza f departure; start-(ing); sailing

participio m participle

particol|are adj particular; m detail; **~areggiato** detailed; **~arità** f detail; peculiarity

partigiano m partisan

partire v/t divide; v/i leave (**per** for)

partit|a f game; com lot; **~a di calcio** football match; **~a sémplice** (**doppia**) single (double) entry

partitivo: articolo m ~ partitive article

partito m party; decision

partizione f partition

parto m delivery, child-birth

partoriente f woman in childbed

parvenza f appearance

parzi|ale partial; **~alità** f partiality

páscere v/t graze

pascolare v/t, v/i pasture

páscolo m pasture

Pasqua f Easter

passàbile tolerable

passaggio m passage; trans-

it; **di** ~ in passing; **~ a livel-lo** level crossing (**custodito** guarded, **incustodito** un-guarded); ~ **di confine** frontier crossing point

passante m passer-by

passaporto m passport

passare v/t, v/i pass (along); happen; elapse(*time*); ~ **di moda** get out of style; ~ **di mente** slip one's memory

pass|ata f passing; glance; shower (*rain*); *gast* mash; **~atempo** m pastime; *gast* m, adj past; **~atoia** f stair-carpet

passegero m passenger; traveller

passeggi|are v/i walk; **~ata** f walk; **fare una ~ata in carrozza** take a drive; **~o** m promenade

passeraio m twittering

passerella f gangway

pàssero m sparrow

passion|ato passionate; **~e** f suffering; passion

passiv|ità f inactivity; com liability; **~o** adj passive; m gram passive; com liabilities pl

passo adj faded; dried; m step; pass; *literary:* pas-sage; ~ **falso** false step

pasta f dough; paste; pastry; ~ **dentifricia** tooth-paste; ~ **al brodo** noodle soup; ~ **asciutta** macaroni

pastaio m macaroni seller

pastello m pastel

past|icceria f pastry-shop; **~icciere** m pastry-cook;

~iccio m pie; **~iccio di fé-gato d'oca** pâté de foie gras; **~ificio** m macaroni factory; **~iglia** f tablet; **~ina** f fine noodles; **~ina in brodo** noodle soup

pasto m meal; **vino** m **da ~** table-wine

pastorale adj pastoral; m crozier; f pastoral letter; **~ore** m shepherd; pastor

pastoso soft; mellow

pastura f pasture; **~urare** v/t, v/i pasture

patata f potato; **~e** pl **fritte** fried potatoes

patentare v/t license; **~e** adj obvious; f certificate; auto: driver's license

paterno fatherly

paternostro m Lord's Prayer

patimento m suffering

patire v/t, v/i suffer

patria f fatherland; **~arca** m patriarch; **~gno** m stepfather; **~monio** m patrimony

patrio native

patriot(t)a m, f patriot

patrizio m patrician

patronato m patronage; **~ono** m patron (saint); protector

patteggiare v/t, v/i bargain; **~atore** m negotiator

pattinaggio m skating; **~aggio artistico** figure skating; **~are** v/i skate; **~atore** m skater

pàttino m skate

patto m agreement; condi-

tion; **a ~ che** on condition that

pattuglia f patrol

pattume m sweepings pl; **~umiera** f dustbin

paura f fear; fright; **avere ~a** be afraid; **~oso** afraid

pausa f pause

pavesare v/t deck with flags; **~ese** m flag

pàvido timid

pavimentare v/t pave; floor; **~ento** m floor

pavonazzo purple; **~e** m peacock

pazientare v/i have patience; **~ente** adj enduring; m patient; **~enza** f patience

pazzia f insanity; madness; **~o** adj mad; insane; m madman

p. e. = per esempio for instance

peccàbile liable to sin; **~are** v/i. sin; **~ato** m sin; **~ato!** pity!; **che ~ato!** what a pity!; **~atore** m sinner

pece f pitch

pècora f sheep; ewe

pecoraio m shepherd; **~ile** m sheepfold; **~ino** m cheese from ewe's milk

peculiarità f peculiarity

pecunia f money; **~ario** pecuniary

pedaggio m toll

pedagogia f pedagogy

pedalare v/i pedal; cycle; **~ale** m pedal; **~ale della frizione** clutch pedal; **~ana** f footboard

pedante adj pedantic; m pedant

pedata f footprint; kick

pediatra m, f paediatrician

pedicure f pedicure

pediluvio m foot-bath

pedina f (chess)

pedone m pedestrian

peggio worse; **il ~o** the worst; **~oramento** m getting worse; **~orare** v/i deteriorate; v/t make worse; **~ore** worse; **il ~ore** the worst

pegno m pawn; token; **méttere qc. in ~** pawn s.th.

pégola f melted pitch

pellame m hair (animals); fur; **~are** v/t (fowl) pluck; fleece; (fruit) peel; **~arsi** v/r lose one's hair; **~ato** bald; stripped

pellagra f pellagra; **~aio** m tanner; **~ame** m hides pl; skins pl

pelle f skin; hide; peel; **~ di camoscio** suède chamois-leather; **~ di bue** cow-hide

pellegrina f woman pilgrim; pelerine; **~inaggio** m pilgrimage; **~inare** v/i go on pilgrimage; fig wander; **~ino** m pilgrim

pellerossa m, f red-skin (American) Indian

pelletteria f leather shop; **~ie** f/pl leather articles

pelliccieria f furrier's shop; **~ia** f fur (coat); **~iaio** m furrier; **~iame** m furs pl

pellicola f phot film; **~ a caricatore** cassette film; **~**

cinematografica film, (moving) picture, movie; **~ a colori** colour film; **~ impressionata** exposed film; **~ a passo ridotto** cinefilm; **~ in ròtolo** roll film

pelo m hair; (animals) fur; **contro ~** against the grain; **~so** hairy

pelluria f down; **~uzzo** m soft hair

pena f penalty; pain; trouble; **sotto ~ di** on pain of; **a mala ~** hardly

penale penal; **~lità** f penalty

pendente hanging; pendent; **torre ~ente** leaning tower; **~enza** f slope; fig. pending matter

pèndere v/i hang; lean; slope; (business) be pending

pendìo m slope; declivity

pèndola f (pendulum) clock; **~o** m pendulum

penetrare v/t penetrate; enter into

penicillina f penicillin

penisola f peninsula

penitente adj repentant; m penitent; **~enza** f penitence; **~enziario** m penitentiary; **~enziere** m eccl penitentiary

penna f feather; pen; **~ a sfera** ball-pointed pen; **~ a stilogràfica** fountain-pen; **~ello** m brush; **~ino** m steel pen

penoso painful; toilsome

pensàbile thinkable; **~are** v/t, v/i think; consider; provide (a for); **~atore** m thinker; **~iero** *m* thought; trouble; **~ieroso** thoughtful

pension|are *v/t* pension (off); **~ato** *m* pensioner

pensione *f* (retiring) pension; **boarding-house**; **~ completa** room and (full) board; **mezza ~** room with breakfast and one principal meal

pensoso pensive

Pentecoste *f* Whitsuntide

pent|imento *m* repentance; **~irsi** *v/r* repent; be sorry (**di qc.** for s.th.)

pèntola *f* pot; kettle; **~ a pressione** pressure cooker

penùltimo last but one

penuria *f* penury (**di** of)

penzol|are *v/i* dangle; **~oni** dangling

pep|aiuola *f* pepper-pot; pepper-mill; **~ato** peppered; **pan ~ato** gingerbread; **~e** *m* pepper; **~erone** *m* pimento; chilli

per for; through; by; **~ mano** by hand; **~ 3 giorni** for 3 days; **~ mancanza** for want of; **partire ~** leave for; **~ terra** by land; **~ mare** by sea; **~ esempio** for instance

pera *f* pear

per|cento *m* percent; **~centuale** *f* percentage

perce|pire *v/t* perceive; **~zione** *f* perception

perché because; so that; **~?** why?

perciò therefore; **~ocché** because; since

perc|órrere *v/t* run through; **~orso** *m* distance; journey; **~orso di arresto** *aut* stopping distance

perc|ossa *f* blow; stroke; **~uòtere** *v/t* strike; **~ussione** *f* percussion

pèrd|ere *v/t* lose; miss; **~ersi** *v/r* get lost

perdigiorno *m* good-for-nothing

perdìo! by God!

pèrdita *f* loss

perd|itempo *m* waste of time; **~itore** *m* loser

perdon|àbile forgivable; **~are** *v/t* forgive; **~o** *m* forgiveness

perdurare *v/i* last; persist

pereg|rinare *v/i* wander; **~ino** foreign; *fig.* strange

perenne everlasting

perento annulled; extinct

perf|etto *adj* perfect; *m gram* perfect tense; **~ezionamento** *m* completion; **~ezionare** *v/t* finish; improve; **~ezione** *f* perfection

perfidia *f* perfidy

pèrfido wicked; treacherous

perfino even

perfor|are *v/t* pierce; **~atore** *m* puncher; **~atrice** (**màcchina ~atrice**) *f* drill; borer; **~azione** *f med* perforation; rapture

pergamena *f* parchment

pèrgola *f* vine-trellis

perìcolo *m* danger; **~ di valanghe** danger of avalanches

pericoloso dangerous
periferia f periphery; **~della città** outskirts of the city
perifrasi f periphrasis
periòdico periodic(al); m magazine; **~iodo** m period; gram sentence
peripezie f/pl vicissitudes pl
perire v/i perish
peristilio m peristyle
perito adj versed; m expert; **~izia** f expert's report; skill
perla f pearl
perlomeno at least
perlustrare v/t reconnoitre
permanente adj permanent; f permanent wave (**a freddo** cold); **~enza** f permanence; stay
permeàbile permeable; **~are** v/t permeate
permesso m permission; leave; **~esso di soggiorno** residence permit; **~éttere** v/t allow, permit; **~issione** f permission
permutare v/t barter; **~atore** m elec switch
pernice f partridge
pernicioso a f malignant fever; **~o** pernicious
pernottamento m stay over night; **~are** v/i spend the night
pero m pear-tree
però but; yet
perocché because
perpendicolare perpendicular; **~icolo** m plummet
perpètuo perpetual; **for** for life
perplesso perplexed

perquisire v/t search; **~izione** f search
persecutore m persecutor; **~uzione** f persecution
perseguire, ~tare v/t pursue
perseverante persevering; **~anza** f perseverance; **~are** v/i persevere
persiana f shutter; Venetian blind; **~o** Persian
pèrsico: **pesce ~** perch
persino even
persistenza f persistence; **~sistere** v/i persist
persona f person; **~aggio** m thea character; personage; **~ale** adj personal; m staff; **~alità** f personality; **~ificare** v/t impersonate
perspicace keen; **~icacia** f shrewdness; **~icuo** perspicuous
persuadere v/t persuade; **~asione** f persuasion
pertanto therefore; consequently
pertinace stubborn; **~enza** f pertinence
perturbare v/t trouble; **~azione** f perturbation
pervenire v/i attain; **~erso** perverse; **~ertire** v/t pervert
pesalèttere m letter-balance; **~ante** heavy; **~are** v/t weigh; fig consider
pesca f peach; fishing; **~a all'amo** fishing; angling; **~are** v/t, v/i fish; **~atore** m fisher(man)
pesce m fish; **~ pèrsico**

perch; **~ rosso** goldfish; **~cane** m shark; *fig* profiteer

pescheria f fish-market

pescivéndolo m fishmonger

pesco m peach-tree

peso *adj* heavy; m weight; **~ massimo** heavyweight; **~ lordo** gross weight; **~ a vuoto** dead weight

pèssimo very bad; **il ~** the worst

pestare v/t trample; crush

peste f plague; *fig* pest; **~i-lenza** f pestilence

pesto pounded; **carta** f **~a** papier mâché

pètalo m petal

petardo m fire-cracker

petente m petitioner; **~izio-ne** f petition

petriera f stone-quarry; **~i-ficare** v/t petrify; **~ificazione** f petrification

petrolio m petroleum; oil

pettégola f tattler; **~egolezzo** m gossip; **~égolo** gossippy

pettinare v/t comb; **~atura** f hair-do, hair-style

pèttine m comb

petto m breast; bosom; chest

petulante impertinent; **~anza** f arrogance

pezza f cloth; diaper; **~etta** f small rag

pezzo m piece; **~ di ricambio** spare part

pezzuola f (hand)kerchief

piacente pleasant; pretty; **~ere** v/i like; please; m pleasure; **mi faccia il**

~ere do me the favour; **tanto ~ere!** very pleased!; **per ~ere** please; **~évole** agreeable; pleasant

piaga f sore; wound; **~are** v/t wound

pialla f plane; **~are** v/t plane; **~atrice** f planing-machine

piana f plain; thick plank; **~are** v/t smooth; level; **~e-ròttolo** m landing

pianeta m planet; f *eccl* chasuble

piàngere v/i, v/t weep

piangévole lamentable

pianista m, f pianist

piano *adj* level: smooth; *adv* gently; slowly; quietly; m plain; floor; piano; **~forte** m piano(forte); **~forte a coda** grand piano

pianta f plant; plan; map; **~ della città** map of the town; **~ del piede** sole

piantagione f plantation; **~are** v/t plant; **~are qu.** jilt s.o.

pianterreno m ground floor

pianto m weeping

pianura f plain

piattaforma f platform; **~i-no** m small dish; saucer

piatto *adj* flat; dull; m dish; plate; (*meal*) course; **~ fondo** soup-plate; **~ di carne** dish of meat; **~ di uova** dish made of eggs; **~ne** m big plate

piazza f square; market (-place); **~le** m large square

piccante piquant; pungent;

gast spicy; **~ato** larded

picche *f/pl* spades (*playing-cards*)

picchetto *m* picket

picchi|are *v/t* beat; knock; **~ata** *f* blow

piccino *adj* small; *fig* mean; *m* little boy

picci|onaia *f* dovecot; *thea* gallery; **~one** *m* pigeon, dove

picco *m* peak; *fig* a **~** perpendicularly; *naut* **andare a ~** sink

piccolezza *f* smallness

piccolo *adj* little; tiny; *m* youngster

piccozza *f* ice-axe

pie' = **piede**

piede *m* foot; **a ~i** on foot; **stare in ~i** stand up; **~istallo** *m* pedestal

pieg|a *f* fold; pleat; *fig* **buona ~** a turn for the better; **~amento** *m* bending; **~are** *v/t* fold (up); bend; *fig* submit; **~arsi** *v/r fig* yield

piegh|évole pliable; *fig* yielding; **sedia ~évole** folding chair; **~evolezza** *f* pliability

Piemonte *m* Piedmont

pien|a *f* flood; crowd; **~ezza** *f* fullness

pien|o *adj* full; complete; **in ~o giorno** in broad daylight; *m* fullness; **~otto** plump

pietà *f* pity (**di** with); mercy; **monte ~ di ~** pawnbroker's shop

pietoso pitiful; lamentable

pietr|a *f* stone; **~a preziosa** precious stone; **~ificare** *v/t* petrify; **~oso** stony

piffero *m* fife; piper

pigiama *m* pyjamas

pigi|are *v/t* press; cram; **~atoio** *m* wine cellar

pigione *f* rent

pigliare *v/t* take; seize

pigna *f* pine-cone

pignolo *m* pine-seed; *fig* pedant

pignorare *v/t* distrain

pigol|are *v/i* chirp; **~io** *m* chirping

pigr|izia *f* laziness; **~o** lazy; indolent

pil|a *f* pile; *elec* battery; *eccl* font; **~astro** *m* pillar

pillola *f* pill

pilot|a *m* pilot; steersman; **~are** *v/t* pilot; drive; fly

pina *f* = **pigna**

pinacoteca *f* picture-gallery

pin|astro *m* pinaster; **~eta** *f* pine forest

ping-pong *m* ping-pong

pinna *f* fin

pinnàcolo *m* pinnacle

pin|o *m* pine; **~occhiata** *f* cake with pine-seeds; **~occhio** *m* pine-seed

pinz|a *f* pliers *pl*; **~are** *v/t* sting; **~ata** *f* sting

pio *adj* pious; charitable

piogg|erella *f* drizzle; **~ia** *f* rain

piomb|are *v/t* seal; plumb; **~atura** *f* sealing; filling (*tooth*); **~ino** *m* plummet; **~o** *m* lead; plumb; **a ~o** perpendicular

pioniere *m* pioneer

pioppo *m* poplar

piotare *v/t* sod; turf

piòvere *v/i* rain

piovoso rainy

pip|a *f* pipe; **~are** *v/i* smoke (pipe)

pipistrello *m* bat

pira *f* pyre

piràmide *f* pyramid

pirata *m* pirate

pir|òscafo *m* steamship; **~o-si** *f* pyrosis; **~otècnica** *f* fireworks *pl*

piscina *f* swimming-pool; fish-pond

pis|ello *m* pea; **~olino** *m* nap

pisside *f* pyx

pista *f* track; *aer* runway; **~ da ballo** dance floor; **~ da sci** skiing ground; **~ di lancio** runway; landing-strip; **~ per ciclisti** cycle path

pistacchio *m* pistachio

pist|ola *f* pistol; **~ola auto-màtica** automatic pistol; **~olettata** *f* pistol-shot

pistone *m* piston

pitale *m* chamber-pot

pitonessa *f* fortune-teller

pitt|ore *m* painter; **~oresco** picturesque; **~rice** *f* (woman) painter; **~ura** *f* painting

più more (**di, che** than); plus; **a ~ tardi** see you later; **~ giorni** several days; **di ~** more; (**tutto**) **al ~** at the most; **i ~, le ~** most people

pium|a *f* down; feather; **~aggio** *m* plumage; **~ino** *m* eiderdown; quilt; **~ino per la cipria** powder-puff; **~o-**

so downy

piuttosto rather (**che** than)

pizza *f* pizza

pizzic|àgnolo *m* grocer; **~are** *v/t* pinch; *v/i* itch; **~heria** *f* delicatessen-shop

pìzzico *m* pinch; nip

pizzo *m* lace; goatee; **barba a ~** pointed beard

placare *v/t* appease

placc|a *f* plate; **~are** *v/t* plate

placidezza *f* placidity

plàcido placid

plan|are *v/i* *aer* glide down; **~volo** *m* **~ato** volplane

plancia *f* *naut* bridge

planetario planetary

planimetrìa *f* planimetry

plasma *m*: **~ sanguino** blood plasma

plasmare *v/t* mould

plàstica *f* modelling; plastic (art)

plasticare *v/t* plasticize

plàstico *adj* plastic; *m* model

plàtano *m* plane-tree

platea *f* *thea* pit

plàtino *m* platinum

plausìbile plausible; **~so** *m* applause

pleb|aglia *f* mob, rabble; **~e** *f* common people

plebiscito *m* plebiscite

pleni|lunio *m* full moon; **~potenza** *f* full power

pleur|a *f* pleura; **~ite** *f* pleurisy

plùmbeo leaden; livid

plur|ale *m* plural; **~alità** *f* plurality

pluviòmetro *m* rain-gauge

pneumàtic|o *m* tire, tyre;

pompa f ~a air-pump;

posta f ~a pneumatic dispatch

po. = **primo**; *mus* piano

po' = **poco** little

poch|ezza f smallness; **~ino** adj (very) little; m little bit

poco little; scanty; **senti un po'** now listen; **a ~ a ~** little by little; **~ fa** a short time ago; **~ dopo** shortly afterwards; **press'a ~** nearly

poder|e m real property; **~oso** poweful

podestà m mayor; f authority

podio m podium

pod|ismo m foot-racing; **~i-sta** m, f runner

poema m poem

poesia f poem; poetry

poet|a m poet; **~are** v/i write poetry; **~essa** f poet(ess)

poètico poetic(al)

poggi|are v/t, v/i lean on; rest; **~o** m hillock

poi then; after(wards); **dalle 8 in ~** from 8 o'clock onwards

poiché since; as

polacc|a f polonaise; **~o** adj Polish; m Pole

polca f polka

polenta f polenta

poliambulanza f out-patients department

poliglotto polyglot

poligono m polygon

poligrafare v/t mimeograph

poligrafo m polygraph

polio f, **poliomielite** f polio,

poliomyelitis

politic|a f politics *pl*; policy; **~o** adj politic(al); m politician

polizia f police; **~ confinaria** border police; **~ di porto** harbour-police; **~ sanitaria** sanitary police; **~ stradale** traffic police

poliziotto m policeman; detective

pòlizza f com policy; **~ di càrico** bill of lading

poll|aio m poultry-yard; **~ame** m poultry; **~astrina** f teenage girl; **~astro** m young fowl; *fig* youngster; **~eria** f poulterer's shop

pòllice m thumb; big-toe; inch

poll|icultura f poultryfarming; **~o** m chicken; fowl; **~o arrosto** roast fowl

polmon|e m lung; **~ite** f pneumonia

polo m pole; **~ nord** North Pole

Polonia f Poland

polpa f pulp; flesh

polp|accio m calf; **~acciuto** plump; **~etta** f meat ball; **~ettone** m gast minced meat; roasted forcemeat; **~oso** pulpy; fleshy

pols|ino m cuff; **~o** m pulse; wrist

poltr|ire v/i be lazy; **~ona** f easy-chair; *thea* stall; **~ona letto** deck chair; **~oncina** f pit stall; **~one** adj lazy; m sluggard

pólvere f dust; powder;

caffè m **in** ~ ground coffee
polver|ificio m powder-factory; **~ina** f med powder; **~izzare** v/t pulverize; **~oso** dusty
pomata f pomade
pomer|idiano afternoon; **~iggio** m afternoon
pometo m (apple-) orchard
pòmice m pumice(-stone)
pomicultura f fruit-growing
pomo m apple; apple-tree; **~doro** m tomato
pomp|a f pomp, splendour; pump; **~a d'aria** air-pump; **~a della benzina** gasoline (or fuel) pump; **~a d'olio** pressure-feed; **~are** v/t pump
pompelmo m grapefruit
pompier|e m fireman; **~i** pl fire-brigade
pomposo pompous; showy
ponce m punch
ponderare v/t ponder
pone he puts
ponente m west
pongo I put
poniamo we put
ponte m bridge; naut deck; **~ di passeggiata** promenade deck; **~ superiore** upper deck
pont|éfice m pontiff; **Stato** m **~eficio** Pontifical State
popol|are adj popular; v/t populate; **~arità** f popularity
pòpolo m people
popoloso populous
popone m melon

poppa f naut stern
popp|ante m suckling baby; **~are** v/t, v/i suck
porca f sow
porcellana f china; porcelain
porc|ellino m sucking pig; **~ile** m pigsty; **~o** m pig; swine; pork
pòrfido m porphyry
pòrgere v/t hand; give
porgitore m bearer
pornografia f pornography
por|o m pore; **~oso** porous
pórpora f purple
porporino purple
porre v/t put; place; set
porro m bot leek; med wart
porta f door; gate; **~bagagli** m porter; carrier
portàbile portable
porta|cénere m ash-tray; **~cipria** m compact
porta|flaschi m bottle-rack; **~fogli** m wallet; portfolio; **~le** m portal; **~lèttere** m postman; **~mento** m gait; behaviour; **~monete** m purse; **~penne** m penholder
port|are v/t bring; carry; **~arsi** v/r behave; **~asigarette** m cigarette-case; holder; **~atore** m bearer
porta|uova m egg-cup; **~voce** m mouthpiece; spokesman
porticato m colonnade
pòrtico m porch; portico
port|iera f door-curtain; door-keeper; **~iere** m goal-keeper; **~inaio** m

door-keeper

porto m port, harbour; post-age; ~ **assegnato** cash on delivery; ~ **di mare** sea-port; ~ **franco** free port

Portogallo m Portugal

portone m gate

porzione f share; portion

posa f posture; *phot* exposure

pos|are v/t lay (down); put; place; *paint* sit; **~ata** f cutlery (*knife, fork, spoon*)

poscritto m postscript

positivo positive

posizione f position

posporre v/t postpone

possedere v/t possess; (*language*) master

poss|essione f possession; belonging; **~essivo** possessive; ~ **esso** m possession; **~essore** m, f owner

possiamo we can

possibile possible

possibilità f possibility

posso I can

posta f post, mail; ~ **aèrea** air mail; **~centrale** main post-office; **~le** postal

postare v/t place; post

posteggi|are v/t, v/i park; **~o** m parking(-place)

pòsteri m/pl posterity

poster|iore posterior; hind; **~ità** f posterity

posticcio sham; false

posticipare v/t put off

posto *adj* put; placed; m place; room; job; ~ **al finestrino** window-seat; ~ **a sedere** seat; ~ **di primo**

soccorso first-aid post; **fare** ~ **a** make room for; ~ **in piedi** standing-room; ~ **di rifornimento** service-station; ~ **riservato** reserved seat; ~ **vacante** vacancy

pòstumo posthumous

potàbile drinkable; **acqua** f ~ drinking-water

potassa f potash

pot|entato m potentate; **~ente** powerful; **~enza** f power; might; *mech* efficiency

potere v/i can, may; be able to; m power

potuto *pp* of **potere**

pover|etto, **~ino** m poor man; pauper

pòvero *adj* poor; needy; ~ **me!** poor me!; m poor (man); beggar

povertà f poverty

pozzo m well

pranz|are v/i dine; **~o** m lunch; dinner; **dopo ~o** after lunch; **~o a prezzo fisso** menu at a fixed price

pràtica f practice; training

pratic|àbile practicable; **~are** v/t practise; perform

pràtico practical; experienced

prato m meadow; lawn; ~ **per riposare** meadow for sun-bathing

preavviso m preliminary announcement

precauzione f (pre)caution

preced|ente *adj* preceding; previous; m precedent; **~enza** f precedence; priority

precèdere v/t precede

precett|are v/t summon; cite; **~o** m precept

precipit|are v/t, v/i precipitate; **~arsi** v/r rush; **~oso** steep; rash

precipizio m precipice

precis|ione f precision; **~o** precise; exact; **alle tre ~e** at three o'clock sharp

precoce precocious

preconcetto m prejudice

pred|a f prey; booty; **~are** v/t prey; pillage

predella f foot-board

predestin|are v/t predestin(at)e; **~azione** f predestination

predetto aforesaid

prèdica f sermon

predic|are v/t, v/i preach; **~ato** m predicate; **~atore** m preacher

predil|etto adj favourite; m darling; **~ezione** f predilection

predire v/t predict; **~izione** f prediction

predomin|are v/i prevail; **~inio** m prevalence

prefabbricato prefabricated

prefazione f preface

prefer|enza f preference; **~ire** v/t prefer

prefetto m perfect; **~ura** f prefecture

prefi|ggere v/i pre-arrange; **~sso** m gram prefix

preg|are v/t pray; ask; **~évole** valuable

preghiera f prayer; request

pregi|are v/t appreciate; **~arsi** v/r have the pleasure to; **~o** m value; merit

pregiudizio m prejudice

prego please

preistoria f prehistory

prel|azione f pre-emption; **~levare** v/t withdraw (money); **~ludio** m mus prelude

prèm|ere v/t press; urge; **~e** urgent!

premi|are v/t reward; **~azione** f distribution of prizes; **~nente** pre-eminent; **~o** m award; premium

prem|ura f zeal; solicitude; hurry; **~uroso** solicitous

prèndere v/t take; seize; get; v/i catch (cold); **~ benzina** refuel; **andare (venire) a ~** go (come) for

prendisole m sun-suit

pre|nome m Christian name; **~notare** v/t book; reserve; **~notazione** f reservation

preoccup|arsi v/r worry; **~ato** worried

prepar|are v/t prepare; **~ativo** m preparation; **~atorio** preparatory; **~azione** f preparation

preponderare v/t prevail

prep|orre m place before; **~osizione** f gram preposition

prepot|ente overbearing; **~enza** f arrogance

presa f seizure; phot picture; shot; mil conquest; **~ di**

corrente wall plug; socket; **~ di terra** (electrical) earth; **~ in giro** making a fool of s.o.

presagio m prognostic

prèsbite long-sighted

prescr|itto m ordinance; **~ivere** v/t prescribe; **~izione** f prescription

present|are v/t present; show; offer; **~arsi** v/r introduce o.s.; (occasion) arise; **~azione** f presentation; **~e** adj present; m gift; present tense; **~imento** m premonition; **~ire** v/t have a premonition

presenza f presence

presèp|e, ~io m manger, crib

preservare v/t preserve (**da** of)

presid|ente m president; chairman; **~enza** f presidency; chair; **~io** m managing committee

presièdere v/t, v/i preside (over)

preso taken

press|a f crowd; press; **~are** v/t press; urge; **~ione** f pressure; **~ione delle gomme** tyre-pressure; **~ione sanguina** blood-pressure (**troppo alta** too high; **troppo bassa** too low)

presso near; close to; by; **~ a poco** approximately; **~chè** almost; nearly

prestabilire v/t arrange beforehand

prest|are v/t lend; **~azione** f

loan; tax; **~ezza** f quickness

prèstito m loan; **dare in ~** lend; **prèndere in ~** borrow

presto quickly; early; **far ~** hurry (up)

presùmere v/i presume

presun|tuoso self-conceited; **~zione** f presumption

prete m priest

pret|endente m, f pretender; claimant; **~èndere** v/t, v/i pretend; claim; **~enzioso** pretentious; **~esa** f pretence; claim

pretesto m pretext

pretore m judge

pretto pure; mere

pretura f court of first instance

prevalere v/i prevail

prevedere v/t foresee

prevenire v/t prevent

preventivo: bilancio m **~** estimate

previdente provident

prezi|osità f preciousness; **~oso** precious; **pietra** f **~osa** precious stone

prezzémolo m parsley

prezzo m price; **a buon (basso) ~** cheap; **~ di costo** cost price; **~ di favore** special price; **~ del noleggio** aut rent; **~ per una notte** overnight expenses pl

prigion|e f prison; **~iero** m prisoner; **fare ~iero** take prisoner

prima before; formerly; **~ di** before; first; **~ che** before; **da** ~ at first; **colazione** f breakfast; ~ **visione** f film: first run; premiere; **~rio** adj primary; m head physician; **scuola** f **~ria** primary school

primavera f spring

primitivo primitive

primo f at first

primordio m beginning; origin

princip|ale adj main; chief; m principal; boss; **~ato** m principality

principe m prince

principessa f princess

principi|ante m, f beginner; **~are** v/t, v/i begin; start; **~o** m start; principle

priv|are v/t qu. di qc. deprive s.o. of s.th.; **~arsi (di)** v/r abstain from; renounce; **~ato** private; **scuola** f **~ata** private school; **~azione** f (de)privation; need

privilegi|are v/t privilege; **~o** m privilege

privo deprived; without

prò m benefit; **buon ~!** may it do you good

probàbile probable

probabilità f probability

problema m problem

procèdere v/i proceed; act

process|ione f procession; **~o** m process; trial

procinto: èssere in ~ di be about to

proclam|a m proclamation; **~are** v/t proclaim; **~azione** f proclamation

procur|are v/t procure; get;

~atore m proxy; attorney

prodig|alità f extravagance; **~io** m prodigy; **~ioso** prodigious; wonderful

pròdigo adj prodigal; m spendthrift

prod|otto m product; produce; **~otto nazionale** home product; produce; **~urre** v/t produce; **~uttivo** productive; **~uzione** f production; output

profan|are v/t profane; **~o** adj profane; m fig layman

profess|are v/t profess; declare; **~ione** f profession; calling; **~ionista** m, f professional; practitioner; **~o** m (professed) monk; **~orato** m professorship; **~ore** m professor; instructor; **~oressa** f woman professor

prof|eta m prophet; **~etizzare** v/t foretell; **~ezìa** f prophecy

proficuo profitable

profilo m profile; side-view

profitt|are v/i profit; gain; **~are di** benefit from; **~o** m profit; gain

profluvio m overflowing

pro|fóndere v/t lavish; squander; **~fondità** f depth; **~fondo** deep

pròfugo m refugee

profum|are v/t perfume; scent; **~eria** f perfume-shop; **~iera** f scent-bottle; **~o** m scent; perfume

prog|ettare v/t plan; **~etto** m project; plan

programma m programme; ~ **televisivo** television programme; ~ **d'escursione** excursion programme

progredire v/i progress

progress|ivo progressive; ~**o** m progress

proib|ire v/t prohibit; ~**izione** f prohibition

proiettile m projectile

proi|ettore m search-light; projector; ~**iezione** f projection

prole f offspring; issue; ~**tariato** m proletariat; ~**tario** m proletarian

prolisso long-winded

pròlogo m prologue

prolung|amento m prolongation; ~**are** v/t prolong; extend

pro|messa f promise; ~**messi sposi** m/pl betrothed (couple); ~**méttere** v/t promise

prominente prominent

promontorio m headland

prom|ozione f promotion; ~**uòvere** v/t promote; (exam) pass

pronome m gram pronoun

pronosticare v/t forecast

pront|ezza f promptitude; ~**o** ready; prompt; quick; ~**o soccorso** m rescue station; tel ~**o!** or ~**i!** halloh!

pronunci|a f pronunciation; ~**are** v/t pronounce; ~**arsi** v/r express one's opinion

pronunzia f = **pronuncia**

propaganda f: **far** ~ advertise

propagare v/t spread; diffuse

propizio favourable

prop|orre v/t propose; ~**orsi** v/r intend

proporzion|ale proportional; ~**e** f proportion; ratio

propòsito m purpose; aim; **a** ~ by the way; **venire a** ~ come at the right time; **di** ~ on purpose

proposta f proposal

propri|amente properly; ~**età** f property; propriety; ~**etario** m owner; ~**o** own; proper; ~**o?** really?

propulsore m propeller

prora f naut prow; bow

pròroga f extension; respite

prorogare v/t put off; extend

pros|a f prose; ~**àico** prosaic

proscenio m proscenium

prosciugare v/t dry (up); drain

prosciutto m ham; ~ **cotto (crudo)** cooked (uncooked) ham

proscrìvere v/t proscribe, outlaw

proseguire v/i proceed; v/t continue

prosper|are v/i thrive; prosper; ~**ità** f prosperity

pròspero thriving

prospett|iva f outlook; perspective; ~**o** m prospect(us); view

prossimità f proximity

pròssimo adj next; near; m

fellow creature

protèggere v/t protect (**da** from)

proteina f protein

protest|ante m, f, adj Protestant; **~are** v/t, v/i protest; **~o** m protest; objection

protetto m protégé; **~orato** m protectorate; **~ore** m protector

protezione f protection; patronage

protocoll|are v/t record; file; **~o** m protocol; minutes pl

prov|a f proof; trial; **~a generale** dress rehearsal; **~are** v/t prove; test; feel; **~ato** tried; tested

proven|ienza f origin; source; **~ire** v/i come from

proverbio m proverb

provinci|a f province; **~ale** provincial

provoc|ante provocative; **~are** v/t provoke; cause; **~azione** f provocation

provv|edere v/t provide; furnish; **~edimento** m measure; step; **~editore** m purveyor; **~idente** provident; **~idenza** f providence

provv|isione f supply; **~isorio** temporary; **~ista** f supply; stock; **~isto di** supplied with

prua f naut prow; bow

prud|ente prudent; **~enza** f prudence; caution

prugn|a f plum; **~o** m plum-tree

pruno m thorn-bush

prur|iginoso itchy; **~ito** m itch

P.S. = Poscritto postscript

psichiatra m, f psychiatrist

psichico psychic(al)

psic|ologia f psychology; **~ologo** m psychologist

pubblic|are v/t publish; **~azione** f publication; **~ità** f publicity; advertising; **~ità luminosa** luminous advertising

pùbblico m, adj public

pudore m modesty; shyness

puer|ile childish; **~izia** f childhood

pugil|ato m boxing; pugilism; **~e** m pugilist

Puglia f Apulia

pugn|a f fight; **~ale** m dagger

pugno m fist; punch

puh! pooh!

pulce f flea; **~inella** m buffoon; **~ino** m chick

pulire v/t clean; polish

pul|ito clean; tidy; **~itura** f clean(s)ing; **~itura a secco** dry cleaning; **~izia** f cleaning; cleanliness

pullman m de luxe bus

pullover m sweater

pùlpito m pulpit

puls|are v/i pulsate; throb; **~azione** f pulsation

pùngere v/t sting; prick

pungitura f sting

pun|ire v/t punish; **~izione** f punishment

punta f point; tip; **~ di terra** spit of land

punt|are v/t, v/i point; level;

stake; **~ata** f thrust; stake; instalment; **~eruolo** m punch

puntina f **da grammòfono** gramophone needle; **~ da disegno** drawing-pin

punto adv not at all; m point; spot; stitch; **~ di vista** point of view; **fino a che ~?** up to where?; **alle dieci in ~** at ten o'clock sharp; **~ e virgola** semicolon

punt|uale punctual; **~ualità** f punctuality; **~ura** f puncture; injection; **~ura di zanzara** gnat-bite

può he can

pupill|a f pupil; **~o** m pupil;

ward

purché provided (that)

pure also; too; yet

purè m purée; mash; **~ di patate** mashed potatoes

purezza f purity

purg|a f purge; laxative; **~ante** m purgative; **~are** v/t purge; **~ativo** purgative; **~atorio** m eccl purgatory

purific|are v/t purify; cleanse; **~azione** f purification

pur|ità f purity; **~o** pure

purpùreo purple; crimson

purtroppo unfortunately

puzz|are v/i stink; **~o** m stink; **~olente** stinking

Q

qua here; **di ~** on this side; **di ~ ... di là** to and fro

quàccquero m eccl quaker

quad|ernaccio m scrapbook; **~erno** m copy-book

quadr|agèsima f Quadragesima (1st Sunday in Lent); **~àngolo** m quadrangle; **~ante** m quadrant; dial; **~are** v/t square; **~ato** m, adj square; **~ello** m arrow; tile; **~iforme** square

quadr|o m, adj square; m painting; **~i** m/pl playing-cards: diamonds

quadr|ùpede adj fourfooted; m quadruped; **~ù-plice** fourfold

quaggiù down here

quagli|a f quail; **~arsi** v/r curdle

qualche some; any; **~ gior-no** a few days; **~ cosa** something; anything; **~ volta** sometimes

qual|cheduno = **qualcu-no**; **~cosa** something; anything; **~cuno** somebody; anybody

quale which; what; **il (la) ~** he (she) who; whom; like; as

qualific|are v/t qualify; define; **~azione** f qualification

qual|ità f quality; **~ora** if; when; **~siasi** whatever; any; **~unque** whatever; every; each

quando when; **da ~?** since when?; **di ~ in ~** from time to time

quantità f quantity

quanto how much?; **tutto ~** all that; **tutto ~ il libro** the whole book; **~ tempo** how long; **quanti ne abbiamo oggi?** what day is today?; **~ a me** as for me; **~ prima** as soon as possible; **per ~ ricco tu sia** as rich as you may be

quarant|ena f quarantine; **~enne** forty years old; **~è-simo** fortieth

quar|ésima f eccl Lent; **vitto** m **~esimale** Lenten food

quart|etto m quartet; **~iere** m lodgings pl; district (town); quarter

quarto m quarter; forth

quarzo m quartz

quasi nearly; almost

quassù up here

quattrin|o m farthing; **~i** m/pl money

quattro four; **far ~ passi** take a stroll; **~cento** m 15th century

quegli he; those

quei he; they, those

quel, ~la that; **~lo** that; that one

quercia f oak

querel|a f complaint; **~ante** m, f plaintiff; **~are** v/t lodge

a complaint (against)

quest|a this; **~i, ~e** this; these

question|are v/i argue; **~a-rio** m questionnaire; **~e** f question

questo this; **per ~** therefore; **quest'oggi** today

quest|ore m (police) superintendent; **~ura** f police headquarters; **~urino** m police-officer

qui here; **di ~** from here; **di ~ a un mese** a month from now; **di ~ innanzi** from now on

quietanz|a f receipt; **~are** v/t receipt

quiet|are v/t quiet; **~e** f quiet(ness); **~o** quiet

quindi from there; fig. therefore; then

quindic|èsimo m fifteenth; **~i giorni** fortnight; **una ~ina di giorni** about two weeks

quint|a f fifth (also mus); **~thea** wings pl; **~ale** m quintal (100 kg.); **~o** m fifth; **~ùplice** fivefold

quìntuplo m fivefold amount

quivi there; then

quot|a f quota; share; height; aer **prèndere ~a** climb; **~are** v/t assess; quote

quotidiano daily

R

rabàrbaro m rhubarb

rabbellire v/t embellish anew

rabbia f rage; med rabies; **fare ~ a qu.** enrage s.o.

rabbino m rabbi

rabbioso furious; rabid

rabbrividire v/i shudder

rabbuiarsi v/r grow dark

raccapezz|are v/t understand; collect; **~arsi** v/r make out

raccartocciare v/t curl up

raccattare v/t pick up; collect

racchetta f racquet, racket

racchiùdere v/t contain; enclose

rac|cògliere v/t gather; pick up; **~coglimento** m concentration

racc|olta f collection; agr harvest; **~olto** m crop

raccomand|are v/t recommend; (letter) register; **~ata** f registered letter; **~azione** f recommendation

raccomod|are v/t mend; repair; **~atura** f repairing

raccont|are v/t tell; narrate; **~o** m story

raccorciare v/t shorten

rada f naut roadstead

raddensare v/t thicken

raddolc|imento m softening; **~ire** v/t sweeten; soothe

raddoppi|amento m doubling; **~are** v/t (re)double

raddormentarsi v/r fall asleep again

raddrizzare v/t straighten

ràdere v/t raze; shave

radi|are v/i radiate; **~atore** m radiator

ràdica f root; briar-wood

radic|ale radical; **~are** v/i take root

radice f root; radish; **~ del dente** root of a tooth

radio m radium; f radio, wireless; **~ascoltatore** m (radio-)listener; **~attivo** radioactive; **~commedia** f radio play; **~comunicazione** f radio communication; **~diffusione** f broadcasting; **~fònico: apparecchio** m **~fònico** wireless set; **~fonògrafo** m wireless set with recordplayer; **~giornale** m newsbroadcast; **~grafia** f X-ray; **~grafista** m, f (wireless) operator; **~gramma** m radiotelegram; **~scopia** f radioscopy; **~valigia** f portable radio

radioso radiant

radiotele|fonia f radiotelephony; **~grafia** f radiotelegraphy; **~grafista** m, f wireless operator

rado scattered; rare; **di ~** seldom

radun|anza f gathering; **~are** v/t, **~arsi** v/r, assemble; gather

ràfano m radish

rafferma f confirmation

ràffica _f_ squall

raffigurare _v/t_ recognize

raffin|amento _m_ refining; **~are** _v/t_ refine; **~ato** refined; subtle; **~eria** _f_ refinery

rafforzare _v/t_ strengthen; reinforce

raffreddamento _m_ cooling; _fig_ abatement; **~ ad acqua** water-cooling; **~ ad aria** air-cooling

raffredd|are _v/t_ cool; chill; **~arsi** _v/r_ catch a cold; **~ato** cooled off; **èssere ~ato** have a cold; **~atura** _f_, **~ore** _m_ cold; chill

raffresc|are _v/t_ cool; **~arsi** _v/r_ grow cool

ragazz|a _f_ girl; **~o** _m_ boy; errand-boy

raggi|ante radiant; beaming; **~are** _v/i_ radiate; shine; **~o** _m_ ray, beam

raggiùngere _v/t_ overtake; (_goal_) reach

raggiustare _v/t_ repair

raggruppare _v/t_ group

ragguagli|are _v/t_ equalize; inform; **~o** _m_ equalization

ragion|amento _m_ reasoning; **~are** _v/i_ reason; argue; **~ato** logical; **~e** _f_ reason; cause; right; **aver ~e** be right; **per ~i di** on grounds of; **a ~e** rightly; **~eria** _f_ book-keeping; **~vole** reasonable; **~iere** _m_ accountant

ragn|atelo _m_ spider's web; **~o** _m_ spider

ragù _m_ ragout

rallegr|amento _m_ rejoicing; **~arsi** _v/r_ be glad; **~arsi con qu. di qc.** congratulate s.o. on s.th.

rallent|amento _m_ slowing down; **~are** _v/t_, _v/i_ slow down

rame _m_ copper

ramificarsi _v/r_ branch out

rammaricarsi _v/r_ complain

rammàrico _m_ grief; regret

rammend|are _v/t_ mend; **~atura** _f_ mending

ramment|are _v/t_ remind; **~arsi** _v/r_ recall (**di qc.** s.th.)

rammollire _v/t_ soften

ramo _m_ branch; (_river_) arm; **~ d'affari** line of business; **~laccio** _m_ horseradish; **~scello** _m_ twig

rampicare _v/i_ climb

ramp|ino _m_ hook; prong; **~ollo** _m_ scion

rana _f_ frog

ràncido rancid

rancio _m_ soldier's food; ration

rancore _m_ grudge

randagio stray

rango _m_ rank; degree

rannicchiarsi _v/r_ crouch; cower

ranno _m_ lye

rannuvol|amento _m_ clouding over; **~arsi** _v/r_ cloud over

ranocchio _m_ frog

rantolare _v/i_ rattle (in one's throat)

rap|a _f_ turnip; **~accio** _m_ Swedish turnip

rap|ace rapacious; **~acità** f rapacity

rapidità f rapidity

ràpido adj swift; m express train

rap|ire v/t rape; kidnap; **~ina** f plundering; **uccello m di ~ina** bird of prey

rappezz|are v/t patch up; **~o** m patch

rapport|arsi v/r a have reference to; be advised by; **~o** m report; reference; **in ~o a** in connexion with

rappresaglia f reprisal; retaliation

rappresent|ante m, f representative; **~anza** f representation; agency; **~are** v/t represent; thea perform; **~azione** f representation; performance

rar|ità f rarity; **~o** rare

ras|are v/t shave; clip; **~ato** shaven

raschi|are v/t scrape; erase; **~no** m scraper; eraser; **~o** m roughness of the throat

rasentare v/t skim; border upon

ras|o adj shaven; fig naked; m satin; **~oio** m razor; **~oio di sicurezza** safety razor; **~oio elèttrico** electric shaver

rassegn|a f review; mil parade; **~arsi** v/r resign o.s. (**a** to); **~ato** resigned; **~zione** f resignation

rasserenare v/t cheer up

rassicurare v/t reassure

rassomigli|ante resem-

bling; like; **~anza** f likeness; **~arsi** v/r be like; resemble

rastrellare v/t rake; search

rasura f shave

rat|a f rate; instalment; **a ~e** by instalments

rateazione f spacing (of payments)

ratto m rape; zo rat

rattoppare v/t patch up

rattoppo m patch(work)

rattrappito contracted; paralysed

rattrist|are v/t sadden; **~arsi** v/r grow sad

raucièdine f hoarseness; **~o** hoarse

ravanello m radish

ravioli m/pl ravioli

ravv|isare v/t recognize; **~ivamento** m revivification; revival; **~ivare** v/t revive

ravvòlgere v/t wrap up

razion|ale rational; **~e** f ration

razza f race; fig kind

razz|o m rocket; **~olare** v/i scrape; fig rummage

re m king

reagire v/i react

reale m, f; royal

real|ismo m realism; **~izzare** v/t realize; **~izzazione** f realization; **~tà** f reality

reame m kingdom

reazione f reaction; **aèreo m a ~** jet plane

rec|are v/t bring; cause; **~arsi** v/r go

recèdere v/i recede; give up

recensione f (book-)review

recent|e recent; new; **~is-sime** f/pl latest news

recesso m recess

recidersi v/r split up

recidiva f relapse

rec|ingere v/t surround; **~into** m enclosure; pen

recipiente m vessel; container

reciprocità f reciprocity

reciproco reciprocal

reciso sharp; decided

recìta f recital; performance

recit|are v/t recite; **thea** act; **~azione** f recital; acting

reclam|are v/i complain; v/t claim; **~e** f advertising; **~o** m complaint

rècluta f mil recruit

record m record

red|attore m editor; **~azio-ne** f editing; editor's office

rèddito m income

Redentore m Redeemer, Saviour

redìmere v/t redeem

rèduce adj returned; m veteran

refe m thread

refettorio m refectory; dining-hall

refriger|are v/t refrigerate; refresh; **~io** m refreshment

regal|are v/t make a present; give away; **~e** royal; **~o** m present, gift

regata f regatta

reggente m regent

règgere v/t, v/i bear; support; rule

reggilume m lampstand

reggimento m government; regiment

reggipetto m bra(ssière)

regìa f (stage-)direction

regime m government; gast diet

regì|na f queen (also playing-cards); **~o** royal

regione f region

regista m director; producer

registr|are v/t register; record; **~atore** m tape-recorder; **~atura** f entry; **~o** m register; com books pl

regn|ante m ruler; **~are** v/i reign; **~o** m reign; kingdom

règola f rule

rego|lamento m regulations pl; settlement; **~amento stradale** traffic regulations; **~are** v/t regulate; settle (accounts) adj regular; **~arità** f regularity; **~atore** m regulator

règolo m ruler; **~ calcola-tore** slide-ruler

regr|essivo regressive; **~es-so** m regress

relativo relative; pertinent

relazione f report; **in ~ a** in relation to

religi|one f religion; **~iosa** f nun; **~iosità** f religiousness; **~ioso** adj religious; pious; m monk

rem|are v/i row; **~are a pagaia** paddle; **~atore** m rower; oarsman

reminiscenza f reminiscence

remissione f remission;

senza ~ without repeal

remo *m* oar

remoto remote; **passato** *m* ~ **gram** past definite

rena *f* sand

renale: calcolo *m* ~ renal calculus

rèndere *v/t* give (back); make; ~ **felice** make happy

rèndita *f* income; rent

rene *m* kidney

renit|ente recalcitrant; ~**enza** *f* reluctance

renoso sandy

reo guilty; evil

reparto *m* department

repentino sudden

repertorio *m* **thea** repertory

rèplica *f* reply; repetition

replicare *v/i* reply; *v/t* repeat

repr|essione *f* repression; ~**imere** *v/t* repress

repùbblica *f* republic

repubblicano *m*, *adj* republican

reput|are *v/t*, *v/i* deem; consider; ~**azione** *f* reputation

requis|ire *v/t* requisition; ~**ito** requisite; ~**izione** *f* requisition

resa *f* surrender; rendering

rescritto *m* rescript

reseda *f* mignonette

resid|ente resident; ~**enza** *f* residence

residuo *m* remainder

rèsina *f* resin

resinoso resinous

resist|ente resisting; ~**enza** *f* resistence

resìstere *v/i* resist

resistore *m* **elec** resistor

resoconto *m* account; report

respingere *v/t* repel; reject

respir|are *v/t*, *v/i* breathe; ~**atore** *m* snorkel; ~**azione** *f* breathing; ~**o** *m* breath

respons|àbile responsible (**di** for); ~**abilità** *f* responsibility

ressa *f* crowd; throng

rest|ante remaining; ~**are** *v/i* stay; be left over

restaur|are *v/t* restore; ~**azione** *f*, ~**o** *m* restoration

restitu|ire *v/t* give back; restore; ~**zione** *f* restitution

resto *m* remainder; **del** ~ besides

restringersi *v/r* restrain o.s.; shrink

ret|e *f* net; ~**e stradale** network of highways; ~**icella** *f* small net; hairnet; ~**icella per il bagaglio** luggage-rack

retiforme retiform

rètina *f* retina (*eye*)

retòrica *f* rhetoric

retro|attivo retroactive; ~**bottega** *f* back-shop; ~**cèdere** *v/i* recede; ~**marcia** *f* *auto:* reverse (gear); ~**visivo: specchio** *m* ~**visivo** rear-view mirror

retta *f:* **dare** ~ listen (to)

rett|angolare rectangular; ~**àngolo** *m* rectangle

rettificare *v/t* rectify

rettile *m* reptile

retto straight; right; correct

rèum|a *m* rheumatism; ~**à-**

tico rheumatic; **~atismo** *m* rheumatism

reverendo (*abbr* rev.) *adj* reverend; *m* priest; 2! Sir; Your Reverence

revisione *f* revision

revoc|àbile revocable; **~are** *v/t* revoke

ri... (*prefix*) *mostly* again

rialto *m* ramp

rialzare *v/t* raise (up); (*head*) lift

riap|ertura *f* reopening; **~poggiare** *v/t tel* ring off (again); **~rire** *v/t* reopen

riassùmere *v/t* sum up

riatt|amento *m* restoration; **~are** *v/t* repair

riavere *v/t* get back

ribalta *f* flap; *thea* footlights *pl*; **tàvola f a ~** folding table

ribaltare *v/t*, *v/i* overturn; capsize

ribass|are *v/t* (*price*) lower; **~o** *m* discount; drop

ribell|ante rebellious; **~are** *v/t* stir up; **~arsi** *v/r* rebel; **~e** *m* rebel; **~ione** *f* rebellion

ribes *m* gooseberry

ribollimento *m* ebullition; agitation

ribrezzo *m* disgust

ricaduta *f* relapse

ricamare *v/t* embroider

ricambi|are *v/t* return; reciprocate; **~o** *m* exchange; **di ~o** spare

ricamo *m* embroidery

ricapitolazione *f* summary

ricatt|are *v/t* blackmail; **~o** *m* blackmail

ricav|are *v/t* derive; extract; **~o** *m* proceeds *pl*

ricchezza *f* wealth

riccio *adj* curly; *m* curl

ricciolo *m* curl

ricco rich (**di** in)

ricerc|a *f* research; **~are** *v/t* seek (for); investigate; **~atore** *m* research worker

ricetta *f* prescription; recipe

ricévere *v/t* receive

ricev|imento *m* reception; **~itore** *m* receiver; **~uta** *f* receipt; **accusare ~uta** acknowledge receipt

ricezione *f* reception

richiam|are *v/t* call back; **~arsi** *v/r* refer (**a** to); **~o** *m* *mil* call-up

richiedente *m* applicant

richiedersi *v/r* be required

richiesta *f* request; application

ricino *m*: **olio** *m* **di ~** castor-oil

ricognizione *f* recognition

ricompens|a *f* reward; **~are** *v/t* reward

ricompr|a *f* repurchase; **~are** *v/t* buy back

riconciliare *v/t* reconcile

ricondurre *v/t* bring back

riconosc|ente grateful; **~enza** *f* gratefulness

riconóscere *v/t* recognize

riconsegn|a *f* handing back; **~are** *v/t* hand back; redeliver

ricord|arsi *v/r* remember (**di** qc. s.th.); **~o** *m* recollection; **~o di viaggio** souvenir

ricorrere v/i recur; appeal

ricorso m petition; claim; **fare ~ a** a resort to

ricostitu|ire v/t reconstitute; **~uzione** f reconstitution

ricostru|ire v/t rebuild; **~zione** f reconstruction

ricotta f buttermilk curd

ricoverare v/t shelter

ricòvero m shelter; asylum

ricrearsi v/r take recreation

ricuperare v/t recover

ricurvo bent; curved

ricusare v/t refuse

ridente smiling; bright

rid|ere v/i laugh (**di** at); **~ersi** v/r **di qu.** make fun of s.o.

ridicolo ridiculous

ridosso m sheltering wall

ridotto adj reduced; m thea foyer

rid|urre v/t reduce (**a** to); (prices) lower; **~uzione** f reduction; discount; **~uzione sul prezzo dei biglietti** reduction on fare

riémpiere v/t fill (up)

riemp|imento m filling; **~ire** v/t (re)fill

rifacimento m remaking; compensation

rifer|ire v/t report; **~irsi** v/r refer (**a** to)

rifiatare v/i take breath

rifin|imento m finish(ing); exhaustion; **~ire** v/t finish; wear out

rifior|imento m reflourishing; **~ire** v/i reflourish; v/t retouch

rifiut|arsi v/r refuse; **~o** m refusal

rifless|ione f reflection; **~ivo** thoughtful; gram reflexive; **~o** m reflex

riflètt|ere v/t reflect; fig concern; **~ersi** v/r be reflected

riflettore m search-light

riflusso m ebb(-tide)

riform|a f reform; eccl Reformation; **~are** v/t reform; improve; **~atore** m reformer; **~azione** f reformation

rifuggire v/i flee; shrink (from)

rif|ugiarsi v/r take refuge; **~ugiato** m refugee; **~ugio** m refuge; shelter; **~ugio alpino** alpine hut

riga f line; row; stripe; ruler

rig|are v/t rule; **~ato** striped

rigett|are v/t reject; **~o** m rejection

rigidezza f stiffness; austerity

rigido rigid; strict

rigir|are v/t turn about; **~o** m winding; fig trick

rigoglio m luxuriance; **~oso** exuberant

rigor|e m rigour; **di ~e** strictly required; **~oso** strict

rigovernare v/t wash up (dishes)

riguard|are v/t look at; concern; **~arsi** v/r beware (of); **~o** m respect; **~o a** with regard to; **senza ~o** regardless; **aversi ~o** take care of o.s.

rilasciare v/t release; issue (certificate)

rileg|are v/t bind (book); refasten; **~atore** m bookbinder; **~atura** f (book-)binding

rilievo m remark; projection; relief; **alto ~** high relief; **basso ~** low (bas) relief

rilucente shining

rilùcere v/i glitter

rima f rhyme

rimandare v/t send back; postpone

rimane he stays

rimaneggiare v/t remodel

riman|ente m, **~enza** f remainder; **~ere** v/i remain; stay

rimango I stay

rimaniamo we stay

rimar|care v/t notice; **~ché-vole** remarkable

rimasto remained

rimbombare v/i boom; resound

rimbors|are v/t reimburse; **contro ~o** cash on delivery

rimedi|àbile remediable; **~are** v/t, v/i remedy; cure; **~o** m remedy

rimembr|anza f remembrance; **~are** v/t remember

rimenare v/t bring back; stir

rimescolare v/t blend; shuffle

rimessa f shed; com remittance; garage; aer hangar

rimétt|ere v/t replace; put off; **~ersi** v/r recover; improve (weather)

rimodernare v/t modernize; renovate

rimorchi|are v/t tow; haul; **~atore** m tow-boat; **~o** m trailer; **autocarro m con ~o** trailer coupling

rimòrdere v/t bite again; prick (conscience)

rimorso m, **~ di coscienza** remorse

rimozione f removal

rimpasto m re-mixing; shuffle

rimp|atriare v/t, v/i repatriate; return to one's country; **~atrio** m repatriation

rimpi|àngere v/t regret; lament s.o.; **~anto** m regret

rimpiatt|are v/t conceal; hide; **~ino** m (game of) hide-and-seek

rimpiazzare v/t replace

rimp|iccinire, ~iccolire v/t, v/i make smaller; grow smaller

rimprover|àbile reproachable; **~are** v/t rebuke (s.o.)

rimpròvero m reproach; rebuke

rinascimento m rebirth; Renaissance

rincarare v/t, v/i raise the price of; become dearer

rincaro m rise in price

rinchiùdere v/t shut up

rinc|órrere v/t run after; pursue s.o.; **~orsa** f run; spring

rincréscere v/i be sorry

rincresc|évole regrettable;

~imento m regret

rinculare v/i recoil

rinforz|amento m reinforcement; **~are** v/t strengthen; **~o** m support

rinfresc|amento m refreshment; cooling; **~are** v/t cool; refresh; **~arsi** v/r refresh o.s.; **~o** m refreshment

ringhiare v/i snarl

ringhiera f rail(ing)

ringiovan|imento m rejuvenation; **~ire** v/t, v/i rejuvenate; grow younger

ringrazi|amento m thanks pl; **tanti ~amenti** pl many thanks pl; **~are** v/t (**qu. di qc.**) thank (s.o. for s.th.)

rinneg|are v/t disown; abjure; **~ato** m renegade; **~azione** f renegation

rinnov|amento m renewal; **~are** v/t renew; remodel; **~azione** f renovation

rinoceronte m rhinoceros

rinomato renowned

rinserrare v/t shut in; tighten

rintracciare v/t trace (out)

rintronare v/t, v/i resound; deafen

rinunci|a f renunciation; **~are** v/i renounce (**a qc.** s.th.)

rinvenire v/i come to o.s.

rinviare v/t send back; adjourn

rinvigorimento m strengthening

rinvilire v/t lower (prices)

rinvio m dismissal; adjournment

rione m district (of city)

riordinare v/t rearrange

riorganizz|are v/t reorganize; **~azione** f reorganization

ripagare v/t repay

ripar|àbile reparable; **~are** v/t repair; protect (**da** from); v/i remedy; **~azione** f repair; fig amends pl; **~o** m shelter; cover

ripart|ire v/i leave again; v/t distribute; **~izione** f distribution; **~o** m department

ripassare v/i pass again; v/t look over; overhaul

ripensare v/i think over

ripercussione f repercussion

ripètere v/t repeat

ripetizione f repetition

ripian|are v/t level; **~o** m landing; terrace

rìpido steep

ripieg|are v/t fold (again); v/i mil retreat; **~o** m shift; expedient

ripieno adj stuffed; m stuffing

riport|are v/t bring back etc (cf **portare**); report; carry off (prize); **~o** m com amount to be carried forward

ripos|are v/i rest; **~arsi** v/r lie down; **~o** m rest; retirement

ripresa f resumption; revival

riproduzione f reproduction; **~ vietata** all rights

reserved

riprova *f* confirmation; **~àbile** blamable; **~are** *v/t* try again; reject (*candidate*)

ripudiare *v/t* repudiate

ripugn|ante repugnant; **~anza** *f* repugnance; **~are** *v/i* be repugnant

ripulsione *f* repulsion

riputazione *f* reputation

riquadratore *m* (house-) decorator

risaia *f* rice-field

risalt|are *v/i* stand out; **~o** *m* relief

risan|àbile curable; **~are** *v/t* heal; cure

risarcire *v/t* indemnify

riscaldamento *m* heating; **~ centrale** central heating

riscald|are *v/t* heat; warm; **~arsi** *v/r* get hot; *fig* get excited; **~atore** *m* heater

riscattare *v/t*, **riscatto** *m* ransom

rischiar|amento *m* brightening; **~are** *v/t* illuminate; clarify; **~arsi** *v/r* clear up (*weather*)

rischi|are *v/t* risk; **~o** *m* risk; danger; **a ~o di** at the risk of; **a vostro ~o e pericolo** at your own risk; **córrere il ~o di** run the risk of; **~oso** risky

risciacqu|are *v/t* rinse; **~atura** *f* rinsing-water; washing-up water

riscontr|are *v/t* meet; find; check; **~o** *m* encounter; checking; **~o d'aria** draught

riscuòtere *v/t* shake; (*money*) collect

risentire *v/t* feel again; *v/i* feel the effects (**di** of)

riserbare *v/t* reserve; keep

riserva *f* reserve; reservation

riserv|are *v/t* reserve; **~arsi** *v/r* reserve (to o.s.); **~ato** reserved; confidential

riso *m* laugh(ter); rice

risolare *v/t* resole

risol|utezza *f* resoluteness; **~uto** resolute; **~uzione** *f* resolution; solution; **~uzione d'un contratto** annulment of a contract

risòlv|ere *v/t* resolve; (dis-) solve; **~ersi** *v/r* decide

risolvibile solvable

rison|anza *f* sound; resonance; echo; **~are** *v/i* resound; ring (*again*)

risòrgere *v/i* rise (again)

risorgimento *m* revival

risorsa *f* resource

risotto *m* boiled rice served in the Italian fashion

risparmiare *v/t* save; spare

risparmio *m* savings; **cassa** *f* **di ~** savings bank

rispecchiare *v/t* reflect

rispett|àbile respectable; **~are** *v/t* respect; **~ivo** respective; **~o** *m* respect; **~i** *m/pl* regards *pl*; **~oso** respectful

risplèndere *v/i* shine

rispóndere *v/t*, *v/i* answer; reply (**a** to); **~osta** *f* answer; reply; **~osta pagata** reply paid

rissa f fight; affray

ristabil|imento m re-establishment; restoration; **~ire** v/t re-establish; **~irsi** v/r recover

ristampa f reprint; new impression

ristor|ante m restaurant; refreshment-room; **carozza** f **~ante** dining-car (train); **~are** v/t restore; refresh

ristr|ettezza f narrowness; straitness; **~etto** restricted; limited; **caffè** m **~etto** very strong coffee

risult|are v/i result; **~ato** m result; issue

risurrezione f resurrection

risuscitare v/t, v/i resuscitate

risvegli|are v/t awaken; **~arsi** v/r wake up

ritard|are v/t delay; v/i be late; (watch) be slow; **~atario** m laggard; latecomer; **~o** m delay; **èssere in ~o** be late

ritegno m restraint; **senza ~** unrestrainedly

riten|ere v/t retain; **~ersi** v/r restrain o.s. (from)

ritir|are v/t withdraw; (money) draw; (mail) collect; **~arsi** v/r retire; **~ata** f retreat; lavatory; **~ato** secluded; **~o** m retirement; **in ~o** retired

rito m rite

ritoccare v/t retouch

ritorn|are v/i come back; **~ in sé** come to o.s.; return

ritorno m return; **èssere di**

~ be back

ritorsione f retort; retaliation

ritrarre v/t withdraw; draw (advantage)

ritratt|àbile retractable; **~are** v/t portray; retract; **~azione** f recantation; **~ista** m, f portrait-painter; **~o** m portrait

ritrov|are v/t find again; **~arsi** v/r meet; **~o** m meeting-place; **~o notturno** night club

ritto upright; straight; **star ~** stand (upright)

riun|ione f reunion; meeting; **~ire** v/t (re)unite; gather

riusc|ire v/i succeed; **rièsco a fare** or **mi riesce di fare** I succeed in doing; **~ita** f success

rituale m, adj ritual

riva f shore

rivale m, f, adj rival

rived|ere v/t see again; review; **a ~erci, ~erla** good-bye

rivel|are v/t reveal; disclose; **~azione** f revelation

rivénd|ere v/t resell; **~ita** f resale

rivenditore m reseller; retailer

rivenire v/i come back

river|ente reverent; **~enza** f reverence; **~ire** v/t respect; revere; **La riverisco** letter: with kind regards

rivestire v/t cover; line

riviera f coast

rivista f review; *mil* parade; ~ **della moda** fashion show; ~ **settimanale** weekly (magazine)

rivo m brook; streamlet

rivòlgere v/t address; **~ersi** v/r apply (**a** to)

rivolgimento m upheaval; ~ **di stòmaco** sickness; nausea

rivolta f revolt; mutiny

rivolt|are v/t turn (over); overthrow; **~ella** f revolver

rivoltolare v/t roll (over)

rivoluzion|ario m, adj revolutionary; **~e** f revolution

rizz|are v/t erect; *(flags)* hoist; **~arsi** v/r stand up; bristle

rob|a f stuff; things pl; **~accia** f rubbish; junk

robust|ezza f sturdiness; **~o** sturdy; strong

rocca f fortress; distaff; **~forte** f stronghold

rocchetto m reel; bobbin; *eccl* surplice

rocci|a f rock; **~oso** rocky

rococò m, adj rococo

rodaggio m *auto:* running-in

ród|ere v/t gnaw; **~ersi** v/r chafe *(with rage)*

rognone m *gast* kidney

rollare v/i roll *(ship)*

Roma f Rome

Romania f R(o)umania

rom|ànico Romanic; *architecture:* Romanesque; **~ano** m, adj Roman; **~anticismo** m Romanticism; **~àntico** adj romantic; m romanticist

romanz|a f romance; **~iere** m novelist; **~o** m novel

rombare v/i rumble; roar

rombo m turbot

romeno m, adj Roumanian

rom|ito adj solitary; m hermit; **~itorio** m hermitage

rómpere v/t break; smash

ronc|are v/t weed; **~o** m billhook; *fig* deadlock

ronda f patrol

róndine f swallow

rondo m rondeau

ronfare snore

ronz|are v/i buzz; hum; **~io** m buzzing

ros|a f rose; **~àceo** rosaceous; **~aio** m rose-bush; **~ario** m *eccl* rosary

rosbiffe m roast beef

ròseo rosy

ros|eto m rose-garden; **~etta** f rosette

rosmarino m rosemary

rosol|are v/t roast brown; **~ia** f measles pl

rospo m toad

rossetto m (**per le labbra**) lipstick

ross|iccio reddish; **~o** red; **~o chiaro** bright red; **~o cupo** dark-red; **~ore** m blush

rosticc|eria f cook-shop; **~iere** m cook-shop keeper

rostro m rostrum

rot|àbile carriageable; **~aia** f rail; **~are** v/i rotate; **~azione** f rotation; **~ella** f small wheel; knee-cap

rotolare v/t, v/i roll(up)

ròtolo *m* roll

rotondo round

rotta *f* course; rout

rottam|e *m* fragment; **.i** *m/pl* ruins *pl*

rotto broken

rottura *f* fracture

ròtula *f* kneecap; patella

roulotte *f* caravan; trailer

róvere *m* oak

rovesci|a *f* facing (of sleeves etc); **alla .a** inside out; **.are** *v/t* overturn; upset; **.o** *m* wrong side; reverse; **a .o** backhand; reversed; upside down

rovin|a *f* ruin; **.are** *v/t* ruin; *v/i* collapse; crumble

rovo *m* blackberry-bush

rozzo coarse; uncouth

rubare *v/t* steal

rubinetto *m* tap; faucet; **. d'acqua** water-tap

rubino *m* ruby

rublo *m* rouble

rùbrica *f* rubric; column

rude rough

rudimenti *m/pl* rudiments

ruffa *f* crowd; throng

ruga *f* wrinkle

rùggine *f* rust; *fig* grudge

ruggin|ire *v/i* get rusty; **.oso** rusty

ruggire *v/i* roar; **.ito** *m* roar(ing)

rugiada *f* dew

rugoso wrinkled

rull|are *v/i* roll; **.o** *m* roll; drum; roller; cylinder; **.o compressore** road roller

rum *m* rum

rumor|e *m* noise; **.eggiare** *v/i* make noise; rumble; **.oso** noisy

ruolo *m* roll; list; *thea* part

ruota *f* wheel; **. anteriore** fore wheel; **. di ricambio** spare wheel; **. posteriore** hind wheel

rupe *f* rock; cliff

ruscello *m* brook

russare *v/i* snore

Russia *f* Russia

russo *m, adj* Russian

rùstico rustic

rutto *m* belch

ruvidezza *f* roughness

rùvido rough; harsh

ruzz|o *m* romping; **.olare** *v/i* roll; tumble down

S

sa he knows

sàbato *m* Saturday

sabbi|a *f* sand; **.oso** sandy

saccheggi|are *v/t* sack; plunder; **.o** *m* sack(ing)

sacc|o *m* sacking; bag; quantity; **.o alpino, .o da montagna** rucksack; **.o a**

pelo sleeping-bag; **.one** *m* straw mattress

sacerdot|ale priestly; **.e** *m* priest; **sommo .e** high priest

sacerdozio *m* priesthood

sacrament|are *v/t* **qu.** administer the sacraments to s.o.; **~arsi** v/r receive the sacraments; **~o** m sacrament

sacr|are v/t consecrate; dedicate; **~ario** m sanctuary; shrine; **~estano** m sexton; **~estia** f sacristy; vestry; **~i-ficare** v/t sacrifice; **~ificio** m, **~ifizio** m sacrifice

sacro sacred; holy

saettare v/t shoot (arrows); dart (glances)

sagace shrewd; keen

saggezza f wisdom

saggiare v/t try; test

saggio adj wise; m essay; test; sample; **~ d'interesse** com rate of interest; **~ di vino** wine-test; **numero** m **di ~** specimen copy

sagra f (church) festival

sagr|are v/t swear; **~ato** m curse; churchyard

sagrest|ano m sacristan; **~ia** f sacristy

sagù m sago

sala f hall; room; biol reed; mech axle-tree; **~ d'aspetto** waiting-room; **~ di biliardo** billiard-room; **~ da colazione** breakfast room; **~ da concerti** concert-hall; **~ di lettura** reading-room; **~ da pranzo** dining-room; **~ di soggiorno** lounge

salace lecherous

salam|e m (pork-)sausage; **~oia** f pickle; brine; **in ~oia** salted; pickled

salare v/t salt; dry-salt

salario m wages pl

salat|o salted; **carne** f **~a** salt

meat

salc|eto m willow-thicket; **~io** m willow(-tree)

salda f starch

sald|are v/t weld; solder; com settle; **~atoio** m soldering-iron; **~o** adj firm; m balance; settlement

sale he climbs

sall|e m salt; wit; **~gemma** m rock-salt

salgo I climb

saliamo we climb

sàlice m willow; **~ piangente** weeping willow

salicilato m salicylate

sall|iera f salt-cellar; **~ifero** saliferous; **~ina** f salt-pit

salire v/t, v/i climb; go up; rise; increase

sal|iscendi m latch; **~ita** f ascension; slope; increase

salito climbed

salma f mortal remains pl

salmiaco m sal ammoniac

salmo m psalm

salmone m salmon

salnitro m saltpetre

sal|one m hall; saloon; **~one fumatori** smoking room; **~one da parrucchiere** hairdresser's shop; **~otto** m drawing-room; sitting-room; **~otto da pranzo** dining-room

salpare v/i weigh anchor; set sail

salsa f sauce

salsicci|a f sausage; **~a di fégato** liver-sausage; **~aio**

m sausage-maker; **~otto** *m* thick sausage

salsiera *f* sauce-boat

salso *adj* salty; *m* saltiness

salt|are *v/i* jump; *fig* skip; **~erellare** *v/i* hop about; **~imbanco** *m* acrobat; mountebank

salto *m* jump; leap; **~ in alto** high jump; **~ in lungo** long jump; **~ mortale** somersault

salubr|e healthy; **~ità** *f* healthiness

salum|aio *m* pork-butcher; **~i** *m/pl* sausages; **~eria** *f* delicatessen shop

salut|are *adj* salutary; *v/t* salute; greet; **~e** *f* health; **alla Sua ~e!** your health!

saluto *m* salute; greeting; **tanti ~i** kind regards

salva|danaio *m* money-box; **~gente** *m* life-belt; (traffic) island; **~guardia** *f* safeguard; **~mento** *m* rescue

salv|are *v/t* save; rescue; **~ataggio** *m* salvage; **barca** *f* **di ~ataggio** lifeboat; **tela** *f* **di ~ataggio** jumping-sheet

salvatore *m* rescuer; ♀ *eccl* Saviour

salvietta *f* napkin

salvo safe, secure; except; **~ che** unless

sambuco *m* elder(-tree)

San = Santo

san|àbile curable; **~are** *v/t* cure; heal; **~atorio** *m* sanatorium; nursing-home

sancire *v/t* sanction

sàndalo *m* sandal

sangu|e *m* blood; **fare ~e** bleed; **~igno** sanguine; bloody; **gruppo** *m* **~igno** blood group; **~inaccio** *m* black-pudding; **~inare** *v/i* bleed; **~inario** bloodthirsty; **~inoso** bloody

sanitario sanitary; **ufficio** *m* **~** health office

sano healthy; **~ e salvo** safe and sound

santificare *v/t* sanctify; canonize

sant|issimo *adj* most holy; *m* Blessed Sacrament; **~ità** *f* holiness

santo *adj* holy; *m* saint; **acqua** *f* **santa** holy water

santuario *m* sanctuary; shrine

sapere *v/t*, *v/i* know; know how to; get to know; learn; **far ~** let know; *m* knowledge

sap|iente *adj* wise; *m* learned person; **~ienza** *f* wisdom

sapon|ata *f* lather; soapsuds *pl*; **~e** *m* soap; **~e da barba** shaving soap; **~eria** *f* soap-works *pl*; **~etta** *f* cake of toilet-soap; **~iera** *f* soapdish

sapor|e *m* flavour; taste; **~ire** *v/t* flavour; relish; **~ito** savoury

sappiamo we know

saputo known; learned

sar|à he will be; **~ai** you will be (*sg*); **~anno** they will be

sarcàstico sarcastic

sarchiare *v/t* weed

sardella *f* pilchard

Sardegna f Sardinia

sardina f sardine

sardo m, adj Sardinian

sare|mo we shall be; **~te** you will be (pl)

sarò I shall be

sart|a f dressmaker; **~o** m tailor; **~oria** f tailor's shop; dressmaking

sasso m stone; pebble; **di ~** stony

sàssone m, adj Saxon

Sassonia f Saxony

sassoso stony

satèllite m satellite

satìrico adj satiric(al); m satirist

savio wise

sazi|are v/t satiate; **~o** satiated

sbacchettare v/t dust; beat

sbaciucchiare v/t cover with kisses

sbadato heedless

sbadigliare v/i yawn

sbagli|are v/i, **~arsi** v/r make a mistake; err; **~o** m mistake; error; **per ~o** by mistake

sballare v/t unpack; fig talk big

sballottare v/t toss about

sbalord|imento m bewilderment; **~ire** v/t astonish; bewilder

sbalz|are v/t overthrow; cast out; **~o** m bound

sbandare v/t disband; v/i aut skid

sbandire v/t banish

sbarazz|are v/t clear; **~arsi** v/r get rid (of)

sbarb|are v/t uproot; shave; **~ato** clean shaven

sbarc|are v/t disembark; v/i land; **~atoio** m landing-place; **~o** m landing; unloading

sbarr|a f bar; barrier; **~amento** m obstruction; **~are** v/t bar; block up; (eyes) open wide

sbàttere v/t beat; whip; (door) slam

sbeffare v/t mock

sbendare v/t remove bandages

sbiadito faded

sbiancare v/i grow pale

sbigottire v/t frighten

sbilanci|are v/t put out of balance; **~o** m derangement; deficit

sbocc|are v/i flow into; **~atura** f mouth (of river)

sbocciare v/i open; bloom

sbocco m mouth (of river); com outlet, market; **~ di sangue** blood-spitting; **strada** f **senza ~** blind alley

sborni|a f intoxication; **~ato** drunk

sbors|are v/t disburse; pay; **~o** m outlay

sboscare v/t deforest

sbottonare v/t unbutton

sbozz|are v/t sketch; outline; **~o** m sketch

sbrattare v/t clear; tide up

sbriciolare v/t crumble

sbrig|are v/t dispatch; finish off; **~arsi** v/r hurry up

sbrinare v/t defrost (*refrigerator*)

sbrogliare v/t disentangle

sbucciare v/t peel; skin

sbuffare v/i puff; snort

scabr|osità f roughness; **~o** so rough; rugged; uneven

scacchiera f chess-board

scacci|amosche m fly-whip; **~are** v/t drive away; expel

scacc|o m square; **~hi** pl chess; **giocatore m di ~hi** chess-player; **giocare a ~hi** play chess; **~o matto** checkmate

scad|ente falling due; inferior (*quality*); **~enza** f maturity; expiration; **a breve ~enza** short-dated; **~ere** v/i expire; fall due; **~uto** expired

scaffale m shelf

scafo m hull

scagionare v/t justify

scaglia f scale; chip

scala f stairs pl; **~ (a pioli)** ladder; **~** step; ladder

scalcare v/t carve (*at table*)

scalciare v/i kick (*horse*)

scalda|bagno m boiler; **~letto** m hot-water-bottle; **~piatti** m plate-warmer; **~piedi** m foot-warmer

scald|are v/t heat; warm; **~ino** m warming-pan

scal|ea f flight of steps; **~eo** m step; ladder; **~ino** m step

scalo m landing-place; port of call; **~ merci** freight station

scaloppina f cutlet; chop

scalpell|are v/t chisel; **~ino** m stone-cutter; **~o** m chisel

scalp|icciare v/i trample; **~itio** m pawing

scaltro sly; crafty

scalz|are v/t take off (*shoes and stockings*); **~o** barefoot

scambi|are v/t exchange; mistake (for); **~évole** mutual

scambio m exchange; rail switch

scampagnata f trip in the country

scampan|ata f chiming; **~ellare** v/i ring the bell

scamp|are v/t rescue; v/i escape; **~o** m escape

scàmpolo m remnant (of *tissue*)

scancellare v/t cancel

scandaglio m sounding-line

scandalizzare v/t shock

scàndalo m scandal

scansare v/t avoid; shun

scantonare v/i turn the corner

scapato heedless

scapestrato dissolute

scàpito m loss; detriment

scàpola f shoulder-blade; **~o** adj single; m bachelor

scapp|amento m mech exhaust; **~are** v/i escape; flee; **~atoia** f subterfuge; pretext

scappellarsi v/r take off one's hat

scarabocchio m blot

scarcerare v/t release (from *prison*)

scàrica f discharge

scaric|are v/t discharge; unload; **~arsi** v/r relieve o.s.; (clock) run down; **~atoio** m wharf

scàrico adj unloaded; empty; m unloading; mech exhaust

scarlatt|ina f scarlet-fever; **~o** scarlet

scarno lean; meagre

scarp|a f shoe; boot; **~e** f/pl **per bambini** children's shoes pl; **~e da signora** ladies' shoes pl; **~e da spiaggia** sand shoes pl; **~etta** f small shoe; **~ette** f/pl **da bagno** bathing slippers pl

scarrozz|are v/t, v/i drive around; **~ata** f drive

scars|ità f scarcity; **~o** scarce; lacking

scartafaccio m waste-book

scartoccio m paper-bag

scass|are v/t unpack; agr plough up; **~o** m burglary

scatenare v/t unchain

scàtola f box; tin; can

scatto m release (lever); **~ automàtico** phot automatic trigger

scaturire v/i gush out

scavalcare v/t, v/i dismount

scav|are v/t dig out; excavate; **~o** m excavation

scegliamo we choose

sceglie he chooses

scégliere v/t choose; select

scelgo I choose

scellino m shilling

scelta f choice; selection; **fare la ~** choose; select

scelto chosen; exquisite

scem|are v/t lessen; reduce; **~o** m fool

scena f stage; scene

scéndere v/t, v/i descend; go down; lower

sceneggiatura f stage-directions pl

scesa f slope; descent

scèttico adj sceptic(al); m sceptic

scettro m sceptre

scheda f card; (piece of) paper; label

scheggia f splinter; **~are** v/t splinter

schèletro m skeleton; fig frame

schema m outline; plan

scherm|a f fencing; **tirare di ~a, ~ire** v/i fence

schermo m (phot, movie etc) screen; defence; **~ giallo** phot yellow filter; **~ gigante** film: wide screen

schern|ire v/t sneer (at); **~o** m sneer

scherz|are v/i joke; **évole** jesting; **~o** m joke; **~oso** playful; joking

schiacci|anoci m nut-cracker; **~are** v/t crush; squash; squeeze; **~ata** f gast cake

schiaffo m box on the ear; slap

schiamazzare v/i cackle; squawk

schiant|are v/t smash; **~o** m crash; fig pang

schiar|imento m elucidation; **~ire** v/t fig elucidate; **~irsi** v/r become clear

schiav|itù f slavery; **~o** m,

adj slave

schiena *f* back

schier|a *f* group; **~are** *v/t* array

schietto frank; open; genuine

schif|o *adj* disgusting; *m* disgust; **~oso** loathsome

schiocco *m* snap; crack

schiodare *v/t* unnail

schiopp|ettata *f* shot; **~o** *m* gun; rifle

schiùdere *v/t* open

schium|a *f* foam; lather; **~aiola** *f* skimmer; **~are** *v/t* skim; *v/i* foam; **~oso** frothy

schiv|are *v/t* shun; **~o** averse; shy

schizz|are *v/t* squirt; **~o** *m* sketch

schnorchel *m* snorkel

sci *m* ski; **~ nàutico** water ski

sciàbola *f* sabre

sciacallo *m* jackal

sciacquare *v/t* rinse

sciag|ura *f* disaster; **~urato** unfortunate

scialle *m* shawl

scialuppa *f* sloop; shallop

sciam|are *v/i* swarm; **~e** *m* swarm

sciampagna *f* champagne

sciampo *m* shampoo

sciancato *adj* crippled; *m* cripple

sciare *v/i* ski

sciarpa *f* scarf; sash

sciàtica *f* sciatica

sci|atore *m*, **~atrice** *f* skier

scicche stylish; elegant

scientìfico scientific

scienz|a *f* science; knowl-

edge; **~e** *f/pl* **econòmiche** economics; **~e polìtiche** politics; **~iato** *m* scientist

scimm|ia *f* ape; monkey; **~iottare** *v/t* ape

scintill|a *f* spark; **~are** *v/i* sparkle

sciocchezza *f* foolishness; stupidity

sciocco *adj* stupid; *m* fool

sciògli|ere *v/t* untie; **~ersi** *v/r* melt (*snow*)

sciolt|ezza *f* ease; **~o** loose

scioper|ante *m* striker; **~are** *v/i* strike; **~atezza** *f* idleness; **~ato** *adj* lazy; *m* never-do-well

sciòpero *m* strike; **fare ~** (go on) strike

sciovia *f* ski-lift

scirocco *m* sultry African wind

sciroppo *m* syrup

sciupare *v/t* waste; spoil

scivolare *v/i* slip; glide

scìvolo *m* chute

scodella *f* porringer

scogliera *f* cliff

scoglio *m* rock; **~so** rocky

scol|ara *f*, **~aro** *m* pupil; **~àstico: anno ~ m ~àstico** school-year

scol|atoio *m* drain; gutter; **~atura** *f* draining

scollato low-necked; décolleté

scolo *m* drain

scolor|are, **~ire** *v/t*, *v/i* discolour; fade; **~irsi** *v/r* grow pale

scolpire *v/t* sculpture; chisel

scombinare *v/t* disarrange

scommessa f bet

scomméttere v/t bet

scomodarsi v/r trouble

scomodo uncomfortable

scomparire v/i disappear

scompartimento m compartment

scompiac|ente unkind; **~enza** f unkindness

scompigliare v/t upset

scompleto incomplete

scomporre v/t decompose

scomunica f excommunication

sconcertare v/t perturb

sconci|are v/t spoil; mar; **~o** indecent; nasty

sconcordia f discord

sconfinato boundless

sconfitta f defeat

sconfortare v/t discourage

scongiurare v/t beseech; conjure

sconn|esso disconnected; desultory; **~èttere** v/t disjoin

sconóscere v/t underrate; **~osciuto** unknown

sconsacrare v/t desecrate

sconsiderato rash

sconsigliare v/t dissuade

sconsol|ato disconsolate; **~azione** f grief

scontare v/t deduct; discount; expiate

scontent|ezza f dissatisfaction; **~o** discontent (**di** with)

sconto m discount

scontrino m check; ticket; **~ del bagaglio** luggage-ticket

scontro m collision

sconven|iente unbecoming; **~ire** v/i be unsuitable

sconvolgimento m derangement; overturn; **~ di stòmaco** upset stomach

scooter m (motor-)scooter

scop|a f broom; **~are** v/t sweep

scopert|a f discovery; **~o** uncovered

scopo m aim; purpose

scoppiare v/i burst; explode; **~ in una risata** burst out laughing

scoppi|ettare v/i crackle; **~o** m burst; explosion

scoprire v/t discover; uncover

scoraggi|are v/t discourage; **~ato** discouraged

scorciare v/t shorten

scordare v/t mus put out of tune; forget

scòrgere v/t perceive

scórrere v/i flow; elapse; v/t run through

scorretto incorrect

scorso past (year)

scorta f escort

scort|ese impolite; **~esìa** f rudeness

scorticare v/t skin

scorz|a f bark; skin; **~are** v/t peel

scossa f shake; shock; **~ di pioggia** downpour; **~ di terremoto** earthquake shock; **~ elèttrica** electric shock; **~ nervosa** nervous shock

scostarsi v/r go away; fig

wander (*from subject*)

scostumato profligate

scott|are v/t, v/i scorch; burn; **~atura** f burn; scald; **~atura del sole** sunburn

scotto m bill; score

scovare v/t dislodge

Scozia f Scotland

scozzese Scottish

screditare v/t discredit

scrédito m discredit

screpol|arsi v/r crack; split; **~atura** f crack

scricchiolare v/i creak

scrigno m jewel-box

scriminatura f parting (*hair*)

scritt|a f inscription; contract; **~o** m writing; **per iscritto** in writing; **~oio** m writing-desk; **~ore** m writer; **~ura** f (hand-)writing; *com* entry

scrivania f writing-desk

scrivere v/t, v/i write

scroll|are v/t shake; **~o** m shake

scrosciare v/i roar; pelt

scrùpolo m scruple

scrupol|osità f scrupulousness; **~oso** scrupulous

scrutare v/t scrutinize

scucire v/t unsew

scudería f (racing-)stable

scudo m shield; five-lira-piece

scult|ore m sculptor; **~ura** f sculpture; **~ura in legno** wood-carving

scuola f school; **~ commerciale** commercial school; **~**

d'aviamento professionale vocational school; **~ d'equitazione** riding-school; **~ media** secondary school; **~ superiore** high school

scuòtere v/t shake; toss

scur|e f axe; hatchet; **~etto** m (window-)shutter; **~o** dark

scus|a f excuse; pretext; **~àbile** excusable; **~are** v/t excuse; **~arsi** v/r apologize

sdaziare v/t pay duty; clear

sdegn|are v/t disdain; **~ato** indignant; **~o** m indignation

sdentato toothless

sdrai|are v/t stretch (out); **~o** **sedia** f a **~o** deck-chair

sdrucciol|are v/i slide; slip; **~évole** slippery

se if; whether; **~ no** otherwise

se = **si** *before* **lo, la, li, le, ne**

sé himself; herself; itself; oneself; themselves; **da ~** (stesso) by himself; by oneself

sebbene (al)though

secante f secant

secc|a f sand-bank; **~are** v/t, v/i dry (up); *fig* bother; **~arsi** v/r dry up; be bored

secchia f bucket; pail

secco adj dry; withered; m dryness

seco (= **con sé**) with him, her, them; with oneself

secol|are adj century-old; secular; m layman; **~arizzare** v/t secularize

sècolo m century; *fig* age

seconda: a ~ di according to

second|are v/t support; **~ario** secondary; **scuola** f **~aria** secondary school; **~o me** prep according to; **~o me** in my opinion; m, adj second

secreto = segreto

sèdano m celery

sedare v/t appease; soothe

sede f seat; residence; office; **la Santa** ♀ the Holy See

sed|ere v/i sit; **~ersi** v/r sit down

sedia f chair; **~ a sdraio** lounge-chair; **~ a dòndolo** rocking-chair

sedicèsimo sixteenth

sedile m seat; bench

sedurre v/t seduce

seduta f meeting

seduzione f seduction

sega f saw

segalaio m rye-field

ségale f rye

segare v/t saw; agr mow

seggio m seat; throne

sèggiola f seat; chair

seggiol|ino m child's chair; **~one** m easy-chair

seggiovia f chair-lift

segheria f saw-mill

segnal|are v/t signal; **~atore** m indicator; marker; **~e** m signal; sign; **~e d'allarme** alarm-signal

segn|alibro m book-mark; **~are** v/t mark; note; show; **~o** m mark; sign

sego m tallow; **~oso** tallowy

segregare v/t segregate

segr|etaria f secretary; **~eto** adj secret; private; m secret

seguace m follower

seguigio m bloodhound

segu|ire v/t follow; **~itare** v/t continue; literary: **séguita** to be continued

séguito m continuation; train; **di ~** continuously; **in ~ a** owing to

sei you are (sg)

seicento m 17th century

selci|are v/t pave; **~ato** m pavement

selettività f selectivity

selezione f selection

sella f saddle; **cavallo** m **da ~** saddle-horse

sell|aio m saddler; **~are** v/t saddle

seltz m: **acqua** f **di ~** soda (-water)

selva f forest

selv|aggina f game; venison; **~aggio** adj wild; m savage; **~àtico** wild

semàforo m traffic lights pl

sembrare v/t, v/i seem; look like

sem|e m seed; **~enta** f sowing

semestre m half-year

semi|aperto half-open; **~cerchio** m half-circle

semin|are v/t sow; **~ario** m seminary; **~atore** m sower

semi|nudo half-naked; **~tondo** half-round

sémola f fine flour; bran

semolino m semolina

semovente self-propelled

sémplice simple; fig naive

semplicità f simplicity

semplific|are v/t simplify; **~azione** f simplification

sempre always; **~verde** *m* evergreen

sènap|a *f*, **~e** *f* mustard

senato *m* senate

sen|ile senile; **~iore** senior; elder

senno *m* sense; **è fuor di ~** he is out of his wits

seno *m* bosom; womb; *naut* bay

senonché only that; but

sensale *m* broker

sens|azione *f* sensation; **~i-bile** sensitive; **~ibilità** *f* sensitivity; **~itivo** sensitive

sens|o *m* sense; feeling; **buon ~o** common sense; **strada a ~o unico** one-way street; **~i** *m/pl* sense-organs *pl*

sentenza *f* sentence

sentiero *m* path

sentimental|e sentimental; **~ità** *f* sentimentality

sentimento *m* feeling

sentinella *f* sentry

sent|ire *v/t* feel; hear; smell; **~irsi** *v/r* feel (o.s.)

senza without; **~ difetti** faultless; **~ di me** without me

senzatetto *m* homeless person

separ|àbile separable; **~are** *v/t* separate; sever; **~azione** *f* separation

sep|olcrale sepulchral; **~olcro** *m* tomb; **~olto** buried

seppell|imento *m* burial; **~ire** *v/t* bury

sequestr|are *v/t* sequester;

~o *m* sequestration; **~o di persona** kidnapping

sera *f* evening; **di ~** in the evening; **buona ~** good evening; **dare la buona ~** wish good evening; **~le: scuola ~le** evening-school; **~ta** *f* evening

serb|are *v/t* keep; preserve; **~atoio** *m* reservoir; **~atoio di benzina** petrol-tank; fuel-tank; **~atoio di riserva** reserve tank

seren|ata *f* serenade; **~ità** *f* serenity; **~o** serene; bright; clear

serie *f* series; set; **~ di carte** pack of cards; **~ di franco-bolli** issue of stamps

serio *adj* serious; *n* earnest; **sul ~** in earnest

sermone *m* sermon; lecture

serp|eggiare *v/i* wind; meander; **~ente** *m* snake

serr|are *v/t* lock (up); press; **~arsi** *v/r* close up; **~ata** *f* lock-out (*of workers*)

serratura *f* lock; **~ d'accensione** ignition lock; **~ della portiera** (*auto*) (door)lock; **~ di sicurezza** safety-lock

serv|ire *v/t*, *v/i* serve; wait upon; be of use; **~irsi** *v/r* help o.s.

serv|itore *m* servant; **~itù** *f* servants *pl*; slavery

servizio *m* service; duty; **di ~** on duty; **~ d'emergenza** stand-by service; **~ mili-tare** military service; **~ ri-parazioni** road patrol; **donna** *f* **di mezzo** half-

day charwoman
servo m (man-)servant
sess|o m sex; **~uale** sexual
set|a f silk; **~a da cucito** sewing-silk; **~aiuolo** m silk-merchant; silk-manufacturer
sete f thirst; **aver ~** be thirsty
seteria f silk-factory
sétola f bristle
setolino m little brush
settantenne seventy years old
settecento m 18th century
settembre m September
settentrion|ale adj northern; m northerner; **~e** m north
settimana f week; **~ santa** Holy Week; **~le** weekly
sèttimo seventh
sever|ità f severity; **~o** severe
sezione f section
sfacciat|àggine f impudence; **~o** shameless
sfacelo m breakdown
sfarz|o m pomp; **~oso** pompous
sfasciare v/t unbind; remove the bandages
sfavor|e m disfavour; **~évole** unfavourable
sfera f sphere; globe
sfèrico spherical
sfiat|arsi v/r talk, shout o.s. hoarse; **~ato** out of breath
sfibbiare v/t unbuckle
sfid|a f defiance; **~are** v/t challenge; brave
sfiducia f mistrust
sfigurare v/t disfigure

sfilare v/t unthread
sfinimento m exhaustion
sfiorire v/i fade
sfogarsi v/r give vent to one's feelings
sfoggio m display; luxury
sfogli|a f foil; **pasta f ~a** puff-paste; **~are** v/t strip off (leaves); go through (a book)
sfolgorare v/i shine; flash
sfolla|gente m truncheon; **~re** v/t evacuate
sfond|ato bottomless; **~o** m background
sformare v/t deform; mech remove from the mould
sfort|una f bad luck; **~unato** unlucky
sforz|are v/t force; **~o** m effort; strain
sfracellare v/t smash; shatter
sfrattare v/t evict
sfregare v/t rub
sfrenato unbridled
sfrontato shameless
sfruttare v/t exploit
sfugg|évole fleeting; **~ire** v/i escape
sfum|are v/t tone down (colour); **~atura** f shade; nuance
sfuriata f outburst, fit
sgabello m (foot)stool
sgambettare v/t kick
sganciare v/t unhook
sgangherare v/t unhinge
sgarbato impolite; rude
sgel|are v/t, v/i thaw; **~o** m thaw; **tempo di ~o** thaw

sghembo oblique; slant (-ing)

sghiacciare v/i thaw

sgocciolare v/i drip; trickle

sgol|arsi v/r shout o.s. hoarse

sgomb(e)rare v/t, v/i clear out; remove

sgómbero m removal

sgombro m mackerel

sgomitolare v/t unwind

sgorbio m (ink-)blot

sgorgare v/i gush forth; flow (tears)

sgoverno m misgovernment

grad|évole unpleasant; **~ire** v/t, v/i displease; dislike

sgraffiare v/t scratch

sgranare v/t shell; husk

sgranchir|e v/t stretch; **~le gambe** stretch one's legs

sgravare v/t unburden

sgraziato ungraceful

sgretolare v/t grind

sgrid|are v/t scold; **~ata** f scolding

sgualcire v/t (c)rumple

sgualdrina f strumpet

sguardo m look; glance

sguazzare v/i splash; wallow

sgusciare v/t shell; **~ v/i di mano** slip from the hand

shampoo m shampoo

si one; people; oneself, him-, her-, itself; each other; **~ dice** they (people) say

sì yes; so; **dire di ~** say yes

siamo we are

sibilare v/i hiss

sìbilo m hiss(ing); whistle

sicché so that

siccità f drought

siccome as; since

Sicil|la f Sicily; **~ano** m, adj Sicilian

sicomoro m sycamore

sicurezza f security; **pùbblica ~** police; **chiusura di ~** safety-lock; **porta f di ~** emergency door

sicuro safe; sure; **per ~ for** certain

sidro m cider

siepe f hedge; fence

siesta f afternoon nap

siete you are (pl)

siffatto such

sifone m siphon

sigaretta f cigarette; **~ a filtro** filter cigarette

sigaro m cigar

sigill|are v/t seal; **~o** m seal

signific|ante significant; **~are** v/t mean; **~ato** m meaning

signora f lady; woman; wife; mistress; **~!** Madam!; **la ~ N. N.** Mrs. N. N.

signor|e m gentleman; master; mister; **~e!** Sir!; **~ia** f mastery; **~ile** noble; refined

signorina f young lady; **~!** Miss!

signorino m young gentleman

silenziatore m silencer

silenzio m silence; **fare ~** keep silent; **~!** silence!; be quiet!; **~so** silent

sìllaba f syllable

sillab|are v/t spell; **~ario** m spelling-book

silòfono m xylophone

sil|urare v/t torpedo; **~uro** m torpedo; biol silurus

simbòlico symbolic(al)

sìmbolo m symbol; creed

similare similar

sìmile adj like; m neighbour

simm|etria f symmetry; **è~trico** symmetrical

sim|patìa f liking; **~pàtico** nice; congenial; **~patizzare** v/i take a liking to; get on with

simulare v/t feign; sham

sinagoga f synagogue

sincer|arsi v/r make sure; **~ità** f sincerity; **~o** sincere

sinché until; as long as

sindac|alista m trade-unionist; **~ato** m trade-union

sìndaco m mayor

sinfonìa f symphony

singhiozz|are v/i sob; **~o** m sob

singol|are adj singular; peculiar; m singular; **~arità** f singularity

singolo single

sinistr|a f left (hand); **a ~** on, to the left; **~ato** m victim; **~o** left; sinister

sino up to; as far as

sinònimo adj synonymous; m synonym

sinora up to now

sintassi f syntax

sìntesi f synthesis

sìntomo m symptom

sinuoso sinuous

sipario m thea curtain

sirena f siren

siroppo = **sciroppo**

sism|ògrafo m seismograph; **~ologìa** f seismology

sistem|a m system; **~are** v/t arrange; settle; **~àtico** systematic

sito adj situated; m site

situ|ato situated; **~azione** f situation

slanci|are f/t hurl; **~arsi** v/r rush; **~ato** slim; **~o** m rush; impetus; élan

slargare v/t widen

slavo Slavic

sleale disloyal; unfair

slegare v/t unbind

slip(s) m(/pl) panties

slitt|a f sleigh; sled; **~are** v/i sledge; slide; skid; **~ino** m toboggan; **pista f per ~ini** toboggan-run

slog|amento m dislocation; **~are** v/t dislocate; **~atura** f dislocation

sloggiare v/t drive out; v/i move

smacchi|are v/t remove stains; **~atore** m cleaner

smagrire v/i grow thin

smalt|are v/t glaze; **~o** m enamel; glaze; **~o per le unghie** nail polish

smani|a f eagerness; frenzy; **~are** v/i rave; **~erato** ill-mannered

smarr|imento m loss; **~ire** v/t mislay; lose; **~irsi** v/r get lost

smemorato forgetful

smentire v/t deny; belie

smeraldo m emerald

smerci|are v/t sell (off); **~o**

m sale; market
smeriglio *m* emery
smerlo *m* scallop edging
smèttere *v/t, v/i* give up;
(*dress*) cast off; stop
smezzare *v/t* halve
smisurato immeasurable
smobiliato unfurnished
smobilit|are *v/t* demo-
bilize; **~azione** *f* demobi-
lization
smoderato immoderate
smontare *v/i* dismount;
alight; *v/t mech* take apart
smorfia *f* grimace
smott|amento *m* landslide;
~are *v/i* slide
snatur|are *v/t* denaturalize;
~ato monstruous
snello slender; nimble
snervare *v/t* enervate
snodare *v/t* unknot
snudare *v/t* bare
so I know
soave sweet; gentle
sobbalzare *v/i* jolt
sobborgo *m* suburb
sobri|età *f* sobriety; **~o**
moderate
socchiùdere *v/t* half-shut;
(*door*) leave ajar
soccómbere *v/i* succumb;
yield
soccórrere *v/t* aid; help;
~orso *m* help
soci|ale social; **~età** *f*
society; company; **~età
anònima** joint-stock
company; **~età d'aviazio-
ne** airline company; **~età di
navigazione** navigation
company; **~évole** socia-

ble; **~evolezza** *f* sociability;
~o *m* associate, partner;
member; **~ología** *f* sociol-
ogy
soda *f* soda
soddisf|acente satisfactory;
~are *v/t* satisfy; **~azione** *f*
satisfaction
sodo solid; hard
sofà *m* sofa
soffer|ente suffering; **~enza**
f suffering; pain
soffermare *v/t* stop a little
soffi|are *v/t, v/i* blow; puff;
~etto *m* bellows *pl*; **~o** *m*
breath
soffitt|a *f* attic; garret; **~o** *m*
ceiling
soffocare *v/t, v/i* suffocate
soffrìggere *v/t* fry slightly
soffrire *v/t* bear; *v/i* suffer
(**di** from)
sofisticato sophisticated
soggett|ivo subjective; **~o**
adj subject(ed); **~o a tasse**
liable to taxation; *m* subject
sogghignare *v/i* sneer
soggiogare *v/t* subdue
soggi|ornare *v/i* stay; so-
journ; **~orno** *m* stay; tassa *f*
di ~orno visitors' tax
soggiùngere *v/t* add
soggiuntivo *m* subjunctive
sogli|a *f* threshold; **~o** *m*
throne
sògliola *f* sole
sogn|are *v/t, v/i* dream; **~o** *m*
dream
solaio *m* garret; attic
solamente only; **~ ieri** only
yesterday
solata *f* sunstroke

soppalco

solatura f soling (shoe)
solc|are v/t furrow; plough; ~o m furrow
soldato m soldier
sold|o m penny; pay; ~i m/pl money
sole m sun; **c'è il** ~ the sun is shining
soleggi|are v/t, v/i sun; ~ato sunny
solenn|e solemn; ~ità f solemnity
solere v/i be used (to)
soll|erte assiduous; ~erzia f industriousness
soletta f sole (of stocking)
solfa f mus gamut
solf|anello m sulphurmatch; ~are** v/t sulphur (-ate); ~o m sulphur; ~òrico: àcido ~ **òrico** sulphuric acid
solid|ezza, ~ità f solidity
sòlido solid
sol|ista m, f soloist; ~itario adj solitary; m hermit
sòlito usual; **al** ~ as usual
solitùdine f solitude
soll|azzare v/t amuse; ~azzo m amusement
sollecitare v/t hasten; solicit
soll|écito prompt; eager; ~ecitùdine f promptness
solleticare v/t tickle; (appetite) stimulate
sollevare v/t lift; alleviate
sollievo m relief; comfort
solo adj alone; only; sole; adv only; m mus solo
solstizio m solstice
soltanto only
sol|ùbile soluble; ~uzione f solution; ~vente solvent

somigli|ante resembling; ~anza** f resemblance
somigliare v/i **(a) qu.** look like, resemble s.o.
somm|a f sum; **in** ~a after all; ~are** v/t add up; ~ario m, adj summary
sommèrg|ere v/t submerge; ~ersi** v/r sink; dive
sommergìbile m submarine
sommesso subdued
sommo adj highest; m summit
sommòssa f riot; ~uòvere** v/t stir up
sonare v/t, v/i play (instrument); ~ **il campanello** ring the bell; sound; toll
sond|a f sound; naut sounding-line; ~aggio** m sounding; ~are** v/t sound; probe
soneria f (clock) alarm; chime; ~ **elèttrica** electric bell
sonetto m sonnet
sonn|àmbulo m sleep-walker; ~ecchiare** v/i slumber; ~ellino** m nap; ~ìfero** m sleeping-draught
sonno m sleep; **aver** ~ be sleepy
sonnolento drowsy
sono I am; they are
son|orità f sonority; ~oro sonorous; **film** m ~oro sound-film
sontu|osità f luxury; ~oso sumptuous
sop|ire v/t lull; ~ore** m slumber
soppalco m lumber-room

sopport|àbile bearable; **~are** v/t endure; **~o** m support

soppress|a f press; **~are** v/t press; **~ione** f suppression

sopprimere v/t suppress; abolish

sopra (up)on; over; above; **~tutto** above all

sopr|àbito m overcoat; **~acciglio** m eyebrow; **~affare** v/t overwhelm; **~affino** superfine; **~aggiùngere** v/i turn up; happen; **~ascarpa** f galosh; **~ascritto** above (written); **~attassa** f additional tax; **~attutto** above all; **~avanzare** v/t surpass; v/i be left over; **~avvenire** v/i supervene; **~avvivere** v/i **a qu.** outlive s.o.; **~intendente** m superintendent

sorb|etto m ice-cream; **~ire** v/t sip

sòrdido filthy; mean

sord|ità f deafness; **~o** deaf; **~omuto** adj deaf and dumb; m deaf-mute

sorell|a f sister; **~astra** f step-sister

sorgente f spring

sòrgere v/i (a)rise

sor|montare v/t overcome; **~passare** v/t surpass; overtake

sorprèndere v/t surprise; **~esa** f surprise

sorrèggere v/t sustain; **~ersi** v/r support o.s.

sorrìdere v/i smile; **~iso** m smile

sorseggiare v/t sip; **~o** m

sip; draught

sort|a (also **~e**) f sort; kind; **~e** f lot; destiny; **~eggiare** v/t draw by lot; **~eggio** m drawing of lots; **~ire** v/i go out; v/t obtain (by lot)

sorvegliare v/t supervise

sorvolare v/t fly over; fig skip over

sospèndere v/t hang up; interrupt; suspend; **~ensione** f suspension; **~eso** suspended

sospettare v/t suspect; **~etto** adj suspicious; m suspicion; **~ettoso** suspicious

sospirare v/i sigh; **~iro** m sigh

sosta f stop; pause; **divieto** m **di ~** no parking

sostantivo m gram noun; **~anza** f substance; **in ~anza** essentially; **~anzioso** substantial; **~are** v/i rest; aut park; **~egno** m support; prop; **~enere** v/t sustain; support; **~entare** v/i support (s.o.)

sostitu|ire v/t replace; **~uto** m substitute; deputy

sott|acqua underwater; **~ana** f petticoat; **di ~ecchi** stealthily

sotterr|a adv underground; **~àneo** adj underground; m cave; **~are** v/t bury; hide

sottile thin; subtle

sotto under; below; beneath; **~aceto** in vinegar; **~pena** on penalty

sotto|braccio arm in arm; **~esposto** phot under-ex-

spazioso

posed; **~lineare** v/t underline; **battello** m **~marino** submarine; **~méttere** v/t subdue; submit; **~minare** v/t undermine; **~passaggio** m underground passage; **~porre** v/t subject; **~posto** adj exposed; m subordinate; **~scrivere** v/t (under-) sign; **~scrizione** f subscription; signature; **~sopra** topsy-turvy; **~tenente** m second lieutenant; **~vaso** m saucer; **~veste** f slip; **~voce** in a low voice

sottrlarre v/t withdraw; mat subtract; deduct; **~azione** f subtraction; theft

sottufficiale m non-commissioned officer

sovente often

soverchilare v/t overcome; **~o** adj excessive; m surplus

Soviet m Soviet

soviètico Soviet

sovrabbondante superabundant

sovrano adj sovereign; fig supreme; m sovereign

sovraplpeso m overweight; **~pressione** f overpressure

sovreposto phot over-exposed

sovvenzionare v/t subsidize; **~ne** f subsidy

spacclapietre m stonebreaker; **~are** v/t split; cleave; **~atura** f cleft; split

spacclare v/t sell (off); **~o** m sale; shop; **~o di tabacchi** tobacco shop

spacclo m cleft; split; **~one** m braggart

spada f sword

spaghetti m/pl spaghetti

Spagna f Spain

spago m string; packthread

spalancare v/t throw open

spalla f shoulder; **stringersi nelle ~e** shrug one's shoulders; **~iera** f (chair) back; bot espalier

spalmare v/t smear

spàndere v/t spread; shed

spàragio = **aspàrago**

sparlare v/t shoot; **~ato** m shirt-front

sparecchiare v/t clear the table

spàrgere v/t spread

sparlire v/i disappear; **~o** m shot

spartliacque m watershed; **~ire** v/t divide; distribute; **~ito** m mus score; **~itoio** m water-tower; **~izione** f distribution

spasimare v/i agonize

spàsimo m agony; spasm

spassare v/t amuse

spasso m fun; pastime; **andare a ~** go for a walk; fig **èssere a ~** be unemployed

spaurlacchio m bugbear; scarecrow; **~ire** v/t frighten

spaventarsi v/r be scared; **~ento** m fright; **~entoso** dreadful

spazilale: nave f **~** spaceship; **~are** v/t rove

spazilo m space; **~o di tempo** period; **~o vitale** living space; **~oso** spacious

spazz|acamino m chimney-sweep(er); **~aneve** m snow-plough; **~are** v/t sweep; **~atura** f sweepings pl; **~ino** m dustman

spàzzola f brush

spazzol|are v/t, **dare una ~ata (a)** brush; **~ino** m da **denti** tooth-brush; **~ino per le unghie** nail-brush

specchi|arsi v/r be reflected; look at o.s. in a mirror; **~era** f looking-glass; **~etto** m hand-mirror; **~etto retrovisivo** rear-view mirror; **~o** m mirror; fig example; **~o retroscòpico** aut driving mirror

special|e special; **treno** m **~e** extra train; **~ista** m, f specialist; **~ità** f speciality; **~izzare** v/t specialize

specie f species; kind

specifico m, adj specific

specul|are v/t, v/i meditate; com speculate (**in** in); **~azione** f speculation

sped|ire v/t send; ship; **~ito** speedy; prompt; **~itore** m sender; **~izione** f shipping; **~izione bagagli** dispatch of luggage; **~izioniere** m forwarding agent

spegnare v/t redeem

spégn|ere v/t extinguish; turn out (light); **~ersi** v/r die (out)

spelarsi v/r lose one's hair

spell|are v/t skin; **~arsi** v/r peel

spèndere v/t spend; fig employ

spennacchiare v/t pluck

spensierato thoughtless

spenzolare v/i dangle

sper|anza f hope; **~are** v/i hope (**in** for)

spèrder|e v/t disperse; **~si** v/r get lost

spergiuro adj perjured; m perjury; perjurer

sperimentare v/t experiment

spes|a f expense; **~e** pl expenses pl; **fare le ~e** go shopping; **~are** v/t pay s.o.'s expenses

spesso adj thick; dense; adv often

spett|àcolo m spectacle; thea performance; **~are** v/i concern; be due; **~atore** m spectator

spettr|ale ghostly; **~o** m ghost

spezie f/pl, **~rìe** f/pl spices pl

spezz|are v/t break; **~atino** m ragout; **~ato** chopped

spia f spy

spiac|ere sorry; **~ere** v/i displease; be sorry; **~évole** unpleasant

spiaggia f shore; beach

spian|are v/t level; (dough) roll out; **~ata** f esplanade; **~atoio** m rolling-pin

spiant|are v/t uproot; fig demolish; **~ato** fig penniless

spiare v/t spy (upon)

spiccare v/i detach

spicci|are v/t dispatch; **~arsi** v/r hurry up; **~o** quick

spìccioli m/pl change

spiedo m broach; spit; **allo ~ gast** roasted (on a spit)

spieg|are v/t unfold; explain; **~arsi** v/r make o.s. clear; **~azione** f explanation

spietato merciless

spig|a f ear (of corn); **~are** v/t form ears

spigliato easy; free

spigo m lavender

spigol|are v/t glean; **~atura** f gleaning(s)

spigolo m corner-edge

spill|a f tie-pin; brooch; **~o** m pin; **~o di sicurezza** safety-pin

spina f thorn; sting; (fish-) bone; spine; elec plug; **~ doppia** two-pin plug; anat **~ (dorsale)** spine

spinaci m/pl spinach

spìng|ere v/t push; shove; **~ersi** v/r push forward

spin|o m thorn(-tree); **~oso** thorny

spinta f push; shove

spinterògeno m auto: ignition distributor

spion|aggio m espionage; **~are** v/t spy; **~e** m spy

spir|a f coil; spire; **~ale** m, adj spiral; **~are** v/t, v/i breathe (out); expire

spirito m spirit; humour

spirit|oso witty; **~uale** spiritual

splènd|ere v/i shine; **~ido** splendid

splendore m splendour

spogli|are v/t deprive; **~arsi** v/r undress o.s.; divest o.s.;

~o (di) bare; deprived; free of

spola f shuttle

spolver|are v/t dust; **~ino** m featherwhisk; **~izzare** v/t pulverize

sponda f bank; edge

spontàneo spontaneous

spora f spore

sporc|are v/t soil; **~o** dirty

spòrg|ere v/t stretch out; **~ersi** v/r lean out; stand out

sport m sport; **~ invernale** winter sports pl; **~ motociclìstico** motoring; **~ nàutico** aquatic sports pl; **~ sciìstico** skiing; **~ della vela** yachting

sport|a f bag; basket; **~ello** m shutter; small door; **~ello per biglietti** ticket-window

sportivo adj sporting; m sportsman

spos|a f bride; (young) wife; **~alizio** m wedding; **~are** v/t marry; **~arsi** v/r get married; **~o** m bride-groom; (young) husband; **~i** m/pl bride and groom; young couple; **promessi ~i** betrothed couple

spossare v/t exhaust

spost|amento m displacement; **~are** v/t displace; shift

spregévole despicable; **~iare** v/t despise

sprèmere v/t squeeze

spremilimoni m lemon-squeezer

spremuta f squash

sprigion|are v/t set free; **~arsi** v/r escape; rise

sprizzare v/t, v/i sprinkle; gush out

sprofond|are v/t sink; **~arsi** v/r sink in

spron|are v/t spur; **~e** m spur

spropòsito: a ~ unopportunely

spruzz|aglia f drizzle; **~are** v/t (be)sprinkle; **~atore** m sprayer; **~atore per i capelli** hair spray

spugn|a f sponge; **~olo** m morel

spum|a f foam; froth; **spumante** m, **vino m ~ante** sparkling wine; **~are**, **~eggiare** v/i foam

spunt|are v/t break the point (of); v/i sprout forth; (sun) rise; (day) break; **~ino** m snack

sput|acchiera f spittoon; **~are** v/t, v/i spit; **~o** m spittle

squadra f square; mil squad(ron); sport.: team; **~ volante** flying squad

squagliare v/t melt

squàllido squalid; dreary

squam|a f scale; **~are** v/t scale

squarcio m rent; tear; literary: passage

squart|are v/t quarter; **~atoio** m chopper

squisito exquisite

sradicare v/t eradicate; fig extirpate

sregolato disorderly; licentious

SS. [1] **Santi** pl Saints; **Sua Santità** His Holiness; **Santa Sede** Holy See

sta he stays

stàbile stable; durable; **bene** m **~** real estate

stabilimento m establishment; factory; **~ balneare**, **~ termale** (public swimming) baths pl

stabil|ire v/t establish; **~irsi** v/r settle down; **~izzare** v/t stabilize

stacc|are v/t detach; tel unhook; rail slip; **~arsi** v/r da qu. part from s.o.

stacci|are v/t sieve; sift; **~o** m sieve

stadera f steelyard

stadio m stadium; (time) stage

staffa f stirrup

stagione f season; **~ estiva** summer season; **~ invernale** winter season; **alta ~** height of season; **fuori di ~** out of season

stagn|aio m tinker; **~are** v/t tin; (blood) stanch; v/i stagnate; **~o** m tin; pond; **~ola** f tin-foil

stall|a f stable; **~o** m stall

sta|mane, **~mani**, **~mattina** this morning

stambugio m dark hole; den

stamp|a f print(ing); press; (mostly dp **~e**) printed matter; **libertà f di ~a** freedom of the press; **~are** v/t print; publish; impress; **~ati** m/pl

stilografica

printed matter; **~atore** *m* printer; **~erìa** *f* printing-house; **~igliare** *v/t* stamp; **~ino** *m* stencil

stanc|are *v/t* tire; **~hezza** *f* weariness; **~o** tired

stang|a *f* bar; shaft; pole; **~are** *v/t* bar

stanotte tonight

stantuffo *m* mech piston

stanza *f* room; ~ **da bagno** bathroom; ~ **a letto** bedroom

stare *v/i* be; stay; ~ **in piedi** stand; ~ **seduto** sit; ~ **bene** (male) be well (ill); (*clothing*) suit; ~ **per** be about to; ~ **a vedere** wait and see; **stia bene!** keep well!; **come sta?** how are you?

starnut|are, ~ire *v/i* sneeze

stasera this evening

statale (of the) state

stàtica *f* statics

statista *m* statesman

stato *pp* been; stayed; *m* state; status; condition; ~ **civile** marital status; ~ **registrar's office;** ~ **maggiore** (general) staff; **èssere in ~ di** be able to

stàtua *f* statue

statura *f* stature

statuto *m* statute; constitution

stazionare *v/i* stop; stay

stazione *f* station; ~ **balneare** watering-place; ~ **climàtica** helath resort; ~ **d'autobus** bus-station; ~ **di tassì** taxi rank; cab stand; ~ **trasmittente**

(broadcasting) station

stearina *f* stearin

stecc|a *f* slat; billiard-cue; **~are** *v/t* fence in; **~hino** *m* toothpick; **~o** *m* stick; twig

stella *f* star; rowel; ~ **alpina** edelweiss; ~ **cadente** shooting star

stemma *m* coat of arms; crest

stendardo *m* standard

stèndere *v/t* spread (out); (*document*) draw up

stenditoio *m* drying-place

stenodattilògrafa *f* shorthand-typist

sten|ografare *v/t* write (in) shorthand; **~ògrafo** *m* stenographer

stent|are *v/i* **a fare qc.** have difficulty in doing s.th.; **~ato** stunted; weak; **~o** *m*: **a ~o** with difficulty

stèrile barren

steril|izzare *v/t* sterilize

sterlina *f* pound sterling

sterm|inare *v/t* exterminate; destroy; **~inato** boundless; **~inio** *m* extermination

sterz|are *v/t* steer; **~o** *m* *auto:* steering gear

stesso self; same; **lo ~** the same; **oggi ~** this very day

stetoscopio *m* stethoscope

stiamo we stay

stigmatizzare *v/t* stigmatize

stil|e *m* style; dagger; **~etto** *v/t* stab; **~ìstica** *f* stylistics

stilogràfica *f*, **penna** *f* ~

fountain-pen

stima f esteem; respect; **con profonda ~** Yours respectfully

stim|àbile respectable; **~are** v/t esteem; appraise; consider

stimmatizzare = stigmatizzare

stimolare v/t stimulate; incite

stinco m shin

stipendi|are v/t pay a salary (to); **~o** m salary; stipend

stipulare v/t (*contract*) draw up

stiramento m: **~ di tèndine** pulled tendon

stir|are v/t iron; **~atrice** f ironer; presser; **~atura** f ironing; **senza ~atura** non-iron; drip-dry

stirpe f descent; race

stitico constipated

stivale m boot

stizzito cross

sto I stay

stoccafisso m stockfish

stoffa f material; cloth

stoia f (straw-)mat

stolt|ezza f foolishness; **~o** adj silly; m fool

stòmaco m stomach

stomàtico adj stomatic; m stomachic

stoppa f tow; oakum

stoppia f stubble

stòrcere v/t twist; distort

stord|ire v/t stun; daze; **~ito** stunned

stòri|a f history; **~a dell'arte** history of art; **~co** adj

historical; m historian

storione m sturgeon

storm|ire v/i rustle; **~o** m flock; swarm

storpi|ato crippled; **~o** m cripple

stort|a f sprain; bend; retort; **~o** crooked

stoviglie f/pl pottery

stra- *prefix* extra-

stracàrico overloaded

stracchino m spread cheese

stracci|are v/t tear; rend; **~o** m rag; adj : **carta f ~a** waste paper

stra|contento overjoyed; **~cotto** adj overdone; m stew

strada f road; street; way; **~ costiera** coastal street; **~ ferrata** railway; **~ maestra** main road; highway; **~ nazionale** arterial road; **~ scrucciolévole** slippery road; **~ facendo** on the way; **~ con precedenza** major road; **~ a senso unico** one-way street

stradone m large road

strage f massacre

stralunare v/t roll the eyes

stramazzare v/i fall heavily

strangol|are v/t strangle; **~azione** f strangling

strani|ero f estrange; **~iero** adj foreign; m stranger; alien; foreigner; **lingua** f **~iera** foreign language; **~o** strange

straordinario extraordinary

strapazz|are v/t ill-treat; **~ato: uova** f/pl **~ate**

scrambled eggs; **~oso** wearisome

strapp|are v/t tear (out); snatch; **~o** m tear; wrench

straricco extremely rich

strascicare v/t drag; drawl

stràscico m train (of a dress)

strascinare v/t drag along

strato m layer; coating

stravagante extravagant

stra|vecchio very old; **~vòlgere** v/t roll; twist

strazi|ante heart-rending; **~are** v/t torture; distress; **~o** m torment

streg|a f witch; **~are** v/t bewitch

stremato exhausted

strenna f gift; present

strepitare v/i make noise

strèpito m noise

strepitoso noisy

strett|a f grip; grasp; **~a di mano** handshake; **~ezza** f narrowness; straits pl; **~o** adj narrow; tight; m strait

strid|ere v/i screech; creak; **~o** m shriek

strigliare v/t curry

strill|are v/i scream; **~o** m shriek; **~one** m news-boy

strimpellare v/t strum

string|a f (shoe-)lace; **~ente** urgent

stringere v/t press; tie; **~ la mano a qu.** shake hands with s.o.

striscia f strip(e); **~ia di carta** paper-strip; **~ia di terra** strip of land; **~e** f/pl **pedonali** zebra crossing; **a ~** striped

strisci|are v/t drag; graze; v/i crawl; **~o** m grazing; touching

strizzare v/t squeeze; wring

strofa, **~e** f strophe; stanza

strofin|accio m duster; **~are** v/t scour

strombettare v/i trumpet

stroncare v/t break off

stronfiare v/i snort

stropicciare v/t rub; shuffle

strozz|a f throat; choke; **~ino** m fig usurer

strùggere v/t melt; **~ersi** v/r long for

strumento m instrument; mech tool; **~ ad arco** string-instrument; **~ a percussione** percussion instruments pl

strutto m lard

struzzo m ostrich

stucc|are v/t plaster; coat with stucco; **~atore** m plasterer; **~hino** m plaster figure; **~o** m stucco

stud|ente m student (**~entessa** f student (female); **~iare** v/t, v/i study; **~io** m study; studio; office

stuf|a f stove; oven; **~are** v/t stew; **~ato** m stew; **~o di** fed up with

stuoia f (straw-)mat

stupefatto amazed

stupendo wonderful

stupidàggine f foolishness

stùpido adj stupid; m fool

stup|irsi v/r be amazed; **~ore** m astonishment

sturare v/t uncork; (cask) tap

stuzzicadenti

stuzzicadenti m toothpick

stuzzicare v/t stir; tease

su on; upon; over; above; about; **~!** come on!; **~ e giù** up and down; **~ per giù** approximately

sub|affittare v/t sublet; **~alterno** m subordinate

subire v/t endure; **~ un esame** go in for an exam

sùbito adj sudden; adv at once

sublime sublime

subordin|are v/t subordinate; **~azione** f subordination

suburbano suburban

succ|èdere v/i succeed; happen; **~essione** f succession; **~essivo** following; **~esso** m success; **~essore** m successor

succhiare v/t suck; absorb

succo m sap; juice; **~ d'arancia** orange juice; **~ di frutta** fruit juice; **~ di mele** cider; **~ di pomodori** tomato juice; **~ d'uva** grape juice

succ|oso, ~ulento juicy

succursale f branch office

sud m south; **~ est** southeast; **al ~** southward

sudare v/i perspire; sweat

suddetto (afore)said

sùdicio dirty

sudiciume m filth

sudore m sweat

sufficien|te sufficient; **~za** f sufficiency; **a ~za** enough

suffragio m suffrage; vote

suffumigio m fumigation

sugante: carta f **~** blotting paper

sugare v/t absorb; agr manure

sugg|ellare v/t seal; **~ello** m seal

sùggere v/i suck

sugger|ire v/t suggest; **~itore** m thea prompter

sùghero m cork(-tree)

sugli = su gli

sugna f lard

sug|o m juice; gravy; **~oso** juicy

sui on the

suic|idarsi v/i commit suicide; **~idio** m suicide

suino adj of swine; m swine

sulfùreo sulphureous

sulla on the

sultano m sultan

summenzionato, sunnominato above-mentioned

sunteggiare v/t summarize

sunto m summary

suo his, her, its

suòcer|a f mother-in-law; **~i** m/pl in-laws pl; **~o** m father-in-law

suola f sole

suolo m soil

suono m sound; **~stereofònico** stereophonic sound

suora f nun; sister

super m super

superàbile surmountable

superare v/t overcome; outdo; (exam) pass

sup|erbia f pride; **~erbo** proud

super|ficiale superficial; **~ficie** f surface

superfluità f superfluity
supèrfluo superfluous
super|iora f Mother Superior; **~iore** superior; upper; **labbro** m **~iore** upper lip; **scuola** f **~iore** secondary school; **~iore** a above, beyond; m superior; **~iorità** f superiority
supermercato m supermarket
supèrstite m survivor
superstizi|one f superstition; **~oso** superstitious
superuomo m superman
supino lying on one's back
suppellèttile f household goods pl
suppergiù approximately
suppl|emento m supplement; addition; rail extra fare; **~ente** m substitute; **~enza** f substitution; **~etorio** supplementary
supplì m rice with hashed meat
sùpplica f petition; supplication
supplic|are v/t implore; **~azione** f supplication
supplichévole imploring
supplire v/t substitute
supplizio m torture; capital punishment
supp|orre v/t, v/i suppose; presume; **~osizione** f supposition; **~osta** f med suppository; **~osto** supposed
suppur|are v/i suppurate; **~azione** f suppuration
supremo supreme

surriferito above-mentioned
surrog|are v/t replace; **~ato** m substitute; **~azione** f substitution
suscett|ibile susceptible; **~ibilità** f, **~ività** f susceptibility; touchiness
suscitare v/t provoke; rouse
susina f plum; **~o** m plumtree
susseguire v/i follow
sussidiare v/t subsidize
sussidio m subsidy
sussistenza f livelihood; **~stere** v/i subsist
sussult|are v/i start; jump; **~o** m start
sussurr|are v/t, v/i whisper; rustle; **~urro** m murmur
sutura f suture
svag|are v/t entertain; **~o** m recreation
svalut|are v/t depreciate; **~azione** f devaluation
svanire v/i vanish
svantaggi|o m disadvantage; **~oso** detrimental
svaporare v/i evaporate
svariato varied
svedese adj Swedish; m, f Swede
svegli|a f alarm-clock; **~are** v/t awaken; **~arsi** v/r wake up; **~o** awake
svelare v/t fig reveal
svèllere v/t uproot
svelto nimble
svéndere v/t sell out
svéndita f sale
sven|imento m swoon; **~ire** v/i faint

sventolare v/t, v/i fan; wave; fly

svent|ura f misfortune; **~urato** unfortunate

svenuto unconscious

svergognare v/t disgrace

svergognato shameless

svern|amento m wintering; **~are** v/i hibernate

sverza f splinter

svestire v/t undress

Svezia f Sweden

svezzare v/t wean

svi|amento m deviation; *rail* derailment; **~arsi** v/r go astray

svignàrsela v/r sneak away

svilupp|are v/t develop; **~atore** m developer; **~o** m development

svisare v/t distort

svista f: **per ~** erroneously

svitare v/t unscrew

Svizzera f Switzerland

svizzero m, adj Swiss

svogliatezza f listlessness

svolazzare v/i flutter

svòlgere v/t unroll; fig explain

svolgimento m unfolding; fig development

svolt|a f turn; bend; **~are** v/i turn

svuotare v/t empty

T

tabacc|aio m tobacconist; **~heria** f tobacconist's shop; **~o** m tobacco

tabe f tabes; **~ polmonare** pulmonary consumption; **~ dorsale** spinal disease

tabella f table

tabernàcolo m tabernacle

tacchino m turkey

tacco m heel

taccuino m note-book

tacere v/t, v/i keep silent (about)

tachìmetro m speedometer

tàcito tacit; silent

taciturno taciturn

tafano m ox-fly

taffetà f taffeta

taglia f ransom; size; **di mezza ~** middlesized; **~borse** m pickpocket;

~boschi m wood-cutter; **~re** v/t cut; **~telli** m/pl noodles pl

taglio m cut; edge

tailleur m ladies' suit

tale such; **quale ... ~** such ... as; **un ~** a certain man; **il signor ~**, **il signor tal dei tali** Mr So and So

talento m talent

tallone m heel

talmente in such a way

talora sometimes

talpa f mole

talvolta sometimes

tambur|are v/i drum; **~o** m drum; drummer

tampoco even; either

tamponamento m congestion (*traffic*)

tampone m tampon; plug

tana f den; hole

tanagli|a f (mostly ~e f/pl) pincers pl

tangibile tangible

tànnico: àcido m ~ tannic acid

tant|o so (much); so long; ~i saluti best regards; ~e grazie many thanks; **ogni** ~o every now and then; **di** ~ **in** ~o from time to time; **di** ~ **meglio** so much the better

tapioca f tapioca

tappare v/t cork; plug

tappeto m carpet; rug

tappezz|are v/t paper (wall); ~**eria** f tapestry; upholsterer's shop; ~**iere** m decorator; upholsterer

tappo m stopper; cork

tara f tare

tarchiato square-built

tard|are v/t delay; v/i be late; ~i late; **al più** ~i at the latest

tardivo late; backward

targa f (name-)plate; tablet; auto: license-plate; ~ **della nazionalità** country's identification sign

tariffa f tariff; rate

tarlato worm-eaten

tarm|a f moth; ~**are** v/i be moth-eaten

tarsia f marquetry

tartagli|are v/i stutter; ~**one** m stutterer

tàrtaro m tartar (from wine, teeth)

tartaruga f tortoise; turtle

tartassare v/t harass

tartina f sandwich

tartufo m truffle

tasc|a f pocket; **àbile: edizione** f ~**àbile** pocket-(-book) edition

tass|a f tax; duty; ~**a mìnima** minimum price; ~**a d'aeroporto** airport tax; ~**a di noleggio** price for the hire; ~**a di soggiorno** visitor's tax; ~**a di utilizzazione** fee for the use of s.th.; ~**are** tax; charge (with duty); ~**ì** m taxi; cab; ~**ista** m f taxi-driver

tasso m rate (of interest, discount); zoology: badger; bot yew-tree

tast|are v/t touch; feel; ~**iera** f keyboard; ~**o** m key; touch; ~**oni** gropingly

tàttic|a f tactics pl; ~**o** tactical

tatto m touch; tact

tatu|àggio m tattoo(ing); ~**are** v/t tattoo

taumaturgo m wonder-worker

tavern|a f tavern; pub; ~**iere** m inn-keeper

tàvola f table; ~ **da allungarsi** pull-out table

tavolino m small table; ~ **da giuoco** gaming table

tàvolo m table

tavolozza f palette

tazza f cup

te you; **come** ~ like you; **di** ~ your(s)

tè m tea; ~ **di camomilla** camomile tea

teatro m theatre; fig scene; ~ **all'aperto** open-air stage; ~

dei burattini Punch and Judy show

tècnic|a f technics pl; technique; **~o** adj technical; **tèrmine** m **~o** technical term; **~o** m technician

teco with you

tedesco m, adj German

tegame m pan; **uova** f/pl al **~** fried eggs

teglia f pan

tegolaia f tile-works pl

tégola f tile

teiera f tea-pot

tela f linen; thea curtain; **~ cerata** oil-cloth; **~ di ragno** cobweb; **~ a quadri (a righe)** check (cloth); **~io** m loom; frame

telecomando m tele-starter

tele|fèrica f cable-way; **~fonare** v/t (tele)phone; **~fonata** f (tele)phone-call; **~fonata interurbana** longdistance call; **~fonata urbana** local phone-call; **~fonia** f (senza fili wireless) telephony; **~fònico** telephonic; **~fonista** m, f telephone operator

telèfono m telephone; **~ di càmera** telephone in one's room; **~ pùbblico** public telephone

tele|fotografia f telephotography; **~giornale** m daily news; **~grafare** v/t telegraph; wire; **~grafia** f (senza fili wireless) telegraphy; **~gràfico** telegraphic; **~grafista** m, f telegraphist

telègrafo m telegraph

telegramma m telegram; wire; cable; **~ lampo** lightning telegram; **~ lèttera** letter telegram

telèmetro m telemeter

teleria f linen-drapery

tele|scòpio m telescope; **~scrivente** f teleprinter; **~spettatore** m (tele)spectator; **~visione** f television (abbr TV); **~visione a colori** colour television; **~visore** m television set

tellina f clam

telo m arrow

telone m thea curtain

tema f fear; m theme; composition; gram stem

tem|erario reckless; **~ere** v/t fear; dread; **~erità** f temerity

temperalapis m pencil-sharpener

temper|amento m temper (-ament); mitigation; **~are** v/t mitigate; moderate; (pencil) sharpen; **~ato** temperate; **~atura** f temperature

tempèrie f climate

temperino m penknife

tempest|a f storm; **~a di neve** snow-storm; blizzard; **~oso** stormy

tempia f anat temple

tempio m temple

templare m Templar

tempo m weather; time; gram tense; **a ~, in ~** in time; **di ~ in ~** from time to time; **per ~** early; **~ di volo**

flying time

tempor|ale *adj* secular; *m* storm; **~àneo** temporary

tenac|e tenacious; **~ità** *f* tenacity

tenda *f* curtain; tent; awning

tendenza *f* tendency

tèndere *v/t* stretch (out); (*hand*) hold out; *v/i* aim (**a** at)

tendina *f* (window-)curtain

tèndine *m* tendon

tendinoso sinewy

tènebr|a *f* (*mostly pl* **~e**) darkness

tenebroso dark

tenente *m* lieutenant

tenere *v/t* keep; hold; contain; think

tenerezza *f* tenderness

tènero tender; soft

tengo I hold

teniamo we hold

tennis *m* tennis; **~ da tàvolo** ping-pong

tenore *m* terms *pl*; *mus* tenor

tensione *f* tension; strain; **alta (bassa) ~** high (low) voltage

tent|are *v/t* try; attempt; **~ativo** *m* attempt; **~azione** *f* temptation

tentennare *v/t* shake; *v/i* waver; stagger

tenton|e, ~i gropingly

tenuità *f* smallness

tenuto held; bound

teologìa *f* theology

teòlogo *m* theologian

teor|ètico theoretic(al); **~ìa** *f* theory

tepidezza *f* tepidness

teppista *m*, *f* ruffian

tèrgere *v/t* wipe (off)

tergicristallo *m* windscreenwiper

tergo *m* back; rear

termale thermal; **stabilimento ~** *m* thermal spa

terme *f/pl* hot springs *pl*

termin|are *v/t* terminate; **~azione** *f* termination; *gram* ending

tèrmine *m* term; limit

termòforo *m* thermophore

termòmetro *m* thermometer

term|os *m* thermos (flask); **~osifone** *m* radiator; **~òstato** *m* thermostat

terr|a *f* earth; land; **~e** *pl* estates *pl*; **di ~a** earthen; **di questa ~a** earthly; **a ~a** to, on the ground; **per ~a** by land; **prèndere ~a** land; **~acotta** *f* terracotta

terraglia *f* pottery

terrapieno *m* embankment

terrazz|a *f* terrace; **~o** *m* balcony

terr|emoto *m* earthquake; **~eno** *adj* earthly; *m* ground; soil; **~estre** terrestrial

terribile terrible

terrina *f* tureen

territorio *m* territory

terr|ore *m* terror; **~orista** *m*, *f* terrorist

terroso earthy

terzo third

tesa *f* brim (*of hat*)

teschio *m* skull

tesor|eggiare v/t hoard; **~e-ria** f treasury; **~iere** m treasurer; **~o** m treasure

tèssera f card; ticket; **~ d'o-stello per la gioventù** youth hostel card

tesserato m member (of a party)

tèss|ere v/t weave; **~ile: industria** f **~ile** textile industry; **~ili** m/pl textile goods pl

tess|itore m weaver; **~uto** m cloth; fabric; anat tissue

testa f head; **alla ~ di** at the head of ...; **mal di ~** head-ache

testamento m will, testament

test|ardàggine f stubborn-ness; **~ardo** headstrong

testare v/i make one's will

testata f head(ing); top; **~ del cilindro** mech cylinder head

teste m, f witness

testicolo m testicle

testimon|e m witness; **~e oculare** eyewitness; **~ian-za** f evidence; **~iare** v/t testify; **~io** m witness

testo m text

testuale textual

testùggine f tortoise

tètano m tetanus

tetro gloomy

tett|o m roof; **~oia** f shed; glass roof (of station)

Tèvere m Tiber

ti you; to you

tibia f shin-bone; tibia

tic tac: fare ~ ~ tick

ticchio m whim

tièpido lukewarm

tifo m typhus

tiglio m lime(-tree); fibre; **~so** fibrous

tigre f tiger

timballo m kettle-drum

timbr|are v/t stamp; **~o** m (rubber-)stamps; mus timbre

timid|ezza, ~ità f bashful-ness

tìmido bashful, shy

timon|e m pole; naut rud-der; **~eggiare** v/t steer; **~ie-re** m helmsman

tim|ore m fear; awe; **~oroso** timorous

tìmpano m mus kettle-drum; anat ear-drum

tinca f tench

tìngere v/t dye

tino m vat; tub; **~zza** f (bath-ing-)tub

tinta f dye; colour

tinteggiare v/t tint

tintinnare v/i tinkle

tint|oria f dye-works; **~ura** f dye; med tincture; **~ura di iodio** tincture of iodine

tìp|ico typical; **~o** m type

tipografia f printing-office

tipògrafo m printer

tirann|eggiare v/t tyran-nize; **~ia** f tyranny; **~o** adj tyrannical; m tyrant

tir|are v/t draw; pull; shoot; **~arsi** v/r **da parte** stand aside; **~arsi indietro** draw back; **~astivali** m bootjack; **in una ~ata** in one pull; **~ato** strained; **~atore** m

marksman; *sport*: shooter
tirchio stingy
tiretto *m* drawer
tiro *m* draught; throw; shot;
 fig **brutto ~** bad trick;
 arma *f* da ~ firearm;
 campo *m* del ~ shooting-
 range
tirocinio *m* apprenticeship
tirolese *m*, *adj* Tyrolese
Tirolo *m* Tyrol
Tirreno: **mare *m* ~**
 Tyrrhenian Sea
tisi *f* phtysis
tisico consumptive
titolare *adj* titular; regular;
 m owner
titolo *m* title; *com* security
to' (= **togli**) look!; hold!
toast *m* toast
tocc|are *v/t* touch; hit; con-
 cern; **~a me** is my turn;
 ~o *m* touch; stroke (*bell*);
 ~o at one o'clock
toeletta *f* = **toletta**
tògliere *v/t* take (away);
 (*dress*) take off; **~ la corrente** cut off the electricity
 supply; **~ il gas** *aut* release
 the accelerator
tolda *f* bridge deck
toletta *f* toilet(-table)
toller|ante tolerant; **~anza** *f*
 tolerance; **~are** *v/t* tolerate;
 bear
tomba *f* grave
tómbola *f* raffle
tómbolo *m* lace-pillow
tomo *m* tome; volume
tònaca *f* frock
tonalità *f* tonality
tonare *v/i* thunder

tondo round; **chiaro e ~**
 frankly
tonfare *v/i* plop
tonfo *m* thump; splash
tònico *m* tonic
tonnellata *f* ton; **~ di registro** gross register ton
tonno *m* tuna(-fish)
tonno *m* tunny
tono *m* tone; tune
tonsill|e *f/pl* tonsils *pl*; **~ite** *f*
 tonsilitis
tonto silly
topaia *f* rats' nest
topo *m* mouse; rat; **~lino** *m*
 Mickey Mouse
toppa *f* (door-)lock; patch
toppo *m* log; block
torba *f* peat
tórbido turbid
tòrcere *v/t* twist; wring;
 distort
torchio *m* press
torcia *f* torch
tordo *m* thrush; *fig* simpleton
Torino *f* Turin
torlo *m* (egg-)yolk
torma *f* swarm
torment|are *v/t* torment; **~o**
 m torment
tornaconto *m* profit
tornare *v/i* come back;
 return; **~a fare qc.** go back
 to do s.th.; **ben tornato!**
 welcome!
torn|io *m* lathe; **~ire** *v/t* mech
 turn
toro *m* bull
torpèdine *f* torpedo
torpedone *m* motorcoach
torpore *m* torpor; lethargy

torre f tower

torrefare v/t roast

torrente m torrent

tòrrido torrid

torrone m nougat

torsione f torsion

torso m trunk; torso

torta f tart; pie; ~ **alla cioccolata** chocolate-cake; ~ **alla crema** cream-cake; ~ **di ciliege** cherry-tart; ~ **di frutta** fruit pie; ~ **di mele** appletart; ~ **di noci** cake with nuts in it

torto m wrong

tórtora f turtle-dove

tortur|a f torture; **~are** v/t torture

tosare v/t shear; clip

toss|e f cough; **~e canina** whooping-cough; **~ire** v/i cough

tostapane m toaster

tost|are v/t toast (bread); roast (coffee); **~ino** m coffee-roaster

tosto soon; ~ **o tardi** sooner or later; ~ **che** as soon as

tot|ale adj total; whole; m total; **~alità** f totality

tovagli|a f table-cloth; **~olo** m napkin

tozzo adj stumpy; m morsel

tra = fra

traballare v/i stagger; rock

trabocchetto m pitfall; thea trap-door

traccia f trace; outline

trachea f windpipe

tracoma m trachoma

trad|imento m betrayal; **alto ~imento** high trea-

son; **~ire** v/t betray; **~itore** adj treacherous; m traitor; **~izione** f tradition

trad|otto translated; **~urre** v/t translate; **~uzione** f translation

trae he pulls

trafficare v/i traffic; trade

tràffico m traffic; trade; ~ **circolare** roundabout traffic

traf|orare v/t perforate; pierce; **~oro** m tunnel; **~stoffa** f a **~oro** open-work material

tragèdia f tragedy

traggiamo we pull

traggo I pull

traghetto m ferry(-boat)

tràgico tragic(al)

tragicommèdia f tragicomedy

trag|ittare v/t cross; **~itto** m trip; passage

traguardo m sport: finishing-line

train|are v/t drag; haul; **~o** m sledge; truck

tralasciare v/t omit

tralùcere v/t shine through

tram, tranvai m tram(way)

tramandare v/t hand down

trambusto m bustle

tramenio m fuss

tramestìo m muddle

tramezz|a f second sole (shoe); **~are** v/t partition; insert; **~o** adv between; among; m partition wall

tràmite m path; course

tramont|ana f north wind; north; **~are** v/i set; fade; **~o**

m sunset

tramortimento *m* swoon

tramortito unconscious

trampolino *m* springboard; diving-board

tramutare *v/t* change; alter

trancia *f* slice

tranello *m* trap

tranne except; save

tranquillo calm

transatlàntico *m* Ocean-liner

transigere *v/i* yield

trànsito *m* transit; passage

transitorio transitory

tranvai *m* tram(-car)

trapanare *v/t* drill; *med* trepan

tràpano *m* drill

trapassare *v/t* pierce through; trespas

trapasso *m* transfer; decease

trapelare *v/i* leak out

trapiantare *v/t* transplant

tràppola *f* trap, snare

trappolare *v/t* entrap

trap|unta *f* quilt; ~untare *v/t* quilt; ~unto *m* quilting

trarre *v/t* pull; draw

trasalire *v/i* start

trasand|amento *m* negligence; ~are *v/t* neglect; ~ato neglected

trasb|ordare *v/t* tranship; ~ordo *m* transhipment

trascinare *v/t* drag; *fig* carry away

trascórrere *v/t* spend; (*script*) go through

trascr|ivere *v/t* transcribe; ~izione *f* transcription

trascur|are *v/t* neglect; ~a-

tezza *f* carelessness; ~ato negligent

trasfer|ibile transferable; ~imento *m* transfer; ~ire *v/t* transfer; (re)move; ~irsi *v/r* move

trasform|are *v/t* transform; ~atore *m* transformer; ~azione *f* transformation; change

trasfusione *f* transfusion

trasgr|edire *v/t*, *v/i* transgress; violate; ~essione *f* transgression

traslato metaphorical; figurative

trasloc|are *v/t*, *v/i* move; ~o *m* removal; move

trasméttere *v/t* transmit; send; (*radio*) broadcast

trasmissione *f* transmission; ~ **radiofonica** broadcast; ~ **delle ruote posteriori** backwheel drive

trasognato dreamy

traspar|ente transparent; ~enza *f* transparence; ~ire *v/i* be transparent

traspirare *v/i* perspire

trasport|are *v/t* carry; transport; ~o *m* transport (-ation); conveyance

trastullo *m* toy; pastime

trasversale *adj* transversal; *f* side-street

trasvolare *v/t* fly across; fly over

tratta *f* tug; pull; *com* draft; ~ **in bianco** blank bill; ~ **postale** postal collection order

tratt|amento *m* treatment;

~are v/t, v/i treat; handle; deal (with); **si tratta di** it is a matter of; **~ato** m treaty; treatise

tratten|ere v/t detain; entertain; **~ersi** v/r stay; refrain (from)

tratto adj drawn; m tract; stroke; **a un ~** all of a sudden; **di ~ in ~** from time to time; **~ d'unione** hyphen

trattore m tractor

trattoria f restaurant; inn

travagli|are v/t torment; **~o** m disùstòmaco sickness

travas|are v/t decant; **~o** m decanting; med effusion

trave f beam

travedere v/i catch a glimpse (of)

travers|a f cross-bar; -road; **~are** v/t cross; **~ata** f crossing; **~o** cross; **di ~o** awry; **vie** f/pl **~e** shady methods pl

travestimento m disguise

travestire v/t disguise

travòlgere v/t overthrow

trebbi|a f flail; **~are** v/t thresh

treccia f tress; plait

trecento m 14th century

tredicèsimo thirteenth

trégua f truce; fig rest

tremare v/i tremble (**da** with)

trementina f turpentine

tremolare v/i quiver

trèmulo quivering

treno m train; **~ accelerato** fast local train; **~ autocucette** car sleeper train; **~ diretto** fast train; **~ locale**

suburban train; **~ merci** goods train

Trento f Trent

trèpido trembling

treppiedi m tripod

triangolare triangular

triàngolo m triangle; **~ di avvertimento** warning triangle

tribolare v/t torment

tribordo m starboard

tribù f tribe

trib|una f tribune; **~unale** m law-court; tribunal

tribut|ario tributary; **~o** m tribute; tax

tricheco m zoology: walrus

tri|ciclo m tricycle; **~colore** adj three-coloured; m tricolour (flag)

Trieste f Trieste

trifoglio m clover

triglia f mullet

trill|are v/i trill; **~o** m trill

trimestr|ale quarterly; **~e** m quarter (of year)

trin|a f lace; **~aia** f lacemaker

trincare v/t swill

trincea f trench

trinchetto m foremast; foresail

trinci|apolli m poultry shears pl; **~are** v/t carve; cut up

trinità f trinity

trionf|ale: arco m **~ale** triumphal arch; **~are** v/i triumph (over); **~o** m triumph

triplice threefold

trippa f tripe; paunch

trist|e sad; **~ezza** f sadness; **~o** wicked

trit|are v/t mince; chop; **~o: carne f ~a** hashed meat

triv|ellare v/t drill; **~ello** m borer

triviale trivial

tgo̱golo m trough

troia f sow

tromba f trumpet; (auto) horn; biol trunk

tronc|are v/t cut off; **~o** m trunk; rail trunk-line

troneggiare v/i sit on a throne

tronfio conceited

trono m throne

tropicale tropical

troppo too; too much

trota f trout

trott|are v/i trot; **~o** m trot

tro̱ttola f spinning-top; games: top

trov|are v/t find; meet; think; **andare a ~are qu.** call on s.o.; **~arsi** v/r be; feel; **~atello** m foundling

trucco m trick; fig makeup

truce grim; fierce

trucidare v/t massacre

truff|a f cheat; **~are** v/t cheat; **~atore** m swindler

truppa f troop

tu you (sg); **dare del ~** address familiarly

tuba f trumpet; fam tophat; **~zione** f pipe

tubercolosi f tuberculosis

tùbero m bot tuber

tuber|osa f tuberose; **~oso** tuberous

tubetto m small tube

tubo m tube; pipe; **~ d'aria** snorkel; **~ di scàrico** exhaust pipe

tuff|are v/t plunge; **~arsi** v/r dive; **~atore** m diver

tuffo m plunge; dive; **~ in avanti** header

tulipano m tulip

tulle m tulle

tumefa|re v/t, v/i swell; **~zione** f swelling

tùmido swollen

tumore m tumour

tumulare v/t bury

tùmulo m tomb

tumult|o m riot; **~uante** m, f rioter

tumultu|are v/i riot; **~oso** tumultuous

tuo your; yours

tuono m thunder

tuppè m toupee

tuorlo m egg-yolk

turabuchi m stop-gap

turàcciolo m cork; stopper

turb|a f crowd; **le ~e** f/pl mob; **~amento** m disturbance; confusion; **~are** v/t trouble; disturb; **~arsi** v/r become upset; grow murky

turbinare v/i whirl

tùrbine m whirlwind; hurricane

turbol|ento turbulent; **~enza** f turbulence

turchese f turquoise

Turchia f Turkey

turchinetto m washerwoman's blue

turco adj Turkish; m Turk

tùrgido turgid

tur|ismo m tourist business;

~ista m, f tourist
turno m turn
turpe vile; indecent
tuta f overalls pl; ~ **d'allena-mento** training overall
tut|ela f guardianship; pol trusteeship; ~**ore** m guardian

tuttavìa yet; nevertheless
tutt|o all; whole; every-thing; ~**i,** ~**e** everybody; ~**o il libro** the whole book; **innanzi** ~**o** first of all; ~**i e tre** all three; ~**o** or **del** ~ wholly; entirely
tuttora still

U

ubbìa f superstition; whim
ubbid|iente obedient; ~**ien-za** f obedience; ~**ire** v/t, v/i obey
ubriac|arsi v/r get drunk; ~**o** drunk; tipsy; ~**one** m drunkard
uccell|agione f fowling; ~**o** m bird; ~**o di rapina** bird of prey
uccidere v/t kill
udiamo we hear
udìbile audible
ud|ienza f audience; hear-ing; ~**ire** v/t hear; listen; ~**ito** m hearing; ~**itore** m hearer; ~**itorio** m audience
ufficiale adj official; m of-ficer
ufficio m office; ~ **cambi** exchange office; ~ **doga-nale** customhouse; ~-**infor-mazioni** information bureau; inquiry office; ~ **oggetti smarriti** lost-property office; ~ **postale** post office; ~ **di turismo** tourist office
ugu|aglianza f equality; ~**agliare** v/t equalize; ~**ale**

equal; level
ùlcera f ulcer; ~ **gàstrica** gastric ulcer
uliva f = **oliva** f olive
ulteriore further; ulterior
ùltimo last; ultimate; **in** ~, **da** ~ finally
ulul|are v/i howl; ~**ato** m howling
uman|ità f humanity; ~**o** human
Umbria f Umbria
umidità f humidity
ùmido damp; wet
ùmile humble
umili|are v/t humiliate; ~**tà** f humility
umor|e m humour; ~**ìstico** humorous
un, una a, before vowel an; ~**ànime** unanimous
uncin|etto m crochet-hook; **lavorare all'~etto** crochet; ~**o** m hook
ùngere v/t anoint; grease
Ungheria f Hungary
unghia f nail; claw
unguento m ointment; salve; ~ **per ferite** healing ointment; ~ **per le scotta-**

ture anti-burn ointment
ùnico unique
unicolore unicoloured
unifica|re v/t unify; **~zione** f unification
uniforme adj uniform; f uniform
uni|one f union; **~o** m unite
unit|à f unity; **~o** united
univers|ale universal; **storia** f **~ale** world history; **~ità** f university; **~o** m universe
uno m one; **a ~ a ~** one by one; **l'un l'altro** each other
unto adj greasy; m fat
unzione f ointment; **estrema ~** extreme unction
uomo m man
uovo m egg; **~ affogato** poached egg; **~ alla coque** soft boiled egg; **~ al tegame** fried egg; **~ sodo** hard boiled egg; **~ strapazzato** scrambled eggs pl
uragano m hurricane
uranio m uranium
urbano urban; civil
urètra f urethra
urgente urgent
url|are v/i howl; yell; **~o** m yell
urna f urn
urt|are v/t push; **~o** m collision; push

us|àbile usable; **~anza** f custom; **~are** v/t use; v/i be used
usciamo we go out
usci|ere m usher; **~o** m door
usc|ire v/i go out; (book) come out; **~ita** f exit; **~ita di sicurezza** emergency exit; **~ito** gone out
usignuolo m nightingale
uso m use; custom; **in ~** in use; **avere l'~ di** be in the habit of; med **per ~ esterno** for external application
ustione f burn; scald
usuale usual
usufrutt|o m usufruct; **~uario** m usufructuary
usur|a f usury; **~aio** m usurer
usurp|are v/t usurp; **~azione** f usurpation
utensile m tool; implement
utente m user; tel subscriber
ùtero m womb; uterus
ùtile adj useful; **in tempo ~** at the right time; m profit; gain; **~ netto** net profit
util|ità f usefulness; **~izzare** v/t utilize; **~izzazione** f utilization
utopia f utopia
uva f grape; **~ secca** raisin; **~ spina** f gooseberry

V

va he goes
vacan|te vacant; **~za** f vacancy; **~ze** f/pl holidays pl

vacc|a f cow; **~hetta** f cowhide
vaccin|are v/t vaccinate; **~azione** f vaccination; **~azio-**

ne **antivaiolosa** vaccination against smallpox

vacillare v/i reel

vacuità f vacuity

vàcuo vacuous

vademecum m hand-book

vado I go

vagabond|are v/i rove; **~o** m tramp

vagare v/i wander

vagina f sheath; vagina

vag|ire v/i wail; **~ìto** m whimper

vaglia f worth; ability; m money-order; cheque; **~ postale** postal order

vagliare v/t sift; fig weigh

vaglio m sieve

vago vague

vagone m wagon; car; **~ letto** sleeping-car; **~ ristorante** dining-car

vainiglia f vanilla

vaiuolo m smallpox

valanga f avalanche

vale it is worth

val|ente able; clever; **~ere** v/i be worth; be valid; **~ersi** v/r avail o.s.; make use (**di qc.** of s.th.)

valeriana f valerian

valévole valid

valgo I am worth

valicare v/t pass; cross

vàlico m pass; passage; **~ alpino** mountain pass

validità f validity; force

vàlido valid

valig|eria f shop for leather goods; **~ia** f suit-case

vall|e f valley; **~igiano** m dalesman; **~o** m rampart; wall

vallone m large valley

valor|e m value; courage; **~e dichiarato** declared value; **~i** m/pl securities pl; valuables pl; **~i postali** stamps pl; **~izzare** v/t utilize; **~izzazione** f revaluation; **~oso** brave

valso pp was worth

valut|a f value; currency; **~a nazionale** national currency; **~are** v/t value; **~azione** f valuation

vàlvola f valve; (radio) tube; **~ di sicurezza** safetyvalve

valzer m waltz

vampiro m vampire

vang|a f spade; **~are** v/t dig

Vangelo m Gospel

vaniglia f vanilla

vano adj vain; useless; empty; m room

vantaggi|o m advantage; **~oso** profitable

vantare v/t praise

vanto m pride; glory; boast

vapor|are v/i evaporate; **~azione** f evaporation; **~e** m steam; steamer; **~izzare** v/t vaporize; spray; **~oso** vaporous

varare v/t launch

varc|are v/t cross; **~o** m passage; **aprirsi il ~o** push one's way through

vari|àbile variable; **~are** v/t, v/i vary; change; **~ato** varied; **~azione** f variation

varice f varicose vein

varicella f chicken-pox

vari|egato variegated; **~età** f

variety; **teatro** *m* **di ~età** music-hall; **~o** various; different; changeable; **~opinto** manycoloured

varo *m* launching

vasaio *m* potter

vasca *f* basin; tub; **~ da bagno** bath-tub

vascello *m* ship

vaselina *f* vaseline

vas|ellame *m* pottery; **~o** *m* pot; vase; vessel; **~o da fiori** flower-vase; **~o da notte** chamber-pot

vassoio *m* tray

vastità *f* vastness; immensity

vasto vast; huge

ve = vi (before **lo, la, li, le, ne**)

vecchi|aia, **~ezza** *f* old age; **~o** *adj* old; *m* old man

vec|e: **in ~e sua** in his place; **fare le ~i di qu.** act as substitute for s.o.

vede he sees

vedere *v/t* see; **andare a ~ qu.** call on s.o.; **stare a ~** wait and see

vediamo we see; let us see

vedo I see

védova *f* widow

vedovile *m* widow's dower

védovo *adj* widowed; *m* widower

veduta *f* view; sight

veem|ente vehement; **~enza** *f* vehemence

vegetare *v/i* vegetate; **~ariano** *m*, *adj* vegetarian; **~azione** *f* vegetation

veglia *f* watch; wake

vegliare *v/t* watch over; *v/i* sit up

veglione *m* masked ball

veicolo *m* vehicle

vel|a *f* sail; **a gonfie ~e** with full sails set

vel|ame *m naut* sails *pl*; **~are** *v/t* veil; **~eggiare** *v/i* sail; **~eggiata** *f* sail(ing); **~eggiatore** *m* glider

vel|eno *m* poison; **~enoso** poisonous

velina: carta *f* **~** tissue paper

velluto *m* velvet

velo *m* veil; gauze

veloce swift; rapid; **~ista** *m*, *f* sprinter

velocità *f* speed; **~ màssima** maximum speed; **merce** *f* **a grande ~** express goods *pl*

velòdromo *m* cycling-ground

veltro *m* greyhound

ven|a *f* vein; **~ale** mercenary; **~alità** *f* venality; **~ato** veined; **~atura** *f* veining

vend|émmia *f* vintage; **~emmiatore** *m* vintager

véndere *v/t* sell

vendetta *f* revenge

vendibile saleable

vendicare *v/t* avenge

vendicat|ivo revengeful; **~ore** *m* avenger

véndita *f* sale

vendit|ore *m*, **~rice** *f* seller

vener|ando venerable; **~are** *v/t* venerate; worship; **~atore** *m* worshipper; **~azione** *f* veneration

venerdì *m* Friday; **~ santo**

Good Friday
Vènere f Venus
Venèzia f Venice
vengo I come
veniamo we come
venire v/i come; arrive;
happen
ventaglio m fan
ventil|are v/t air; fan; **~ato-
re** m fan; **~azione** f venti-
lation
vento m wind; **~ di levante**
east wind; **~ di ponente**
west wind
véntola f (fire-)fan
ventoso windy
ventre m belly
vent|ura f luck; **~uro** next;
future
venut|a f arrival; **~o** pp
come; **ben ~o** welcome; m
comer; **il primo ~o** the first
comer
ver|ace truthful; **~acità** f
truthfulness; **~amente**
really; indeed
veranda f porch
verbale adj verbal; **~** m or
processo m **~** minutes pl
verbo m verb
verd|astro greenish; **~e**
green; **~ chiaro** light
green; **~eggiare** v/i grow
green; **~erame** m verdigris
verd|ógnolo greenish; **~ura**
f vegetables pl; greens pl
verg|a f rod; **~ato** striped
vèrgin|e, verginale adj
virgin(al); **~e** f virgin
vergogn|a f shame; dis-
grace; **~arsi** v/r be a-
shamed; **~oso** ashamed;

disgraceful
veridico truthful
verifica f verification
verific|are v/t verify; check;
~arsi v/r happen; come
true
verità f truth
verme m worm; **~ solitario**
tapeworm
vermicell|o m small worm;
~i m/pl thin noodles pl
vermiglio vermilion
vermut m vermouth
vern|ice f varnish; polish;
scarpe f/pl **di ~ice** patent-
leather shoes; **~iciare** v/t
varnish
vero adj true; real; m truth;
~simile likely
verruca f wart
vers|amento m payment;
~are v/t pour (out); spill;
(money) deposit; **~ione** f
version; translation; **~o**
prep towards; about; m
verse
vèrtebra f vertebra
vertebr|ale: colonna f **~ale**
spinal column; **~ato** m
vertebrate
verticale vertical
vèrtice m vertex; summit
vert|igine f vertigo; **ho le
~igini** f/pl I am feeling
giddy; **~iginoso** giddy
verz|a f, **~otto** m green cab-
bage
vescica f bladder; blister
vescov|ado m bishopric; **~ile**
episcopal
vèscovo m bishop
vespa f wasp; motor scooter

vest|aglia *f* dressing-gown; ✏ *f* dress; robe; ✏**iario** *m* garments *pl*

vestibolo *m* entrance-hall

vest|ire *v/t* dress; wear; ✏**ito** *m* dress; suit; ✏**ito da sera** evening dress

Vesuvio *m* Vesuvius

veterano *m* veteran

veterinario *m* veterinary

veto *m* veto

vetr|aio *m* glazier; ✏**ami** *m/pl* glassware; ✏**eria** *f* glass-works *pl*; ✏**erie** *f/pl* glassware; ✏**ina** *f* shopwindow; ✏**o** *m* glass; window

vetta *f* summit

vettovagli|are *v/t* supply; ✏**e** *f/pl* victuals *pl*

vett|ura *f* carriage; car; *rail* **in ✏ura!** take your seats!; ✏**urino** *m* cabman; driver

vezzeggi|are *v/t* fondle; ✏**ativo** *m* pet-name

vezzoso charming

vi *pron pers* (to) you (*pl*); *adv* there; to it; at it

via *f* road; street; ✏ **Mazzini** Mazzini Street; *adv* away; **andar ✏** go away; **e così ✏** and so on

viadotto *m* viaduct

viaggi|are *v/i* travel; ✏**atore** *m* traveler; ✏**o** *m* journey; ✏**o aéreo** air travel; ✏**o d'affari** business trip; ✏**o in comitiva** conducted tour; ✏**o in màcchina** trip by car

vi|ale *m* avenue; ✏**avai** *m* coming and going

vibr|are *v/i* vibrate; ✏**azione** *f* vibration

vicecònsole *m* vice-consul

vicenda *f* vicissitude; event; **a ✏** one another; in turn

viceversa vice versa

vicin|anza *f* vicinity; surroundings *pl*; ✏**ato** *m* neighbourhood; ✏**o** *adj* near; *m* neighbour

vicissitùdine *f* vicissitude

vicolo *m* lane; ✏ **cieco** blind alley

vidim|are *v/t* authenticate; visa; ✏**azione** *f* visé; visa

viene he comes

vie(p)più more and more

vietare *v/t* forbid

vigil|ante watchful; ✏**anza** *f* vigilance; ✏**are** *v/t* watch over; guard

vigile *m* policeman; ✏ **del fuoco** fireman

vigilia *f* eve; ✏ **di Natale** Christmas Eve

vign|a *f* vineyard; ✏**aiolo** *m* wine-grower; ✏**eto** *m* vineyard

vig|ore *m* vigor; force; ✏**oroso** vigorous; forceful

vile *adj* cowardly; vile; *m* coward

vill|a *f* country-house; ✏**aggio** *m* village; ✏**ano** rude; ✏**eggiante** *m* summer visitor; ✏**eggiatura** *f* health-resort

villino *m* cottage

viltà *f* lowness; cowardice

vìmine *m* osier

vinaio *m* vintner

vìncere *v/t*, *v/i* win; conquer

vincibile conquerable

vìncita *f* winnings *pl*

vincitore m winner; victor

vincolo m bond; tie

vino m wine; ~ **bianco** white wine; ~ **caldo** mulled claret; ~ **dolce** sweet wine; ~ **rosso** red wine; ~ **secco** dry wine; ~ **da tàvola** table wine; ~ **di Xeres** Sherry

viola f mus viola; violet; ~ **del pensiero** pansy; ~**cciocca** f wallflower

viol|are v/t violate; ~**entare** v/t force; rape; ~**ento** violent; ~**enza** f violence

violett|a f violet; ~**o** violet

viol|inista m, f violinist; ~**ino** m violin; fiddle

viòttola f foot-path

vìrgola f comma

virile manly; masculine

vir|tù f virtue; ~**tuoso** virtuous

vìscer|e f/pl, ~**i** m/pl entrails pl; bowels pl

vischio m mistletoe

vìsciola f wild cherry

viscoso sticky

vis|ìbile visible; ~**iera** f visor; ~**ione** f vision

vìsita f visit; inspection; (med) examination

visit|are v/t visit; examine; inspect; ~**atore** m visitor

viso m face

vista f sight; vision; view; **avere buona** ~ have good sight; **a prima** ~ at first sight; mus at sight; **pèrdere qu. di** ~ lose sight of s.o.

visto pp seen; m visa; **di entrata** entry visa; ~ **di trànsito** transit visa

vit|a f life; waist; **a** ~**a** for life; ~**ale** vital; ~**amina** f vitamin

vite f screw; vine

vitello m calf; veal

viticultura f vine-growing

vitreo glassy

vitto m food; board

vittòri|a f victory; ~**oso** victorious

viva! long live!

viv|ace lively; ~**acità** f vivacity; ~**anda** f food

vìv|ere v/i live; ~**eri** m/pl victuals pl

vivo alive; lively

vizi|are v/t spoil; ~**o** m vice; ~**o cardìaco** cardiac defect; bad habit; ~**oso** vicious

vizzo withered

vocabolario m dictionary

vocàbolo m word

vocale adj vocal; f vowel

voce f voice; fig rumour; **a viva** ~ orally

vodka f vodka

vog|a f rowing; fashion; **èssere in** ~ be in fashion

vog|are v/i row; ~**atore** m rower

voglia f desire; **di buona** ~ willingly

vogliamo we want

voglio I want

voi you (pl)

volano m shuttlecock; ~**ante** m (steering-)wheel; **squadra** f ~**ante** flying squad; ~**are** v/i fly; ~**àtili** m/pl poultry; fowls pl

volent|eroso willingly; ~**ieri**

with pleasure

volere v/t want; wish; **~ dire** mean (to say); **~ bene a qu.** love s.o.; **~** m will

volgare vulgar; **lingua** f **~** vernacular

vòlgere v/t, v/i turn

volgo m populace; mob

volo m flight; **~ diurno** day flight; **~ notturno** night flight; **~ sémplice** outward flight; **~ andata e ritorno** outward and homeward flight

volontà f will; **a ~** at will; at pleasure

volon|tario adj voluntary; m volunteer; **~tieri = volentieri**

volpe f fox

volta f turn; architecture: vault; time **a ~ di corriere** by return of mail; **questa ~** this time; **una ~ per sempre** once and for all; **una ~** once upon a time; **molte volte** many times; **alle volte** sometimes; **due volte tre** twice three; **tre volte cinque** three times five

voltaggio m elec voltage

volt|are v/t, v/i turn; **~ata** f turn; bend

volto m face

voltolare v/t roll

vol|ume m bulk; volume; **~uminoso** bulky

voluto wanted

volutt|à f voluptuousness; **~uoso** voluptuous

vomit|are v/t vomit; belch out; **~atorio** m vomitive

vòmito m vomiting

vòngola f gast mussel; clam; sallap

vorace voracious

voràgine f gulf; gorge

vòrtice m vortex; whirl (-pool)

vostro your

votare v/t, v/i consecrate; vote

vot|azione f voting; **~o** m vow; pol vote

vulcànico volcanic; **~anizzare** v/t vulcanize; **~ano** m volcano

vuole he wants

vuot|are v/t empty; **~o** adj empty; blank; m emptiness; vacuum

Z

zabaione m hot egg-punch with Marsala wine

zafferano m saffron

zaffiro m sapphire

zaffo m stopper; bung

zàino m knapsack

zampa f paw; claw

zampogna f bagpipe

zampone m pork knuckle

zàngola f churn

zanzar|a f mosquito; **~iera** f mosquito-net

zapp|a f hoe; **~are** v/t hoe; till

zàttera f raft

zavorra f ballast

zebra f zebra

zecca f mint; zo tick

zel|ante zealous; ~o m zeal

zènzero m ginger

zepp|a f wedge; ~are v/t cram in; ~o crammed; **pieno ~o** chock-full

zerbino m scraper

zero m zero; nought; cipher

zia f aunt

zibibbo m raisin

zigzag m zig zag

zimb|ellare v/t decoy; ~ello m decoy-bird; fig laughing-stock

zinc|are v/t zinc; ~o m zinc

zìngaro m gipsy

zio m uncle

zirlare v/i chirp

zit(t)ella f spinster; f old maid

zitto silent; **sta ~!** keep quiet!

zoccol|aio m clog-maker; ~ante m Franciscan friar

zòccolo m wooden shoe; clog

zolf|anello m sulphur match; ~are v/t sulphur; ~atara f sulphur-mine; ~ino m match; ~o m sulphur

zolla f clod

zona f zone; belt

zoo|logia f zoology; ~lògico zoological

zopp|icare v/i limp; ~o lame

zòtico boorish

zoticone m boor

zucca f pumpkin; fig pate

zuccher|iera f sugar-basin; ~ino sugary

zùcchero m sugar

zufolare v/i whistle

zùfolo m whistle

zuppa f soup; ~ **di fagioli** bean-soup; ~ **alla marinara** fish-soup; ~ **di verdura** vegetable soup

zuppiera f soup-tureen

Lista dei verbi irregolari inglesi

Irregular English Verbs

abide *(dimorare)* – abode* – abode*

arise *(sorgere)* – arose – arisen

awake *(svegliare)* – awoke – awoke

be *(essere)* – was – been

bear *(portare; sopportare; partorire)* – bore – portato: borne – partorito: born

beat *(battere)* – beat – beaten

become *(divenire)* – became – become

begin *(cominciare)* – began – begun

bend *(curvare)* – bent – bent

bet *(scommettere)* – bet* – bet*

bid *(ordinare)* – bade – bidden

bind *(legare)* – bound – bound

bite *(mordere)* – bit – bitten

bleed *(sanguinare)* – bled – bled

blow *(soffiare)* – blew – blown

break *(rompere)* – broke – broken

breed *(generare, allevare)* – bred – bred

bring *(portare)* – brought – brought

build *(costruire)* – built – built

burn *(bruciare)* – burnt* – burnt*

burst *(scoppiare)* – burst – burst

buy *(comprare)* – bought – bought

cast *(gettare)* – cast – cast

catch *(acchiappare)* – caught – caught

choose *(scegliere)* – chose – chosen

cling *(aderire a)* – clung – clung

come *(venire)* – came – come

cost *(costare)* – cost – cost

creep *(strisciare)* – crept – crept

cut *(tagliare)* – cut – cut

deal *(trattare)* – dealt – dealt

dig *(vangare)* – dug – dug

do *(fare)* – did – done

draw *(tirare; disegnare)* – drew – drawn

dream *(sognare)* – dreamt* – dreamt*

drink *(bere)* – drank – drunk

drive *(guidare)* – drove –

driven

dwell (*dimorare*) – dwelt – dwelt

eat (*mangiare*) – ate – eaten

fall (*cadere*) – fell – fallen

feed (*imboccare*) – fed – fed

feel (*sentire*) – felt – felt

fight (*combattere*) – fought – fought

find (*trovare*) – found – found

flee (*fuggire*) – fled – fled

fly (*volare*) – flew – flown

forbid (*vietare*) – forbade – forbidden

forget (*dimenticare*) – forgot – forgotten

forgive (*perdonare*) – forgave – forgiven

forsake (*abbandonare*) – forsook – forsaken

freeze (*gelare*) – froze – frozen

get (*ottenere*) – got – got, *Am* gotten

gild (*dorare*) – gilt – gilt

give (*dare*) – gave – given

go (*andare*) – went – gone

grind (*macinare*) – ground – ground

grow (*crescere*) – grew – grown

hang (*pendere*) – hung – hung

have (*avere*) – had – had

hear (*udire*) – heard – heard

heave (*sollevare*) – hove★ – hove★

hide (*nascondere*) – hid – hidden

hit (*colpire nel segno*) – hit – hit

hold (*tenere*) – held – held

hurt (*far male*) – hurt – hurt

keep (*mantenere*) – kept – kept

kneel (*inginocchiarsi*) – knelt★ – knelt★

knit (*fare a maglia*) – knit★ – knit★

know (*conoscere; sapere*) – knew – known

lay (*porre; stendere*) – laid – laid

lead (*condurre*) – led – led

learn (*imparare*) – learnt★ – learnt★

leave (*lasciare*) – left – left

lend (*prestare*) – lent – lent

let (*lasciare*) – let – let

lie (*giacere*) – lay – lain

light (*accendere*) – lit★ – lit★

loose (*perdere*) – lost – lost

make (*fare*) – made – made

mean (*significare*) – meant – meant

meet (*incontrare*) – met – met

mow (*falciare*) – mowed – mown★

pay (*pagare*) – paid – paid

put (*mettere*) – put – put

read (*leggere*) – read – read

rid (*liberare*) – rid★ – rid

ride (*cavalcare*) – rode – ridden

ring (*suonare*) – rang – rung

rise (*alzarsi*) – rose – risen

run (*correre*) – ran – run

saw (*segare*) – sawed – sawn★

say (*dire*) – said – said

see (*vedere*) – saw – seen

seek (*cercare*) – sought – sought

sell (*vendere*) – sold – sold

send (*mandare*) – sent – sent
set (*porre*) – set – set
sew (*cucire*) – sewed – sewn★
shake (*scuotere*) – shook – shaken
shave (*far la barba*) – shaved – shaven★
shear (*tosare*) – sheared – shorn
shed (*spargere*) – shed – shed
shine (*splendere*) – shone – shone
shoot (*sparare*) – shot – shot
show (*mostrare*) – showed – shown
shred (*tagliuzzare*) – shred★ – shred★
shrink (*restringersi*) – shrank – shrunk
shut (*chiudere*) – shut – shut
sing (*cantare*) – sang – sung
sink (*affondare*) – sank – sunk
sit (*sedere*) – sat – sat
slay (*ammazzare*) – slew – slain
sleep (*dormire*) – slept – slept
slide (*scivolare*) – slid – slid
sling (*lanciare*) – slung – slung
slit (*tagliare*) – slit – slit
smell (*odorare*) – smelt★ – smelt★
sow (*seminare*) – sowed – sown
speak (*parlare*) – spoke – spoken
speed (*sfrecciare*) – sped★ – sped
spell (*compitare*) – spelt★ – spelt★
spend (*spendere*) – spent – spent

spill (*rovesciare*) – spilt★ – spilt★
spin (*girare*) – spun, span – spun
spit (*sputare*) – spat – spat
split (*spaccare*) – split – split
spoil (*guastare*) – spoilt★ – spoilt★
spread (*spargere*) – spread – spread
spring (*balzare*) – sprang – sprung
stand (*stare*) – stood – stood
steal (*rubare*) – stole – stolen
stick (*appiccare*) – stuck – stuck
sting (*pungere*) – stung – stung
stink (*puzzare*) – stank, stunk – stunk
strew (*cospargere*) – strewed – strewn★
stride (*andare a passi grandi*) – strode – stridden
strike (*percuotere*) – struck – struck, stricken
string (*infilare*) – strung – strung
strive (*sforzarsi*) – strove – striven
swear (*giurare; bestemmiare*) – swore – sworn
sweat (*sudare*) – sweat★ – sweat★
sweep (*spazzare*) – swept – swept
swell (*gonfiare*) – swelled – swollen
swim (*nuotare*) – swam – swum
swing (*dondolare*) – swang –

swung
take (*prendere*) – took – taken
teach (*insegnare*) – taught – taught
tear (*strappare*) – tore – torn
tell (*dire*) – told – told
think (*pensare*) – thought – thought
thrive (*prosperare*) – throve* – thriven*
throw (*gettare*) – threw – thrown
thrust (*cacciare*) – thrust – thrust
tread (*camminare*) – trod – trodden

wake (*svegliare*) – woke* – woke(n)*
wear (*indossare*) – wore – worn
weave (*tessere*) – wove – woven
weep (*piangere*) – wept – wept
wet (*bagnare*) – wet – wet
win (*vincere*) – won – won
wind (*girare*) – wound – wound
wring (*torcere*) – wrung – wrung
write (*scrivere*) – wrote – written

* oppure forma regolare

Numerals

Numerali

Cardinal Numbers – Numerali Cardinali

0	zero *naught, zero, cipher*	28	ventotto *twenty-eight*
1	uno; una, *one*	29	ventinove *twenty-nine*
2	due *two*	30	trenta *thirty*
3	tre *three*	40	quaranta *forty*
4	quattro *four*	50	cinquanta *fifty*
5	cinque *five*	60	sessanta *sixty*
6	sei *six*	70	settanta *seventy*
7	sette *seven*	80	ottanta *eighty*
8	otto *eight*	90	novanta *ninety*
9	nove *nine*	100	cento *a* opp *one hundred*
10	dieci *ten*	200	duecento *two hundred*
11	undici *eleven*	300	trecento *three hundred*
12	dodici *twelve*	400	quattrocento *four hundred*
13	tredici *thirteen*		
14	quattordici *fourteen*	500	cinquecento *five hundred*
15	quindici *fifteen*		
16	sedici *sixteen*	1000	mille *a* opp *one thousand*
17	diciassette *seventeen*		
18	diciotto *eighteen*	1001	mille uno *a* opp *one thousand and one*
19	diciannove *nineteen*		
20	venti *twenty*	1002	mille due *a* opp *one thousand and two*
21	ventuno *twenty-one*		
22	ventidue *twenty-two*	2000	duemila *two thousand*
23	ventitré *twenty-three*	10000	diecimila *ten thousand*
24	ventiquattro *twenty-four*	100000	centomila *a* opp *one hundred thousand*
25	venticinque *twenty-five*		
26	ventisei *twenty-six*	1000000	un milione *a* opp *one million*
27	ventisette *twenty-seven*		

Ordinal Numbers – Numerali Ordinali

1º il primo, la prima *1st, the first*

2º il secondo, la seconda *2nd, the second*

3º il terzo, ecc *3rd, the third*

4º il quarto, ecc *4th, the fourth*

5º il quinto *5th, the fifth*

6º il sesto *6th, the sixth*

7º il settimo *7th, the seventh*

8º l'ottavo *8th, the eight*

9º il nono *9th, the ninth*

10º il decimo *10th, the tenth*

11º l'undicesimo[1] *11th, the eleventh*

12º il dodicesimo[2] *12th, the twelfth*

13º il tredicesimo[3] *13th, the thirteenth*

14º il quattordicesimo[4] *14th, the fourteenth*

15º il quindicesimo[5] *15th, the fifteenth*

16º il sedicesimo[6] *16th, the sixteenth*

17º il diciassettesimo[7] *17th, the seventeenth*

18º il diciottesimo[8] *18th, the eighteenth*

19º il diciannovesimo[9] *19th, nineteenth*

20º il ventesimo *20th, the twentieth*

21º il ventunesimo[10] *21st, the twenty-first*

22º il ventiduesimo[11] *22nd, the twenty-second*

23º il ventitreesimo[12] *23rd, the twenty-third*

24º il ventiquattresimo[13] *24th, the twenty-fourth*

25º il venticinquesimo[14] *25th, the twenty-fifth*

26º il ventiseiesimo[15] *26th, the twenty-sixth*

27º il ventisettesimo[16] *27th, twenty-seventh*

28º il ventottesimo[17] *28th, the twenty-eight*

29º il ventinovesimo[18] *29th, the twenty-ninth*

30º il trentesimo *30th, the thirtieth*

40º il quarantesimo *40th, the fortieth*

50º il cinquantesimo *50th, the fiftieth*

60º il sessantesimo *60th, the sixtieth*

70º il settantesimo *70th, the seventieth*

---

opp [1]undicimo, decimo primo, [2]decimosecondo, [3]decimoterzo, [4]decimoquarto, [5]decimoquinto, [6]decimosesto, [7]decimosettimo, [8]decimoottavo, [9]decimonono, [10]ventesimo primo, [11]ventesimo secondo, [12]ventesimo terzo, [13]ventesimo quarto, [14]ventesimo quinto, [15]ventesimo sesto, [16]ventesimo settimo, [17]ventesimo ottavo, [18]ventesimo nono.

80°	l'ottantesimo *80th, the eightieth*	1000°	il millesimo *1000th, the one thousandth*
90°	il novantesimo *90th, the ninetieth*	1001°	il millesimo primo *1001st, the one thousand and first*
100°	il centesimo *100th, the (one) hundredth*	1002°	il millesimo secondo *1002nd, the one thousand and second*
200°	il du(e)centesimo *200th, the two hundredth*	2000°	il duemillesimo *2000th, the two thousandth*
300°	il trecentesimo *300th, the three hundredth*	10000°	il diecimillesimo *10000th, the ten thousandth*
400°	il quattrocentesimo *400th, the four hundredth*	penultimo	*last but one*
500°	il cinquecentesimo *500th, the five hundredth*	ultimo	*last*
		ultimissimo	*very last*

Fractions and other numerals
Frazioni ed altri numerali

$^1/_2$ (un) mezzo *(one) half*
$^1/_3$ un terzo *one third*
$^1/_4$ un quarto *one fourth*
$^2/_3$ due terzi *two thirds*
$^3/_4$ tre quarti *three fourths*
$^4/_5$ quattro quinti *four fifths*
mezzo miglio *half a mile*
un quarto d'ora *a quarter of an hour*
tre quarti di libbra *three quarters of a pound*
$2 \times 3 = 6$ due per tre uguale sei *twice three are six*
$3 \times 4 = 12$ tre per quattro uguale dodici *three times four are twelve*
$7 + 8 = 15$ sette più otto uguale quindici *seven and eight are fifteen*
$10 - 3 = 7$ dieci meno tre uguale sette *ten less three are seven*
$20 : 5 = 4$ venti diviso cinque uguale quattro *twenty divided by five make four*

Phrases
Frasi

Enquiring one's way – Indicazioni di strada

È questa la strada giusta per ...?	*Is this the right way to ...?*
Si è sbagliato.	*You are going the wrong way.*
Lei va bene.	*You are going the right way.*
Qual'è la strada per ...?	*Which is the way to ...?*
È ... distante da qui?	*Is ... far from here?*
Quanto tempo occorre per ...?	*How long will it take to get to ...?*
Sempre diritto fino a ...	*Straight on as far as ...*
Giri a sinistra (a destra).	*Turn left (right).*
Giri l'angolo.	*Go round the corner.*
La prima strada a sinistra.	*The first street to the left.*
In fondo alla strada.	*At the end of the street.*
Ho smarrito la via.	*I have lost my way.*

The motorcar – L'automobile

Tenere la destra (la sinistra).	*Keep to the right (left).*
Rallentare nelle curve.	*Slow down in the curves.*
Sorpassare a sinistra.	*Overtake on the left.*
Veicoli al passo (d'uomo).	*Vehicles at a slow pace.*
Andare adagio (più adagio).	*Drive slowly (more slowly).*
Con la massima velocità.	*At top speed.*
Moderare la velocità.	*Lessen your speed.*
Proseguire diritto.	*Go straight ahead.*
Dare la precedenza.	*Give way.*
Vada avanti (indietro).	*Drive forward (backward).*
Che velocità è ammessa?	*What is the speed limit here?*
Dall'altra parte.	*On the other side.*
Ci vogliono circa 8 minuti.	*It takes about 8 minutes.*
Quanto dista? È vicino.	*How far is it? It is quite near.*
Dov'è il più vicino garage?	*Where is the nearest garage?*

Un'officina di riparazioni.	*A repair shop.*
Venga con me, prego.	*Please come with me.*
C'è una locanda qui vicino?	*Is there an inn near here?*

Lodgings – Alloggio

Ha camere da affittare?	*Have you any rooms to let?*
Per il giorno? Per la notte?	*For the day? For the night?*
Ne ho parecchie; eccone una.	*There are several. This is one of them.*
Quali altre camere ha?	*What other rooms have you?*
Quanto chiede per questa?	*What do you charge for this one?*
Mi sembra troppo caro.	*That seems rather dear.*
Mi deciderò in seguito.	*I will decide afterwards.*
Dov'è il gabinetto?	*Where is the W.C.?*
Dov'è la cabina telefonica?	*Where is the call box?*

Railway – Ferrovia

A che ora arriva il treno?	*When does the train arrive?*
A che ora parte il treno?	*When does the train leave?*
Il treno è in ritardo.	*The train is late.*
Il treno è in orario.	*The train is on time.*
Il treno sta per partire.	*The train is about to leave.*
Faccia presto! Quale treno?	*Be quick! Which train?*
Biglietto semplice.	*Single ticket.*
Andata e ritorno.	*Return ticket.*
Prima (seconda) classe.	*First (second) class.*
La biglietteria è chiusa.	*The booking office is closed.*
La biglietteria apre alle ...	*The booking office opens at ...*
Si cambia treno per ...	*Change trains for ...*
Dov'è il deposito bagagli?	*Where is the left luggage office?*
Mi procuri un facchino?	*Will you get me a porter?*
Porti il mio bagaglio:	*Take my luggage:*
alla stazione (all'albergo).	*to the station (hotel).*
al deposito (al piroscafo).	*to the left luggage office (steamer).*
a questo indirizzo.	*to this address.*
Ha spiccioli?	*Have you got any change?*
Ritiri il bagaglio dal deposito; ecco lo scontrino.	*Fetch my luggage from the left luggage office; here's the ticket.*

Telegraph – Telegrafo

Quanto si paga per un tele-gramma di ... parole?	What does a message of ... words cost?
Si pagano ... per ogni parola.	You pay ... for every word.
Ecco il vostro denaro.	Here is your money.
Posso avere la ricevuta?	May I have a receipt?

Mail – Corriere

È arrivata la posta?	Has the postman been yet?
Ci sono lettere per me?	Are there any letters for me?
Imposti questa lettera.	Post this letter for me.
Posso vedere la Sua carta d'identità?	May I see your identity card?
Mi favorisca Suo passaporto.	Show me your passport, please.
Ecco per farmi riconoscere.	This proves my identity.
Riempisca questo modulo.	Please fill in this form.
Alcune cartoline illustrate.	Some picture postcards.
Quanto costa una lettera per ...?	How much is a letter to ...?

Restaurant – Ristorante

Cameriere, la carta!	Waiter, the menu.
Birra scura (chiara).	Dark (light) beer.
Acqua minerale.	Mineral water.
La carne ben cotta.	Well-done meat.
La carne poco cotta.	Underdone meat.
Cameriere, il conto!	Waiter, the bill!
È compreso il servizio?	Is the service included?